De Draken van
de Herfstschemer

MARGARET WEIS &
TRACY HICKMAN

De Draken van
de Herfstschemer

Luitingh Fantasy

© Wizards of the Coast 2007.
All rights reserved. Licensed by Hasbro
© 2009 Nederlandse vertaling
Uitgeverij Luitingh~Sijthoff B.V., Amsterdam
Alle rechten voorbehouden
Oorspronkelijke titel: *Dragons of Autumn Twilight. Dragonlance Chronicles Vol. 1*
Vertaling: Sandra van de Ven
Omslagontwerp: Karel van Laar
Omslagillustratie: Stawicki

ISBN 978 90 245 5046 3
NUR 334

www.boekenwereld.com
www.dromen-demonen.nl

Tanis Halfelf, leider van het gezelschap. Tanis, een geoefend krijger die een hekel heeft aan bloedvergieten, wordt gekweld door zijn liefde voor twee vrouwen: de onstuimige zwaardvechtster Kitiara en de betoverende elfenmaagd Laurana.

Sturm Zwaardglans, een ridder van Solamnië. Ooit, in de tijd voor de Catastrofe, stonden de ridders in hoog aanzien, maar inmiddels zijn ze in ongenade gevallen. Sturms doel, voor hem belangrijker dan zijn eigen leven, is de ridders in ere te herstellen.

Goudmaan, stamhoofdsdochter en bewaarder van de blauw kristallen staf. De liefde tussen haar en een verstoten stamgenoot, Waterwind, leidt voor hen beiden tot een gevaarlijke zoektocht naar de waarheid.

Waterwind, kleinzoon van Zwerver. Toen hem in een stad waar de dood zwarte vleugels had een staf werd geschonken, wist hij ternauwernood levend te ontkomen. En dat was nog maar het begin...

Raistlin, Caramons tweelingbroer, gebruiker van magie. Hoewel zijn gezondheid onherstelbaar beschadigd is, beschikt Raistlin over ongelooflijke macht voor zo'n jonge man. Achter zijn vreemde ogen gaan echter duistere mysteries schuil.

Caramon, Raistlins tweelingbroer, krijger. Caramon, een vriendelijke reus van een man, is in alles de tegenpool van zijn broer. Raistlin is de enige om wie hij geeft, en de enige die hij vreest.

Flint Smidsvuur, dwerg en krijger. De oude dwerg, Tanis' oudste vriend, beschouwt al die jongelui als zijn 'kinderen'.

Tasselhof Klisvoet, kender, 'manusje-van-alles'. Kenders – de plaag van Krynn – zijn immuun voor angst. Daardoor lijken ze problemen aan te trekken.

De acht reisgenoten vergaren de macht om de wereld te redden. Maar eerst moeten ze elkaar, en zichzelf, leren begrijpen.

De landen van Abanasinîî

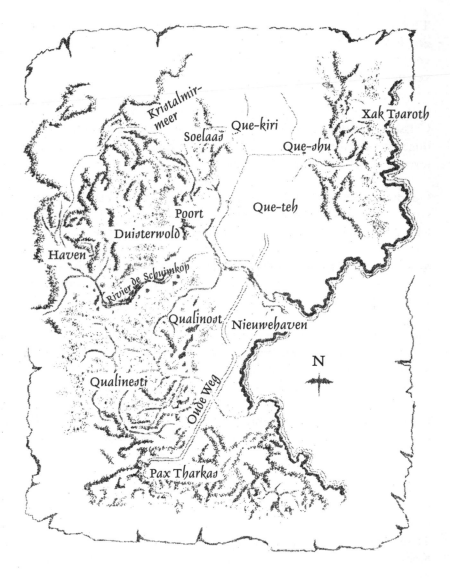

Hooglied van de Draak

Hoor de wijze nu zijn lied neerdaalt
aan hemelregen of tranen gelijk,
en de jaren, het stof van vele verhalen
waat van het Hoogdicht van de Drakenland.
Want in vergane tijden, vóór geheugen en woord
in de vroegste blos van de wereld
toen de drie manen rezen uit de schoot van het woud
voerden draken goed en wreed
oorlog op deze wereld, Krynn.

Maar uit de duisternis der draken
uit onze bedes om licht
laaide in zwarte maans aangezicht
een hoog vuur op in Solamnië,
een ridder waarachtig en machtig
die de goden zelf ontbood.
Hij smeedde de machtige Drakenland, dreef die door
de ziel der draken, en verdreef hun vleugelschaduw
van de zonnige kusten van Krynn.

Zo volgde Huma, ridder van Solamnië,
Lichtbrenger, Eerste Lansier,
zijn licht naar de voet van de Khalkistbergen,
naar de stenen voeten der goden,
naar de geknielde stilte van hun tempel.
Hij riep tot de Lansmakers, hij schouderde
hun onuitspreekbare macht om het onuitspreekbare kwaad
te vernietigen, en de dreigende duisternis
terug te dringen in de drakenkeel.

Paladijn, Grote God van het Goed,
schitterde aan Huma's zij,
schonk kracht aan de lans van zijn sterke arm,
en Huma, verlicht door ontelbare manen
verbande de Duistere Koningin
met haar zwermende, krijsende leger terug
naar het lege koninkrijk van de dood,
waar hun woedende kreten galmden in niets
diep onder het zonnige land.

Zo eindigde in donder de Dromentijd,
en trad de Machtstijd in,
toen Istar, rijk van waarheid en licht, in het oosten verrees,

waar minaretten van wit en goud
reikten naar de zon en aan diens glorie konde deden
van het verdwijnen van 't kwaad,
en Istar, de moeder en voedster
van lange zomers met niets dan goeds
straalde als een ster in de hemel
wit en rechtvaardig.

Maar in de schittering van 't zonlicht
nam Istars priesterkoning schaduwen waar:
in de nacht zag hij bomen met takken als dolken
en water zwart en traag onder de stille maan.
In boeken zocht hij naar de wegen van Huma,
naar geschriften, tekens en spreuken
opdat ook hij de goden kon ontbieden
hem bij te staan in zijn heilige doel
de wereld van zonde schoon te wassen.

Zo begon de tijd van duister en van dood.
De goden wendden zich af.
Een berg van vlammen daalde neer op Istar,
de stad spleet als een schedel in het vuur,
bergen verrezen in vruchtbare dalen,
zeeën vulden het graf der bergen,
woestijnen zuchtten in verlaten zeeën,
de wegen van Krynn openden zich
en werden de paden van doden.

Zo begon de Wanhoopstijd.
Overwoekerd waren de wegen.
In steden huisden slechts wind en zand.
De bergen en dalen werden ons thuis.
De oude goden verloren hun macht.
Wij baden in 't kille, tweedrachtige grijs
tot de oren van nieuwe goden.
De hemel is roerloos, stil en kalm.
Hun antwoord blijft uit.

De oude man.

Tika Walyan strekte zuchtend haar rug en rolde haar schouders om de pijn uit haar verkrampte spieren te verdrijven. Ze gooide het doekje vol zeepsop waarmee ze de bar had afgeveegd in de emmer met water en keek om zich heen naar de lege gelagkamer.

Het werd steeds moeilijker om de oude herberg te onderhouden. Het hout had een warme glans na al die jaren waarin het liefdevol was opgepoetst, maar alle liefde en talg van de wereld konden de barsten en spleten in de versleten tafels niet verhullen, noch konden ze voorkomen dat gasten soms op een splinter gingen zitten. De Herberg van het Laatste Huis was geen chic etablissement, heel anders dan andere herbergen in Haven waarover ze wel eens iets had gehoord. Het was er gerieflijk. De oeroude, levende boom waarin het was gebouwd omarmde hem liefdevol, en de muren en het meubilair waren met grote zorg om de takken heen gebouwd, zodat het onmogelijk was vast te stellen waar het werk van de natuur ophield en dat van de mens begon. De bar leek als een opgepoetste golf om het levende hout te kronkelen dat hem schraagde. Door het glas in lood in de raamkozijnen heen scheen welkom licht vol levendige kleuren de gelagkamer binnen.

De schaduwen trokken zich terug nu het middaguur naderde. Nog even en de Herberg van het Laatste Huis zou zijn deuren openen. Met een tevreden glimlach keek Tika om zich heen. De tafels waren blinkend schoongepoetst. Het enige wat ze nog hoefde te doen, was de vloer vegen. Ze was net begonnen met het opzijschuiven van de zware houten banken, toen Otik, gehuld in geurige stoom, uit de keuken kwam.

'Het belooft weer een prachtige dag te worden, zowel qua weer als qua klandizie,' zei hij terwijl hij zijn omvangrijke lijf achter de bar perste. Vrolijk fluitend begon hij kroezen klaar te zetten.

'Wat mij betreft mag het qua klandizie wel iets minder en qua weer een beetje beter,' zei Tika, sjorrend aan een bank. 'Ik heb me gisteren de benen onder het lijf vandaan gelopen, maar een bedankje, ho maar, en fooi kreeg ik al helemaal niet. En iedereen chagrijnig! Op van de zenuwen en ze schrokken van het minste of geringste geluidje. Gisteravond liet ik een kroes vallen, en meteen trok Retark zijn zwaard – dat lieg ik niet!'

'Puh!' snoof Otik. 'Retark is een Soelaaszoekerwacht. Die lui zijn altijd zenuwachtig. Dat zou jij ook zijn als je moest werken voor Hederick, die laffe—'

'Let op je woorden,' zei Tika waarschuwend.

Otik haalde zijn schouders op. 'Tenzij onze Hogetheocraat nu kan vliegen, luistert hij toch niet mee. Lang voordat hij mij kan horen, heb ik zijn laarzen al op de trap gehoord.' Toch hoorde Tika dat hij zijn stem dempte voordat hij verderging. 'De inwoners van Soelaas pikken het niet langer, let op mijn woorden. Mensen die verdwijnen, die worden meegesleept naar Joost mag weten waar. Het zijn droevige tijden.' Hij schudde zijn hoofd, maar meteen klaarde hij weer op. 'Maar het is wel goed voor de klandizie.'

'Tot hij ons dwingt de deuren te sluiten,' zei Tika somber. Ze pakte de bezem en begon kordaat te vegen.

'Zelfs theocraten moeten hun buik vullen en de hel en verdoemenis uit hun keel wassen,' zei Otik grinnikend. 'Het moet wel dorstig werk zijn om dag in, dag uit donderpreken af te steken over de nieuwe goden, want hij komt hier elke avond.'

Tika hield op met vegen en leunde tegen de bar.

'Otik,' zei ze met zachte, ernstige stem. 'Er doen ook andere geruchten de ronde. Geruchten over oorlog. Een leger dat zich in het noorden verzamelt. En er lopen vreemde mannen met kappen in het dorp rond die het gezelschap van de Hogetheocraat opzoeken en overal vragen stellen.'

'Oorlog. Puh.' Hij snoof. 'Al sinds de Catastrofe wordt er over oorlog gepraat. Praatjes vullen geen gaatjes, kind. Misschien zuigt de Theocraat het wel uit zijn duim om het volk eronder te houden.'

'Ik weet het niet, hoor,' zei Tika fronsend. 'Ik—'

De deur zwaaide open.

Zowel Tika als Otik draaide zich verschrikt om. Ze hadden geen voetstappen op de trap gehoord, en dat was ronduit griezelig! De Herberg van het Laatste Huis was hoog tussen de takken van een machtige vallènboom gebouwd, net als alle andere gebouwen in Soelaas, met uitzondering van de smidse. In de nasleep van de Catastrofe, toen overal angst en verwarring heersten, hadden de dorpelingen hun toevlucht genomen in de bomen. Zo was Soelaas een boomdorp geworden, een van de weinige echt schitterende wonderen die nog over waren op Krynn.

Robuuste, houten loopbruggen vormden verbindingen tussen de huizen en werkplaatsen hoog boven de grond, waar vijfhonderd mensen hun leven leidden. De Herberg van het Laatste Huis was het grootste gebouw van Soelaas, en hij hing veertig voet boven de grond. Om de knoestige stam van de oeroude vallèn heen liep een trap. Zoals Otik al had gezegd, kon je bezoekers van de herberg lang voordat je ze kon zien al horen aankomen.

Toch hadden Tika en Otik geen van beiden de oude man horen aankomen.

In de deuropening bleef hij staan, leunend op een verweerde eikenhouten staf, en tuurde naar het interieur van de herberg. De gerafelde kap van zijn eenvoudige grijze gewaad was over zijn hoofd getrokken, zodat zijn gelaatstrekken, met uitzondering van zijn glanzende haviksogen, in schaduw waren gehuld.

'Kan ik iets voor u doen, oude man?' vroeg Tika aan de vreemdeling, terwijl ze een bezorgde blik wisselde met Otik. Was de grijsaard een Zoekerspion?

'Hm?' De oude man knipperde met zijn ogen. 'Zijn jullie geopend?'

'Nou…' Tika aarzelde.

'Natuurlijk,' zei Otik met een brede lach. 'Kom binnen, Witbaard. Tika, haal eens een stoel voor onze gast. Hij zal wel moe zijn na die lange klim.'

'Klim?' Krabbend aan zijn hoofd keek de oude man om zich heen naar het portiek, en toen naar de grond in de diepte. 'O ja. De klim. Wat een boel treden…' Hij hobbelde naar binnen, waar hij Tika een speelse tik met zijn staf gaf. 'Ga toch verder met je werk, kind. Ik ben heus wel in staat om zelf een stoel op te zoeken.'

Schouderophalend pakte Tika haar bezem en ging verder met vegen. Wel hield ze de oude man scherp in het oog.

Die was midden in de herberg blijven staan en keek om zich heen, alsof hij precies wilde weten waar en hoe elke stoel en tafel stond. De gelagkamer was groot en had de vorm van een boon die om de stam van de vallèn was gevouwen. De kleinere takken van de boom ondersteunden de vloer en het plafond. Hij toonde vooral veel belangstelling voor de open haard, die zich op ongeveer driekwart van de lange muur bevond. Het was het enige stenen bouwsel in de hele herberg, duidelijk door dwergenhanden vervaardigd, maar toch leek de haard deel uit te maken van de boom, omdat hij op natuurlijke wijze vervlochten was met de takken erboven. Naast de schouw stond een bak met daarin een grote stapel vadem- en vurenhout, afkomstig uit de hoge bergen. De inwoners van Soelaas zouden het nooit in hun hoofd halen om het hout van hun eigen, nobele bomen op te stoken. In de keuken was een achteruitgang. Het was veertig voet recht naar beneden, maar sommige van Otiks gasten vonden dat erg handig. De oude man ook.

Hij mompelde tevreden in zichzelf terwijl zijn blik van het ene deel van de herberg naar het andere gleed. Vervolgens liet hij tot Tika's verbijstering opeens zijn staf vallen, rolde de mouwen van zijn gewaad op en begon de meubels te verschuiven.

Tika hield op met vegen en vroeg, leunend op haar bezem: 'Waar bent u mee bezig? Die tafel heeft daar altijd al gestaan!'

Midden in de gelagkamer stond een smalle, langwerpige tafel. De oude man trok hem mee en schoof hem tegen de stam van de enorme vallèn, pal tegenover de schouw, waarna hij een stap achteruit deed om het resultaat van zijn inspanning te bewonderen.

'Zo,' bromde hij. 'Hij hoort veel dichter bij de schouw. Haal nog eens twee stoelen. Er moeten er zes omheen staan.'

Tika draaide zich om naar Otik. Die leek op het punt te staan bezwaar te maken, maar juist op dat moment kwam er een lichtflits uit de keuken. Een schelle kreet van de kokkin gaf aan dat het vet weer in brand was gevlogen. Haastig liep Otik naar de zwaaideuren van de keuken.

'Hij doet geen vlieg kwaad,' pufte hij in het voorbijgaan tegen Tika. 'Laat hem zijn gang gaan, zolang het geen kwaad kan. Misschien geeft hij gewoon een feestje.'

Met een diepe zucht bracht Tika zoals gevraagd twee stoelen naar de oude man. Ze zette ze neer op de plek die hij aanwees.

'Goed,' zei de oude man, alert om zich heen blikkend. 'Ga nog eens twee stoelen halen. Gerieflijke stoelen, wel te verstaan. Zet ze naast de schouw, in dat donkere hoekje.'

'Het is geen donker hoekje,' wierp Tika tegen. 'De zon staat er vol op!'

'Ha,' – de oude man kneep zijn ogen samen – 'maar vanavond zal het wel een donker hoekje zijn, nietwaar? Als het vuur brandt…'

'Dat… dat is wel zo,' antwoordde Tika haperend.

'Ga die stoelen maar halen. Brave meid. En dan wil ik er nog een, hierzo.' De oude man wees naar een plek pal voor de schouw. 'Voor mezelf.'

'Geeft u soms een feestje, oude man?' vroeg Tika terwijl ze de gerieflijkste, meest verweerde stoel van de herberg ging halen.

'Een feestje?' Dat leek de oude man amusant te vinden. Hij grinnikte. 'Jazeker, kind. Een feest zoals Krynn sinds de tijd voor de Catastrofe niet meer heeft gekend. Wees voorbereid, Tika Walyan. Wees voorbereid!'

Hij gaf haar een klopje op haar schouder en woelde door haar haren, waarna hij zich omdraaide en zich met krakende botten in de stoel liet zakken.

'Een kroes bier,' zei hij bevelend.

Tika ging het bier inschenken. Pas toen ze de oude man zijn kroes had gegeven en alweer aan het vegen was, vroeg ze zich af hoe hij kon weten hoe ze heette.

Boek een

I
Een weerzien van oude vrienden. Een ruwe onderbreking.

Flint Smidsvuur liet zich op een met mos begroeide kei vallen. Zijn oude dwergenbotten hadden hem lang genoeg gedragen en waren niet langer genegen daar zonder morren mee door te gaan.
'Ik had nooit weg moeten gaan,' bromde Flint terwijl hij neerkeek op de vallei. Hij sprak hardop, al was er nergens een teken van leven te bekennen. Jarenlang had de dwerg eenzaam rondgereisd, waardoor hij de gewoonte had gekregen tegen zichzelf te praten. Hij sloeg met beide handen op zijn knieën. 'En de duivel hale me als ik ooit nog eens wegga!' verkondigde hij hartstochtelijk.
Verwarmd door de middagzon was de kei een gerieflijke rustplaats voor de oude dwerg, die de hele dag had gelopen in de kille herfstlucht. Flint ontspande zich en liet de warmte in zijn botten trekken, de warmte van de zon en die van zijn gedachten. Want hij was weer thuis.
Hij blikte om zich heen, nam het vertrouwde landschap met genoegen op. De helling vóór hem was een van de wanden van een hoge bergkom, die in uitbundige herfstkleuren was gehuld. De vallènbomen in de vallei waren getooid met de kleurenpracht van het seizoen, fel rood en warm goudgeel, die naadloos overging in het paars van de toppen van het Kharolisgebergte erachter. Het smetteloze azuurblauw van de hemel die tussen de bomen door schemerde, kwam terug in de waterspiegel van het Kristalmirmeer. Dunne rookpluimen krulden zich om de boomtoppen, het enige wat op het bestaan van Soelaas wees. Een zacht, uitgestrekt waas bedekte de vallei met het zoete aroma van brandende huishaarden.
Terwijl Flint uitrustte, haalde hij een houtblok en een glanzende dolk uit zijn rugzak, waarna zijn handen schijnbaar op eigen houtje begonnen te bewegen. Al sinds het begin der tijden had zijn volk de behoefte gekend het vormloze een vorm te geven die hun aanstond. Zelf was hij

tot zijn pensionering een paar jaar eerder een siersmid van enige naam en faam geweest. Hij zette het mes in het hout, maar liet vervolgens zijn handen rusten omdat iets zijn aandacht trok. Peinzend keek hij naar de rook die omhoogkringelde uit de verborgen schoorstenen in de diepte.

'Het vuur in mijn eigen haard is gedoofd,' zei Flint zachtjes. Hij riep zichzelf tot de orde, boos omdat hij zich tot een sentimentele gedachte had laten verleiden, en begon verwoed in het hout te snijden. Hardop mopperde hij: 'Mijn huis heeft al die tijd leeggestaan. Waarschijnlijk is het dak gaan lekken en zijn de meubels verpest. Stomme queeste. Het stomste wat ik ooit heb gedaan. Je zou toch denken dat ik beter zou weten, na honderdachtenveertig jaar!'

'Jij leert het nooit, dwerg,' antwoordde een stem in de verte. 'Al word je twééhonderdachtenveertig jaar.'

De dwerg liet het houtblok vallen en verplaatste zijn hand kalm en zelfverzekerd van de dolk naar het handvat van zijn strijdbijl, terwijl hij naar het pad tuurde. De stem klonk vertrouwd, de eerste bekende stem die hij in jaren had gehoord. Hij kon hem alleen niet plaatsen.

Flint tuurde tegen het licht van de ondergaande zon in. Hij dacht dat hij een man over het pad zag lopen. Hij stond op en trok zich terug in de schaduw van een hoge den, zodat hij beter kon zien. De man had een manier van lopen die een onbewust soort gratie uitstraalde. De gratie van een elf, zou Flint hebben gezegd, ware het niet dat de man de stevige bouw en de krachtige spieren van een mens had, en typisch menselijke gezichtsbeharing. Het enige wat de dwerg kon zien van het gezicht van de man, dat half schuilging onder een groene kap, was gebruinde huid en een roodbruine baard. Over zijn ene schouder droeg hij een boog, en aan zijn linkerzijde hing een zwaard. Hij was gekleed in zacht leer, zorgvuldig bewerkt met ingewikkelde patronen van het soort waar elfen zo van hielden. Toch was er op heel Krynn geen elf die een baard had... Geen elf, maar...

'Tanis?' vroeg Flint aarzelend terwijl de man naderbij kwam.

'De enige echte.' De nieuwkomer grijnsde breed, waardoor zijn baard in tweeën leek te splitsen. Hij opende zijn armen, en voordat Flint hem kon tegenhouden, had hij de dwerg al zo stevig omhelsd dat diens voeten van de grond kwamen. Even drukte de dwerg zijn oude vriend stevig tegen zich aan, waarna hij zich, denkend aan zijn waardigheid, los wurmde uit de omhelzing van de halfelf.

'Nou, je hebt in elk geval geen manieren geleerd in de afgelopen vijf jaar,' bromde de dwerg. 'Nog altijd geen respect voor mijn leeftijd en status. Mij een beetje optillen alsof ik een zak aardappelen ben.' Flint tuurde naar de weg. 'Ik hoop niet dat een bekende ons heeft gezien.'

'Ik betwijfel of er veel zullen zijn die zich ons herinneren,' zei Tanis, terwijl hij zijn gedrongen vriend vol genegenheid opnam. 'Voor jou en mij, oude vriend, verstrijkt de tijd niet zo snel als voor mensen. Voor hen is vijf jaar een lange tijd, voor ons een vluchtig moment.' Toen glimlachte hij. 'Je bent geen steek veranderd.'

'Dat kan van anderen niet worden gezegd.' Flint ging weer op zijn kei zitten en nam het houtblok en de dolk opnieuw ter hand. Fronsend keek hij op naar Tanis. 'Vanwaar die baard? Zonder was je ook al lelijk genoeg.'

Tanis krabde aan zijn kin. 'Ik heb door landen gereisd waar men lieden met elfenbloed niet gunstig gezind was. De baard, een geschenk van mijn mensenvader,' zei hij met bittere ironie, 'was een prima manier om mijn afkomst te verhullen.'

Flint gromde. Hij wist dat dat niet de volledige waarheid was. Hoewel Tanis een afkeer had van het doden van levende wezens, zou de halfelf zich nooit achter een baard verbergen om een gevecht te ontlopen. Flint liet de houtkrullen alle kanten op vliegen.

'Ik heb door landen gereisd waar men lieden met wat voor bloed dan ook niet gunstig gezind was.' Keurend draaide Flint het houtblok om in zijn handen. 'Maar nu zijn we thuis. Dat ligt allemaal achter ons.'

'Niet als ik op de geruchten moet afgaan,' zei Tanis terwijl hij zijn kap weer over zijn hoofd trok om zijn ogen tegen het zonlicht te beschermen. 'De Hogezoekers in Haven hebben in Soelaas ene Hederick aangesteld als Hogetheocraat, en hij heeft het dorp met zijn nieuwe godsdienst veranderd in een broeinest van fanatisme.'

Tanis en de dwerg draaiden zich allebei om en keken naar de stille vallei. Hier en daar gingen lampen aan, waardoor de woningen tussen de takken van de vallènbomen zichtbaar werden. Het was een windstille, rustige en zoet geurende avond, doorspekt met de geur van brandend hout, afkomstig uit de open haarden in het dorp. Nu en dan hoorden ze in de verte een moeder haar kinderen roepen voor het avondeten.

'Ik heb niets gehoord over kwaad in Soelaas,' zei Flint zachtjes.

'Vervolging op godsdienstige gronden… inquisities…' Tanis' stem klonk onheilspellend uit de donkere schaduwen van zijn kap. Die stem was lager en somberder dan Flint zich herinnerde. De dwerg fronste zijn wenkbrauwen. Zijn vriend was veranderd in de afgelopen vijf jaar. En dat terwijl elfen nooit veranderden! Maar goed, Tanis was slechts half elf, een kind geboren uit geweld, want zijn moeder was door een mensensoldaat verkracht tijdens een van de vele oorlogen die de verschillende volkeren van Krynn in de chaotische nasleep van de Catastrofe uiteen hadden gedreven.

'Inquisities! Die vallen uitsluitend diegenen ten deel die openlijk tegen de huidige Theocraat ingaan, zo gaat het gerucht.' Flint snoof. 'Ik geloof niet in de Zoekergoden – daar heb ik nooit in geloofd – maar ik loop niet met mijn overtuigingen te koop. Houd je mond, dan laten ze je wel met rust, dat is mijn stelregel. De Hogezoekers in Haven zijn nog altijd wijze, rechtschapen lieden. Alleen hebben we hier in Soelaas toevallig een rotte appel die het voor de rest bederft. Heb je trouwens gevonden wat je zocht?'

'Een teken van de oude, ware goden?' vroeg Tanis. 'Of gemoedsrust? Ik was naar beide op zoek. Op welke van de twee doel je?'

'Nou, ik ga ervan uit dat die twee onlosmakelijk met elkaar verbonden zijn,' bromde Flint. Hij draaide het houtblok om in zijn handen, nog altijd niet tevreden met de vorm. 'Gaan we hier de hele nacht de geur van kookvuren staan opsnuiven? Of gaan we het dorp in om iets te eten?'

'We gaan.' Tanis wuifde. Samen liepen ze het pad op. Tanis had zulke lange benen dat de dwerg twee passen nodig had om er één van hem te overbruggen. Het was al vele jaren geleden dat ze samen hadden gereisd. Toch ging Tanis als vanzelf iets langzamer lopen, terwijl Flint onwillekeurig zijn pas versnelde.

'Dus je hebt niets gevonden?' vroeg Flint nogmaals.

'Helemaal niets,' antwoordde Tanis. 'Zoals we lang geleden al hebben ontdekt, dienen alle priesters en geestelijken op deze wereld uitsluitend afgoden. Ik heb verhalen gehoord over genezingen, maar het bleek allemaal goochelarij en misleiding te zijn. Gelukkig heeft onze vriend Raistlin me geleerd waar ik op moet—'

'Raistlin!' zei Flint smalend. 'Die magere bleekscheet van een tovenaar. Die is zelf ook een halve charlatan. Dat gegrien en gemekker van hem, en hij bemoeide zich altijd maar met dingen die hem niet aangingen. Als zijn tweelingbroer niet zo goed op hem had gelet, had iemand al lang geleden een eind gemaakt aan die magie van hem.'

Tanis was blij dat zijn baard zijn glimlach verhulde. 'Ik denk dat die jongeman een betere tovenaar was dan jij wilt toegeven,' zei hij. 'En je moet toch toegeven dat hij lang en onvermoeibaar heeft gewerkt om degenen te helpen die zich door de neppriesters in de luren hadden laten leggen. Net als ik.' Hij zuchtte.

'Waarvoor ze je ongetwijfeld niet eens dankbaar waren,' mompelde de dwerg.

'Niet bepaald,' zei Tanis. 'Iedereen wil graag ergens in geloven, zelfs als hij diep vanbinnen weet dat het niet klopt. Maar hoe is het jou vergaan? Hoe was je reis naar je geboortegrond?'

Zonder antwoord te geven en met een grimmig gezicht stampte Flint verder. Uiteindelijk mompelde hij: 'Ik had nooit terug moeten gaan.' Hij keek Tanis aan met een blik in zijn ogen, die achter zijn dikke, borstelige, witte wenkbrauwen nauwelijks zichtbaar waren, waarmee hij de halfelf duidelijk wilde maken dat dit gespreksonderwerp hem niet aanstond. Tanis zag die blik wel, maar stelde toch vragen.

'En de dwergenpriesters? De verhalen die we hebben gehoord?'

'Niets van waar. De priesters zijn driehonderd jaar geleden tijdens de Catastrofe verdwenen. Dat beweren de ouderlingen althans.'

'Net als bij de elfen,' mijmerde Tanis.

'Ik heb gezien—'

'Sst!' Waarschuwend stak Tanis zijn hand op.

Meteen bleef Flint staan. 'Wat is er?' fluisterde hij.

Tanis gebaarde. 'Daar, bij dat groepje bomen.'

Flint tuurde naar de bomen terwijl hij zijn hand uitstak naar de strijdbijl die op zijn rug hing.

Iets van metaal tussen de bomen weerkaatste kortstondig de rode stralen van de ondergaande zon. Tanis zag het, even niet meer, toen weer wel. Op dat moment zakte de zon echter weg achter de horizon, met achterlating van een diepe violetkleurige gloed aan de hemel, en kropen de eerste nachtelijke schaduwen door het bos.

Flint tuurde door de schemering. 'Ik zie niets.'

'Ik daarnet wel,' zei Tanis. Hij bleef staren naar de plek waar hij de metaalachtige glans had gezien, en langzaam maar zeker vingen zijn elfenogen de warm rode aura op die alle levende wezens omhulde, maar die alleen elfen konden waarnemen. 'Wie is daar?' riep Tanis.

Een hele tijd was het enige antwoord een griezelig geluid dat de haartjes in de nek van de halfelf rechtop deed staan. Het was een hol gezoem dat laag begon, maar steeds hoger werd en uiteindelijk uitgroeide tot een klaaglijk, ijselijk gekrijs. Nu viel er een stem bij.

'Elfenreiziger, keer op je schreden terug en laat de dwerg achter. Wij zijn de geesten van de arme zielen die door Flint Smidsvuur op de vloer van de taveerne zijn achtergelaten. En zijn we in de strijd gesneuveld?'

De spookachtige stem bereikte nieuwe hoogten, net als het hoge gezoem dat hem begeleidde.

'Nee! We zijn gestorven van schaamte, vervloekt door de geest van de druif omdat we een heuveldwerg niet onder tafel konden drinken.'

Flints baard trilde van ingehouden woede, en Tanis, die het uitschaterde, moest de boze dwerg bij zijn schouder vastgrijpen om te voorkomen dat hij roekeloos de bosjes in zou stuiven.

'Vervloekt zijn de ogen van de elfen!' De spookachtige stem kreeg een vrolijke klank. 'En vervloekt zijn de baarden van de dwergen!'

'Ik had het kunnen weten,' kreunde Flint. 'Tasselhof Klisvoet!'

Er klonk een zacht geritsel in het struikgewas, waarna er een kleine gestalte op het pad verscheen. Het was een kender, een lid van het volkje dat vele lieden op Krynn net zo ergerlijk vonden als muggen. De fijn gebouwde kenders werden zelden groter dan vier voet. Deze kender was ongeveer zo groot als Flint, maar door zijn ranke gestalte en eeuwig kinderlijke gelaat leek hij kleiner. Hij droeg een helblauwe maillot die fel afstak tegen zijn met bont afgezette vest en eenvoudige, praktische tuniek. Zijn bruine ogen glinsterden van ondeugd en vrolijkheid en zijn glimlach was zo breed dat zijn mondhoeken tot aan de puntjes van zijn spitse oren leken te komen. Hij boog zijn hoofd in een spottende buiging, zodat een lange lok van zijn bruine haar – zijn grote trots – naar voren viel, over zijn neus. Toen rechtte hij lachend zijn rug. De metaalachtige glans die Tanis met zijn scherpe ogen had opgevangen, was afkomstig van de gesp van een van de vele buidels die om zijn schouders en middel hingen.

Tas grijnsde naar hen, leunend op zijn hoopakstaf. Die staf had het griezelige geluid veroorzaakt. Tanis had het natuurlijk meteen moeten herkennen, want hij had vaak genoeg gezien hoe de kender een mogelijke aanvaller verjoeg door zijn staf in de lucht te laten rondtollen, wat dat hoge gezoem veroorzaakte. De hoopak, een uitvinding van de kenders, was aan de onderkant beslagen met koper dat in een scherpe punt uitliep, terwijl aan de gevorkte bovenkant een leren katapult was bevestigd. De staf zelf was vervaardigd uit één stuk soepel wilgenhout. Hoewel hij door elk ander volk op Krynn met misprijzen werd bekeken, was de hoopak voor een kender meer dan een nuttig stuk gereedschap of een wapen alleen. Het was een symbool. 'Nieuwe wegen vereisen een hoopak', zo luidde een populair gezegde onder de kenders. Het werd altijd direct gevolgd door een ander spreekwoord van hen: 'Geen enkele weg is oud.'

Opeens rende Tasselhof met gespreide armen op hen af.

'Flint!' De kender sloeg zijn armen om de dwerg heen. Gegeneerd en met tegenzin beantwoordde Flint de omhelzing, waarna hij snel een stap achteruit deed. Tasselhof grijnsde en richtte toen zijn blik op Tanis. 'Wie hebben we hier?' vroeg hij verbaasd. 'Tanis! Ik herkende je niet met die baard!' Hij stak zijn korte armen uit.

'Nee, vriendelijk bedankt,' zei Tanis lachend. Hij wuifde de kender weg. 'Ik wil mijn geldbuidel liever niet kwijt.'

Met een verschrikte blik tastte Flint onder zijn tuniek. 'Schavuit die je bent!' Brullend stortte hij zich op de kender, die dubbel was geklapt van het lachen. Met z'n tweeën rolden ze door het stof.

Tanis maakte grinnikend aanstalten om de dwerg van de kender af te trekken, toen hij zich plotseling geschrokken omdraaide. Te laat hoorde hij het zilverachtige gerinkel van een paardentuig en het gehinnik van een paard. De halfelf legde zijn hand op het gevest van zijn zwaard, maar het voordeel dat hij zou hebben gehad als hij alert was geweest, was hij al kwijt.

Binnensmonds vloekend kon Tanis niets anders doen dan toekijken terwijl een gestalte zich losmaakte uit de schaduw. Het wezen zat op een kleine pony met langharige benen die met gebogen hoofd liep, alsof hij zich schaamde voor zijn ruiter. Grauwe, vlekkerige, slappe huidplooien omlijstten het gezicht van de ruiter. Twee oogjes zo roze als biggetjes tuurden onder een militair uitziende helm uit. Zijn dikke, vadsige lijf puilde tussen de delen van zijn opzichtige, poenige harnas uit.

Een merkwaardige geur drong tot Tanis door. Vol afkeer trok hij zijn neus op. 'Kobold,' vertelde zijn brein hem. Hij maakte het riempje los dat zijn zwaard in de schede hield en gaf Flint een schop, maar precies op dat moment nieste de dwerg luidruchtig en ging rechtop boven op de kender zitten.

'Paard!' zei Flint, waarna hij opnieuw nieste.

'Achter je,' antwoordde Tanis zachtjes.

Bij het horen van de waarschuwende toon in de stem van zijn vriend, krabbelde Flint haastig overeind. Tasselhof volgde snel zijn voorbeeld.

De kobold zat schrijlings op zijn pony en keek naar hen met een minachtende, hooghartige uitdrukking op zijn platte gezicht. Zijn roze ogen weerkaatsten de laatste restjes zonlicht.

'Zien jullie nou, jongens,' verklaarde de kobold in Gemeenschaps met een zwaar accent, 'met wat voor dwazen we hier in Soelaas te maken hebben?'

Er klonk gruizig gelach uit de bomen achter de kobold. Vijf kobolden, gekleed in geïmproviseerde uniformen, kwamen te voet tevoorschijn. Ze vatten post aan weerszijden van het rijdier van hun leider.

'Welnu...' De kobold leunde naar voren in zijn zadel. Met een soort morbide fascinatie zag Tanis hoe de zadelknop volledig aan het oog werd onttrokken door de uitpuilende buik van het wezen. 'Ik ben Schaarsmeester Padh, aanvoerder van de troepen die Soelaas beschermen tegen ongewenste elementen. Jullie hebben geen enkel recht om na het donker binnen dorpsgrenzen rond te lopen. Jullie staan onder arrest.' Schaarsmeester Padh leunde opzij om de kobold toe te spreken die naast hem stond. 'Breng de blauw kristallen staf voor me mee, als ze die bij zich hebben,' zei hij in de krassende koboldtaal. Tanis, Flint en Tasselhof keken elkaar vragend aan. Allemaal spraken ze een woordje Kobolden, Tas nog wat beter dan de anderen. Hadden ze dat goed verstaan? Een blauw kristallen staf?

'Als ze zich verzetten,' voegde Schaarsmeester Padh eraan toe, waarbij hij voor het maximale effect weer overschakelde op Gemeenschaps, 'mag je ze doden.'

Met die woorden gaf hij een ruk aan de teugels, gaf zijn rijdier een tik met een karwats en galoppeerde over het pad in de richting van het dorp.

'Kobolden! In Soelaas! Die nieuwe Theocraat heeft heel wat uit te leggen,' snauwde Flint. Hij reikte omhoog en naar achteren om zijn strijdbijl uit de houder op zijn rug te halen en plantte zijn voeten stevig op de grond, waarna hij een paar keer van voren naar achteren wiegde tot hij het gevoel had dat hij het volmaakte evenwicht had gevonden. 'Goed dan,' verkondigde hij. 'Daar gaan we.'

'Ik raad jullie aan je terug te trekken,' zei Tanis, terwijl hij zijn mantel over één schouder wierp en zijn zwaard trok. 'We hebben een lange reis achter de rug. We zijn moe, we hebben honger en we zijn al te laat voor een afspraak met vrienden die we heel lang niet meer hebben gezien. We zijn geenszins van plan ons te laten arresteren.'

'Of ons te laten vermoorden,' voegde Tasselhof eraan toe. Hij had geen wapen getrokken, maar stond belangstellend naar de kobolden te staren. Een beetje van hun stuk gebracht keken de kobolden elkaar nerveus aan. Een van hen wierp een onheilspellende blik op de weg waarover zijn leider was verdwenen. De kobolden waren het gewend om kooplui en boeren lastig te vallen die naar het dorp reisden, niet om het op te nemen tegen gewapende en overduidelijk capabele krijgers. Hun haat jegens de andere rassen van Krynn was echter eeuwenoud. Ze trokken hun lange kromzwaarden.

Flint liep met grote passen op ze af, terwijl hij het handvat van zijn bijl stevig vastpakte. 'Als er één wezen is waaraan ik een nog grotere hekel heb dan aan een greppeldwerg,' mompelde hij, 'dan is het wel een kobold!'

De kobold dook op Flint af in de hoop hem tegen de grond te kunnen werken. Flint zwaaide met dodelijke accuratesse en volmaakte timing met zijn bijl. Een koboldenhoofd rolde door het stof, waarna de rest van het lichaam op de grond viel.

'Wat doen schoften als jullie in Soelaas?' vroeg Tanis terwijl hij de onhandige uithaal van een andere kobold vakkundig pareerde. Hun gekruiste zwaarden bleven even op hun plek, tot Tanis de kobold een duw gaf. 'Werken jullie voor de Theocraat?'

'De Theocraat?' De kobold lachte gorgelend. Wild zwaaiend met zijn wapen rende hij op Tanis af. 'Die dwaas? Onze Schaarsmeester werkt voor de…oef!' Het wezen spietste zichzelf aan Tanis' zwaard. Kreunend gleed hij op de grond.

'Verdorie!' vloekte Tanis met een gefrustreerde blik op de dode kobold. 'Wat een kluns! Ik wilde hem helemaal niet doden, ik wilde gewoon weten wie hem had ingehuurd.'

'Je komt er snel genoeg achter wie ons heeft ingehuurd, sneller dan je lief is!' grauwde een andere kobold terwijl hij op de afgeleide halfelf afstormde. Snel draaide Tanis zich om en ontwapende het wezen. Hij gaf hem een schop in zijn maag, waarop de kobold vooroverklapte.

Een van de overgebleven kobolden sprong op Flint af voordat de dwerg de kans had gehad zich te herstellen van zijn dodelijke slag. Hij wankelde achteruit in een poging zijn evenwicht te hervinden.

Toen doorkliefde Tasselhofs schrille stem de lucht. 'Die ratten vechten voor om het even wie, Tanis. Werp ze af en toe wat hondenvlees toe en ze blijven je eeuwig tr—'

'Hondenvlees!' kraste de kobold. Woedend wendde hij zich af van Flint. 'Wat dacht je van kendervlees, kleine rat?' Met kletsende voeten rende de kobold op de op het oog ongewapende kender af en graaide met zijn paarsrode handen naar diens hals. Zonder ook maar een spier in zijn onschuldig ogende, kinderlijke gezicht te vertrekken, stak Tas een hand in zijn dikke vest, haalde een dolk tevoorschijn en wierp die weg, in één vloeiende beweging. De kobold greep naar zijn borst en zakte met een kreun op de grond. Opnieuw klonk het geluid van kletsende voeten, deze keer omdat de overgebleven kobold ervandoor ging. De strijd was gestreden.

Tanis stak zijn zwaard terug in de schede, met een van afkeer vertrokken gezicht om de stank van de lijken, een kwalijke geur die hem deed denken aan rotte vis. Flint veegde zwart koboldbloed van het blad van zijn bijl. Tas staarde spijtig naar het lijk van de kobold die hij had gedood. Die was op zijn gezicht gevallen, zodat de dolk onder zijn lichaam lag.

'Ik pak hem wel even voor je,' bood Tanis aan. Hij wilde het lijk al op z'n rug draaien.

'Nee,' zei Tas met een vies gezicht. 'Ik hoef hem niet terug. Die stank gaat er toch nooit meer af.'

Tanis knikte. Flint hing zijn bijl terug in de houder, waarna ze gedrieën hun weg over het pad vervolgden.

De lichtjes van Soelaas werden helderder naarmate de duisternis dieper werd. De geur van brandend hout die hen tegemoet kwam riep beelden op van voedsel en warmte – en veiligheid. De metgezellen versnelden hun pas. Een hele tijd zeiden ze niets, maar in hun hoofd galmden de woorden van Flint nog na: 'Kobolden. In Soelaas.'

Uiteindelijk begon de onstuitbare kender echter te giechelen.

'En trouwens,' zei hij, 'die dolk was van Flint!'

2

Terugkeer naar de herberg. Een schok. De eed wordt gebroken.

Bijna iedereen in Soelaas kwam tegenwoordig in de loop van de avond wel even binnen bij de Herberg van het Laatste Huis. Men voelde zich veiliger in gezelschap.

Soelaas was al heel lang een soort kruispunt voor reizigers. Ze kwamen uit Haven in het noordoosten, de Zoekerhoofdstad. Ze kwamen uit het elfenrijk Qualinesti in het zuiden. Soms kwamen ze uit het oosten, over de kale Vlakten van Abanasinië. In heel de beschaafde wereld stond de Herberg van het Laatste Huis bekend als een toevluchtsoord voor reizigers en een goede plek om het laatste nieuws te horen. Naar die herberg richtten de drie vrienden hun schreden.

De omvangrijke, gedraaide stam verrees tussen de omringende bomen. In de schaduw van de vallèn glinsterden helder de gekleurde ruiten van de herberg, en levendige geluiden kwamen door de ramen naar buiten. Lantaarns, opgehangen aan de boomtakken, verlichtten de wenteltrap. Hoewel de herfstavond een kilte verspreidde tussen de vallènbomen van Soelaas, werd de ziel van de reizigers verwarmd door kameraadschap en herinneringen, die de pijntjes en melancholie van hun omzwervingen verjoegen.

Die avond was het zo druk in de herberg dat de drie mannen op de trap keer op keer waren gedwongen halt te houden om mannen, vrouwen en kinderen te laten passeren. Het viel Tanis op dat de mensen hem en zijn metgezellen wantrouwig opnamen in plaats van hen hartelijk te verwelkomen, zoals ze vijf jaar eerder zouden hebben gedaan.

Tanis' gezicht werd steeds grimmiger. Dit was niet de thuiskomst waarvan hij had gedroomd. Al vijftig jaar woonde hij in Soelaas, maar een dergelijke gespannen sfeer had hij nog nooit meegemaakt. De geruchten die hij had gehoord over de boosaardige corruptie van de Zoekers berustten kennelijk op waarheid.

Vijf jaar eerder waren de mannen die zichzelf 'zoekers' noemden ('wij zoeken naar de nieuwe goden') nog een weinig hechte organisatie geweest van priesters die in de plaatsen Haven, Soelaas en Poort hun nieuwe godsdienst beleden. En hoewel die priesters het volgens Tanis bij het verkeerde eind hadden, waren ze in elk geval eerlijk en oprecht geweest. In de tussenliggende jaren waren de priesters echter in steeds hoger aanzien geraakt naarmate hun godsdienst zich verbreidde. Al snel hielden ze zich niet meer zozeer bezig met glorie in het hiernamaals, als wel met de macht op Krynn. Met instemming van het volk namen ze het dagelijks bestuur van de steden en dorpen ter hand.

Een hand op Tanis' arm onderbrak zijn gedachten. Toen hij zich omdraaide, zag hij dat Flint zwijgend naar beneden wees. In de diepte zag Tanis wachters in groepjes van vier voorbijmarcheren. Tot de tanden gewapend paradeerden ze vol eigendunk rond.

'In elk geval zijn het mensen en geen kobolden,' zei Tas.

'Die kobold reageerde heel minachtend toen ik over de Hogetheocraat begon,' zei Tanis peinzend. 'Alsof ze voor iemand anders werkten. Ik vraag me af wat er gaande is.'

'Misschien kunnen onze vrienden ons dat vertellen,' zei Flint.

'Als ze er tenminste zijn,' voegde Tasselhof eraan toe. 'In vijf jaar kan er veel gebeurd zijn.'

'Ze zullen er zijn... als ze tenminste nog leven,' zei Flint zachtjes. 'Het is een gewijde eed die we hebben afgelegd: na vijf jaar zouden we weer samenkomen om te vertellen wat we hadden ontdekt over het kwaad dat zich op deze wereld verspreidt. Wie had kunnen denken dat we bij thuiskomst het kwaad op onze eigen stoep zouden aantreffen?'

'Sst! Sst!' Verschillende voorbijgangers keken zo verschrikt bij het horen van de woorden van de dwerg dat Tanis verbijsterd het hoofd schudde.

'Misschien kunnen we er hier maar beter niet over praten,' opperde de halfelf.

Zodra Tas boven aan de trap was, gooide hij de deur wijd open. Een golf van licht, herrie, warmte en de vertrouwde geur van Otiks gekruide aardappelen sloeg hen in het gezicht. Hij overspoelde en omringde hen als een warme, troostende deken. Otik, die net als in hun herinnering achter de bar stond, was geen steek veranderd, behalve dat hij misschien nog wat zwaarder was geworden. De herberg leek ook niet te zijn veranderd, behalve dat hij misschien nog wat gerieflijker was geworden.

Tasselhof, die met zijn snelle kenderogen de aanwezigen al stond op te nemen, slaakte een kreet en wees naar iets aan de andere kant van de kamer. Ook daar was iets onveranderd gebleven: het licht van het vuur scheen op een glanzend gepoetste, gevleugelde drakenhelm.

'Wie is dat?' vroeg Flint, die zijn uiterste best deed te kunnen zien waar Tas naar wees.

'Caramon,' antwoordde Tanis.

'Dan zal Raistlin er ook wel zijn,' zei Flint zonder al te veel warmte in zijn stem.

Tasselhof glipte al tussen de mompelende groepjes mensen door, die dankzij zijn kleine, lenige lijf zijn aanwezigheid nauwelijks opmerkten. Tanis hoopte vurig dat de kender geen voorwerpen aan het 'vergaren' was uit de zakken van de gasten van de herberg. Niet dat hij dingen stal. Tasselhof zou diep gekwetst zijn als iemand hem van diefstal beschuldigde. Maar de nieuwsgierigheid van de kender was onverzadigbaar, en het gebeurde regelmatig dat interessante voorwerpen die aan anderen toebehoorden zomaar in Tas' handen terechtkwamen. Het laatste waar Tanis die avond behoefte aan had, was een opstootje. Hij nam zich voor om de kender even apart te nemen.

De halfelf en de dwerg baanden zich met iets meer moeite dan hun kleine vriend een weg door de mensenmassa. Bijna elke stoel was bezet, bijna elke tafel was vol. Degenen die geen zitplaats hadden kunnen vinden, stonden in groepjes bij elkaar, gedempt pratend. Tanis en Flint werden vijandig, wantrouwig dan wel nieuwsgierig bekeken. Niemand begroette Flint, hoewel menigeen vaste klant was geweest bij de dwergensmid. De inwoners van Soelaas hadden zo hun eigen problemen, en het was wel duidelijk dat Tanis en Flint nu als buitenstaanders werden beschouwd.

Aan de andere kant van de gelagkamer klonk een luide brul, afkomstig van de tafel waarop de drakenhelm lag, badend in het licht van het haardvuur. Een glimlach verzachtte Tanis' grimmige gezicht toen hij zag hoe de reusachtige Caramon de kleine Tas optilde voor een stevige omhelzing.

Flint, die omringd door riemgespen zijn weg zocht, kon zich het tafereel alleen maar voorstellen toen hij Tasselhof met zijn hoge piepstemmetje gedag hoorde zeggen en Caramon met zijn diepe basstem hoorde reageren. 'Laat Caramon zijn beurs maar goed in de gaten houden,' mopperde Flint. 'En zijn tanden natellen.'

Eindelijk konden de dwerg en de halfelf de drukte voor de langwerpige bar achter zich laten. De tafel waaraan Caramon zat, was helemaal tegen de boomstam aan geschoven. Eigenlijk was dat een heel merkwaardige plek. Tanis vroeg zich af waarom Otik hem had verschoven, terwijl al het andere meubilair nog precies zo stond als altijd. Die gedachte werd echter uit zijn hoofd verdreven, want nu was het zijn beurt vol genegenheid te worden begroet door de grote krijger. Snel haalde Tanis zijn boog en pijlenkoker van zijn rug, voordat Caramon ze met zijn omhelzing verpulverde.

'Mijn beste!' Caramons ogen waren vochtig. Hij leek nog meer te willen zeggen, maar daarvoor was hij te emotioneel. Ook Tanis kon even geen woord uitbrengen, maar dat kwam doordat de lucht uit zijn longen was geperst door de gespierde armen van Caramon.

'Waar is Raistlin?' vroeg hij toen hij weer kon praten. De tweelingbroers waren nooit ver bij elkaar vandaan.

'Daar.' Caramon knikte naar de voet van de tafel. Toen fronste hij. 'Hij is veranderd,' waarschuwde de krijger.

De halfelf keek in de hoek die werd gevormd door een onregelmatigheid van de vallènboom. Het hoekje was in schaduw gehuld, en heel even kon hij door de felle gloed van het vuur niets zien. Toen ontwaarde hij echter een kleine gestalte die weggedoken zat in een rood gewaad, ondanks de hitte van het haardvuur. De gestalte had de kap van zijn mantel over zijn hoofd getrokken.

Tanis voelde een plotselinge weerzin bij de gedachte dat hij in zijn eentje met de jonge magiër moest gaan praten, maar Tasselhof was weggeglipt, op zoek naar het barmeisje, en Flint werd net door Caramon van de grond getild. Tanis liep naar de voet van de tafel.

'Raistlin?' vroeg hij met een merkwaardig akelig voorgevoel.

De dik ingepakte gestalte keek op. 'Tanis?' fluisterde de man terwijl hij langzaam zijn kap afdeed.

De halfelf hapte naar adem en deinsde terug, vervuld van afschuw maar niet in staat zijn blik af te wenden.

Het gezicht dat vanuit de schaduw naar hem toe werd gekeerd was als iets uit een nachtmerrie. Veranderd, had Caramon gezegd! Tanis huiverde. 'Veranderd' was niet het juiste woord. De bleke huid van de magiër was goudkleurig geworden. In het licht van het haardvuur had het gelaat een vaag metaalachtige glans, waardoor het leek op een gruwelijk masker. Het vlees was weggeteerd, waardoor de jukbeenderen afschuwelijk diepe schaduwen wierpen. De lippen vormden een strakke, donkere, rechte streep. Maar wat Tanis het diepst trof, waren 's mans angstaanjagende ogen die hem doorboorden. Zulke ogen had Tanis namelijk nog nooit bij een levend mensenwezen aanschouwd. De zwarte pupillen hadden nu de vorm van een zandloper. De lichtblauwe irissen uit Tanis' herinnering waren nu als glanzend goud.

'Ik zie dat je schrikt van mijn verschijning,' fluisterde Raistlin. Een zweem van een glimlach speelde om zijn dunne lippen.

Moeizaam slikkend ging Tanis tegenover de jongeman zitten. 'Bij de ware goden, Raistlin—'

Flint liet zich naast Tanis op een stoel vallen. 'Ik ben vandaag al vaker van de grond getild dan – *Reorx!*' Flints ogen werden groot. 'Wat is dit voor een duivelswerk? Ben je vervloekt?' vroeg de dwerg verbijsterd, starend naar Raistlin.

Caramon ging naast zijn broer zitten. Met een blik op Raistlin tilde hij zijn bierkroes op. 'Wil jij het hun vertellen, Raistlin?' vroeg hij met gedempte stem.

'Ja,' zei Raistlin. Tanis huiverde. Als slangen konden praten, zouden ze klinken als de jonge magiër. Zijn zachte, hese stem kwam nauwelijks boven een fluistertoon uit, alsof hij grote moeite moest doen de woorden over zijn lippen te krijgen. Zijn lange, onrustig bewegende handen, die dezelfde gouden kleur hadden als zijn gezicht, speelden afwezig met het onaangeroerde eten op het bord dat vóór hem op tafel stond.

'Weten jullie nog, toen we vijf jaar geleden ieder onze eigen weg gingen?' begon Raistlin. 'Mijn broer en ik zijn toen begonnen aan een missie die zo geheim was dat ik zelfs jullie, mijn dierbare vrienden, niet kon vertellen waarheen die ons zou voeren.'

Er klonk een zweempje sarcasme in de zachte stem door. Tanis beet op zijn lip. Raistlin had in zijn hele leven nog nooit 'dierbare vrienden' gehad.

'Ik was door Par-Salian, de leider van mijn orde, uitverkoren om de Proeve af te leggen,' ging Raistlin verder.

'De Proeve!' herhaalde Tanis verbijsterd. 'Maar daar was je nog veel te jong voor. Hoe oud was je helemaal, twintig? De Proeve wordt uitsluitend afgelegd door magiërs die jarenlang hebben gestudeerd—'

'Stel je voor hoe trots ik was,' zei Raistlin kil, geërgerd omdat hij in de rede werd gevallen. 'Mijn broer en ik zijn afgereisd naar het geheime oord, de legendarische Torens van de Hoge Magie. Daar heb ik de Proeve doorstaan.' De stem van de magiër daalde tot een fluistering. 'En daar ben ik bijna gestorven.'

Caramon maakte een verstikt geluid, duidelijk in de greep van hevige emotie. 'Het was afschuwelijk,' begon de grote man met bevende stem. 'Ik vond hem in dat vreselijke oord, stervende. Het bloed stroomde uit zijn mond. Ik heb hem opgetild en—'

'Genoeg, Caramon!' Raistlins zachte stem striemde als een zweep. Caramon kromp ineen. Tanis zag dat de jonge magiër zijn ogen samenkneep en zijn smalle handen tot vuisten balde. Caramon zweeg en nam met een nerveuze blik op zijn broer een grote slok bier. Kennelijk was er een nieuwe spanning geslopen in de verhouding tussen de tweelingbroers.

Raistlin haalde diep adem voordat hij verderging. 'Toen ik bijkwam,' ging de magiër verder, 'had mijn huid deze kleur gekregen, ten teken van de lijdensweg die ik had afgelegd. Mijn lichaam en mijn gezondheid zijn onherroepelijk verwoest. En mijn ogen! Ik zie met pupillen als zandlopers, en daardoor kan ik de tijd zien die invloed heeft op alles. Als ik nu naar je kijk, Tanis,' fluisterde de magiër, 'zie ik je sterven, langzaam maar zeker. Zo zie ik nu elk levend wezen.'

Raistlins dunne, klauwachtige hand klemde zich om Tanis' arm. De halfelf huiverde onder die kille aanraking en wilde zich lostrekken, maar de gouden ogen en de koude hand maakten elke beweging onmogelijk. Met een koortsachtige gloed in zijn ogen leunde de magiër naar voren. 'Maar nu heb ik macht!' fluisterde hij. 'Par-Salian heeft tegen me gezegd dat er een dag zal komen waarop mijn kracht het lot van de wereld zal bepalen! Ik beschik over grote macht, en' – hij maakte een handgebaar – 'over de Staf van Magius.'

Tanis keek naar de staf die binnen Raistlins handbereik tegen de stam van de vallèn stond. Het was een eenvoudige houten staf. Aan het uiteinde was een glanzende bal van helder kristal bevestigd, geklemd in een gouden houder die de vorm had van een lichaamsloze drakenklauw. 'Was het het waard?' vroeg Tanis zachtjes.

Raistlin staarde hem verbaasd aan, waarna zijn lippen vaneen weken in een groteske grijns. Hij liet Tanis los, stak zijn handen in de mouwen van zijn gewaad en sloeg zijn armen over elkaar. 'Natuurlijk!' fluisterde de magiër fel. 'Lange tijd ben ik op zoek geweest naar macht – en nu nog steeds.' Hij leunde achterover, zodat zijn tengere gestalte opging in de schaduw en Tanis alleen nog zijn gouden ogen kon zien, die glinsterden in het licht van de vlammen.

'Bier,' zei Flint, kuchend en zijn lippen likkend alsof hij een vieze smaak uit zijn mond wilde spoelen. 'Waar is die kender gebleven? Hij zal het barmeisje ook wel hebben bestolen—'

'Daar zijn we dan!' klonk Tas' vrolijk kraaiende stem. Een lang meisje met rood haar kwam achter hem aan, met een dienblad vol kroezen in haar handen.

Caramon grijnsde. 'Welnu, Tanis,' zei hij met zijn galmende stem, 'raad eens wie dit is. Jij ook, Flint. Als jullie het weten, is dit rondje voor mij.' Blij dat hij Raistlins duistere verhaal even uit zijn hoofd kon zetten, nam Tanis het lachende meisje aandachtig op. Rood, krullend haar omlijstte haar gezicht, haar groene ogen sprankelden vrolijk en ze had een paar lichte sproetjes op haar neus en wangen. De ogen kwamen Tanis bekend voor, maar verder herkende hij haar niet.

'Ik geef het op,' zei hij. 'Maar ja, in de ogen van de elfen veranderen mensen zo snel dat we de kluts kwijtraken. Ik ben honderdtwee, maar in jouw ogen lijk ik niet ouder dan dertig. En voor mij lijken die honderd jaar er ook niet meer dan dertig. Deze jongedame moet nog een kind zijn geweest toen we weggingen.'

'Ik was veertien.' Lachend zette het meisje het dienblad op tafel. 'En

Caramon zei altijd dat ik zo lelijk was dat mijn vader er geld bij zou moeten leggen om iemand zo ver te krijgen dat hij met mij zou trouwen.'

'Tika!' Flint sloeg met zijn vuist op tafel. 'Jij betaalt, grote lummel!' Hij wees naar Caramon.

'Niet eerlijk!' zei de reus lachend. 'Ze heeft je een hint gegeven.'

'Nou, de jaren hebben zijn ongelijk bewezen,' zei Tanis glimlachend. 'Ik heb vele wegen bewandeld, maar jij bent een van de mooiste meisjes die ik op heel Krynn heb gezien.'

Tika bloosde van genoegen. Toen betrok haar gezicht. 'Trouwens, Tanis,' – ze haalde een cilindervormig voorwerp uit haar zak – 'dit is gisteren voor je bezorgd. Onder vreemde omstandigheden.'

Fronsend pakte Tanis het voorwerp aan. Het was een perkamentkoker, gemaakt van zwart, glanzend gepoetst hout. Langzaam haalde hij er een dun velletje perkament uit en ontrolde het. Zijn hart bonsde pijnlijk in zijn keel toen hij het krachtige handschrift in zwarte inkt zag.

'Het is een bericht van Kitiara,' zei hij uiteindelijk, wetend dat zijn stem onnatuurlijk gespannen klonk. 'Ze komt niet.'

Even bleef het stil. 'Dan is het gebeurd,' zei Flint. 'De kring is verbroken, net als de eed. Dat brengt ongeluk.' Hij schudde zijn hoofd. 'Groot ongeluk.'

3
Ridder van Solamnië.
Het feestje van de oude man.

Raistlin boog naar voren. Hij en Caramon wisselden een blik, alsof ze woordeloos elkaars gedachten lazen. Het was een zeldzaam moment, want alleen als een van beiden in nood verkeerde of als er groot gevaar dreigde werd duidelijk hoe nauw de tweelingbroers aan elkaar verwant waren. Kitiara was hun oudere halfzus.

'Kitiara zou haar eed nooit schenden tenzij ze aan een andere, zwaarder wegende eed gebonden was,' zei Raistlin, hun gedachten hardop verwoordend.

'Wat schrijft ze precies?' vroeg Caramon.

Na een korte aarzeling likte Tanis zijn droge lippen. 'Ze heeft het te druk met haar verplichtingen jegens haar nieuwe meester. Ze schrijft dat het haar spijt en laat jullie haar hartelijke groeten overbrengen, en haar liefde…' Tanis kreeg een brok in zijn keel. Hij kuchte. 'Haar liefde aan haar broers en…' Hij zweeg, waarna hij het perkament oprolde. 'Dat was het.'

'Haar liefde aan wie?' vroeg Tasselhof opgewekt. 'Au!' Hij wierp een boze blik op Flint, die hem op zijn voet had getrapt. Toen zag de kender Tanis' rode gezicht. 'O,' zei hij beschaamd.

'Weten jullie waar ze het over heeft?' vroeg Tanis aan de twee broers. 'Wie is die nieuwe meester naar wie ze verwijst?'

'Dat weet je nooit met Kitiara,' zei Raistlin schouderophalend. 'Het is vijf jaar geleden dat we haar voor het laatst hebben gezien, hier in de herberg. Toen is ze met Sturm naar het noorden gegaan. Sindsdien hebben we niets meer van haar vernomen. En wat die nieuwe meester betreft: ik zou zeggen dat we nu weten waarom ze haar eed heeft geschonden. Ze heeft trouw gezworen aan iemand anders. Ze is nu eenmaal een huurling.'

'Ja,' gaf Tanis toe. Hij stopte de perkamentrol terug in de houder en keek Tika aan. 'Zei je net dat deze rol onder vreemde omstandigheden is bezorgd? Vertel eens.'

'Vandaag aan het eind van de ochtend is hij afgegeven door een man. Althans, ik denk dat het een man was.' Tika huiverde. 'Hij was van top tot teen in allerlei kleding gehuld. Ik kon zijn gezicht niet eens zien. Maar zijn stem klonk sissend en hij had een merkwaardig accent. "Geef dit aan Tanis Halfelf," zei hij. Ik zei nog dat je er niet was, dat je al jaren weg was. "Hij komt binnenkort terug," zei de man. Toen ging hij weg.' Tika haalde zijn schouders op. 'Meer kan ik je niet vertellen. Die oude man daar heeft hem ook gezien.' Ze gebaarde naar een oude man die in een stoel bij het vuur zat. 'Misschien kun je hem vragen of hem nog iets is opgevallen.'

Tanis draaide zich om en keek naar de oude man, die verhalen zat te vertellen aan een kind dat met dromerige ogen in de vlammen staarde. Flint legde een hand op zijn arm.

'Daar komt iemand aan die je meer kan vertellen,' zei de dwerg.

'Sturm!' zei Tanis vol genegenheid zodra hij zich had omgedraaid naar de deur.

Iedereen behalve Raistlin keek om. De magiër trok zich weer terug in de schaduw.

Bij de deur stond een kaarsrechte gestalte, gekleed in volledig harnas en maliënkolder. Op het borstkuras prijkte het teken van de Orde van de Roos. Vele gasten keken om en staarden de man boos aan. Hij was een Solamnische ridder, en in het noorden hadden de ridders van Solamnië een slechte naam gekregen. De geruchten over corruptie binnen hun gelederen waren inmiddels zelfs tot in het zuidelijk gelegen Soelaas doorgedrongen. De enkeling die Sturm herkende als iemand die lange tijd in Soelaas had gewoond, haalde zijn schouders op en ging verder met drinken. Degenen die dat niet wisten, bleven hem aanstaren. Het was al ongewoon genoeg om in vredestijd een ridder in volledige wapenrusting de herberg te zien binnentreden. Het was nog veel ongebruikelijker een ridder te zien in een volledige wapenrusting die nog praktisch uit de tijd van de Catastrofe dateerde.

Sturm vatte de starende blikken op als een eerbetoon dat iemand van zijn rang en stand toekwam. Zorgvuldig streek hij zijn grote, dikke snor glad, het eeuwenoude kenmerk van de ridders, dat al even achterhaald was als zijn wapenrusting. Hij droeg de attributen van de Solamnische ridders met onbetwistbare trots, en hij had de zwaardarm en de vaardigheid om die trots te verdedigen. Hoewel er in de herberg genoeg mensen waren die hem aanstaarden, was er niemand die het na één blik op de kalme, kille ogen van de ridder waagde te grinniken of een neerbuigende opmerking te maken.

De ridder hield de deur open voor een lange man en een vrouw die in dikke bontmantels waren gehuld. De vrouw had Sturm kennelijk bedankt, want hij maakte een hoofse, ouderwetse buiging voor haar zoals je die in de moderne wereld al lang niet meer zag.

'Moet je zien.' Bewonderend schudde Caramon zijn hoofd. 'De galante ridder steekt de schone dame de helpende hand toe. Ik vraag me af waar hij die twee heeft opgeduikeld.'

'Het zijn barbaren van de Vlakten,' zei Tas, die op een stoel was gaan staan om naar zijn goede vriend te kunnen wuiven. 'Dat is de klederdracht van de Que-shustam.'

Kennelijk had Sturm de twee Vlaktelieden een aanbod gedaan dat ze nu afsloegen, want de ridder maakte opnieuw een buiging en liep bij hen weg. Met een trots en nobel air doorkruiste hij de drukke herberg, alsof hij op de koning afliep om tot ridder te worden geslagen.

Tanis stond op. Hij was de eerste op wie Sturm afliep, met zijn armen gespreid. Tanis omhelsde zijn oude vriend en voelde hoe de sterke, pezige armen van de ridder hem vol genegenheid omvatten. Toen deden ze allebei een stap achteruit om elkaar aandachtig op te nemen.

Sturm is niets veranderd, dacht Tanis, alleen heeft hij wat meer lijntjes om zijn droevige ogen en wat meer grijs in zijn bruine haar. Zijn mantel is iets rafeliger. Er zitten wat nieuwe deuken in het oude harnas. Maar de volle snor van de ridder – zijn grote trots – was nog net zo lang en indrukwekkend als voorheen, zijn schild was nog net zo blinkend gepoetst en zijn bruine ogen straalden nog net zoveel warmte uit als hij naar zijn vrienden keek.

'En jij hebt een baard,' zei Sturm geamuseerd.

De ridder draaide zich om om Caramon en Flint te begroeten. Tasselhof stoof weg om meer bier te halen, want Tika was inmiddels weggeroepen om anderen in de nog steeds aanwassende mensenmassa te bedienen.

'Gegroet, heer ridder,' fluisterde Raistlin vanuit zijn donkere hoekje.

Met een ernstig gezicht wendde Sturm zich tot de andere tweelingbroer. 'Raistlin,' zei hij.

De magiër deed zijn kap af, zodat het licht op zijn gezicht scheen. Sturm was te welopgevoed om zijn verbijstering te uiten, maar toch slaakte hij een kreet en werden zijn ogen groot. Tanis besefte dat de jongeman een cynisch genoegen schepte in de verwarring van zijn vrienden.

'Kan ik iets voor je bestellen, Raistlin?' vroeg Tanis.

'Nee, dank je,' antwoordde de magiër terwijl hij zich wederom terugtrok in de schaduw.

'Hij eet bijna niets,' zei Caramon bezorgd. 'Volgens mij leeft hij van de lucht.'

'Er zijn planten die op lucht leven,' verklaarde Tasselhof, die terug-
kwam met een kroes bier voor Sturm. 'Ik heb ze zelf gezien. Ze zweven
boven de grond. Met hun wortels zuigen ze voedsel en water op uit de
atmosfeer.'

'Echt waar?' Caramons ogen waren zo groot als schoteltjes.

'Ik weet niet wie van jullie tweeën de grootste idioot is,' zei Flint gepikeerd. 'Nou, we zijn er allemaal. Wie heeft er nieuws?'

'Allemaal?' Sturm keek vragend naar Tanis. 'En Kitiara dan?'

'Die komt niet,' antwoordde Tanis rustig. 'We hoopten eigenlijk dat jij
ons misschien meer zou kunnen vertellen.'

'Nee, ik niet.' De ridder fronste zijn voorhoofd. 'We zijn samen naar
het noorden gereisd, maar kort nadat we de Zee-engten waren overgestoken naar Oud-Solamnië, zijn we ieder ons weegs gegaan. Ze zei dat
ze familie van haar vader wilde gaan opzoeken. Daarna heb ik haar niet
meer gezien.'

'Nou, dan houdt het op, denk ik.' Tanis slaakte een zucht. 'En hoe zit
het met jouw familie, Sturm? Heb je je vader gevonden?'

Sturm begon te praten, maar Tanis luisterde slechts met een half oor naar
diens verhaal van zijn reis door Solamnië, het land van zijn voorvaderen.
Tanis' gedachten gingen uit naar Kitiara. Van al zijn vrienden was zij degene die hij het allerliefst wilde terugzien. Vijf jaar lang had hij geprobeerd haar donkere ogen en scheve lach uit zijn hoofd te zetten, om tot
de ontdekking te komen dat hij met de dag alleen maar meer naar haar
ging verlangen. Wild, onbezonnen, heetgebakerd… De zwaardvechtster
was alles wat hij zelf niet was. Bovendien was ze een mens, en liefde tussen elfen en mensen eindigde altijd in rampspoed. Toch kon hij Kitiara
niet uit zijn hart verbannen, net zomin als hij zijn menselijke helft uit zijn
bloed kon verjagen. Vastbesloten ontworstelde hij zich aan zijn herinneringen, zodat hij naar Sturm kon luisteren.

'Ik heb geruchten gehoord. Sommigen beweren dat mijn vader dood is.
Anderen beweren dat hij nog leeft.' Zijn gezicht betrok. 'Maar niemand
weet waar hij is.'

'En je erfenis?' vroeg Caramon.

Sturm glimlachte, een melancholieke glimlach die de groeven in zijn
trotse gezicht verzachtte. 'Die draag ik nu,' antwoordde hij eenvoudig.
'Mijn harnas en mijn wapen.'

Tanis keek omlaag en zag dat de ridder een schitterend, zij het ouderwets, slagzwaard droeg.

Caramon stond op, zodat hij over de tafel heen kon kijken. 'Wat een
prachtzwaard,' zei hij. 'Zo worden ze tegenwoordig niet meer gemaakt.
Mijn zwaard is tijdens een gevecht met een oger doormidden gebroken.
Theros IJzerfeld heeft er vandaag een nieuw blad aan gemaakt, maar het

heeft me een rib uit mijn lijf gekost. Dus nu ben je ridder?'

Sturms glimlach verdween. Zonder antwoord te geven op de vraag, streek hij liefdevol over het gevest van zijn zwaard. 'Volgens de legende zal dit zwaard pas breken als ik breek,' zei hij. 'Het was het enige wat nog over was van mijn vaders—'

Hij werd ruw onderbroken door Tas, die niet meeluisterde. 'Wie zijn die mensen?' vroeg de kender op schrille fluistertoon.

Tanis keek op, juist op het moment dat de twee barbaren langs hun tafeltje liepen, op weg naar twee lege stoelen die in een schaduwrijke hoek bij de haard stonden. De man was de langste mens die Tanis ooit had gezien. Caramon, die zes voet lang was, zou waarschijnlijk niet hoger komen dan zijn schouder. Maar Caramons borst was waarschijnlijk wel twee keer zo breed en zijn armen waren drie keer zo dik. Hoewel de man dik ingepakt was in de dierenhuiden waarmee de barbaarse stammen zich kleedden, was het duidelijk dat hij erg mager was voor zijn lengte. Ondanks zijn donkere huid had zijn gezicht een bleke tint, alsof hij pas ziek was geweest of vreselijk had geleden.

Zijn metgezel – de vrouw voor wie Sturm een buiging had gemaakt – was zo diep weggedoken in haar met bont afgezette cape met capuchon dat er weinig over haar te zeggen viel. Zij en haar lange begeleider keurden Sturm in het voorbijgaan geen blik waardig. De vrouw had een eenvoudige staf in haar hand, versierd met veren, zoals gebruikelijk bij de barbaren. De man droeg een versleten rugzak. Met hun mantels strak om zich heen geslagen gingen ze op de stoelen zitten en begonnen een gedempt gesprek.

'Ik trof hen vlak buiten de stad op de weg aan,' zei Sturm. 'De vrouw leek op het randje van uitputting te balanceren, en de man was er niet veel beter aan toe. Ik heb hen mee hiernaartoe genomen en hun verteld dat ze hier iets konden eten en de nacht konden doorbrengen. Het zijn trotse lieden, en ik denk dat ze onder andere omstandigheden mijn hulp zouden hebben afgeslagen, maar ze waren moe en verdwaald, en' – Sturm liet zijn stem dalen – 'er lopen buiten tegenwoordig wezens rond tegen wie je het maar beter niet in het donker kunt opnemen.'

'We zijn er een paar tegengekomen. Ze zeiden iets over een staf,' zei Tanis grimmig. Hij vertelde over hun treffen met Schaarsmeester Padh. Hoewel Sturm moest glimlachen toen Tanis het gevecht beschreef, schudde hij afkeurend zijn hoofd. 'Ik ben buiten ook ondervraagd over een staf, door een Zoekerwacht,' zei hij. 'Een blauw kristallen staf was het toch?'

Caramon legde knikkend zijn hand op de magere arm van zijn broer. 'Een van die slijmerige wachters heeft ons aangehouden,' zei de krijger.

'Ze wilden Raistlins staf in beslag nemen, dat geloof je toch niet? "Voor nader onderzoek," zeiden ze. Ik heb even met mijn zwaard gerammeld om hen van gedachten te doen veranderen.'

Raistlin schudde met een spottende glimlach om zijn lippen de hand van zijn broer van zich af.

'Wat zou er zijn gebeurd als ze je staf hadden afgepakt?' vroeg Tanis.

Raistlin keek hem vanuit de schaduw van zijn kap aan, met een glinstering in zijn gouden ogen. 'Dan zouden ze een afschuwelijke dood zijn gestorven,' fluisterde hij, 'en niet door het zwaard van mijn broer.'

De halfelf voelde een rilling over zijn rug lopen. De zachte woorden van de magiër waren angstaanjagender dan de bravoure van zijn broer.

'Ik vraag me af wat er zo belangrijk kan zijn aan een blauw kristallen staf dat kobolden een moord zouden plegen om hem in handen te krijgen,' mijmerde hij.

'Er gaan geruchten over naderend onheil,' zei Sturm zachtjes. Zijn vrienden bogen zich naar hem toe om hem te kunnen verstaan. 'In het noorden verzamelt zich een leger. Een leger bestaande uit vreemde wezens, niet-menselijke wezens. Er wordt gesproken over oorlog.'

'Maar waarom? En tussen wie?' vroeg Tanis. 'Ik heb namelijk hetzelfde gehoord.'

'En ik ook,' voegde Caramon eraan toe. 'Sterker nog, ik heb gehoord...'

Terwijl het gesprek voortkabbelde, wendde Tasselhof zich gapend af. De kender verveelde zich snel, dus keek hij om zich heen in de herberg, op zoek naar nieuw vermaak. Zijn blik bleef rusten op de oude man die nog steeds bij het haardvuur verhalen zat te vertellen aan het kind. De oude man had inmiddels een groter publiek, want de twee barbaren luisterden mee, zag Tas. Toen viel zijn mond open.

De vrouw had haar capuchon afgedaan, waardoor het licht van de vlammen nu op haar gezicht en haar scheen. De kender staarde vol bewondering naar haar. De vrouw had een gelaat als dat van een marmeren standbeeld: klassiek, smetteloos en kil.

Wat echter vooral de aandacht van de kender trok, was haar haar. Zulk haar had Tas nog nooit gezien, en al helemaal niet bij de Vlaktelieden. Die hadden immers over het algemeen donker haar en een donkere huid. Zelfs een juwelier die kon werken met draden van zuiver goud en zilver had niet hetzelfde effect kunnen creëren als het zilverachtig gouden haar van deze vrouw in het licht van het haardvuur.

Er was nog één ander die naar de oude man luisterde. Het was een man die gekleed was in de luxueuze bruin met gouden gewaden van een Zoeker. Hij zat aan een klein, rond tafeltje bisschopswijn te drinken. Er stonden al enkele lege kroezen voor hem, en terwijl de kender zat te kijken, riep hij nors om een nieuwe.

'Dat is Hederick,' fluisterde Tika terwijl ze de tafel van de metgezellen passeerde. 'De Hogetheocraat.'

Met een boze blik op Tika riep de man opnieuw. Haastig liep ze naar hem toe. Hij snauwde haar iets toe over slechte bediening. Ze leek op het punt te staan hem van repliek te dienen, maar beet toen op haar lip en hield haar mond.

De oude man had het eind van zijn verhaal bereikt. De jongen slaakte een diepe zucht. 'Zijn al uw verhalen over de oude goden waar, meneer?' vroeg hij nieuwsgierig.

Tasselhof zag Hederick fronsen. De kender hoopte dat hij de oude man niet zou lastigvallen. Tas legde zijn hand op Tanis' arm om zijn aandacht te trekken en knikte naar de Zoeker met een blik die aangaf dat hij mogelijk problemen verwachtte.

De vrienden draaiden zich om. Stuk voor stuk werden ze getroffen door de schoonheid van de vrouw van de Vlakten. Met stomheid geslagen staarden ze naar haar.

De stem van de oude man kwam duidelijk boven het geroezemoes in de gelagkamer uit. 'Jazeker, jongeman, al mijn verhalen zijn waar.' De oude man keek de vrouw en haar lange begeleider recht aan. 'Vraag maar aan deze twee mensen. Zij dragen dergelijke verhalen in hun hart met zich mee.'

'Echt waar?' Gretig draaide de jongen zich om naar de vrouw. 'Kunt u me een verhaal vertellen?'

De vrouw trok zich met een geschrokken gezicht haastig terug in de schaduw zodra ze besefte dat Tanis en zijn vrienden naar haar zaten te kijken. De man boog beschermend naar haar toe terwijl zijn hand naar zijn wapen ging. Hij keek de groep dreigend aan, met name de zwaarbewapende krijger Caramon.

'Wat een zenuwpees,' merkte Caramon op. Ook hij reikte naar zijn zwaard.

'Dat kan ik wel begrijpen,' zei Sturm, 'als je een dergelijke schat moet bewaken. Hij is trouwens inderdaad haar persoonlijke lijfwacht. Uit hun gesprek maakte ik op dat zij een soort koninklijke status heeft binnen hun stam. Hoewel ik op grond van de blikken die ze wisselden vermoed dat hun relatie iets dieper gaat.'

De vrouw hief bezwerend haar hand. 'Het spijt me.' De vrienden moesten zich inspannen om haar te kunnen verstaan, zo zacht praatte ze. 'Ik ben geen verhalenverteller. Dat ambacht beheers ik niet.' Ze sprak Gemeenschaps, zij het met een zwaar accent.

De gretigheid op het gezicht van het kind maakte plaats voor teleurstelling. De oude man gaf hem een klopje op zijn rug, waarna hij de vrouw recht aankeek. 'Je mag dan geen verhalenverteller zijn,' zei hij vriendelijk, 'maar je bent wel een liederenzanger, nietwaar, stamhoofdsdochter? Zing je lied voor het kind, Goudmaan. Je weet wel welk lied ik bedoel.'

Schijnbaar uit het niets verscheen er een luit in de handen van de oude man. Die gaf hij aan de vrouw, die hem vol angst en verbijstering aanstaarde.

'Hoe… weet u wie ik ben, meneer?' vroeg ze.

'Dat is niet van belang.' De oude man glimlachte vriendelijk. 'Zing voor ons, stamhoofdsdochter.'

De vrouw nam de luit met zichtbaar bevende handen aan. Haar metgezel leek fluisterend te protesteren, maar ze hoorde hem niet. Haar blik werd gevangengehouden door de glinsterende zwarte ogen van de oude man. Langzaam, als in een trance, begon ze een melodie te spelen op de luit. Melancholieke akkoorden dreven door de gelagkamer, en links en rechts verstomden de gesprekken. Al snel keek iedereen naar haar, maar dat leek ze niet te merken. Goudmaan zong voor niemand anders dan de oude man.

Het grasland is eeuwig
De zomer zingt voort
En Goudmaans geliefde
Trekt naar een ver oord
Gestuurd door het stamhoofd
Die armoe verbant
Het grasland is eeuwig
De zomer zingt voort

Het grasland wuift zachtjes
De hemel is grauw.
Waterwind trekt oostwaarts
Naar de rand van de dauw.
Daar zoekt hij voor 't stamhoofd
Magie ijzersterk.
Het grasland wuift zachtjes
De hemel is grauw.

Waterwind, o liefste, waarheen zul je gaan?
Waterwind, o liefste, de herfst dient zich aan.
Ik kijk aan het water
naar de rijzende zon
Maar zie in het gloren jouw gestalte niet staan.

Grasland vervaagt, de wind
Geeft zijn laatste snik.
Hij keert terug, het duister
Van nacht in zijn blik.
Een blauwe staf draagt hij
Zo helder als ijs.
Grasland vervaagt, de wind
Geeft zijn laatste snik.

Het grasland is breekbaar
En draagt een gele waas.
Het stamhoofd lacht spottend
Om Waterwinds relaas.
Op stamhoofds bevel
Vliegt daar de eerste steen
Het grasland is breekbaar
En draagt een gele waas.

Het grasland laat binnen
De herfst ongenood.
Aan de zij van haar krijger
Wacht Goudmaan op de dood.
De staf licht blauw op
En spoorloos zijn zij.
Het grasland laat binnen
De herfst ongenood.

Het was doodstil in de gelagkamer toen ze het laatste akkoord aansloeg. Met een diepe zucht gaf ze de luit terug aan de oude man en trok zich terug in de schaduw.

'Dank je, lieve kind,' zei de oude man glimlachend.

'Mag ik nu een verhaal?' vroeg het jongetje smachtend.

'Natuurlijk,' zei de oude man. Hij maakte het zich gemakkelijk in zijn stoel. 'Op een dag hoorde de grote god Paladijn...'

'Paladijn?' onderbrak het jongetje hem. 'Ik heb nog nooit gehoord van een god die Paladijn heette.'

De Hogetheocraat, die vlakbij nog altijd aan zijn tafeltje zat, snoof hoorbaar. Tanis keek naar Hederick, wiens boze gezicht rood was aangelopen. De oude man leek het niet te hebben opgemerkt.

'Paladijn is een van de oude goden, jongeman. Hij wordt al heel lang niet meer aanbeden.'

'Waarom is hij weggegaan?' vroeg het jongetje.

'Hij is niet weggegaan,' antwoordde de oude man. Zijn glimlach werd droevig. 'De mensen hebben hem in de duistere tijd na de Catastrofe de rug toegekeerd. Ze gaven de goden de schuld van de vernietiging van de wereld, terwijl ze zichzelf daarvan de schuld hadden moeten geven. Heb je het Hooglied van de Draak wel eens gehoord?'

'Ja, nou en of,' zei het jongetje gretig. 'Ik ben dol op verhalen over draken, maar papa zegt dat draken nooit hebben bestaan. En toch geloof ik in ze. Ik hoop dat ik er op een dag een zie!'

Het gezicht van de oude man leek nog ouder en droeviger te worden. Hij streelde het jongetje over zijn hoofd. 'Wees voorzichtig met wat je wenst, mijn kind,' zei hij zachtjes. Toen zweeg hij.

'Het verhaal...' drong het jongetje aan.

'O ja. Welnu, op een dag hoorde Paladijn het gebed van een zeer dappere ridder, Huma genaamd—'

'De Huma uit het Hooglied?'

'Ja, die Huma. Huma was verdwaald geraakt in het bos. Lange tijd dwaalde hij doelloos rond, tot de wanhoop toesloeg omdat hij vreesde dat hij zijn vaderland nooit meer zou terugzien. Hij bad tot Paladijn om hulp, en opeens verscheen voor hem een witte hertenbok.'

'Heeft Huma hem doodgeschoten?' vroeg de jongen.

'Dat was hij wel van plan, maar toen bedacht hij zich. Hij kon het niet over zijn hart verkrijgen om zo'n schitterend dier te doden. De hertenbok ging er met grote sprongen vandoor. Toen bleef hij staan en keek achterom, alsof hij op Huma wachtte. De ridder liep achter de hertenbok aan. Dagen- en nachtenlang volgde hij het dier, en uiteindelijk leidde dat hem terug naar zijn vaderland. Daar dankte hij de god Paladijn.'

'Godslastering!' snauwde iemand luid. Er viel een stoel achterover.

Tanis zette zijn kroes bier neer en keek op. Iedereen aan de tafel hield op met drinken om naar de dronken Theocraat te kijken.

'Godslastering!' Wankelend op zijn onvaste benen wees Hederick naar de oude man. 'Ketter! Je verpesjt onze kinderen! Ik sjleep je voor de raad, oude man!' De Zoeker wankelde een stap naar achteren, maar kwam toen weer naar voren. Gewichtig keek hij om zich heen. 'Roep de wachtersj!' Hij maakte een weids gebaar. 'Zeg dat ze deze man moeten arresjteren, en deze vrouw wegensj het zingen van onkuisje liederen. Duidelijk een heksj! En deze sjtaf neem ik in besjlag.'

De Zoeker wankelde door de zaal op de barbaarse vrouw af, die hem vol afkeer aankeek. Onhandig stak hij zijn hand uit naar haar staf.

'Nee,' sprak de vrouw die Goudmaan werd genoemd koeltjes. 'Die is van mij. U mag hem niet meenemen.'

'Heksj!' sneerde de Zoeker. 'Ik ben de Hogetheocraat. Als ik ietsj wil meenemen, neem ik het mee!'

Opnieuw probeerde hij de staf te pakken. Nu stond de lange metgezel van de vrouw op. 'De stamhoofdsdochter zei dat je hem niet mag hebben,' zei de man bruusk. Hij gaf de Zoeker een duw.

Het was niet eens zo'n harde duw die de lange man gaf, maar de dronken Theocraat raakte er volledig door uit balans. Met wild zwaaiende armen probeerde hij overeind te blijven. Hij deed een paar wankele stappen naar voren, één te veel. Toen struikelde hij over zijn officiële gewaad en viel voorover in het brullende haardvuur.

Er klonk een luid geraas, dat werd gevolgd door een lichtflits en de misselijkmakende stank van brandend vlees. Een luid gekrijs doorkliefde de doodse stilte toen de Theocraat volkomen buiten zinnen overeind sprong en als een wildeman begon rond te draaien. Hij was veranderd in een levende fakkel.

Tanis en de anderen zaten verstijfd van schrik door het gebeurde toe te kijken. Alleen Tasselhof had de tegenwoordigheid van geest om op de man af te rennen, klaar om te helpen. De Theocraat stond echter krijsend met zijn armen te zwaaien, waardoor de vlammen die zijn kleding en lichaam verteerden alleen maar werden aangewakkerd. Het leek erop dat de kleine kender hem onmogelijk kon helpen.

'Hier!' De oude man greep de met veren versierde staf van de barbaarse vrouw en gaf die aan de kender. 'Sla hem tegen de grond. Dan kunnen we de vlammen doven.'

Tasselhof pakte de staf aan. Met al zijn kracht sloeg hij de Theocraat er vol mee op zijn borst. De man viel op de grond. De toeschouwers zuchtten als één man. Zelf stond Tasselhof met de staf nog stevig in zijn hand met open mond te staren naar het tafereel. Hij kon zijn ogen niet geloven.

De vlammen waren meteen gedoofd. Het gewaad van de man was schoon en onaangetast. Zijn huid was roze en gezond. Met een gezicht vol angst en ontzag ging hij rechtop zitten en staarde hij naar zijn handen en zijn gewaad. Zijn huid was ongeschonden. Er zat zelfs geen brandplekje op zijn gewaad.

'De staf heeft hem genezen!' verkondigde de oude man luidkeels. 'De staf! Kijk de staf nou!'

Tasselhofs blik ging naar de staf in zijn handen. Die was van blauw kristal en straalde een helblauwe gloed uit.

De oude man begon te schreeuwen. 'Roep de wachters! Arresteer de kender! Arresteer de barbaren! Arresteer hun vrienden! Ik heb haar met die ridder zien binnenkomen.' Hij wees naar Sturm.

'Wat?' Tanis sprong overeind. 'Ben je gek geworden, oude man?'

'Roep de wachters! Zag je dat? De blauw kristallen staf? We hebben hem gevonden. Nu laten ze ons eindelijk met rust. Roep de wachters!'

De theocraat kwam op onvaste benen overeind. Hij had rode vlekken op zijn bleke gelaat. De barbaarse vrouw en haar metgezel stonden bang en geschrokken op.

'Smerige heks!' Hedericks stem beefde van woede. 'Je hebt me met duivelskunsten genezen! Zoals ik zal branden om mijn lichaam te reinigen, zul jij branden om je ziel te zuiveren!' Met die woorden stak de Theocraat zijn hand uit, en voordat iemand hem kon tegenhouden, had hij hem al in de vlammen gestoken. Hij kokhalsde van pijn, maar er kwam geen kreet over zijn lippen. Vervolgens drukte hij zijn zwartgeblakerde hand tegen zijn borst, draaide zich om en strompelde met een uitdrukking van krankzinnige tevredenheid op zijn verwrongen gezicht tussen de mompelende mensen door.

'Jullie moeten hier weg!' Happend naar adem kwam Tika op Tanis afgerend. 'Het hele dorp is al tijden op zoek naar die staf. De mannen met de kappen hebben tegen de Theocraat gezegd dat ze Soelaas zouden vernietigen als ze merkten dat iemand de staf verborgen hield. De dorpelingen zullen jullie zonder pardon overdragen aan de wachters.'

'Maar die staf is niet eens van ons,' wierp Tanis tegen. Hij wierp een blik op de oude man en zag dat die met een tevreden glimlach op zijn gezicht achteroverleunde in zijn stoel. Grijnzend knipoogde de oude man naar Tanis.

'Je denkt toch niet dat ze jullie zullen geloven?' vroeg Tika handenwringend. 'Kijk dan!'

Tanis keek om zich heen. Overal stonden mensen hen dreigend aan te staren. Sommigen omklemden hun kroezen wat steviger. Anderen lieten hun hand op het gevest van hun zwaard zakken. Pas toen beneden geschreeuw klonk, richtte hij zijn aandacht weer op zijn vrienden.

'De wachters komen eraan!' riep Tika uit.

Tanis stond op. 'Dan zullen we via de keuken weg moeten.'

'Ja!' zei ze knikkend. 'Daar zullen ze voorlopig nog niet kijken. Maar schiet op. Ze zullen niet veel tijd nodig hebben om de herberg te omsingelen.'

Hoewel ze jarenlang gescheiden waren geweest, was het vermogen van de metgezellen om als één man op dreigend gevaar te reageren nog niet verdwenen. Caramon had zijn glanzende helm opgezet, zijn zwaard getrokken en zijn rugzak omgehangen en hielp nu zijn broer overeind. Raistlin liep met zijn staf in zijn hand al om de tafel heen. Flint had zijn hand op zijn strijdbijl gelegd en stond met een duistere frons naar de toeschouwers te staren, die er niet erg happig op leken zulke goed bewapende mannen aan te vallen. Alleen Sturm zat nog steeds kalmpjes zijn bier te drinken.

'Sturm!' zei Tanis dringend. 'Kom mee! We moeten hier weg!'

'Slaan we op de vlucht?' De ridder leek verbijsterd. 'Voor dit schoelje?' 'Ja.' Tanis zweeg even. De erecode van de ridder stond hem niet toe voor gevaar weg te rennen. Hij zou hem moeten ompraten. 'Die man is een godsdienstfanaat, Sturm. Waarschijnlijk zet hij ons op de brandstapel. En' – een plotselinge inval gaf de doorslag – 'er is een dame die dient te worden beschermd.'

'De dame, ja, natuurlijk.' Meteen stond Sturm op en liep naar de vrouw toe. 'Mevrouw, uw dienaar.' Hij maakte een buiging; de hoffelijke ridder weigerde zich te haasten. 'Het lijkt erop dat we allemaal in hetzelfde schuitje zitten. Uw staf heeft ons allen, en u in het bijzonder, in groot gevaar gebracht. Wij kennen deze omgeving als onze broekzak, want we zijn hier opgegroeid. U beiden, zo weet ik, bent hier vreemd. Het zou ons een eer zijn om u en uw dappere kameraad te vergezellen en indien nodig te beschermen.'

'Kom nou mee!' zei Tika dringend, trekkend aan Tanis' mouw. Caramon en Raistlin stonden al bij de keukendeur.

'Ga de kender halen,' droeg Tanis haar op.

Tasselhof stond nog altijd als aan de grond genageld naar de staf te staren. Die nam inmiddels in rap tempo weer zijn onopvallende bruine kleur aan. Tika greep Tas bij zijn haarknot en trok hem mee naar de keuken. Met een verschrikte kreet liet de kender de staf vallen.

Snel raapte Goudmaan hem op en drukte hem stevig tegen zich aan. Ze was zichtbaar bang, maar toch nam ze Sturm en Tanis met heldere, kalme ogen op. Kennelijk dacht ze razendsnel na. Haar metgezel sprak bruusk een woord in zijn eigen taal. Ze schudde van nee. Hij fronste zijn wenkbrauwen en maakte een hakkend gebaar. Als antwoord snauwde ze hem kort iets toe, waarna hij er met een duister gezicht het zwijgen toe deed.

'We gaan met jullie mee,' zei Goudmaan in het Gemeenschaps tegen Sturm. 'Dank u voor het aanbod.'

'Deze kant op!' Tanis dreef hen voor zich uit door de klapdeuren naar de keuken, achter Tika en Tas aan. Toen hij achteromkeek, zag hij dat een paar mensen aanstalten maakten hen achterna te komen, maar ze hadden kennelijk geen haast.

De kokkin staarde hen verdwaasd na toen ze door de keuken renden. Caramon en Raistlin waren al bij de achteruitgang, in feite niet meer dan een gat dat in de vloer was uitgezaagd. Boven het gat hing aan een stevige balk een touw dat tot op de grond hing, veertig voet lager.

'Aha!' riep Tas lachend uit. 'Hier komt het bier naar boven en gaat de rommel en het uitschot naar beneden.' Hij greep het touw vast en klom er behendig langs omlaag.

'Het spijt me vreselijk,' zei Tika verontschuldigend tegen Goudmaan, 'maar het is de enige uitweg.'

'Ik kan heus wel langs een touw naar beneden klimmen.' Met een glimlach voegde de vrouw eraan toe: 'Al moet ik toegeven dat het al heel wat jaartjes geleden is.'

Ze gaf haar staf aan haar metgezel en greep het stevige touw vast. Met vaardige hand-over-handbewegingen daalde ze af. Zodra ze met beide benen op de grond stond, gooide haar metgezel de staf naar beneden, greep het touw en daalde af.

'Hoe kom jij beneden, Raist?' vroeg Caramon met een bezorgde frons op zijn gezicht. 'Je zou op mijn rug kunnen klimmen—'

Er laaide een woede in Raistlins ogen op waar Tanis van schrok. 'Ik kan zelf wel naar beneden!' siste de magiër. Voordat iemand hem kon tegenhouden, liep hij naar de rand van het gat en sprong naar beneden. Meteen tuurde iedereen met een geschrokken kreet naar beneden, in de verwachting Raistlin morsdood op de grond te zien liggen. Maar nee, ze zagen de jonge magiër rustig naar beneden zweven terwijl zijn gewaad om hem heen flapperde. Het kristal op zijn staf straalde een felle gloed uit.

'Ik krijg de rillingen van die knul!' grauwde Flint tegen Tanis.

'Schiet op!' Tanis gaf de dwerg een duw. Flint pakte het touw. Caramon was de volgende. De balk waaraan het touw hing kraakte onder zijn gewicht.

'Ik ga als laatste,' zei Sturm, die zijn zwaard had getrokken.

'Goed dan.' Tanis wist dat het geen zin had om tegen te sputteren. Hij hing zijn boog en pijlenkoker over zijn schouder, greep het touw en liet zich zakken. Opeens glipten zijn handen weg. Hij gleed langs het touw naar beneden, niet in staat te voorkomen dat het de huid van zijn handpalmen schuurde. Zodra hij op de grond stond, bestudeerde hij ineenkrimpend van pijn zijn handen. Die waren rauw en bebloed. Hij had echter geen tijd om erover na te denken. Een snelle blik omhoog leerde dat Sturm nu ook naar beneden kwam.

Tika's gezicht verscheen in de opening. 'Ga maar naar mijn huis!' zei ze geluidloos, tussen de bomen door wijzend. Toen was ze verdwenen.

'Ik weet de weg,' zei Tas met ogen die glansden van opwinding. 'Kom maar mee.'

Haastig liepen ze achter de kender aan, want ze konden de voetstappen al horen van de wachters die de trap op liepen naar de herberg. Tanis, die er niet aan gewend was om zich in Soelaas over de grond te verplaatsen, was al snel de weg kwijt. Boven zijn hoofd zag hij de loopbruggen en de straatlampen die tussen de boomblaadjes door schenen. Hij was volledig gedesoriënteerd, maar Tas liep vol zelfvertrouwen verder, tussen de reusachtige stammen van de vallènbomen door. De commotie in de herberg stierf weg.

'We houden ons vannacht schuil in Tika's huis,' fluisterde Tanis tegen Sturm terwijl ze door de struiken ploegden. 'Gewoon voor het geval iemand ons heeft herkend en besluit onze huizen te laten doorzoeken. Morgenochtend is iedereen dit weer vergeten. Dan nemen we de mensen van de Vlakte mee naar mijn huis om hun een paar dagen rust te gunnen. Daarna kunnen we de barbaren naar Haven sturen, waar de Raad van Hogezoekers met hen praten. Misschien ga ik zelfs wel mee. Die staf heeft mijn nieuwsgierigheid gewekt.'

Sturm knikte. Toen keek hij Tanis met een zeldzame, weemoedige glimlach op zijn gezicht aan. 'Welkom thuis,' zei de ridder.

'Jij ook.' De halfelf grijnsde.

Opeens stonden ze allebei stil, omdat ze in het donker tegen Caramon opbotsten.

'Volgens mij zijn we er,' zei Caramon.

In het licht van de straatlampen die aan de boomtakken hingen zagen ze Tasselhof als een greppeldwerg omhoogklimmen. De anderen volgden in een lager tempo, waarbij Caramon zijn broer hielp. Tanis klemde zijn kaken opeen tegen de pijn in zijn handen en klom langzaam door het snel dunner wordende najaarsbladerdak omhoog. Met de handigheid van een inbreker klom Tas inmiddels al over de balustrade heen die om het portiek stond. De kender sloop naar de deur en speurde links en rechts de loopbrug af. Toen hij daar niemand zag, gebaarde hij naar de anderen. Vervolgens bestudeerde hij het slot en glimlachte tevreden bij zichzelf. De kender haalde iets uit een van zijn vele buidels. Binnen een paar tellen zwaaide de deur van Tika's huis open.

'Kom binnen,' zei hij, alsof hij de gastheer was.

Ze dromden het huisje binnen, waarbij de lange barbaar gedwongen was te bukken om te voorkomen dat hij zijn hoofd zou stoten aan het plafond. Tas trok de gordijnen dicht. Sturm schoof een stoel bij voor de dame, en de lange barbaar ging achter haar staan. Raistlin pookte het vuur op.

'Houd de wacht,' zei Tanis. Caramon knikte. De krijger had al postgevat bij een raam en stond naar de duisternis te turen. Het licht van een straatlantaarn scheen door de gordijnen de kamer binnen, zodat er donkere schaduwen op de muren vielen. Een hele tijd zei niemand iets, maar staarde iedereen elkaar aan.

Tanis ging zitten en richtte zijn blik op de vrouw. 'De blauw kristallen staf,' zei hij zachtjes. 'Hij heeft die man genezen. Hoe kan dat?'

'Dat weet ik niet.' Ze aarzelde. 'Ik... ik heb hem nog niet zo lang.'

Tanis keek naar zijn handen. Ze bloedden nog steeds op de plekken waar het touw de huid had weggeschuurd. Hij stak ze naar haar uit. Langzaam en met een bleek gezicht raakte de vrouw hem met de staf aan. Die gloeide blauw op. Tanis voelde een lichte, tintelende schok door zijn lichaam gaan. Voor zijn ogen verdween het bloed op zijn handpalmen, werd de huid glad en onbeschadigd en trok de pijn weg, om vervolgens helemaal te verdwijnen.

'Ware heling!' zei hij vol ontzag.

4
De open deur.
Vlucht in de duisternis.

Raistlin ging voor de haard in de gloed van het vuur zitten en wreef in zijn smalle handen. Zijn gouden ogen leken feller dan de vlammen toen hij gebiologeerd staarde naar de blauw kristallen staf die op de schoot van de vrouw lag.

'Wat denk je ervan?' vroeg Tanis.

'Als ze een charlatan is, is ze wel een goede,' merkte Raistlin bedacht-zaam op.

'Jij, worm! Hoe durf je de stamhoofdsdochter een charlatan te noemen?' De lange barbaar liep met zijn voorhoofd vertrokken in een vervaarlijke frons op Raistlin af. Caramon maakte een laag, grommend geluid diep in zijn keel en verliet het raam om achter zijn broer te gaan staan.

'Waterwind...' De vrouw legde haar hand op 's mans arm toen hij weer naast haar kwam staan. 'Toe. Hij heeft geen kwaad in de zin. Het is al-leen maar juist dat ze ons niet vertrouwen. Ze kennen ons immers niet.'

'En wij kennen hen ook niet,' bromde de man.

'Zou ik hem eens mogen bestuderen?' vroeg Raistlin.

Goudmaan knikte en hield hem de staf voor. De magiër strekte zijn lan-ge, benige armen uit en graaide er met zijn magere handen gretig naar. Zodra hij de staf echter aanraakte, ontstond er een felle blauwe flits en klonk er een felle donderklap. Met een kreet van pijn en schrik trok Raistlin zijn hand terug. Caramon sprong naar voren, maar zijn broer hield hem tegen.

'Nee, Caramon,' fluisterde Raistlin hees, wrijvend over zijn gewonde hand. 'De dame had hier niets mee te maken.'

En inderdaad, de vrouw zat vol verwondering naar haar staf te kijken.

'Wat krijgen we nou?' vroeg Tanis geërgerd. 'Een staf die tegelijkertijd geneest en verwondt?'

'Het is heel simpel: hij weet wat voor vlees hij in de kuip heeft.' Raistlin likte zijn lippen. Zijn ogen glinsterden. 'Kijk maar. Caramon, pak de staf.'

'Mooi niet!' De krijger deinsde terug alsof het een slang was.

'Pak die staf!' beval Raistlin.

Met tegenzin stak Caramon zijn bevende hand uit. Naarmate zijn vingers dichterbij kwamen, begon zijn arm steeds heviger te trillen. Met zijn ogen dicht en zijn tanden op elkaar, voorbereid op de pijn, raakte hij de staf aan. Er gebeurde niets.

Geschrokken sperde Caramon zijn ogen open. Hij pakte de staf met zijn enorme hand vast, tilde hem op en grijnsde.

'Zie daar.' Raistlin gebaarde alsof hij een illusionist was die zijn publiek vermaakte met een goocheltruc. 'Alleen eenvoudige, goedaardige lieden met een zuiver hart' – zijn sarcasme was bijtend – 'kunnen de staf aanraken. Het is waarlijk een helende staf, gezegend door deze of gene god. Het is geen magisch voorwerp. Ik heb nog nooit gehoord van een magisch voorwerp dat helende krachten had.'

'Stil!' zei Tasselhof, die Caramons plaats bij het raam had ingenomen, bevelend. 'De wachters van de Theocraat!' waarschuwde hij zachtjes.

Niemand zei iets. Nu hoorden ze allemaal de klepperende voetstappen van kobolden op de loopbruggen die de takken van de vallènbomen met elkaar verbonden.

'Ze zijn huiszoekingen aan het verrichten,' fluisterde Tanis ongelovig terwijl hij luisterde naar het geluid van vuisten die bij een van de buren op de deur beukten.

'Doe open, in naam van de Zoekers!' zei iemand met krakende stem. Het bleef even stil, waarna diezelfde kobold zei: 'Niemand thuis. Zullen we de deur intrappen?'

'Nee,' zei een ander. 'We kunnen beter gewoon verslag uitbrengen aan de Theocraat, dan kan hij de deur intrappen. Als de deur nou niet op slot was, zou het anders zijn, dan zouden we het recht hebben naar binnen te gaan.'

Tanis keek naar de deur tegenover zich. Plotseling huiverde hij. Hij had durven zweren dat ze de deur hadden gesloten en vergrendeld, maar nu stond hij op een kier!

'De deur!' fluisterde hij. 'Caramon…'

Maar de krijger was al met zijn rug tegen de muur achter de deur gaan staan. Hij balde zijn handen tot vuisten.

De klepperende voetstappen kwamen dichterbij en hielden voor de deur op. 'Doe open, in naam van de Zoekers!' De kobolden begonnen op de deur te bonzen, maar hielden daar verrast mee op toen hij openzwaaide.

'Hier is niemand,' zei er een. 'Kom, we gaan verder.'

'Jij hebt ook geen fantasie, Groem,' zei een ander. 'Dit is een uitgelezen kans om een paar zilverstukken te verdienen.'

Een kobold stak zijn hoofd om de open deur. Zijn blik bleef rusten op Raistlin, die kalm was blijven zitten met zijn staf tegen zijn schouder. De kobold gromde van schrik, maar begon toen te lachen.

'Oh, ho! Kijk nou eens wat we hebben gevonden. Een staf!' De ogen van de kobold glansden. Hij deed een stap in Raistlins richting, met zijn kameraad dicht op zijn hielen. 'Geef me die staf!'

'Met genoegen,' fluisterde de magiër. Hij stak zijn eigen staf uit. *'Shirak,'* zei hij. De kristallen bol lichtte fel op. Krijsend knepen de kobolden hun ogen dicht, tastend naar hun zwaard. Op dat moment sprong Caramon van achter de deur tevoorschijn, greep de kobolden bij hun nek en sloeg met een misselijkmakende dreun hun koppen tegen elkaar. De slappe koboldenlichamen vielen op een stinkende hoop.

'Dood?' vroeg Tanis terwijl Caramon zich over hen heen boog om hen in het licht van Raistlins staf te onderzoeken.

'Ik ben bang van wel.' Caramon zuchtte. 'Ik heb ze een te harde dreun gegeven.'

'Nu hebben we het voor elkaar,' zei Tanis grimmig. 'We hebben nog twee wachters van de Theocraat vermoord. Hij zal het dorp opjutten tot ze naar de wapenen grijpen. Ons een paar dagen gedeisd houden is geen optie meer. We moeten hier weg. En jullie tweeën' – hij wendde zich tot de barbaren – 'kunnen maar beter met ons meegaan.'

'Waar we ook naartoe gaan,' mompelde Flint geërgerd.

'Waar waren jullie naar op weg?' vroeg Tanis aan Waterwind.

'We wilden naar Haven reizen,' antwoordde de barbaar stroef.

'Daar zijn wijze lieden,' zei Goudmaan. 'We hoopten dat ze ons iets over deze staf konden vertellen. Zie je, het lied dat ik heb gezongen, dat was waar. De staf heeft ons het leven gered—'

'Dat verhaal zul je ons een andere keer moeten vertellen,' viel Tanis haar in de rede. 'Als deze wachters zich niet melden, zwermen straks alle kobolden in Soelaas om de bomen heen. Raistlin, doof dat licht.'

De magiër sprak opnieuw een woord: *'Dumak.'* Het kristal flakkerde, en het licht ging uit.

'Wat doen we met de lichamen?' vroeg Caramon terwijl hij met de punt van zijn laars tegen een van de dode kobolden duwde. 'En met Tika? Krijgt zij hier geen problemen mee?'

'Laat de lijken liggen.' Tanis dacht razendsnel na. 'En hak de deur aan stukken. Sturm, gooi wat meubels omver. We laten het eruitzien alsof we hier hebben ingebroken en op de vuist zijn gegaan met deze jongens. Dan krijgt Tika als het goed is geen grote problemen. Ze is een slimme meid, ze redt zich wel.'

'We hebben proviand nodig,' merkte Tasselhof op. Hij rende de keuken in en speurde de schappen af. Hele broden en alles wat verder eetbaar leek stopte hij in zijn buidels. Hij wierp Flint een volle zak met wijn toe. Sturm gooide een paar stoelen omver. Caramon legde de lichamen in een dusdanige houding dat het zou lijken of ze bij een hevige strijd waren omgekomen. De Vlaktelieden stonden voor het nasmeulende vuur onzeker naar Tanis te kijken.

'Zo,' zei Sturm. 'En nu? Waar gaan we naartoe?'

Tanis aarzelde terwijl hij in gedachten de mogelijkheden naliep. De Vlaktelieden kwamen uit het oosten, en als hun verhaal klopte en de rest van hun stam inderdaad had geprobeerd hen te doden, dan zouden ze niet terug willen. Ze konden ook met z'n allen naar het zuiden reizen, naar het elfenrijk, maar Tanis voelde een merkwaardige weerstand bij de gedachte terug te keren naar zijn geboortegrond. Bovendien wist hij dat de elfen niet blij zouden zijn met die vreemdelingen in hun verborgen stad.

'We gaan naar het noorden,' zei hij uiteindelijk. 'We begeleiden dit tweetal tot aan de kruising, en van daaruit kunnen we besluiten wat we verder gaan doen. Zij kunnen, als ze dat willen, in zuidwestelijke richting doorreizen naar Haven. Zelf ben ik van plan verder noordwaarts te trekken om na te gaan of de geruchten waar zijn over een leger dat zich aan het verzamelen is.'

'In de hoop dat je dan misschien Kitiara tegen het lijf loopt,' fluisterde Raistlin sluw.

Tanis bloosde. 'Is dat een goed plan?' vroeg hij, om zich heen kijkend.

'Je bent wellicht niet de oudste in dit gezelschap, Tanis, maar wel de meest wijze,' zei Sturm. 'Wij volgen je – zoals altijd.'

Caramon knikte. Raistlin was al op weg naar de deur. Flint hees brommend de wijnzak op zijn schouder.

Tanis voelde een zachte aanraking op zijn arm. Toen hij zich omdraaide, keek hij recht in de heldere blauwe ogen van de beeldschone barbaarse vrouw.

'Wij zijn je dankbaar,' zei Goudmaan langzaam, alsof ze niet gewend was haar erkentelijkheid te uiten. 'Jullie wagen je leven voor ons, en dat terwijl we vreemden zijn.'

Glimlachend gaf Tanis haar een hand. 'Ik ben Tanis. De broers heten Caramon en Raistlin. De ridder heet Sturm Zwaardglans. Flint Smidsvuur draagt de wijnzak en onze handige slotenmaker heet Tasselhof Klisvoet. Jij heet Goudmaan en hij heet Waterwind. Zo, nu zijn we geen vreemden meer.'

Goudmaan glimlachte vermoeid. Ze gaf Tanis een klopje op zijn arm en liep toen naar de deur, leunend op de staf, die inmiddels weer zijn onopvallende uiterlijk had aangenomen. Tanis keek haar na, maar toen hij opkeek, zag hij dat Waterwind hem aanstaarde met een donker gezicht als een ondoorgrondelijk masker.

Nou ja, verbeterde Tanis zichzelf in gedachten, nu zijn sómmigen van ons geen vreemden meer.

Al snel was iedereen de deur uit, met Tas voorop. Even bleef Tanis in zijn eentje in de woonkamer staan kijken naar de dode kobolden. Dit had een vredige thuiskomst moeten zijn na vele bittere jaren reizen in eenzaamheid. Hij moest denken aan zijn gerieflijke huis en aan alle dingen die hij had willen doen – dingen die hij samen met Kitiara had willen doen. Hij moest denken aan lange winteravonden rond de open haard van de herberg terwijl er verhalen werden verteld, en dan naar huis gaan, lachend onder de bontdekens wegkruipen en uitslapen tijdens besneeuwde ochtenden.

Tanis schopte de smeulende kolen uit elkaar. Kitiara was niet teruggekomen. Kobolden waren zijn slaperige dorp binnengedrongen. Hij vluchtte als een dief in de nacht weg voor godsdienstfanaten en de kans was groot dat hij nooit zou kunnen terugkeren.

Elfen slaan geen acht op het verstrijken van de tijd. Ze worden honderden jaren oud. Voor hen gaan de seizoenen voorbij als korte regenbuien. Maar Tanis was half mens. Hij voelde dat er verandering op til was, ervoer de nerveuze onrust die mensen voelen als er onweer op komst is. Zuchtend schudde hij zijn hoofd. Toen liep hij naar buiten, langs de vernielde deur, die nog maar aan één scharnier hing.

5
Afscheid van Flint. Pijlen vliegen in het rond. Boodschap in de sterren.

Tanis klom over de balustrade en liet zich tussen de takken door op de grond vallen. De anderen stonden weggedoken in de duisternis te wachten, op veilige afstand van de lichtkring van de straatlantaarns die boven hen tussen de takken heen en weer wiegden. Vanuit het noorden was een kille wind opgestoken. Toen Tanis achteromkeek, zag hij andere lichtjes, de lichtjes van opsporingspatrouilles. Hij trok zijn kap over zijn hoofd en liep haastig weg.

'De wind is gedraaid,' zei hij. 'Tegen de ochtend gaat het regenen.' Hij keek om zich heen naar het kleine groepje in het griezelige, wild dansende licht van de lampen die door de wind heen en weer werden geslingerd. Goudmaans gezicht was getekend door vermoeidheid. Dat van Waterwind was een stoïcijns, krachtig masker, maar hij liet zijn schouders hangen. Raistlin leunde rillend tegen een boom en haalde piepend adem.

Tanis zette zich schrap tegen de wind. 'We moeten een schuilplaats zien te vinden,' zei hij. 'Een plek om uit te rusten.'

'Tanis,' zei Tas, trekkend aan de mantel van de halfelf. 'We kunnen ook per boot gaan. Het is maar een klein eindje naar het Kristalmirmeer. Aan de andere oever zijn grotten, en dan hoeven we morgen ook minder ver te lopen.'

'Dat is een goed idee, Tas, maar we hebben geen boot.'

'Geen probleem,' zei de kender grijnzend. Door zijn kleine gezichtje en zijn scherp gepunte oren leek hij in dit griezelige licht sterk op een duiveltje. Tas geniet hier met volle teugen van, besefte Tanis. Hij had zin om de kender heen en weer te rammelen en hem streng toe te spreken over het gevaar waarin ze verkeerden. Maar de halfelf wist dat het geen zin had. Kenders kenden immers helemaal geen angst.

'De boot is een goed idee,' zei Tanis nogmaals nadat hij er even over had nagedacht. 'Ga jij maar voorop. En niets tegen Flint zeggen,' voegde hij eraan toe. 'Dat regel ik wel.'

'Mij best!' zei Tas giechelend, waarna hij stilletjes terugliep naar de anderen. 'Kom maar mee,' riep hij zachtjes, en hij ging op pad. Mopperend in zijn baard stampte Flint achter de kender aan. Goudmaan volgde de dwerg. Waterwind wierp een snelle, indringende blik op alle leden van de groep en ging toen vlak achter haar lopen.

'Volgens mij vertrouwt hij ons niet,' merkte Caramon op.

'Zou jij dat wel doen, dan?' vroeg Tanis met een blik op de grote man. Caramons drakenhelm glansde in het flakkerende licht. Telkens als de wind zijn cape naar achteren blies, werd zijn maliënkolder zichtbaar. Een zwaard sloeg met een metaalachtig getik tegen zijn dikke bovenbenen, over zijn schouder hingen een korte boog en een pijlenkoker, en uit zijn riem stak een dolk. Zijn schild was gebutst en gedeukt van de vele gevechten. De reus was overal op voorbereid.

Tanis keek naar Sturm, die vol trots het wapenschild droeg van een ridderorde die driehonderd jaar eerder in ongenade was gevallen. Sturm was slechts vier jaar ouder dan Caramon, maar door zijn strenge, gedisciplineerde manier van leven, de ontberingen die hij als gevolg van armoede had moeten doorstaan en zijn melancholieke zoektocht naar zijn geliefde vader leek de ridder veel ouder. Hij was pas negenentwintig, maar hij leek wel veertig.

Tanis dacht: ik geloof dat ik ons ook niet zou vertrouwen.

'Wat is het plan?' vroeg Sturm.

'We gaan met een boot,' antwoordde Tanis.

'Oh, ho!' zei Caramon grinnikend. 'Heb je dat al aan Flint verteld?'

'Nee. Maar laat dat maar aan mij over.'

'Waar halen we een boot vandaan?' vroeg Sturm argwanend.

'Dat kun je maar beter niet weten,' zei de halfelf.

De ridder fronste zijn wenkbrauwen. Met zijn blik volgde hij de kender, die ver voor hen uit van de ene schaduw naar de andere schoot. 'Dit staat me niet aan, Tanis. We zijn al moordenaars, en zo meteen verlagen we ons ook nog tot diefstal.'

'Ik beschouw mezelf niet als een moordenaar,' zei Caramon minachtend. 'Kobolden tellen niet.'

Tanis zag de boze blik die de ridder op Caramon wierp. 'Dit alles staat mij ook niet aan, Sturm,' zei hij haastig, in de hoop een ruzie te voorkomen. 'Maar het is bittere noodzaak. Kijk eens naar de Vlaktelieden. Trots is het enige wat hen nog overeind houdt. En moet je Raistlin zien…' Hun blik ging naar de magiër, die over de droge blaadjes schuifelde en zoveel mogelijk in de schaduw bleef. Hij leunde zwaar op zijn staf. Af en toe deed een droge hoest zijn lichaam schokken.

Caramons gezicht betrok. 'Tanis heeft gelijk,' zei hij zachtjes. 'Raist kan niet veel meer hebben. Ik moet naar hem toe.' Hij liet de ridder en de halfelf samen achter en haastte zich naar de gebogen, in een mantel gehulde gestalte van zijn tweelingbroer.

'Laat me je helpen, Raist,' hoorden ze Caramon fluisteren.

Onder zijn kap schudde Raistlin zijn hoofd, en hij ontweek de aanraking van zijn broer. Schouderophalend liet Caramon zijn arm zakken, maar de grote krijger bleef bij zijn verzwakte broer in de buurt, klaar om hem indien nodig te helpen.

'Waarom pikt hij dat allemaal?' vroeg Tanis zachtjes.

'Familie. Bloedbanden.' Sturm klonk weemoedig. Hij leek nog meer te willen zeggen, maar toen ging zijn blik naar Tanis' elfengezicht met de menselijke baard en deed hij er het zwijgen toe. Tanis zag die blik en wist wat de ridder dacht. Familie, bloedbanden, dat waren zaken waar de halfelf, een wees, niets van kon weten.

'Kom,' zei Tanis abrupt. 'We raken achterop.'

Al snel hadden ze de vallènbomen van Soelaas achter zich gelaten en hadden ze het dennenbos rond het Kristalmirmeer bereikt. Achter zich hoorde Tanis gedempt geschreeuw. 'Ze hebben de lijken gevonden,' giste hij. Sturm knikte somber. Opeens leek Tasselhof vlak voor de neus van de halfelf uit het niets op te duiken.

'Dit pad is ongeveer een mijl lang en leidt naar het meer,' zei Tas. 'Ik vang jullie aan het eind ervan op.' Hij maakte een vaag handgebaar en was alweer verdwenen voordat Tanis een woord kon zeggen. De halfelf keek achterom in de richting van Soelaas. Er leken lichtjes te zijn bijgekomen, en ze kwamen hun richting uit. Waarschijnlijk waren de wegen al afgesloten.

'Waar is de kender?' bromde Flint terwijl ze zich door het bos haastten.

'Tas vangt ons bij het meer op,' antwoordde Tanis.

'Meer?' Flints ogen werden groot. 'Welk meer?'

'Er is hier maar één meer, Flint,' zei Tanis. Hij moest zich inhouden om niet tegen Sturm te glimlachen. 'Kom, we kunnen er maar beter de pas in houden.' Zijn elfenogen toonden hem de brede, rode contouren van Caramon en de kleinere, rode gestalte van zijn broer, die inmiddels opgingen in het dichte woud.

'Ik dacht dat we ons gewoon even in het bos gingen schuilhouden.' Flint was langs Sturm heen gedrongen om bij Tanis zijn beklag te doen.

'We gaan met de boot.' Tanis versnelde zijn pas.

'Mooi niet!' grauwde Flint. 'Mij krijg je niet in een boot.'

'Dat ongeluk is al tien jaar geleden,' zei Tanis geërgerd. 'Ik zeg wel tegen Caramon dat hij stil moet zitten.'

'Absoluut niet,' zei de dwerg op een toon die geen tegenspraak duldde. 'Geen boten. Dat heb ik mezelf beloofd.'

'Tanis,' hoorde hij Sturm achter zich fluisteren. 'Lichtjes.'

'Vervloekt!' De halfelf bleef staan en draaide zich om. Hij moest even wachten, maar toen zag hij de lichtjes die tussen de bomen door schemerden. De zoekactie had zich tot buiten de grenzen van Soelaas uitgebreid. Snel haalde hij Caramon, Raistlin en de Vlaktelieden in.

'Toortsen!' riep hij op indringende fluistertoon. Caramon keek vloekend achterom. Waterwind hief zijn hand ten teken dat hij het had begrepen. 'Ik ben bang dat we sneller zullen moeten lopen, Caramon...' begon Tanis.

'We redden het wel,' zei de grote man onverstoorbaar. Hij ondersteunde zijn broer inmiddels. Met zijn arm om Raistlins frêle lichaam geslagen droeg hij hem zowat. De magiër hoestte zacht, maar hij liep nog.

Sturm haalde Tanis in. Terwijl ze zich een weg baanden door het struikgewas, hoorden ze Flint achter zich, puffend en boos in zichzelf mompelend.

'Hij gaat toch niet mee, Tanis,' zei Sturm. 'Flint is als de dood voor boten sinds die keer dat Caramon hem per ongeluk bijna heeft verdronken. Jij was er niet bij. Je hebt niet gezien hoe hij eraan toe was toen we hem uit het water haalden.'

'Hij gaat wel mee,' zei Tanis hijgend. 'Hij zal "zijn jongens" niet zonder hem het gevaar tegemoet laten treden.'

Niet overtuigd schudde Sturm zijn hoofd.

Tanis keek weer achterom. Hij zag geen lichtjes meer, maar wist dat ze daarvoor nu te diep in het bos waren doorgedrongen. Schaarsmeester Padh mocht dan op weinigen indruk maken met zijn intelligentie, je hoefde geen genie te zijn om te bedenken dat de groep misschien wel voor het meer zou kiezen. Tanis moest abrupt stoppen om te voorkomen dat hij tegen zijn voorganger op botste. 'Wat is er?' fluisterde hij.

'We zijn er,' antwoordde Caramon. Met een zucht van verlichting liet Tanis zijn blik gaan over de uitgestrekte, donkere watervlakte van het Kristalmirmeer. De wind zweepte het water op en veroorzaakte witte schuimkoppen.

'Waar is Tas?' vroeg hij zo zachtjes mogelijk.

'Daar, denk ik.' Caramon wees naar een donker voorwerp dat vlak bij de oever dreef. Met veel moeite kon Tanis de warmrode contouren onderscheiden van de kender in een grote boot.

De sterren twinkelden ijskoud en helder aan de blauwzwarte hemel. De rode maan, Lunitari, rees als een rode vingernagel op uit het water. Haar partner aan de nachtelijke hemel, Solinari, was al opgekomen en baadde het meer in een zilveren gloed.

'Wat zullen we een fijne doelwitten vormen!' zei Sturm gepikeerd.

Tanis zag dat Tasselhof verwoed om zich heen zat te kijken, op zoek naar hen. De halfelf bukte en zocht op de tast een steen. Zodra hij er een had gevonden, wierp hij hem in het water. Hij kwam een paar meter voor de boot terecht. Tas reageerde meteen op Tanis' teken door de boot in de richting van de oever te sturen.

'Je wilt ons allemaal in één boot proppen!' zei Flint vol afschuw. 'Je bent niet wijs, halfelf!'

'Het is een grote boot,' zei Tanis.

'Nee! Ik ga er niet in. Al was het een van de legendarische wit gevleugelde schepen van Tarsis, dan nog ging ik er niet in. Dan waag ik het er nog liever op met de Theocraat!'

Zonder aandacht te besteden aan de briesende dwerg gebaarde Tanis naar Sturm. 'Laat iedereen in de boot stappen. Wij komen er zo aan.'

'Niet te lang wachten,' waarschuwde Sturm. 'Moet je horen.'

'Ik hoor het,' zei Tanis grimmig. 'Ga maar vast.'

'Wat zijn dat voor geluiden?' vroeg Goudmaan aan de ridder zodra die bij haar was.

'Opsporingspatrouilles, bestaande uit kobolden,' antwoordde Sturm. 'Door middel van dat gefluit houden ze contact als ze elkaar niet kunnen zien. Ze komen nu het bos in.'

Goudmaan knikte begrijpend. Ze sprak een paar woorden in haar eigen taal tegen Waterwind, waarmee ze kennelijk een gesprek voortzette dat Sturm had onderbroken. De lange Vlakteman gebaarde fronsend in de richting van het bos.

Hij probeert haar ervan te overtuigen niet met ons mee te gaan, besefte Sturm. Misschien is hij als woudloper bedreven genoeg om zich dagenlang voor de kobolden verborgen te houden, maar ik betwijfel het.

'*Waterwind, gue-lando!*' zei Goudmaan scherp. Sturm zag Waterwind een boos gezicht trekken. Zonder een woord te zeggen draaide hij zich om, om met grote passen naar de boot te lopen. Met een diepe zucht en een verdrietig gezicht keek Goudmaan hem na.

'Kan ik helpen, edele vrouwe?' vroeg Sturm voorzichtig.

'Nee,' antwoordde ze. Toen zei ze zachtjes, alsof ze het tegen zichzelf had: 'Hij heerst over mijn hart, maar ik heers over hem. Ooit, toen we nog erg jong waren, dachten we dat te kunnen vergeten. Maar ik ben te lang de stamhoofdsdochter geweest.'

'Waarom vertrouwt hij ons niet?' vroeg Sturm.

'Hij heeft alle gebruikelijke vooroordelen van ons volk,' antwoordde Goudmaan. 'De Vlaktelieden hebben geen vertrouwen in lieden die niet menselijk zijn.' Ze wierp een blik over haar schouder. 'Tanis kan zijn elfenbloed niet achter een baard verbergen. En dan is er ook nog een dwerg, en een kender.'

'En u, edele vrouwe?' vroeg Sturm. 'Waarom vertrouwt u ons wel? Hebt u niet dezelfde vooroordelen?'

Nu draaide Goudmaan zich helemaal naar hem om. Hij kon haar ogen zien, donker en schitterend als het water dat achter haar lag. 'Toen ik nog klein was,' zei ze met haar diepe, zachte stem, 'was ik een prinses van mijn volk. Een priesteres. Ik werd als een godin aanbeden. Ik geloofde erin. Ik genoot ervan. Maar toen gebeurde er iets...' Ze zweeg, haar ogen vol herinneringen.

'Wat dan?' drong Sturm zachtjes aan.

'Ik werd verliefd op een herder,' antwoordde Goudmaan met een blik op Waterwind. Met een zucht liep ze naar de boot.

Sturm keek toe terwijl Waterwind het water in waadde om de boot dichter naar de kant te trekken. Raistlin en Caramon hadden inmiddels de waterkant bereikt. De jonge magiër trok rillend zijn gewaad strakker om zich heen.

'Ik mag geen natte voeten krijgen,' fluisterde hij hees. Caramon gaf geen antwoord, maar sloeg zijn reusachtige armen om zijn broer heen en tilde hem met gemak op, alsof hij een kind was, om hem in de boot te zetten. Zonder een woord van dank ging Raistlin ineengedoken in de achtersteven van de boot zitten.

'Ik houd hem wel vast,' zei Caramon tegen Waterwind. 'Stap maar vast in.' Waterwind aarzelde even, maar klom toen snel over de rand. Caramon hielp Goudmaan bij het instappen. Waterwind ving haar op en hield haar overeind toen de boot zachtjes heen en weer schommelde. De Vlaktelieden gingen in de voorplecht zitten, achter Tasselhof.

Caramon draaide zich om toen Sturm dichterbij kwam. 'Wat gebeurt daar allemaal?'

'Flint zegt dat hij nog liever op de brandstapel wordt gegooid dan dat hij in een boot stapt, omdat hij dan in elk geval lekker warm sterft in plaats van nat en koud.'

'Ik ga wel naar hem toe en dan sleep ik hem eigenhandig mee,' zei Caramon.

'Dan maak je het alleen maar erger. Jij bent degene die hem bijna heeft verdronken, weet je nog? Laat Tanis het maar afhandelen. Hij is immers de diplomaat.'

Caramon knikte. Zwijgend bleven de twee mannen staan wachten. Sturm zag Goudmaan zwijgend maar smekend naar Waterwind kijken, maar de Vlakteman reageerde niet op haar blik. Tasselhof, die onrustig op zijn plek heen en weer zat te schuiven, wilde op schrille toon iets vragen, maar de ridder legde hem met een strenge blik het zwijgen op.

Raistlin probeerde diep weggedoken in zijn gewaad een onbeheersbare hoest te onderdrukken.

'Ik ga ernaartoe,' zei Sturm uiteindelijk. 'Dat gefluit komt steeds dichterbij. We kunnen niet nog meer tijd verspillen.' Maar precies op dat moment zag hij dat Tanis de dwerg een hand gaf en in zijn eentje naar de boot kwam lopen. Flint bleef staan waar hij stond, aan de rand van het bos. Sturm schudde zijn hoofd. 'Ik zei al tegen Tanis dat die dwerg niet mee zou gaan.'

'Koppig als een dwerg, zo luidt het oude gezegde,' bromde Caramon. 'En die dwerg daar heeft honderdachtenveertig jaar de tijd gehad nóg koppiger te worden.' Droevig schudde de grote man zijn hoofd. 'We zullen hem missen, dat is zeker. Hij heeft meer dan eens mijn leven gered. Mag ik hem echt niet gaan halen? Eén klap tegen zijn kaak en hij weet niet meer of hij in een boot ligt of in zijn eigen bed.'

Tanis, die hijgend aan kwam rennen, was net op tijd om die laatste opmerking te horen. 'Nee, Caramon,' zei hij. 'Dat zou Flint ons nooit vergeven. Maak je maar geen zorgen over hem. Hij gaat terug naar de heuvels. Stap in die boot. Er komen steeds meer lichtjes deze kant op. We hebben in het bos een spoor achtergelaten dat zelfs een blinde greppeldwerg nog zou kunnen volgen.'

'We hoeven niet allemaal een nat pak te halen,' zei Caramon met zijn handen op de rand van de boot. 'Stappen jij en Sturm maar in. Ik duw de boot wel af.'

Sturm was er al in geklommen. Tanis gaf Caramon een klopje op zijn rug en volgde Sturms voorbeeld. De krijger duwde de boot het meer op. Hij stond al tot aan zijn knieën in het water toen ze vanaf de oever iemand hoorden roepen.

'Ho eens!' Het was Flint, die als een vaag zichtbaar, bewegend silhouet afstak tegen de maanovergoten oever. Hij kwam op hen afgerend. 'Wacht even! Ik ga mee!'

'Stop!' riep Tanis. 'Caramon, wacht op Flint!'

'Kijk!' Sturm kwam half overeind, wijzend met zijn vinger. Tussen de bomen waren lichtjes verschenen, rokende toortsen in de handen van koboldenwachters.

'Kobolden, Flint!' schreeuwde Tanis. 'Achter je! Rennen!' De dwerg gehoorzaamde blindelings. Hij boog zijn hoofd en rende zo snel als hij kon naar de oever, met één hand op zijn helm om te voorkomen dat die zou afvallen.

'Ik geef hem wel dekking,' zei Tanis terwijl hij zijn boog van zijn rug pakte. Met zijn elfenogen was hij de enige die de kobolden achter de toortsen kon zien. Hij zette een pijl op de pees en stond op, terwijl Caramon de boot tegenhield. Tanis vuurde een pijl af op de contouren van de voorste kobold. Die werd in zijn borst geraakt en viel voorover op zijn gezicht. Op het moment dat Flint het water bereikte, zette hij net een tweede pijl op zijn boog.

'Wacht! Ik kom eraan!' zei de dwerg buiten adem. Hij rende het water in, waar hij meteen als een baksteen zonk.

'Grijp hem!' riep Sturm. 'Tas, roei terug! Daar is hij. Zie je de belletjes?' Caramon greep verwoed om zich heen in het water, op zoek naar de dwerg. Tas probeerde terug te roeien, maar de boot was inmiddels veel te zwaar voor de kender. Tanis schoot opnieuw, miste doel en vloekte binnensmonds. De kobolden zwermden al over de flank van de heuvel toen hij een nieuwe pijl wilde pakken.

'Ik heb hem!' riep Caramon terwijl hij de drijfnatte, proestende dwerg bij de kraag van zijn leren tuniek uit het water hees. 'Stribbel niet zo tegen,' beet hij Flint toe, die wild met zijn armen om zich heen maaide. Maar de dwerg was volkomen in paniek. De pijl van een kobold raakte met een plof Caramons maliënkolder en bleef daar als een sjofele veer steken.

'Nou heb ik er genoeg van!' gromde de krijger geërgerd, en met een krachtige beweging van zijn gespierde armen smeet hij de dwerg in de boot, die bij hem weg begon te drijven. Flint wist een bankje vast te grijpen en hield zich daaraan vast, terwijl zijn benen nog over de rand bungelden. Sturm greep hem bij zijn riem en sleurde hem aan boord, waardoor de boot schrikbarend begon te schommelen. Tanis, die bijna zijn evenwicht verloor, was gedwongen zijn boog te laten vallen, zodat hij zich aan de rand kon vasthouden om te voorkomen dat hij in het water zou vallen. Een tweede vijandelijke pijl miste ternauwernood Tanis' hand en bleef in het dolboord steken.

'Roei terug naar Caramon, Tas!' schreeuwde Tanis.

'Dat lukt niet!' riep de worstelende kender. Eén van de roeiriemen schoot uit het water en sloeg bijna Sturm overboord.

De ridder sleurde de kender van zijn plaats. Hij greep de roeiriemen en stuurde de boot soepel naar Caramon toe, zodat die de rand kon vastpakken.

Tanis hielp de krijger de boot in, waarna hij tegen Sturm riep: 'Weg hier!' De ridder stak de riemen diep in het water en trok er met al zijn kracht aan, bijna helemaal achterover geleund. De boot schoot het water op, begeleid door een koor van boze kreten van de kobolden. Er vlogen nog meer pijlen om de boot heen toen Caramon zich drijfnat naast Tanis op de bodem liet vallen.

'De kobolden kunnen lekker oefenen vanavond,' mompelde Caramon terwijl hij de pijl uit zijn maliënkolder trok. 'We zijn uitstekend zichtbaar op het water.'

Tanis wilde zijn gevallen boog pakken, toen hij zag dat Raistlin rechtop zat. 'Zoek dekking!' zei Tanis waarschuwend, en Caramon stak al een hand uit naar zijn broer, maar de magiër liet met een boze blik op hen beiden een hand in een buidel aan zijn riem glijden. Met zijn slanke vingers haalde hij er een handjevol spul uit. Hij reageerde niet eens toen een pijl vlak naast hem in de bank bleef steken. Tanis maakte aanstalten de magiër naar beneden te trekken. Toen besefte hij echter dat die opging in de trance die nodig was als je als gebruiker van magie een spreuk wilde uitspreken. Als hij hem nu stoorde, kon dat verregaande gevolgen hebben. Misschien vergat de magiër de spreuk dan, of – nog erger – sprak hij de verkeerde uit.

Daarom klemde Tanis zijn kiezen op elkaar en wachtte af. Raistlin hief zijn magere, fragiele hand en liet het spul dat hij uit zijn buidel had gepakt en dat voor de spreuk noodzakelijk was langzaam tussen zijn vingers door op de bodem van de boot vallen. Het was zand, besefte Tanis. *'Ast tasarak sinularan krynawi,'* prevelde Raistlin, waarna hij met zijn rechterhand langzaam een boog beschreef, parallel aan de oever van het meer. Tanis keek achterom naar het vasteland. Een voor een lieten de kobolden hun pijl en boog vallen en vielen ze om, alsof Raistlin ze allemaal afzonderlijk aantikte. Er vlogen geen pijlen meer rond. De kobolden die verder weg waren, brulden het uit van woede en renden naar het water. Tegen die tijd was de boot dankzij de krachtige slagen van Sturm echter al buiten bereik.

'Goed gedaan, broertje!' zei Caramon hartelijk. Knipperend met zijn ogen keerde Raistlin terug naar de werkelijkheid, waarop hij vooroverzakte. Caramon ving hem op en hield hem even vast. Toen kwam Raistlin weer overeind en ademde diep in, waardoor hij weer moest hoesten.

'Het gaat wel,' fluisterde hij. Hij maakte zich los van Caramon.

'Wat heb je met ze gedaan?' vroeg Tanis terwijl hij zocht naar vijandelijke pijlen en ze overboord gooide, omdat kobolden soms de punten in gif doopten.

'Ik heb ze in slaap gebracht,' siste Raistlin klappertandend van de kou. 'Maar nu moet ik zelf ook rusten.' Hij liet zich tegen de zijkant van de boot zakken.

Tanis keek naar de magiër. Raistlin was inderdaad krachtiger en vaardiger geworden. Kon ik hem maar vertrouwen, dacht de halfelf.

De boot doorsneed het met sterren besprenkelde meer. De enige geluiden waren het zachte, ritmische gespetter van de roeiriemen in het water en Raistlins droge, folterende hoest. Tasselhof trok de kurk uit de wijnzak, die Flint op de een of andere manier tijdens zijn wilde vlucht had weten te behouden, en probeerde de dwerg, die rilde van de kou, zover te krijgen dat hij een slok nam. Maar Flint, die ineengedoken op de bodem van de boot zat, kon alleen maar huiverend naar het water staren.

Goudmaan kroop dieper weg in haar bontcape. Ze droeg de kenmerkende broek van zacht hertenleer van haar volk, met daarover een rok met franje en een tuniek met een riem eromheen. Ook haar laarzen waren van zacht leer. Er was water over de rand van de boot geslagen toen Caramon Flint aan boord had gesmeten. Daardoor kleefde het hertenleer aan haar huid, en al snel rilde ze van de kou.

'Hier, neem mijn cape maar,' zei Waterwind in hun eigen taal. Hij stond op het punt om zijn mantel van berenhuid af te doen.

'Nee,' zei ze hoofdschuddend. 'Jij hebt pas nog aan koorts geleden. Ik word nooit ziek, dat weet je. Maar' – ze keek glimlachend naar hem op – 'je mag je arm om me heen slaan, krijger. Dan zal onze lichaamswarmte ons allebei verwarmen.'

'Is dat een koninklijk bevel, stamhoofdsdochter?' fluisterde Waterwind plagerig terwijl hij haar tegen zich aan trok.

'Nou en of,' zei ze terwijl ze zich met een zucht van tevredenheid tegen zijn krachtige lijf vlijde. Ze keek op naar de sterrenhemel, waarop ze verstijfde van schrik en de adem haar in de keel stokte.

'Wat is er?' vroeg Waterwind, die nu ook naar boven keek.

De anderen in de boot hadden het gesprek weliswaar niet begrepen. Ze hadden Goudmaan echter wel naar adem horen happen en zagen nu dat ze haar blik strak gericht hield op iets aan de nachtelijke hemel.

Caramon gaf zijn broer een por en vroeg: 'Raist, wat is er? Ik zie helemaal niets.'

Raistlin ging rechtop zitten, deed zijn kap af en hoestte. Toen de aanval voorbij was, speurde hij de nachtelijke hemel af. Ook hij verstijfde, en zijn ogen werden groot. Met zijn magere, benige hand greep hij stevig Tanis' arm vast. De halfelf probeerde zich intuïtief los te trekken uit de greep van de magiër, maar tevergeefs. 'Tanis...' piepte Raistlin, die bijna geen adem meer kreeg. 'De sterrenbeelden...'

'Wat?' Tanis was oprecht geschrokken van de bleke teint die de glanzende gouden huid van de magiër had gekregen, en van de koortsachtige glans van zijn vreemde ogen. 'Wat is er met de sterrenbeelden?'

'Weg!' raspte Raistlin. Opnieuw werd hij overvallen door een hoestbui. Caramon sloeg zijn armen om hem heen en hield hem stevig tegen zich aan, bijna alsof hij het frêle lichaam van zijn broer bijeen probeerde te houden. Raistlin herstelde zich en veegde zijn mond af. Tanis zag dat zijn vingers donker waren van het bloed. Raistlin ademde diep in en begon toen te praten.

'De sterrenbeelden Koningin van de Duisternis en Heldhaftige Krijger.

Ze zijn allebei verdwenen. Ze is naar Krynn afgedaald, Tanis, en hij is haar gevolgd om het tegen haar op te nemen. Alle boze geruchten die we hebben gehoord, zijn waar. Oorlog, dood, vernietiging...' Een nieuwe hoestbui belette hem het praten.

Caramon hield hem vast. 'Toe nou, Raist,' zei hij sussend. 'Maak je nou niet zo druk. Het is alleen maar een stel sterren.'

'Alleen maar een stel sterren,' herhaalde Tanis vlak. Sturm nam de roei-riemen weer op en stuurde de boot vlot naar de overkant.

6

Een nacht in een grot.
Verdeeldheid. Tanis beslist.

Een kille wind stak op over het meer. Onweerswolken kwamen vanuit het noorden aangedreven en bedekten de gapende zwarte gaten die door de gevallen sterren waren achtergelaten. De reisgenoten zaten ineengedoken in de boot met hun mantels strak om zich heen geslagen, terwijl de eerste regendruppels uit de hemel vielen. Caramon hielp Sturm met roeien. De grote krijger probeerde een gesprek met de ridder aan te knopen, maar die negeerde hem. Hij roeide grimmig zwijgend verder, nu en dan in het Solamnisch in zichzelf mompelend.

'Sturm! Daar, tussen die grote rotsen aan de linkerkant!' riep Tanis, wijzend.

Sturm en Caramon trokken met kracht aan de riemen. De regen maakte het moeilijk kenmerkende rotspartijen te onderscheiden, en even had het erop geleken dat ze in het donker waren verdwaald. Toen waren de rotsen opeens voor hen opgedoemd. Sturm en Caramon roeiden ernaartoe. Tanis sprong overboord en trok de boot op de kant. De regen kwam met bakken uit de hemel. Koud en nat klommen de reisgenoten uit de boot. De dwerg moest eruit worden getild, want hij was stijf als een dode kobold van angst. Waterwind en Caramon verborgen de boot in de dikke struiken. Tanis ging de anderen over een met stenen bezaaid pad voor naar een kleine opening in de rotswand.

Goudmaan keek met een bedenkelijk gezicht naar de opening. Die leek niet meer dan een grote barst in het oppervlak van de klif. Vanbinnen bleek de grot echter ruimschoots groot genoeg te zijn om met z'n allen languit te kunnen liggen.

'Mooi huisje.' Tasselhof keek om zich heen. 'Beetje weinig meubilair.'

Tanis grijnsde naar de kender. 'Voor vannacht is het goed genoeg. Ik denk dat zelfs de dwerg niets te klagen zal hebben. En zo ja, dan sturen we hem terug naar de boot om daar te slapen.'

Tas beantwoordde de glimlach van de halfelf. Het was fijn om te zien dat Tanis weer de oude was. Even had hij de indruk gehad dat zijn oude vriend ongewoon somber en besluiteloos was, niet de sterke leider die hij zich van vroeger herinnerde. Nu ze echter weer op reis waren, was de schittering terug in de ogen van de halfelf. Hij had zijn neerslachtigheid van zich afgeschud en nam de touwtjes weer in handen, zoals hij gewend was. Hij had dit avontuur nodig om zijn gedachten af te leiden van zijn problemen, wat die ook waren. De kender, die nooit iets had begrepen van Tanis' zielenroerselen, was dan ook blij dat dit avontuur zich had aangediend.

Caramon tilde zijn broer uit de boot en legde hem zo voorzichtig mogelijk op het zachte, warme zand dat de vloer van de grot bedekte, terwijl Waterwind een kampvuur aanlegde. Het natte hout knapte en sputterde, maar vatte al snel vlam. De rook kringelde omhoog naar het plafond, waar hij via een spleet wegtrok. De Vlakteman dekte de ingang van de grot af met takken van struiken en bomen, zodat het licht van de vlammen van buitenaf niet te zien was en de regen niet naar binnen kwam.

Hij past goed bij ons, dacht Tanis terwijl hij de Vlakteman bezig zag. Hij zou bijna een van ons kunnen zijn. Met een zucht richtte Tanis zijn aandacht op Raistlin. Hij liet zich naast de jonge magiër op zijn knieën zakken en nam hem bezorgd op. Raistlins bleke gezicht, dat blikkerde in het licht van de vlammen, deed de halfelf denken aan die keer dat hij, Flint en Caramon Raistlin ternauwernood hadden weten te redden van een woeste menigte die hem op de brandstapel wilde zetten. Raistlin had geprobeerd een charlatan te ontmaskeren, een priester die de dorpelingen met zijn bedriegerij hun geld afhandig maakte. In plaats van zich tegen de priester te keren, hadden ze zich tegen Raistlin gekeerd. Zoals Tanis al tegen Flint had gezegd: de mensen wilden ergens in geloven.

Caramon legde zijn eigen zware mantel om de schouders van zijn broer. Raistlins lichaam schokte hevig van het hoesten, en bloed sijpelde uit zijn mond. Zijn ogen hadden een koortsachtige glans. Goudmaan knielde naast hem neer, met een beker wijn in haar handen.

'Kun je dit drinken?' vroeg ze vriendelijk.

Raistlin schudde zijn hoofd. Hij wilde iets zeggen, maar begon toen weer te hoesten en duwde haar hand weg. Goudmaan keek op naar Tanis. 'Misschien... mijn staf?' vroeg ze.

'Nee,' zei Raistlin verstikt. Hij gebaarde dat Tanis dichterbij moest komen. Zelfs toen hij vlak naast de magiër zat, kon Tanis echter nauwelijks verstaan wat die zei, want zijn haperende zinnen werden om de haverklap onderbroken door hoestbuien en ademgebrek. 'De staf zal mij niet genezen, Tanis,' fluisterde hij. 'Verspil zijn kracht niet aan mij. Als het inderdaad een gezegend voorwerp is... is zijn heilige kracht beperkt. Mijn lichaam was het offer... dat ik voor mijn magie moest brengen. De schade is blijvend. Niets kan daar iets aan veranderen...' Zijn stem stierf weg, zijn ogen vielen dicht.

Opeens lichtte het vuur op, toen de wind door de grot joeg. Tanis keek op en zag Sturm, die de takken opzijduwde om naar binnen te kunnen. Hij ondersteunde Flint, die op onvaste benen met hem mee strompelde. Bij het vuur liet Sturm hem vallen. Allebei waren ze drijfnat. Sturms geduld met de dwerg, en met de rest van de groep, zo zag Tanis, was duidelijk op. Bezorgd nam Tanis de ridder op, want hij herkende de voortekenen van de diepe neerslachtigheid waaraan die soms ten prooi viel. Sturm hield van orde en discipline. De verdwijning van de sterren, de verstoring van de natuurlijke orde, had hem tot in het diepst van zijn ziel geschokt.

Tasselhof wikkelde Flint, die ineengedoken op de grond zo hard zat te klappertanden dat zijn helm ervan rammelde, in een deken. 'B-b-boot...' was het enige wat hij kon uitbrengen. Tas schonk een beker wijn voor de dwerg in, die hij gretig leegdronk.

Vol weerzin keek Sturm naar Flint. 'Ik neem de eerste wacht wel,' zei hij, en hij liep naar de uitgang van de grot.

Waterwind stond op. 'Ik ga mee,' zei hij bruusk.

Sturm verstijfde, waarna hij zich langzaam naar de lange Vlakteman omdraaide. Tanis kon het gezicht van de ridder zien, dat in het licht van het vuur een scherp reliëf leek. Strakke, donkere lijnen tekenden zich af aan weerszijden van zijn strenge mond. Hoewel hij kleiner was dan Waterwind, leek hij door zijn nobele uitstraling en stramme houding in lengte niet voor de ander onder te doen.

'Ik ben een ridder van Solamnië,' zei Sturm. 'Mijn woord is mijn eer en mijn eer is mijn leven. In de herberg heb ik jullie mijn woord gegeven dat ik jou en je vrouwe zou beschermen. Als je verkiest aan mijn woord te twijfelen, trek je mijn eer in twijfel, een grote belediging. Een dergelijke belediging kan niet onbeantwoord blijven.'

'Sturm!' Tanis stond al overeind.

Zonder zijn blik van de Vlakteman af te wenden, stak de ridder zijn hand op. 'Bemoei je er niet mee, Tanis,' zei hij. 'Welnu, wat zal het worden? Het zwaard, de dolk? Hoe vechten barbaren als jullie?'

Waterwind vertrok geen spier van zijn stoïcijnse gezicht. Met zijn doordringende zwarte ogen nam hij de ridder op. Toen gaf hij antwoord, in zorgvuldig gekozen bewoordingen. 'Het was niet mijn bedoeling je eer in twijfel te trekken. Ik weet niets van mensen en hun steden, en ik geef het onomwonden toe: ik ben bang. Het komt door mijn angst dat ik zo bruusk spreek. Ik ben al bang sinds ik de blauw kristallen staf in ontvangst heb genomen. Bovenal vrees ik voor Goudmaan.' Met ogen die de gloed van het vuur weerspiegelden keek de Vlakteman zijn geliefde aan. 'Zonder haar zou ik sterven. Hoe kan ik er dan op vertrouwen...' Zijn stem begaf het. Het stoïcijnse masker brokkelde af door pijn en vermoeidheid. Zijn knieën knikten zo plotseling dat hij vooroverviel. Sturm ving hem op.

'Dat kun je ook niet,' zei de ridder. 'Ik begrijp het. Je bent moe, en je bent ziek geweest.' Samen met Tanis legde hij de Vlakteman achter in de grot. 'Rust maar uit. Ik zal de wacht houden.' De ridder schoof de takken opzij, en zonder nog een woord te zeggen liep hij de regen in.

Goudmaan had de woordenwisseling zwijgend aangehoord. Nu verplaatste ze hun schamele bezittingen naar het achterste deel van de grot en knielde ze naast Waterwind neer. Hij sloeg zijn arm om haar heen en drukte haar tegen zich aan, met zijn gezicht diep in haar zilverachtig gouden haar. In het donkere deel van de grot maakten ze het zich gemakkelijk. In Waterwinds bontmantel gewikkeld vielen ze al snel in slaap, Goudmaan met haar hoofd op de borst van haar krijger.

Met een zucht van opluchting draaide Tanis zich om naar Raistlin. Ook de magiër was in slaap gevallen, al sliep hij onrustig. Soms prevelde hij vreemde woorden in de taal van de magie en reikte hij naar zijn staf. Tanis keek om zich heen naar de anderen. Tasselhof zat bij het vuur zijn 'vergaarde' voorwerpen te bestuderen. Hij zat in kleermakerszit op de grond met zijn schatten vóór zich uitgestald. Tanis zag glanzende ringen, een aantal vreemde munten, een veer van een nachtzwaluw, een kralenketting, een zeepfiguurtje en een fluitje. Een van de ringen kwam Tanis bekend voor. Het was een door elfen vervaardigde ring die Tanis lang geleden had gekregen van iemand aan wie hij liever niet terugdacht. Het was een smalle band in de vorm van een krans van volmaakt uitgesneden klimopblaadjes.

Zo stilletjes mogelijk, om te voorkomen dat hij iemand zou wekken, sloop Tanis naar Tasselhof toe. 'Tas...' Hij tikte de kender op de schouder en wees naar diens verzameling. 'Mijn ring...'

'Deze hier?' vroeg Tasselhof met grote ogen vol onschuld. 'O, is die van jou? Dan ben ik blij dat ik hem heb gevonden. Kennelijk heb je hem in de herberg laten vallen.'

Met een wrange glimlach nam Tanis de ring aan, waarna hij naast de kender plaatsnam. 'Heb je een kaart van dit gebied, Tas?'

Tas' ogen glansden. 'Een kaart? Ja, Tanis, natuurlijk.' Hij raapte al zijn kostbaarheden bij elkaar, stopte ze terug in een buidel en haalde uit een andere buidel een bewerkte houten perkamentkoker. Daar haalde hij een rol kaarten uit. Tanis had de verzameling van de kender al eens eerder gezien, maar toch verbaasde hij zich er telkens weer over. Het waren er zeker honderd, gemaakt van de meest uiteenlopende materialen, van zacht hertenleer tot een reusachtig palmblad.

'Ik dacht dat je elke boom hier in de omgeving persoonlijk kende, Tanis.' Tasselhof bladerde door de kaarten, waarbij zijn blik af en toe bleef rusten op een favoriet exemplaar.

De halfelf schudde zijn hoofd. 'Ik heb hier vele jaren gewoond,' zei hij. 'Maar laten we eerlijk zijn, de donkere, geheime paden ken ik geen van alle.'

'Je zult er niet veel vinden die naar Haven leiden.' Tas trok een kaart uit de stapel en streek die glad op de vloer. 'De Havenweg door de Soelaasvallei is de snelste, dat is een ding dat zeker is.'

Bij het licht van het smeulende kampvuur bestudeerde Tanis de kaart. 'Je hebt gelijk,' zei hij. 'Die weg is niet alleen de snelste, zo te zien is het bovendien de enige begaanbare weg in de wijde omtrek. Ten noorden en ten zuiden van ons ligt het Kharolisgebergte, en een pas is er niet.' Fronsend rolde Tanis de kaart op en gaf hem terug. 'En dat zal de Theocraat ook beseffen.'

Tasselhof geeuwde. 'Ach,' zei hij terwijl hij de kaart zorgvuldig terug in de koker stopte. 'Dat is een probleem dat maar moet worden opgelost door wijzere zielen dan ik. Ik ben ook maar voor de lol meegegaan.' Nadat de kender de koker terug in de juiste buidel had gestopt, ging hij op de vloer liggen, trok zijn knieën op tot onder zijn kin en zakte al snel weg in de vredige slaap van dieren en kleine kinderen.

Vol afgunst keek Tanis naar hem. Hoewel hij zo moe was dat alles hem pijn deed, was hij veel te gespannen om te kunnen slapen. De meeste anderen waren in een diepe sluimer weggezonken, afgezien van de krijger, die waakte bij zijn broer. Tanis liep op Caramon af.

'Ga slapen,' fluisterde hij. 'Ik let wel op Raistlin.'

'Nee,' zei de grote krijger. Teder stopte hij de mantel waaronder zijn broer lag te slapen steviger in om diens schouders. 'Misschien heeft hij me nog nodig.'

'Maar jij hebt ook je rust nodig.'

'Die krijg ik ook wel.' Caramon grijnsde. 'Ga zelf lekker slapen, moederkloek. Je kinders maken het goed. Kijk, zelfs de dwerg is van de wereld.'

'Ik hoef niet te kijken,' zei Tanis. 'De Theocraat kan hem waarschijnlijk helemaal in Soelaas horen snurken. Nou, jongen, dit weerzien is niet bepaald verlopen zoals we vijf jaar geleden voor ogen hadden.'

'Dat geldt voor meer dingen,' zei Caramon zachtjes, met een vluchtige blik op zijn broer.

Tanis gaf de man een klopje op zijn arm, ging met zijn mantel om zich heen gewikkeld liggen en viel eindelijk in slaap.

De nacht verstreek, langzaam voor degenen die de wacht hielden, snel voor de slapenden. Caramon loste Sturm af. Tanis loste Caramon af. De storm raasde de hele nacht door, en de harde wind veranderde het meer in een woeste zee. Bliksemschichten als lichtgevende boomtakken vorkten door de duisternis. De donder rolde onophoudelijk. Pas tegen de ochtend, toen de halfelf de grauwe, kille dageraad aanschouwde, ging de storm liggen. Het hield op met regenen, maar er hingen nog steeds donkere wolken. De zon kwam er niet doorheen. Tanis werd steeds onrustiger. In het noorden zag hij niets dan donderwolken die zich samenpakten. Herfststormen waren zeldzaam, zeker zulke hevige. Bovendien was de wind schraal, en hij vond het maar vreemd dat deze storm uit het noorden kwam, terwijl ze normaal gesproken over de Vlakten in het oosten naar Soelaas trokken. Gevoelig als hij was voor de grillen van de natuur, was Tanis door dit vreemde weerbeeld bijna net zozeer van zijn stuk gebracht als door Raistlins gevallen sterren. Hij voelde een sterke aandrang om weg te gaan, ook al was het nog maar vroeg in de ochtend. Daarom ging hij naar binnen om de anderen te wekken.

In de grijze dageraad was het kil en schemerig in de grot, hoewel het vuur vrolijk brandde. Goudmaan en Tasselhof waren met het ontbijt bezig. Waterwind stond achter in de grot Goudmaans bontcape uit te schudden. Tanis wierp hem een vluchtige blik toe. De Vlakteman had op het punt gestaan iets tegen Goudmaan te zeggen, maar toen Tanis binnenkwam deed hij er het zwijgen toe en volstond hij met een veelbetekenende blik naar haar terwijl hij verderging met zijn werk. Goudmaan, haar gelaat bleek en bezorgd, hield haar ogen op de grond gericht. De barbaar betreurt het dat hij zich gisteravond zo heeft laten gaan, besefte Tanis.

'Er is niet veel te eten, vrees ik,' zei Goudmaan terwijl ze havermout in een pot met kokend water gooide.

'Tika's voorraad was niet groot,' voegde Tasselhof er verontschuldigend aan toe. 'We hebben een brood, wat gedroogd rundvlees, een halve beschimmelde kaas en die havermout. Kennelijk at Tika vaak buiten de deur.'

'Waterwind en ik hebben geen proviand meegenomen,' zei Goudmaan. 'Deze reis kwam voor ons volkomen onverwacht.'

Tanis wilde haar eigenlijk nog wat vragen stellen over haar lied en de staf, maar de anderen werden wakker nu de geur van eten zich verspreidde. Caramon gaapte, rekte zich uit en stond op om naar de kookpot te lopen. Hij kreunde toen hij zag wat erin zat. 'Havermout? Is dat alles?'

'Voor het avondeten is er nog minder,' zei Tasselhof grijnzend. 'Trek je broekriem maar vast aan. Je werd toch te dik.'

De grote man zuchtte mismoedig.

Het schaarse ontbijt en de kou van de ochtend deden hun stemming niet veel goed. Sturm, die al het eten weigerde dat hem werd aangeboden, ging naar buiten om de wacht te houden. Tanis kon de ridder zien. Gezeten op een rots zat hij somber naar de donkere wolken te kijken die met lome, mistige vingers over het stille water van het meer leken te strijken. Caramon at zijn eten snel op, schrokte de portie van zijn broer naar binnen en eigende zich Sturms bord toe, zodra de ridder naar buiten liep. Vervolgens ging hij verlangend de anderen het eten uit de mond zitten kijken.

'Eet je dat nog op?' vroeg hij, wijzend naar Flints deel van het brood. De dwerg wierp hem een dreigende blik toe. Tasselhof zag de grote krijger naar zijn bord kijken en propte zijn brood naar binnen, zo snel dat hij er bijna in stikte. In elk geval hield hij nu even zijn mond, dacht Tanis, blij dat hij even niet naar de schrille stem van de kender hoefde te luisteren. Tas stak al de hele ochtend onophoudelijk de draak met Flint. Hij noemde hem 'zeekapitein' en 'scheepsmaat', vroeg hem wat de vis kostte en wilde weten wat hij vroeg voor een enkele reis terug naar de overkant van het meer. Uiteindelijk smeet Flint hem een steen naar het hoofd, waarop Tanis Tas naar het water stuurde om de pannen schoon te schrobben.

De halfelf liep naar het achterste deel van de grot.

'Hoe gaat het nu met je, Raistlin?' vroeg hij. 'Nog even en we moeten weg.'

'Ik voel me al veel beter,' antwoordde de magiër met zijn zachte fluisterstem. Hij zat een kruidenaftreksel te drinken dat hij zelf had bereid. Tanis zag kleine, veerachtige blaadjes in het dampende water drijven. Er kwam een doordringende, bittere geur vanaf, en Raistlin trok een vies gezicht wanneer hij er een slok van nam.

Huppelend kwam Tasselhof de grot weer binnen, zodat de potten en tinnen borden die hij in zijn handen had luid rammelden. Tandenknarsend om de herrie wilde Tanis de kender een standje geven, maar hij zag ervan af. Het had toch geen zin.

Flint, die de spanning op Tanis' gezicht zag, pakte de pannen van de kender af en stopte ze weg. 'Doe nou toch eens rustig,' siste hij tegen Tasselhof. 'Anders pak ik je bij je knot en knoop ik je vast aan een boom als een waarschuwing voor iedere kender—'

Tas plukte iets uit de baard van de dwerg. 'Moet je zien!' zei hij terwijl hij het triomfantelijk omhooghield. 'Zeewier!' Brullend viel Flint uit naar Tas, maar de kender sprong behendig buiten zijn bereik.

Er klonk geritsel toen Sturm de takken voor de ingang opzijschoof. Zijn gezicht stond duister en dreigend.

'Hou daarmee op!' zei hij met een boze blik op Flint en Tas. Zijn snor trilde toen hij zijn onbuigzame blik op Tanis richtte. 'Ik kan die twee helemaal bij het meer horen. Nog even en iedere kobold op Krynn komt eropaf. We moeten hier weg. Welke kant gaan we op?'

Er viel een ongemakkelijke stilte. Iedereen hield op met waar hij mee bezig was en keek naar Tanis, met uitzondering van Raistlin. De magiër zat met een wit doekje zorgvuldig zijn beker schoon te vegen. Met neergeslagen blik werkte hij onverstoorbaar verder, alsof het hem allemaal niets interesseerde.

Krabbend aan zijn baard slaakte Tanis een zucht. 'De Theocraat in Soelaas is corrupt. Dat weten we nu. Hij gebruikt die smerige kobolden om de macht te grijpen. Als hij de staf in handen kreeg, zou hij hem in zijn eigen voordeel gebruiken. Jarenlang hebben we gezocht naar een teken van de ware goden. Het lijkt erop dat we er een hebben gevonden. Ik ben niet van plan om het aan die charlatan in Soelaas te overhandigen. Tika zei dat ze geloofde dat de Hogezoekers in Haven nog altijd streefden naar de waarheid. Misschien kunnen zij ons meer vertellen over de staf, waar hij vandaan komt en wat voor macht hij precies heeft. Tas, geef me de kaart eens.'

De kender moest verschillende buidels binnenstebuiten keren voordat hij eindelijk het gevraagde perkament had gevonden.

'Wij bevinden ons hier, op de westelijke oever van het Kristalmirmeer,' ging Tanis verder. 'Ten noorden en ten westen van ons zijn de uitlopers van het Kharolisgebergte die de Soelaasvallei begrenzen. Er zijn geen passen bekend door deze ketens, afgezien van de Poortpas ten zuiden van Soelaas—'

'En die wordt vrijwel zeker door de kobolden bewaakt,' mompelde Sturm. 'Er zijn wel passen in het noordoosten—'

'Maar dat is aan de andere kant van het meer!' zei Flint vol afschuw.

'Ja,' zei Tanis met een onbewogen gezicht, 'aan de andere kant van het meer. Maar die leiden naar de Vlakten, en ik geloof niet dat jullie die kant op willen.' Hij wierp Goudmaan en Waterwind een vluchtige blik toe. 'De weg in het westen leidt via de Schildwachterbergen en de Schaduwkloof naar Haven. Dat lijkt mij de meest voor de hand liggende route.'

Sturm fronste zijn voorhoofd. 'En als de Hogezoekers daar net zo erg zijn als die in Soelaas?'

'Dan trekken we in zuidelijke richting verder naar Qualinesti.'

'Qualinesti?' vroeg Waterwind verontwaardigd. 'Het elfenrijk? Nee! Daar mogen mensen niet binnentreden. En trouwens, de toegangsweg is verborgen—'

Een raspend, sissend geluid mengde zich in de discussie. Iedereen draaide zich om naar Raistlin toen die iets zei. 'Er is een manier om er te komen.' Zijn stem klonk zacht en spottend en zijn goudkleurige ogen flonkerden in het kille licht van de dageraad. 'De paden van Duisterwold. Die leiden rechtstreeks naar Qualinesti.'

'Het Duisterwold?' herhaalde Caramon geschrokken. 'Nee, Tanis!' De krijger schudde zijn hoofd. 'Ik ben altijd bereid om het tegen de levenden op te nemen, maar niet tegen de doden!'

'De doden?' vroeg Tasselhof gretig. 'Caramon, vertel eens—'

'Hou je mond, Tas!' snauwde Sturm. 'Het Duisterwold is waanzin. Niemand die daar is binnengetreden, is ooit teruggekeerd. En jij wilt dat we daar met deze kostbare schat naartoe gaan, magiër?'

'Stilte!' zei Tanis scherp. Iedereen zweeg. Zelfs Sturm hield zich in. De ridder keek naar Tanis' kalme, bedachtzame gezicht, naar de amandelvormige ogen waaruit de wijsheid van vele jaren van omzwervingen sprak. De ridder had zich vaak afgevraagd waarom hij Tanis als leider accepteerde. Hij was immers niet meer dan een bastaard, een halfelf. Hij had geen blauw bloed. Hij droeg geen wapenrusting en geen schild met een trots embleem. Toch volgde Sturm hem. Hij hield van hem en respecteerde hem zoals hij geen enkele andere levende man respecteerde.

In de ogen van de Solamnische ridder scheidde een donkere lijkwade hem van het leven. Hij begreep er niets van en kon er alleen vat op krijgen dankzij de riddercode waarnaar hij leefde. *'Est Sularus oth Mithas'* — mijn eer is mijn leven. In die code, die vollediger, gedetailleerder en strenger was dan iedere andere code die op Krynn bekend was, werd omschreven wat eer inhield. Die code bleef al zevenhonderd jaar overeind, maar stiekem was Sturm bang dat hij op een dag, als de laatste strijd aanbrak, niet op alle vragen meer een antwoord zou kunnen bieden. En als die dag aanbrak, zo wist hij, zou Tanis aan zijn zijde staan om te voorkomen dat de wereld uiteenviel. Want waar Sturm zich aan de code hield, belichaamde Tanis hem.

Tanis' stem deed de ridder opschrikken uit zijn mijmeringen. 'Mag ik jullie er allemaal aan herinneren dat de staf niet "onze" kostbare schat is? Als hij al aan iemand toebehoort, is Goudmaan de rechtmatige eigenaar. Wij hebben er niet meer recht op dan de Theocraat van Soelaas.' Tanis wendde zich tot Goudmaan. 'Wat zijn uw wensen, edele vrouwe?'

Goudmaan keek van Tanis naar Sturm en toen naar Waterwind. 'Je weet hoe ik erover denk,' zei die laatste kil. 'Maar jij bent de stamhoofdsdochter.' Hij stond op, en zonder acht te slaan op haar smekende blik liep hij naar buiten.

'Wat bedoelt hij daarmee?' vroeg Tanis.

'Hij wil dat we zonder jullie met de staf naar Haven reizen,' antwoordde Goudmaan zachtjes. 'Hij zegt dat jullie het gevaar voor ons alleen maar groter maken, dat we zonder jullie veiliger zouden zijn.'

'Veiliger zonder ons!' barstte Flint uit. 'Lieve hemel! We zouden hier niet eens zijn... Ik zou niet eens bijna zijn verdronken – alweer – als... als...' De dwerg was zo boos dat hij niet eens meer uit zijn woorden kwam.

Tanis hief zijn hand. 'Zo is het genoeg.' Hij krabde aan zijn baard. 'Bij ons zullen jullie veiliger zijn. Aanvaard je onze hulp?'

'Ja,' antwoordde Goudmaan ernstig, 'in elk geval voorlopig.'

'Mooi,' zei Tanis. 'Tas, jij weet de weg door de Soelaasvallei. Jij bent onze gids. En denk erom, dit is geen plezierreisje!'

'Ja, Tanis,' zei de kender ingetogen. Hij raapte zijn vele buidels bij elkaar en hing ze om zijn schouders en middel. In het voorbijgaan knielde hij snel even om Goudmaan een klopje op haar hand te geven, waarna hij naar buiten liep. De anderen pakten snel hun spullen en volgden hem.

'Het gaat weer regenen,' mopperde Flint met een blik op de laaghangende bewolking. 'Ik had in Soelaas moeten blijven.' Hij hing zijn strijdbijl recht op zijn rug en liep mompelend weg. Tanis, die wachtte op Goudmaan en Waterwind, schudde glimlachend zijn hoofd. Gelukkig waren er dingen die nooit veranderden. Dwergen bijvoorbeeld.

Waterwind nam de tassen van Goudmaan over en hing ze op zijn rug. 'Ik heb de boot stevig vastgelegd op een verborgen plek,' zei hij tegen Tanis. Het stoïcijnse masker zat weer op zijn plaats. 'Voor het geval we hem nog nodig hebben.'

'Goed idee,' zei Tanis. 'Dank—'

'Als jullie vast vooruitlopen,' zei Waterwind gebarend, 'dan kom ik achter jullie aan om onze sporen uit te wissen.'

Opnieuw wilde Tanis de Vlakteman bedanken, maar Waterwind had zich al omgedraaid om aan het werk te gaan. Hoofdschuddend liep de halfelf het pad op. Achter zich hoorde hij Goudmaan zachtjes iets in haar eigen taal zeggen. Waterwind gaf antwoord: één bruusk, kort woord. Tanis hoorde dat Goudmaan zuchtte, maar toen ging hun gesprek verloren in het geritsel van de takken waarmee Waterwind alle sporen van hun aanwezigheid uitwiste.

7
Het verhaal van de staf. Vreemde priesters. Griezelige gevoelens.

Het woud in de Soelaasvallei was als een dikke deken waarin het wemelde van het leven. Onder het dichte bladerdak van de vallènbomen floreerden distelstruiken en groenemuur. De grond was overwoekerd met ranken van de ergerlijke strikplant. Daar moest je heel voorzichtig overheen lopen, anders wikkelden ze zich opeens om je enkel en hielden ze je vast tot je werd verslonden door een van de vele roofdieren die zich in de Vallei schuilhielden. Op die manier kwam de strikplant aan datgene wat hij nodig had om te overleven: bloed.

Ze hadden er ruim een uur voor nodig om zich al hakkend door de begroeiing een weg te banen naar de Havenweg. Allemaal zaten ze onder de schrammen, hun kleren waren gescheurd en ze waren doodmoe. De lange, rechte weg bedekt met aangestampte aarde die reizigers naar Haven en verder leidde, was dan ook een welkome aanblik. Pas toen ze vlak bij de weg even bleven staan om uit te rusten, beseften ze dat er geen enkel geluid klonk. Een stilte was neergedaald over het land, alsof elk levend wezen afwachtend zijn adem inhield. Ze hadden de weg bereikt, maar opeens waren ze er niet meer zo happig op om de bescherming van de begroeiing te verlaten.

'Denk je dat het veilig is?' vroeg Caramon, die door een haag heen tuurde.

'Veilig of niet, die weg moeten we nemen,' snauwde Tanis, 'tenzij je kunt vliegen of weer het woud in wilt trekken. Over dat kleine stukje hebben we een eeuwigheid gedaan. In dat tempo zijn we eind volgende week wel bij de kruising.'

De grote man liep rood aan van ergernis. 'Ik bedoel ook niet—'

'Het spijt me.' Tanis zuchtte. Ook hij speurde de weg af. In het grauwe licht vormden de vallènbomen een donkere gang. 'Het staat mij ook niet aan.'

'Splitsen we ons op of blijven we bij elkaar?' vroeg Sturm kil en zakelijk, om een eind te maken aan het in zijn ogen zinloze geklets.

'We blijven bij elkaar,' antwoordde Tanis. Na een korte stilte voegde hij eraan toe: 'Maar toch lijkt het me goed als iemand als verkenner—'

'Ik ga wel, Tanis,' bood Tas aan terwijl hij ter hoogte van Tanis' elleboog uit het struikgewas opdook. 'Niemand kijkt vreemd op van een kender die alleen reist.'

Tanis fronste zijn wenkbrauwen. Tas had gelijk, niemand zou vreemd van hem opkijken. Alle kenders waren geboren met een onstilbare reislust en trokken kriskras door Krynn, op zoek naar avontuur. Tas had echter de verontrustende gewoonte om zijn doel uit het oog te verliezen en van het gekozen pad af te dwalen als iets interessanters zijn aandacht trok.

'Goed dan,' zei Tanis uiteindelijk. 'Maar denk erom, Tasselhof Klisvoet, hou je ogen open en je oren gespitst. Niet van het pad afdwalen, en bovenal' – Tanis hield de blik van de kender streng vast – 'met je handen van andermans spullen afblijven.'

'Bakkers uitgezonderd,' voegde Caramon eraan toe.

Tas giechelde, baande zich een weg door de laatste paar struiken en liep de weg op, met zijn hoopakstaf gaten prikkend in de modderige grond, terwijl zijn vele buidels vrolijk op en neer hupsten op het ritme van zijn voeten. Ze hoorden hoe hij zijn stem verhief in een bekend reislied van de kenders.

Je liefde is een machtig schip
Voor anker bij de pier.
Hijs de zeilen, boen het dek
En laat je hart maar hier.

Het havenlicht wijst ons de weg
Naar oorden warm en zoet
En roert een storm zijn kwade kop
Dan is elke haven goed.

De zeelui staan al in de rij
Daar ginder op de pier
Als dwergen wachtend op hun goud
Als centaurs op hun bier.

Want elke zeeman heeft zijn hart
Voorgoed aan haar verpand
En hoopt dat hij ten onder gaat
Met de kat nog in het want.

Een grijnzende Tanis liet enkele minuten verstrijken nadat het laatste couplet van Tas' lied was weggestorven voordat hij in beweging kwam. Bang als een groep derderangs toneelspelers die aantrad voor een vijandig publiek liepen ze de weg op. Ze hadden het gevoel dat alle ogen van Krynn op hen gericht waren.

Door het gebrek aan licht onder de vlammend rode blaadjes was het onmogelijk meer dan een paar voet het woud in te kijken. Sturm liep in zijn eentje voor de groep uit, gehuld in verbitterd stilzwijgen. Tanis wist dat de ridder door zijn eigen duisternis heen moest waden, ook al hief hij trots zijn kin. Caramon en Raistlin volgden hem. Tanis hield de magiër scherp in de gaten, bang dat die het tempo niet zou kunnen bijbenen.

Raistlin had wat moeite gehad om door het struikgewas heen te komen, maar nu had hij er behoorlijk de pas in. Met zijn ene hand leunde hij op zijn staf en in zijn andere hand had hij een opengeslagen boek. In eerste instantie vroeg Tanis zich af wat de magiër aan het lezen was, maar toen besefte hij dat het zijn spreukenboek was. Het is de vloek van de magiërs dat ze iedere dag weer hun spreuken moeten bestuderen en uit het hoofd leren. De magische woorden vlammen op in hun geest als ze een spreuk uitspreken, maar worden meteen daarna gedoofd. Elke spreuk verbruikt lichamelijke en geestelijke energie van de tovenaar, tot hij volkomen uitgeput is en moet rusten voordat hij zijn magie weer kan aanwenden.

Aan Caramons andere zijde liep Flint met zijn zware tred. De twee begonnen zachtjes te redetwisten over het bootongeluk van tien jaar eerder.

'Proberen met je blote handen een vis te vangen...' bromde Flint vol afkeer.

Tanis sloot achteraan, zij aan zij met de Vlaktelieden, en richtte zijn aandacht op Goudmaan. Nu hij haar goed kon bekijken in het vlekkerige grauwe licht onder de bomen, zag hij lijntjes rond haar ogen die haar ouder deden lijken dan haar negenentwintig jaar.

'Ons leven is niet gemakkelijk geweest,' vertrouwde Goudmaan hem onder het lopen toe. 'Waterwind en ik houden al vele jaren van elkaar, maar de wetten van mijn volk schrijven voor dat een krijger die de dochter van zijn stamhoofd wenst te huwen eerst een grootse daad moet verrichten om te bewijzen dat hij haar liefde waard is. In ons geval was er nog een probleem. Waterwinds familie is jaren geleden al uit de stam verstoten omdat ze weigerden onze voorouders te aanbidden. Zijn grootvader geloofde in oude goden die voor de Catastrofe hadden bestaan, ook al kon hij op Krynn nauwelijks nog een spoor van hen ontdekken.

Mijn vader wilde absoluut niet dat ik zo ver beneden mijn stand zou huwen. Daarom stuurde hij Waterwind weg met een onmogelijke opdracht: een voorwerp te vinden met heilige krachten als bewijs voor het bestaan van die oude goden. Natuurlijk geloofde mijn vader helemaal niet dat zulke voorwerpen bestonden. Hij hoopte gewoon dat Waterwind de dood zou vinden, of dat ik in de tussentijd van een ander zou gaan houden.' Met een glimlach keek ze op naar de lange krijger aan haar zijde, maar zijn gezicht leek wel van steen en zijn ogen staarden in de verte. Haar glimlach stierf weg. Met een zucht vervolgde ze haar verhaal, zachtjes sprekend, meer in zichzelf dan tegen Tanis.

'Vele jaren bleef Waterwind weg. En mijn leven was zinloos. Soms dacht ik dat mijn hart het zou begeven. En toen, nog maar een week geleden, keerde hij weer. Hij was halfdood en had zulke hoge koorts dat hij ervan ijlde. Hij strompelde het kamp binnen en viel aan mijn voeten neer. Zijn huid voelde aan alsof hij in brand stond. In zijn hand had hij deze staf. We moesten zijn vingers een voor een loswrikken, zo stevig omklemde hij hem. Zelfs toen hij buiten bewustzijn was, weigerde hij hem los te laten.

Bevangen door de koorts raaskalde hij over een donker oord, een verwoeste stad waar de dood zwarte vleugels had. Toen, op het moment dat hij bijna krankzinnig was van angst en de bedienden zijn armen aan het bed moesten vastbinden, herinnerde hij zich een vrouw, gehuld in een blauw licht. In dat donkere oord was ze tot hem gekomen, zei hij, en ze had hem genezen en hem de staf gegeven. Toen hij aan haar dacht, werd hij rustiger en zakte de koorts weg.

Twee dagen geleden...' Ze zweeg even. Was het echt nog maar twee dagen geleden? Het leek een eeuwigheid. Zuchtend ging ze verder: 'Twee dagen geleden overhandigde hij de staf aan mijn vader en zei dat die hem was geschonken door een godin van wie hij de naam niet wist. Mijn vader keek naar deze staf' – Goudmaan hield hem omhoog – 'en beval hem iets te doen, het maakte niet uit wat. Er gebeurde niets. Hij smeet hem terug naar Waterwind, verklaarde dat hij een bedrieger was en beval het volk hem te stenigen als straf voor zijn godslasterlijke woorden.'

Het gezicht van Goudmaan werd steeds bleker, dat van Waterwind steeds duisterder.

'De stam bond Waterwind vast en sleurde hem mee naar de Rouwmuur,' zei ze met een stem die nauwelijks boven een fluistering uitkwam. 'Daar gooiden ze stenen naar hem. Hij keek me aan met een intens liefdevolle blik en riep dat zelfs de dood ons niet zou kunnen scheiden. Ik kon de gedachte niet verdragen dat ik de rest van mijn leven alleen zou moeten blijven, zonder hem. Ik rende op hem af. We werden geraakt door stenen...' Ineenkrimpend bij de pijnlijke herinnering bracht ze een hand naar haar voorhoofd, waardoor Tanis' aandacht werd gevestigd op een vers, lelijk litteken op haar gebruinde huid. 'Er was een verblindende lichtflits. Toen Waterwind en ik weer konden zien, stonden we op de weg vlak buiten Soelaas. De staf straalde een blauwe gloed uit, maar toen vervaagde het licht, tot hij eruitzag zoals hij nu is. We besloten dat we naar Haven zouden gaan om de wijze mannen van de tempel te vragen of ze iets wisten over deze staf.'

'Waterwind,' vroeg Tanis bezorgd, 'wat weet je nog over die verwoeste stad? Waar lag die?'

Waterwind gaf geen antwoord. Uit de hoeken van zijn donkere ogen keek hij Tanis aan, en het was duidelijk dat hij ver weg was geweest met zijn gedachten. Toen richtte hij zijn blik weer op de duisternis tussen de bomen.

'Tanis Halfelf,' zei hij uiteindelijk. 'Is dat je naam?'

'Onder de mensen word ik inderdaad zo genoemd,' antwoordde Tanis. 'Mijn elfennaam is lang en voor mensen moeilijk uit te spreken.'

Waterwind fronste zijn voorhoofd. 'Waarom,' vroeg hij, 'word je een halfelf genoemd, en niet een halfmens?'

Die vraag trof Tanis als een slag in het gezicht. Even had hij het gevoel dat hij languit op de grond was gevallen, en hij moest zichzelf op zijn tong bijten om niet boos uit te vallen. Hij wist dat Waterwind een goede reden had hem die vraag te stellen. Het was niet bedoeld als een belediging. Hij werd op de proef gesteld, besefte hij. Daarom koos hij zijn woorden zorgvuldig.

'In de ogen van mensen is een halve elf nog een deel van een compleet wezen. Een halve man is helemaal niets.'

Waterwind dacht even na, knikte één keer, bruusk, en gaf antwoord op Tanis' vraag.

'Vele jaren lang heb ik rondgezworven,' zei hij. 'Vaak had ik geen idee waar ik was. Ik volgde de zon, de manen en de sterren. Mijn laatste reis is als een boze droom.' Even zweeg hij. Toen hij zijn verhaal weer oppakte, was het alsof hij van grote afstand sprak. 'Ooit is die stad mooi geweest, met witte gebouwen geschraagd door hoge marmeren zuilen. Nu ziet hij er echter uit alsof hij door een reuzenhand is opgepakt en van een berg is gesmeten. De stad is nu heel oud en er heerst een groot kwaad.'

'De zwartgevleugelde dood,' zei Tanis zachtjes.

'Als een god rees hij uit de duisternis op, en zijn onmenselijke onderdanen aanbaden hem, krijsend en huilend.' Ondanks zijn bruinverbrande huid werd de Vlakteman bleek, en ondanks de kou brak het zweet hem uit. 'Ik kan er niet langer over praten!' Goudmaan legde haar hand op zijn arm, en de spanning trok weg uit zijn gelaat.

'En uit die verschrikking trad een vrouw die je de staf schonk?' drong Tanis aan.

'Ze genas me,' zei Waterwind simpelweg. 'Ik was stervende.'

Ingespannen staarde Tanis naar de staf die Goudmaan in haar hand hield. Het was een eenvoudige, doodgewone staf die hij geen tweede blik waardig zou hebben gekeurd als zijn aandacht er niet op was gevestigd. Aan de bovenkant was een vreemd teken uitgesneden, en eromheen waren veren gebonden van het soort dat de barbaren mooi vinden. En toch had hij hem een blauw licht zien uitstralen. Hij had de helende kracht ervan ervaren. Was het een geschenk van de oude goden, die hun in deze moeilijke tijd te hulp waren geschoten, of was het iets kwaadaardigs? Wat wist hij eigenlijk over deze barbaren? Tanis moest denken aan Raistlins bewering dat alleen lieden met een zuiver hart de staf konden aanraken. Hij schudde zijn hoofd. Dat klonk goed. Hij wilde het dolgraag geloven...

Goudmaans hand op zijn arm deed hem opschrikken uit zijn gedachten. Toen hij opkeek, zag hij Sturm en Caramon druk gebaren. Opeens besefte de halfelf dat hij en de Vlaktelieden ver achterop waren geraakt. Hij begon te rennen.

'Wat is er?'

Sturm wees. 'De verkenner keert terug,' zei hij droog.

Inderdaad, Tasselhof kwam over de weg op hen afgerend. Hij zwaaide drie keer met zijn armen.

'De struiken in!' beval Tanis. Gehaast verliet de groep de weg en dook tussen de struiken en lage bomen aan de zuidelijke rand. Iedereen behalve Sturm.

'Kom nou!' Tanis legde zijn hand op de arm van de ridder. Sturm schudde hem van zich af.

'Ik weiger me te verstoppen in een greppel!' verklaarde de ridder koeltjes.

'Sturm...' begon Tanis, worstelend om zijn groeiende woede te bedwingen. Hij slikte verbitterde woorden in die meer kwaad dan goed zouden doen, wendde zich met opeengeklemde lippen af en wachtte grimmig zwijgend op de kender.

Tas kwam op hen afgesneld. De buidels en tassen die hij om had stuiterden wild op en neer. 'Priesters!' zei hij buiten adem. 'Een groep priesters. Acht.'

Sturm snoof. 'Ik dacht dat het op z'n minst een bataljon kobolden was. Een groep priesters kunnen we wel aan.'

'Ik weet het niet, hoor,' zei Tasselhof weifelend. 'Ik heb priesters uit elke uithoek van Krynn meegemaakt, maar deze zijn anders.' Op zijn hoede keek hij achterom, waarna hij met een ongewoon ernstige blik in zijn bruine ogen opkeek naar Tanis. 'Weet je nog wat Tika zei over vreemde mannen in Soelaas die het gezelschap van Hederick opzochten? En dat ze dikke gewaden en kappen droegen? Nou, deze priesters voldoen precies aan die omschrijving. En Tanis, ze bezorgden me een griezelig gevoel.' De kender huiverde. 'Ze komen zo in het zicht.'

Tanis wierp Sturm een vluchtige blik toe. De ridder trok zijn wenkbrauwen op. Allebei wisten ze dat kenders geen angst konden voelen, maar dat ze wel extreem gevoelig waren voor de aard van andere wezens. Tanis kon zich niet heugen wanneer de aanblik van een wezen van Krynn Tas ooit een 'griezelig gevoel' had bezorgd, en hij was weleens met de kender in bijzonder benarde situaties verzeild geraakt.

'Daar komen ze,' zei Tanis plotseling. Hij, Sturm en Tas trokken zich terug in de schaduw van de bomen links van hen, en keken toe terwijl de priesters langzaam om een bocht in de weg kwamen. Ze waren zo ver weg dat de halfelf niet veel van hen kon zien, behalve dat ze zich heel langzaam voortbewogen en een grote handkar achter zich aan sleepten.

'Misschien moet je maar even met hen gaan praten, Sturm,' zei Tanis zachtjes. 'We moeten weten hoe de situatie verderop is. Maar wees voorzichtig, mijn beste.'

'Natuurlijk zal ik voorzichtig zijn,' zei Sturm glimlachend. 'Ik ben niet van plan om zomaar mijn leven te vergooien.'

De ridder legde in een verontschuldigend gebaar kort zijn hand op Tanis' arm en maakte zijn zwaard in de antieke schede los. Vervolgens stak hij de weg over en leunde met het hoofd gebogen tegen een kapot houten hek, alsof hij stond te rusten. Even bleef Tanis besluiteloos staan, maar toen draaide hij zich om en liep verder het struikgewas in, met Tasselhof op zijn hielen.

'Wat is er?' bromde Caramon toen hij Tanis en Tas zag aankomen. De grote krijger verplaatste zijn gewicht, waardoor zijn arsenaal aan wapens luid kletterde. De reisgenoten zaten op een kluitje verstopt achter de struiken, van waaruit ze de weg duidelijk konden zien.

'Stil.' Tanis liet zich op zijn knieën naast Caramon zakken. Een paar voet links van hem hurkte Waterwind. 'Priesters,' fluisterde hij. 'Ze komen in een groep over de weg deze kant op. Sturm gaat met hen praten.'

'Priesters!' snoof Caramon minachtend. Hij leunde ontspannen achterover, maar Raistlin schoof onrustig heen en weer.

'Priesters,' fluisterde hij bedachtzaam. 'Dit bevalt me niet.'

'Hoe bedoel je?' vroeg Tanis.

Van onder zijn donkere kap tuurde Raistlin naar de halfelf. Het enige wat Tanis van de magiër kon zien, waren zijn zandlopervormige, gouden ogen, smalle spleetjes vol sluwheid en intelligentie.

'Vreemde priesters,' zei Raistlin overdreven geduldig, alsof hij het tegen een kind had. 'De staf heeft helende, religieuze krachten van een soort die we al sinds de Catastrofe niet meer hebben gezien op Krynn. In Soelaas hebben Caramon en ik enkele van die in mantels en kappen gehulde mannen gezien. Vind je het niet vreemd, mijn beste, dat de priesters en de staf op hetzelfde moment zijn opgedoken, op een plek waar ze nooit eerder zijn gesignaleerd? Misschien behoort die staf inderdaad wel aan hen toe.'

Tanis wierp een blik op Goudmaan. Haar gezicht was vertrokken van bezorgdheid. Ongetwijfeld vroeg zij zich hetzelfde af. Hij richtte zijn blik weer op de weg. De gemantelde gestalten sjokten voort, met de kar achter hen aan. Sturm zat op het hek zijn snor glad te strijken.

Zwijgend wachtten de reisgenoten af. Boven hun hoofd pakten zich donkere wolken samen en al snel sijpelde het eerste hemelwater tussen de boomtakken door.

'Ja hoor, het regent,' mopperde Flint. 'Het is nog niet erg genoeg dat ik me als een pad in een struik moet verstoppen. Ik moet ook nog eens tot op de draad nat worden—'

Tanis keek de dwerg boos aan. Flint mompelde nog wat, maar zweeg toen. Al snel hoorden de reisgenoten niets dan het spetteren van de regendruppels op de toch al natte blaadjes en het geroffel ervan op schilden en helmen. Het was een koude, gestage regen van het soort dat zelfs door de dikste mantel heen dringt. Het water stroomde van Caramons helm af en druppelde in zijn nek. Raistlin begon te rillen en te hoesten, wat hem verschrikte blikken van zijn metgezellen opleverde. Hij sloeg zijn hand voor zijn mond om het geluid te dempen.

Tanis keek naar de weg. Net als Tas had hij in zijn honderd jaar op Krynn nog nooit zulke priesters aanschouwd. Ze waren lang, een voet of zes. Hun lichamen gingen schuil onder lange gewaden en ze hadden diepe kappen over hun hoofden. Zelfs hun handen en voeten waren met stof omwikkeld, alsof ze aan lepra leden. Toen ze Sturm naderden, keken ze behoedzaam om zich heen. Een van hen staarde recht naar de struik waarachter de reisgenoten zich schuilhielden. In de schaduw van de kap konden ze alleen donkere, glinsterende ogen onderscheiden.

'Gegroet, ridder van Solamnië,' zei de priester die vooropliep in het Gemeenschaps. Zijn stem klonk hol en lispelend, onmenselijk welhaast. Tanis huiverde.

'Gegroet, broeders,' antwoordde Sturm, ook in het Gemeenschaps. 'Ik heb vandaag vele mijlen afgelegd, en jullie zijn de eerste reizigers die ik ben tegengekomen. Ik heb vreemde geruchten gehoord en wil graag

meer weten over de weg die voor me ligt. Waar komt u vandaan?'
'Oorspronkelijk komen we uit het oosten,' antwoordde de priester. 'Maar vandaag komen we vanuit Haven. Het is een koude, natte dag voor reizigers, heer ridder, en dat is wellicht de reden dat u een lege weg aantreft. Zelf zouden wij onze reis niet hebben aanvaard als we niet door noodzaak werden gedreven. We zijn u niet eerder tegengekomen, dus u komt waarschijnlijk uit Soelaas, heer ridder.'

Sturm knikte. Verschillende van de priesters die achter de kar stonden, wendden prevelend hun gezichten naar elkaar toe. De leider sprak hen in een vreemde taal vol keelklanken toe. Tanis keek zijn metgezellen aan. Tasselhof schudde zijn hoofd, en de anderen ook; geen van allen hadden ze die taal eerder gehoord. De priester schakelde weer over op Gemeenschaps. 'Ik ben erg nieuwsgierig naar die geruchten waarover u het had, heer ridder.'

'Er wordt gefluisterd over een leger in het noorden,' antwoordde Sturm. 'Daar ga ik naartoe, want ik ben op weg naar mijn vaderland Solamnië. Ik wil echter liever niet in een oorlog verzeild raken waarvoor ik niet ben uitgenodigd.'

'Dergelijke geruchten hebben wij niet gehoord,' antwoordde de priester. 'Voor zover wij weten is de weg naar het noorden veilig.'

'Tja, dat krijg je ervan als je naar dronken kameraden luistert.' Sturm haalde zijn schouders op. 'Maar wat is die noodzaak waarover u spreekt, en die u en uw broeders dwingt er met zulk slecht weer op uit te trekken?'

'We zijn op zoek naar een staf,' antwoordde de priester zonder aarzeling. 'Een blauw kristallen staf. We hebben vernomen dat hij in Soelaas is gesignaleerd. Weet u er iets van?'

'Ja,' antwoordde Sturm. 'In Soelaas heb ik verhalen gehoord over een dergelijke staf. Van dezelfde kameraden die me vertelden dat zich in het noorden een leger verzamelde. Moet ik die verhalen geloven of niet?'

Dat leek de priester even van zijn stuk te brengen. Hij keek om zich heen, alsof hij niet zeker wist wat hij daarop moest zeggen.

'Vertelt u eens,' zei Sturm, die ontspannen achteroverleunde tegen het hek, 'waarom zoekt u een blauw kristallen staf? Een eenvoudige, stevige staf van hout zou beter passen bij respectabele heren als u.'

'Het is een heilige staf met helende krachten,' antwoordde de priester plechtig. 'Een van onze broeders is ernstig ziek, en zonder de gezegende aanraking van die gewijde relikwie zal hij sterven.'

'Helende krachten?' Sturm trok zijn wenkbrauwen op. 'Een dergelijke gewijde staf is vast een fortuin waard. Hoe bent u dat zeldzame, wonderlijke voorwerp kwijtgeraakt?'

'We zijn het niet kwijtgeraakt!' snauwde de priester. Tanis zag dat hij woedend zijn vuisten balde. 'Het is van onze heilige orde gestolen. We hebben de smerige dief achtervolgd tot in een barbaars dorp op de Vlakten, maar daar hield het spoor op. Er gaan echter geruchten over vreemde gebeurtenissen in Soelaas, dus gaan we daarnaartoe.' Hij gebaarde naar de kar. 'Deze ellendige reis is voor ons slechts een klein offer, vergeleken met de helse pijnen die onze broeder moet verdragen.'

'Ik ben bang dat ik u niet—' begon Sturm.

'Ik kan u helpen!' hoorde Tanis een heldere stem naast zich roepen. Hij stak zijn hand uit, maar het was al te laat. Goudmaan was opgestaan en liep nu vastberaden naar de weg, boomtakken en braamstruiken uit haar pad duwend. Waterwind sprong overeind en ging dwars door het struikgewas heen achter haar aan.

Tanis riskeerde een doordringend gefluister. 'Goudmaan!'

'Ik moet het weten!' was het enige wat ze zei.

Bij het horen van Goudmaans stem knikten de priesters elkaar veelbetekenend toe met hun in kappen gehulde hoofden. Tanis rook onraad, maar voordat hij iets kon zeggen, was Caramon al overeind gesprongen. 'Ik weiger in een greppel achter te blijven terwijl de Vlaktelieden plezier maken!' verklaarde hij terwijl hij achter Waterwind aan liep.

'Is iedereen gek geworden?' grauwde Tanis. Hij greep Tasselhof bij zijn kraag en sleurde hem terug toen hij vrolijk achter Caramon aan wilde rennen. 'Flint, let op de kender. Raistlin—'

'Maak je over mij maar geen zorgen, Tanis,' fluisterde de magiër. 'Geen haar op mijn hoofd die eraan denkt om de weg op te gaan.'

'Mooi. Hier blijven dan.' Tanis stond op en liep langzaam in de richting van de weg. Ook hem bekroop nu een griezelig gevoel.

8
Zoektocht naar de waarheid.
Onverwachte antwoorden.

'Ik kan u helpen.' Goudmaans heldere stem galmde als een zuiver zilveren klok. De stamhoofdsdochter zag Sturms geschrokken gezicht en begreep Tanis' waarschuwing.

Dit was echter niet de onbezonnen daad van een domme, hysterische vrouw, want dat was Goudmaan niet, integendeel. Behalve in naam had ze in alle opzichten tien jaar lang als stamhoofd geregeerd over haar stam, al sinds haar vader als door een bliksemschicht was getroffen door een ziekte, waardoor hij zijn rechterarm en -been niet meer kon gebruiken en moeite had met praten. Ze was haar volk voorgegaan als er oorlog was uitgebroken met een naburige stam, alsmede in vredestijd. Ze had machtsgrepen verijdeld. Ze wist dat het gevaarlijk was wat ze nu deed. Die vreemde priesters vervulden haar met weerzin. Maar ze wisten duidelijk iets over haar staf, en ze had behoefte aan antwoorden.

'Ik ben de hoeder van de blauw kristallen staf,' zei Goudmaan terwijl ze met trots geheven hoofd op de leider van de priesters afliep. 'Maar we hebben hem niet gestolen. Hij is ons geschonken.'

Waterwind vatte naast haar post, en Sturm aan haar andere zijde. Caramon dook op uit het struikgewas en ging met zijn hand op zijn zwaard en een gretige grijns op zijn gezicht achter haar staan.

'Dat beweert u,' zei de priester met zachte, snerende stem. Met een begerige blik in zijn zwarte ogen staarde hij naar de eenvoudige bruine staf in haar hand. Toen stak hij zijn omzwachtelde hand uit in een poging hem vast te pakken. Snel klemde Goudmaan de staf tegen zich aan.

'De staf is gered uit een afschuwelijk, boos oord,' zei ze. 'Ik zal doen wat ik kan om uw stervende broeder te helpen, maar ik weiger deze staf aan u of wie dan ook te geven tenzij ik er volledig van overtuigd ben dat u er recht op hebt.'

De priester aarzelde en wisselde een blik met zijn metgezellen. Tanis zag dat ze nerveuze, voorzichtige bewegingen maakten in de richting van de brede riemen van stof die ze om hun lange gewaden droegen. Ongewoon brede riemen, zag Tanis, met vreemde uitstulpingen eronder waarvan hij zeker wist dat die niet door gebedsboeken werden veroorzaakt. Hij slaakte een gefrustreerde verwensing omdat Sturm en Caramon niet beter opletten. Maar Sturm leek volkomen ontspannen en Caramon stootte hem aan alsof er iets heel grappig was. Voorzichtig hief Tanis zijn boog en zette een pijl op de pees.

Uiteindelijk boog de priester ootmoedig het hoofd en stak hij zijn handen in zijn mouwen. 'Als u onze broeder op enige wijze zou kunnen helpen, zouden wij u zeer erkentelijk zijn,' zei hij met gedempte stem. 'En daarna hoop ik dat u en uw reisgenoten ons willen vergezellen naar Haven. Ik kan u verzekeren dat u ervan overtuigd zult raken dat de staf ten onrechte in uw bezit is gekomen.'

'We bepalen zelf wel waar we heen gaan, broeder,' bromde Caramon.

Dwaas, dacht Tanis. De halfelf overwoog zijn kameraden te waarschuwen, maar besloot zich schuil te houden voor het geval zijn groeiende angst waarheid werd.

Goudmaan en de leider van de gemantelde mannen liepen naar de achterkant van de kar, vergezeld door Waterwind. Caramon en Sturm bleven aan de voorkant staan en keken belangstellend toe. Goudmaan en de priester hielden halt, en de laatste stak zijn omzwachtelde hand uit om Goudmaan naar de opening van de kar te leiden. Ze ontweek zijn aanraking en liep er zelf op af. Met een nederige buiging tilde de priester de doek op die over het achterste deel van de kar lag. Met de staf voor zich uit tuurde Goudmaan naar binnen.

Tanis zag een plotselinge snelle beweging. Goudmaan gilde. Er was een blauwe lichtflits, gevolgd door een kreet. Goudmaan sprong naar achteren op het moment dat Waterwind zich beschermend voor haar wierp. De priester zette een hoorn aan zijn lippen en blies er een lange, klaaglijke toon op.

'Caramon! Sturm!' riep Tanis met geheven boog. 'Het is een va—' Van boven af viel iets enorm zwaars boven op de halfelf, waardoor hij op de grond werd gesmeten. Krachtige handen tastten naar zijn keel en duwden zijn gezicht stevig in de natte bladeren en de modder. De vingers vonden de juiste plek en begonnen te knijpen. Tanis vocht om adem, maar hij kreeg niets dan modder in zijn neus en mond. Sterretjes dansten voor zijn ogen terwijl hij wanhopig sjorde aan de handen die zijn luchtpijp probeerden te verbrijzelen. De greep van die handen was ongelooflijk sterk. Tanis voelde dat hij het bewustzijn begon te verliezen. Hij spande zijn spieren voor een laatste, wanhopige bevrijdingspoging, maar op dat moment hoorde hij een schorre kreet en een dreun waar het gekraak van botten in doorklonk. De greep van de handen verslapte en de zware last werd van zijn rug gesleurd.

Moeizaam happend naar adem hees Tanis zich op zijn knieën overeind. Toen hij de modder van zijn gezicht had geveegd en opkeek, zag hij Flint staan met een dikke boomtak in zijn handen. De dwerg keek hem echter niet aan. Zijn aandacht werd in beslag genomen door het lichaam aan zijn voeten.

Tanis volgde de verbijsterde blik van de dwerg en deinsde vol afschuw terug. Het was geen man! Leerachtige vleugels ontsproten aan zijn rug. Hij had de geschubde huid van een reptiel en klauwen aan zijn handen en voeten, maar hij liep rechtop, als een mens. Het wezen droeg een geraffineerd harnas dat hem niet hinderde bij het vliegen. Het was echter vooral het gelaat van het wezen dat de halfelf deed rillen, want zo'n gelaat had hij nog nooit aanschouwd, op Krynn noch in zijn ergste nachtmerries. Het wezen had het gezicht van een mens, maar het was alsof het door een boze tovenaar was veranderd in dat van een reptiel.

'Bij alle goden,' verzuchtte Raistlin, die voorzichtig naar Tanis toe liep. 'Wat is dat voor iets?'

Voordat Tanis antwoord kon geven, zag hij uit zijn ooghoek een felle blauwe lichtflits en hoorde hij Goudmaan iets roepen.

Toen ze in de kar keek, had Goudmaan zich heel even afgevraagd welke afschuwelijke ziekte schubvorming op de huid kon veroorzaken. Ze had een stap naar voren gedaan om de arme priester met haar staf te beroeren, maar op dat moment was het wezen op haar afgesprongen, met zijn geklauwde hand uitgestrekt naar de staf. Goudmaan was struikelend achteruitgedeinsd, maar het wezen was snel en zijn klauw sloot zich om de staf. Op dat moment was er een blauwe lichtflits. Met een ijselijke kreet van pijn had het wezen zich teruggetrokken, zijn zwartgeblakerde hand koesterend. Daarop had Waterwind zich met getrokken zwaard voor de dochter van zijn stamhoofd geworpen.

Nu hoorde Goudmaan hem echter naar adem happen en zag ze zijn zwaardarm slap naast zijn zij hangen. Wankel deinsde hij terug, zonder ook maar een poging te doen zichzelf te verdedigen. Ruwe, omwikkelde handen grepen haar van achteren vast. Een weerzinwekkende, geschubde klauw werd voor haar mond geslagen. Worstelend om zich te bevrijden ving ze een glimp op van Waterwind. Met grote ogen van angst en een lijkbleek gezicht staarde hij naar het monster in de kar, snel en oppervlakkig ademend als een man die ontwaakt uit een nachtmerrie, om tot de ontdekking te komen dat die werkelijkheid is geworden. Goudmaan, een sterke telg uit een geslacht van krijgers, schopte achteruit naar de priester die haar vasthield, mikkend op zijn knie. Haar vaardige trap verraste haar tegenstander volkomen en verbrijzelde zijn knieschijf. Zodra de priester zijn greep liet verslappen, draaide Goudmaan zich met een ruk om en haalde uit met haar staf. Tot haar verwondering zakte de priester meteen ineen, alsof hij was geveld door een klap waar zelfs de machtige Caramon jaloers op zou zijn geweest. Vol verbijstering keek ze naar haar staf, die inmiddels in een felle blauwe gloed gehuld was. Er was echter geen tijd voor verwondering, want ze was omsingeld. Ze zwaaide met haar stralende staf om zich heen en wist de monsterlijke priesters zo op afstand te houden. Maar hoe lang kon ze dat volhouden?

'Waterwind!'

Goudmaans kreet deed de Vlakteman opschrikken uit zijn nachtmerrie. Hij draaide zich om en zag dat ze achteruit het woud in liep terwijl ze de gemantelde priesters met de staf op afstand hield. Hij greep een van de priesters van achteren vast en smeet hem tegen de grond. Een tweede stortte zich op hem, terwijl een derde Goudmaan besprong.

Er was een felblauwe flits.

Een fractie voordat Tanis hen probeerde te waarschuwen, besefte Sturm dat de priesters hen in de val wilden laten lopen en trok hij zijn zwaard. Tussen de planken van de oude houten kar door had hij een geklauwde hand gezien die naar de staf greep. Zo snel als hij kon was hij op Waterwind afgerend om hem rugdekking te geven. De ridder was echter totaal niet voorbereid op de reactie van de Vlakteman zodra die het wezen in de kar ontwaarde. Sturm zag Waterwind hulpeloos terugdeinzen terwijl het wezen met zijn goede hand een strijdbijl greep en recht op de barbaar afsprong. Waterwind deed geen enkele poging zichzelf te verdedigen. Hij kon alleen maar staren, met zijn zwaard slapjes in zijn hand.

Sturm dreef zijn zwaard in de rug van het wezen. Met een felle kreet draaide het monster zich om, klaar voor de aanval, waarbij hij het zwaard uit de handen van de ridder wrong. Kwijlend en gorgelend in zijn felle doodsstrijd sloeg het wezen zijn armen om de verschrikte ridder heen en trok hem met zich mee op de modderige grond. Sturm wist dat het monster stervende was en deed zijn uiterste best om de angst en afkeer te onderdrukken die de aanraking van de slijmerige huid bij hem opriep. Toen hield het krijsen op en voelde hij het wezen stijf worden. De ridder duwde het lijk van zich af en wilde snel zijn zwaard uit de rug van het dode monster trekken. Er was echter geen beweging in te krijgen. Vol ongeloof staarde hij ernaar. Vervolgens zette hij zich met zijn gelaarsde voet schrap tegen het lichaam om meer kracht te kunnen zetten en gaf een machtige ruk aan het zwaard. Het zat muurvast. Woedend sloeg hij naar het wezen, waarop hij vol angst en weerzin terugdeinsde. Het beest was in steen veranderd.

'Caramon!' riep Sturm toen nog zo'n merkwaardige priester zwaaiend met een bijl op hem afsprong. Hij bukte, voelde een scherpe pijn en werd verblind door het bloed dat in zijn ogen stroomde. Niet in staat iets te zien wankelde hij, waarna hij door een zwaar gewicht tegen de grond werd gedrukt.

Caramon, die vlak vóór de kar stond, wilde net Goudmaan te hulp schieten toen hij Sturm hoorde roepen. Precies op dat moment kwamen twee van de monsters op hem af. Zwaaiend met zijn korte zwaard om hen op afstand te houden trok Caramon met zijn linkerhand zijn dolk. Een van de priesters sprong op hem af. Met een snelle beweging stak Caramon zijn dolk diep in het vlees van het wezen. Hij rook een smerige rottingslucht en zag een akelig groene vlek in het gewaad van de priester verschijnen, maar de wond leek het wezen alleen maar woester te maken. Hij bleef aandringen. Speeksel droop van zijn kaken, de kaken van een reptiel, niet die van een mens. Even werd Caramon overspoeld door paniek. Hij had het tegen trollen en kobolden opgenomen, maar deze afgrijselijke priesters brachten hem volledig van zijn stuk. Hij voelde zich alleen en verloren, maar precies op dat moment hoorde hij naast zich een geruststellend gefluister.

'Ik ben bij je, mijn broeder,' klonk Raistlins kalme stem in zijn hoofd.

'Dat werd tijd,' zei Caramon hijgend, terwijl hij dreigend met zijn zwaard naar zijn aanvaller zwaaide. 'Wat zijn dit voor een verdorven priesters?'

'Steek ze niet dood!' waarschuwde Raistlin hem snel. 'Dan veranderen ze in steen. Het zijn geen priesters. Het zijn een soort reptielenmensen. Vandaar die gewaden en kappen.'

Hoewel ze zo verschillend waren als dag en nacht, vormde de tweeling in de strijd een goed koppel. Tijdens het vechten spraken ze nauwelijks, want hun gedachten versmolten sneller dan ze in woorden konden uitdrukken. Caramon liet zijn zwaard en dolk vallen en spande de spieren in zijn machtige armen. Zodra de wezens zagen dat Caramon zijn wapens liet vallen, stormden ze op hem af. De zwachtels om hun lichaam hadden losgelaten en flapperden nu op groteske wijze om hen heen. Caramon trok een vies gezicht bij de aanblik van hun geschubde lijf en dierlijke klauwen.

'Klaar,' zei hij tegen zijn broer.

'*Ast tasark simiralan krynawi,*' zei Raistlin zacht terwijl hij een handvol zand in de lucht wierp. De wezens stopten midden in hun woeste bestorming en schudden verdwaasd het hoofd terwijl een magische slaperigheid hen bekroop... maar toen knipperden ze met hun ogen. Binnen een mum van tijd kwamen ze weer tot zichzelf en hervatten ze de aanval. 'Immuun voor magie!' prevelde Raistlin vol ontzag. Maar die korte verslapping was al voldoende voor Caramon. Met zijn enorme handen om de magere reptielennekken van de monsters sloeg hij hun hoofden tegen elkaar. De lichamen vielen als levenloze standbeelden op de grond. Caramon keek op, net op tijd om te zien dat twee nieuwe priesters met glanzende kromzwaarden in hun omzwachtelde handen over de versteende lijken van hun broeders klauterden.

'Ga achter me staan,' beval Raistlin met schorre fluisterstem. Caramon bukte om zijn zwaard en dolk op te rapen en dook weg achter zijn broer, bezorgd om diens veiligheid, maar wetend dat Raistlin geen toverspreuk kon uitspreken als hij in de weg stond.

Raistlin staarde gebiedend naar de wezens, die hem herkenden als een gebruiker van magie en daarom aarzelend naar elkaar keken, bang dichterbij te komen. Een van hen liet zich op de grond vallen en kroop weg onder de kar. De tweede sprong met geheven zwaard naar voren in de hoop de magiër te kunnen doorboren voordat hij zijn spreuk kon uitspreken, of in elk geval diens o zo noodzakelijke concentratie te verstoren. Caramon slaakte een oorverdovende kreet. Raistlin leek niets te zien of te horen. Langzaam hief hij zijn handen. Hij zette zijn duimen tegen elkaar, spreidde zijn vingers als een waaier en sprak de woorden: *'Kair tangus miopiar.'* Magie raasde door zijn frêle lichaam, en het wezen werd in vlammen gehuld.

Tanis, die inmiddels van de eerste schrik was bekomen, hoorde Sturm roepen en baande zich al rennend een weg door het struikgewas naar de weg. Met de platte kant van zijn zwaard, alsof hij een knots hanteerde, haalde hij uit naar het wezen dat Sturm tegen de grond gedrukt hield. Met een hoge kreet viel de priester, wat Tanis de gelegenheid gaf om de gewonde ridder de struiken in te slepen.

'Mijn zwaard,' mompelde Sturm verdwaasd. Bloed stroomde over zijn gezicht. Tevergeefs probeerde hij het weg te vegen.

'Dat pakken we straks wel,' beloofde Tanis, al wist hij niet hoe. Toen hij naar de weg keek, zag hij dat er nog meer wezens uit het bos zwermden en op hen afkwamen. Zijn mond werd droog. We moeten hier weg, dacht hij, vechtend tegen de paniek. Hij dwong zichzelf rustig te blijven en haalde diep adem. Toen draaide hij zich om naar Flint en Tasselhof, die achter hem aan waren gerend.

'Blijf hier, let op Sturm,' droeg hij hun op. 'Ik ga de anderen halen. We moeten terug het woud in.'

Zonder op antwoord te wachten rende Tanis de weg op, maar toen laaiden de vlammen van Raistlins toverspreuk op en werd hij gedwongen dekking te zoeken.

De kar begon te roken toen het stro waar het wezen op had gelegen in brand vloog.

'Blijf hier, let op Sturm. Pff!' mopperde Flint. Hij greep zijn strijdbijl nog wat steviger vast. Voorlopig leken de wezens die over de weg kwamen aanrennen geen acht te slaan op de dwerg, de kender en de gewonde ridder die in de schaduw van de bomen lag. Hun aandacht was gericht op de twee groepjes vechtenden, maar Flint wist dat dat niet lang zou duren. Hij plantte zijn voeten stevig op de grond. 'Doe iets voor Sturm,' zei hij geïrriteerd tegen Tas. 'Maak je voor de verandering ook eens nuttig.'

'Ik doe mijn best,' antwoordde Tasselhof op gekwetste toon. 'Maar ik kan het bloeden niet stelpen.' Hij veegde de ogen van de ridder af met een redelijk schone zakdoek. 'Zo, kun je nu iets zien?' vroeg hij bezorgd.

Kreunend probeerde Sturm rechtop te gaan zitten, maar er trok een pijnscheut door zijn hoofd die hem dwong weer te gaan liggen. 'Mijn zwaard,' zei hij.

Tasselhof keek naar Sturms slagzwaard, dat uit de rug van een versteende priester stak. 'Dat is fantastisch!' zei de kender met ogen als schoteltjes. 'Flint, moet je zien. Sturms zwaard—'

'Weet ik toch, stom leeghoofd van een kender!' brulde Flint, zijn blik gericht op het wezen dat met getrokken zwaard op hen afrende.

'Ik ga het wel even halen,' zei Tas vrolijk tegen Sturm. 'Ik ben zo terug.'

'Nee!' riep Flint, die besefte dat Tas de aanstormende priester niet kon zien. Het gemeen gekromde zwaard van het wezen zwaaide flitsend in een wijde boog op de hals van de dwerg af. Flint hief zijn bijl, maar juist op dat moment stond Tasselhof op, met zijn blik strak op Sturms zwaard gericht. Zijn hoopakstaf raakte de dwerg in zijn knieholtes, waardoor zijn benen het begaven. Het zwaard van het monster floot zonder schade aan te richten over Flint heen toen die met een verschrikte kreet achterovenviel en boven op Sturm terechtkwam.

Tasselhof, die de dwerg hoorde schreeuwen, keek achterom en nam vol verbijstering het merkwaardige tafereel in zich op: Flint werd aangevallen door een priester, maar om de een of andere reden lag de dwerg met zijn benen in de lucht op zijn rug in plaats van te vechten.

'Wat doe jij nou weer, Flint?' riep Tas. Nonchalant sloeg hij het wezen met zijn hoopak in het middenrif en vervolgens op het hoofd, waarop het bewusteloos op de grond viel.

'Alsjeblieft!' zei hij geërgerd tegen Flint. 'Moet ik nu ook al voor je vechten?' De kender draaide zich om om Sturms zwaard te gaan halen.

'Vechten! Voor mij!' Sputterend van woede werkte de dwerg zich moeizaam overeind. Zijn helm was over zijn ogen gezakt, met als gevolg dat hij niets meer zag. Hij zette hem net weer recht, toen alweer een priester hem ondersteboven liep.

Toen Tanis Goudmaan en Waterwind bereikte, stonden de twee met de ruggen tegen elkaar terwijl Goudmaan de wezens met haar staf afweerde. Drie lagen er dood aan haar voeten, zwartgeblakerd door de blauwe vlammen van de staf. Waterwinds zwaard zat muurvast in de buik van een versteend lijk. De Vlakteman had zijn enige overgebleven wapen ter hand genomen – zijn korte boog – en had een pijl op de pees gezet, klaar om te schieten. De wezens bleven ondertussen even op een afstandje om zachtjes en in een onbegrijpelijke taal hun strategie te bespreken. Wetend dat ze elk moment op de Vlaktelieden af konden stormen, sprong Tanis op hen af en sloeg een van de wezens van achteren neer met de platte kant van zijn zwaard, waarna hij onderhands uithaalde naar een tweede.

'Kom mee!' riep hij de Vlaktelieden toe. 'Deze kant op!'

Een paar van de wezens draaiden zich om naar hun nieuwste tegenstander, maar enkele andere aarzelden. Waterwind velde er één met zijn pijl, waarna hij Goudmaan bij de hand pakte en samen met haar op Tanis afrende. Ze moesten over de versteende lijken van hun slachtoffers heen springen.

Tanis liet hen passeren terwijl hij met de platte kant van zijn zwaard de wezens afweerde. 'Hier, neem deze dolk!' riep hij tegen Waterwind toen die langs hem heen rende. Waterwind pakte hem aan, draaide hem om in zijn hand en stak een van de wezens in de onderkaak. Met een opwaartse ruk aan de dolk brak hij de nek van het monster. Opnieuw was er een blauwe lichtflits toen Goudmaan met haar staf een ander monster uit de weg sloeg. Ze hadden het bos bereikt.

De houten kar brandde inmiddels als een lier. Als Tanis door de rook heen tuurde, ving hij af en toe een glimp van de weg op. Een huivering trok langs zijn rug toen hij aan weerszijden van hen op ongeveer een halve mijl afstand donkere, gevleugelde gestaltes zag landen. In beide richtingen was de weg geblokkeerd. Ze zaten gevangen, tenzij ze meteen het bos in vluchtten.

Hij bereikte de plek waar hij Sturm had achtergelaten. Goudmaan en Waterwind waren er al, en Flint was bij hen. Waar waren de anderen? Knipperend met zijn tranende ogen tuurde hij door de rook.

'Help Sturm,' droeg hij Goudmaan op. Toen draaide hij zich om naar Flint, die zonder veel succes probeerde zijn bijl uit de borst van een versteend monster te trekken. 'Waar zijn Caramon en Raistlin? En waar is Tas? Ik had gezegd dat hij hier moest blijven—'

'Die vervloekte kender heeft me bijna de dood ingejaagd!' barstte Flint uit. 'Ik hoop dat ze hem meenemen! Ik hoop dat ze hem opvoeren aan de honden! Ik hoop—'

'In de naam van de goden!' vloekte Tanis geërgerd. Door de rook rende hij in de richting van de plek waar hij Caramon en Raistlin het laatst had gezien. Bijna meteen stuitte hij op de kender, die terug kwam lopen met Sturms zwaard. Het wapen was bijna net zo groot als Tasselhof zelf en hij kon het niet tillen, dus sleepte hij het door de modder mee.

'Hoe heb je dat ding te pakken gekregen?' vroeg Tanis verbijsterd, hoestend door de dikke rook die om hen heen kolkte.

Tas grijnsde terwijl tranen uit zijn prikkende ogen over zijn wangen stroomden. 'Het wezen verging tot stof,' zei hij opgewekt. 'O, Tanis, het was prachtig. Ik trok aan het zwaard, maar ik kreeg het niet los, dus toen trok ik nog een keer en—'

'Niet nu! Ga terug naar de anderen.' Tanis greep de kender vast en gaf hem een zet in de goede richting. 'Heb je Caramon en Raistlin gezien?'

Op dat moment echter hoorde hij de stem van de krijger door de rook schallen. 'Hier zijn we,' hijgde Caramon. Hij had zijn arm om zijn broer heen geslagen, die onbedwingbaar hoestte. 'Hebben we ze allemaal vernietigd?' vroeg de reus vrolijk.

'Nee,' antwoordde Tanis grimmig. 'We moeten vluchten, door het bos, naar het zuiden.' Hij sloeg zijn arm om Raistlin heen, en samen haastten ze zich terug naar de plek waar de anderen op een kluitje vlak bij de weg stonden, hoestend en proestend door de rook, maar blij dat die hen aan het zicht onttrok.

Sturm was opgestaan. Zijn gezicht was bleek, maar de pijn in zijn hoofd was weg en de wond bloedde niet meer.

'Heeft de staf hem genezen?' vroeg Tanis aan Goudmaan.

Ze hoestte. 'Niet helemaal, maar wel dusdanig dat hij kan lopen.'

'De staf heeft... beperkingen,' zei Raistlin piepend.

'Ja, ja,' zei Tanis ongeduldig. 'Nou, we trekken in zuidelijke richting het woud in.'

Caramon schudde zijn hoofd. 'Dat is het Duisterwold—' begon hij.

'Ik weet het, je vecht liever tegen de levenden,' viel Tanis hem in de rede. 'Maar vind je dat nu nog steeds?'

De krijger gaf geen antwoord.

'Uit beide richtingen komen nog meer van die wezens. Een volgende aanval kunnen we niet meer afslaan. Maar als het niet hoeft, gaan we het Duisterwold niet in. Niet ver hiervandaan is een wildspoor dat we kunnen gebruiken om de top van het Priestersoog te bereiken. Van daaruit kunnen we de weg naar het noorden zien, en alle andere windstreken ook.'

'We kunnen ook teruggaan naar het noorden, naar de grot. Daar hebben we de boot verborgen,' opperde Waterwind.

'Nee!' riep Flint met verstikte stem. Zonder nog een woord te zeggen draaide de dwerg zich om en rende in zuidelijke richting het bos in, zo snel als zijn korte beentjes hem konden dragen.

9
Op de vlucht.
De witte hertenbok.

Zo snel als ze konden strompelden de reisgenoten door het dichte woud, en al snel bereikten ze het wildspoor. Caramon ging voorop, met zijn zwaard in zijn hand, en hield achterdochtig elke schaduw in de gaten. Zijn broer kwam achter hem aan, met zijn hand op Caramons schouder en zijn lippen grimmig opeengeklemd. De rest volgde, met de wapens in de aanslag.

Ze kwamen echter geen monsters meer tegen.

'Waarom komen ze niet achter ons aan?' vroeg Flint na een tijdje.

Tanis krabde aan zijn baard. Dat vroeg hij zich ook al af. 'Dat is niet nodig,' zei hij uiteindelijk. 'We kunnen geen kant op. Ongetwijfeld hebben ze elke uitweg uit dit woud geblokkeerd. Met uitzondering van Duisterwold...'

'Duisterwold!' herhaalde Goudmaan zachtjes. 'Is het echt nodig daarnaartoe te gaan?'

'Misschien niet,' zei Tanis. 'Vanaf Het Priestersoog kunnen we de situatie goed bekijken.'

Opeens hoorden ze voor hen Caramon roepen. Tanis zette het op een lopen, en zag toen dat Raistlin in elkaar was gezakt.

'Het komt wel goed,' fluisterde de magiër. 'Maar ik moet even rusten.'

'We kunnen allemaal wel wat rust gebruiken,' zei Tanis.

Niemand gaf antwoord. Zonder uitzondering lieten ze zich vermoeid op de grond zakken, puffend en hijgend. Sturm sloot zijn ogen en leunde tegen een met mos begroeide rots aan. Zijn gezicht was angstaanjagend grauw. Zijn lange snor stond stijf van het bloed en zijn haren kleefden aan elkaar. De wond was als een rafelige scheur, die langzaam paars kleurde. Tanis wist dat de ridder zou sterven voordat hij een klacht over zijn lippen liet komen.

'Maak je geen zorgen,' zei Sturm bruusk. 'Laat me gewoon even uitrusten.' Tanis kneep even in zijn hand en ging toen naast Waterwind zitten.

Een hele tijd zeiden ze geen van beiden iets, maar toen vroeg Tanis: 'Je hebt al eerder tegen zulke wezens gevochten, nietwaar?'

'In de verwoeste stad.' Waterwind rilde. 'Het kwam allemaal weer naar boven toen ik in de kar keek en dat monster naar me zag grijnzen. Maar in elk geval...' Hij zweeg even, hoofdschuddend. Toen keek hij Tanis met een halve glimlach aan. 'In elk geval weet ik nu dat ik niet gek ben geworden. Die afschuwelijke wezens bestaan echt. Ik heb het me wel eens afgevraagd.'

'Dat kan ik me voorstellen,' prevelde Tanis. 'Dus die wezens verspreiden zich over heel Krynn, tenzij die verwoeste stad van je hier in de buurt lag.'

'Nee. Ik ben vanuit het oosten Que-shu binnengetrokken. Het was ver bij Soelaas vandaan, voorbij de vlaktes van mijn vaderland.'

'Wat bedoelden die wezens, denk je, toen ze zeiden dat ze je vanuit ons dorp hadden gevolgd?' vroeg Goudmaan langzaam terwijl ze haar wang tegen de mouw van zijn leren tuniek legde en haar hand op zijn arm legde.

'Maak je geen zorgen,' zei Waterwind met haar hand in de zijne. 'Dan hebben de krijgers wel met ze afgerekend.'

'Waterwind, weet je nog wat je zou zeggen?' drong ze aan.

'Ja, je hebt gelijk,' antwoordde Waterwind. Hij streek door haar zilverachtig gouden haar. Toen keek hij Tanis glimlachend aan. Even was het uitdrukkingsloze masker verdwenen en zag Tanis een warme gloed diep in de bruine ogen van de Vlakteman. 'Mijn dank, Halfelf, aan jou en aan de anderen.' Hij liet zijn blik over de rest van het gezelschap gaan. 'Meer dan eens hebben jullie ons het leven gered, en ik heb me ondankbaar gedragen. Maar,' – hij zweeg even – 'het is ook allemaal zó vreemd!'

'Het wordt nog veel vreemder.' Raistlins stem klonk onheilspellend.

De reisgenoten naderden het Priestersoog. Dat was vanaf de weg al zichtbaar geweest, want het stak hoog boven het bos uit. De gespleten top leek op twee handen die in gebed gevouwen waren. Het was opgehouden met regenen. Het was doodstil in het woud. De reisgenoten begonnen al te denken dat de dieren en vogels het land waren ontvlucht en een griezelige, holle stilte hadden achtergelaten. Allemaal voelden ze zich slecht op hun gemak – mogelijk met uitzondering van Tasselhof – en om de haverklap keken ze achterom of trokken ze, opgeschrikt door een schaduw, hun zwaard.

Sturm wilde per se de rij sluiten, maar hij raakte achterop omdat de pijn in zijn hoofd terug was en steeds erger werd. Hij werd duizelig en misselijk. Al snel wist hij niet meer goed waar hij was en wat hij deed. Het enige wat hij wist was dat hij moest blijven lopen, de ene voet voor de andere moest zetten. Hij voelde zich als een robot uit de verhalen van Tas.

Hoe ging dat verhaal van Tas ook alweer? Door een waas van pijn probeerde Sturm het zich te herinneren. Het ging over robots in dienst van een tovenaar, die een demon hadden opgeroepen om de kender te ontvoeren. Het was onzin, net als alle andere verhalen van de kender. Sturm zette de ene voet voor de andere. Onzin. Net als de verhalen van die oude man in de herberg. Verhalen over de witte hertenbok en de oude goden... Paladijn. Verhalen over Huma. Sturm drukte zijn handen tegen zijn bonzende slapen, alsof hij zo zijn hoofd, dat voor zijn gevoel op het punt stond te barsten, bijeen wilde houden. Huma...

Sturms gedachten gingen uit naar zijn moeder, want zijn pijn deed hem denken aan haar tedere zorgen als hij als kind ziek of gewond was. Toen was Sturm dol geweest op verhalen over Huma. Zijn moeder, dochter van een ridder van Solamnië en getrouwd met een ridder, kende geen andere verhalen die ze aan haar zoon kon vertellen. Sturms vader had zijn vrouw en hun zoon in ballingschap gestuurd. Zij die de ridders van Solamnië het liefst voorgoed van de bodem van Krynn zouden zien verdwijnen, hadden het namelijk voorzien op de jongen, zijn enige erfgenaam. Sturm en zijn moeder zochten hun toevlucht in Soelaas. Al snel had Sturm vrienden gemaakt, in het bijzonder een andere jongen, Caramon, die net als hij een grote interesse had voor militaire zaken. Sturms trotse moeder achtte zich echter ver boven haar dorpsgenoten verheven. Toen de koorts haar verteerde, was ze dan ook eenzaam gestorven, met slechts haar tienerzoon als gezelschap. Ze droeg haar zoon op zijn vader te gaan opzoeken, als die tenminste nog leefde, wat Sturm inmiddels betwijfelde.

Na de dood van zijn moeder was de jongen onder leiding van Tanis en Flint een doorgewinterde krijger geworden. De twee hadden hem onder hun hoede genomen, net als Caramon en Raistlin. Samen met Tasselhof, de reislustige kender, en soms ook met Kitiara, de wilde, beeldschone halfzus van de twee broers, hadden Sturm en zijn vrienden Flint vergezeld op zijn reizen door het land Abanasinië, waar hij zijn diensten als siersmid aanbood.

Vijf jaar geleden hadden de vrienden echter besloten om ieder hun eigen weg te gaan, op zoek naar bevestiging van de geruchten dat er kwaad broeide in het land. Ze hadden gezworen elkaar in de Herberg van het Laatste Huis weer te treffen.

Sturm was naar het noorden gereisd, naar Solamnië, vastbesloten zijn vader en zijn erfenis op te sporen. Hij had echter niets gevonden, afgezien van het zwaard en de wapenrusting van zijn vader, en was er slechts ternauwernood in geslaagd levend te ontsnappen. De reis naar zijn vaderland was een aangrijpende belevenis gebleken. Sturm wist natuurlijk wel dat de ridders werden geminacht, maar het was een schok geweest te ontdekken hoe diep de verbittering ging. Huma, Brenger van het Licht, ridder van Solamnië, had eeuwen geleden tijdens de Dromentijd de duisternis verdreven en zo het aanbreken van de Machtstijd mogelijk gemaakt. Daarop volgde de Catastrofe, waarin de goden volgens de overlevering de mens de rug hadden toegekeerd. Het volk had zich tot de ridders gewend om hulp, zoals ze zich in het verleden tot Huma hadden gewend. Huma was echter al lang dood en begraven. De ridders konden slechts hulpeloos toezien hoe de verschrikking neerdaalde uit de hemel en Krynn verscheurde. Het volk had wanhopig om de ridders geroepen, maar die konden niets uitrichten, en dat had het volk hun nooit vergeven. Staand voor het verwoeste kasteel van zijn familie had Sturm gezworen dat hij de ridders van Solamnië in ere zou herstellen, al was het het laatste wat hij deed.

Maar hoe kon hij dat bewerkstelligen als hij tegen een stel priesters moest vechten, vroeg hij zich verbitterd af, terwijl duisternis leek neer te dalen over het pad vóór hem. Hij struikelde, maar bleef op de been. Huma had tegen draken gevochten. Geef me draken, dacht Sturm dromerig. Hij keek op. De boomblaadjes vervaagden tot een goudkleurige mist, en hij wist dat hij ging flauwvallen. Toen knipperde hij met zijn ogen. Opeens zag hij alles weer scherp.

Vóór hem verhief zich Het Priestersoog. Hij en zijn metgezellen hadden de voet van de oude glaciale berg bereikt. Hij zag paden omhoogkronkelen over de beboste helling, paden die door de inwoners van Soelaas werden gebruikt om de picknickplaatsen aan de oostzijde van de berg te bereiken. Naast een van de diep uitgesleten paden stond een witte hertenbok. Sturm keek zijn ogen uit. De hertenbok was het schitterendste dier dat de ridder ooit had gezien. Hij was reusachtig, enkele handbreedten hoger dan welke hertenbok dan ook waarop hij ooit had gejaagd. Het dier had zijn kop trots geheven, en zijn gewei glansde als een kroon. Met zijn diepbruine ogen, scherp afgetekend tegen zijn zuiver witte vacht, keek hij de ridder recht aan met een blik alsof hij hem kende. Vervolgens schudde de hertenbok even met zijn hoofd en ging er toen met grote sprongen in zuidwestelijke richting vandoor.

'Stop!' riep de ridder schor.

Geschrokken draaiden de anderen zich naar hem om, met hun wapens getrokken. Tanis rende op hem af. 'Wat is er, Sturm?'

Onwillekeurig legde de ridder een hand op zijn pijnlijke hoofd.

'Het spijt me, Sturm,' zei Tanis. 'Ik besefte niet dat je je zo slecht voelde. We kunnen wel even rusten. We hebben de voet van Het Priestersoog bereikt. Ik ga de berg beklimmen om te kijken—'

'Nee! Kijk!' Sturm legde zijn hand op Tanis' schouder en dwong hem om te draaien. Hij wees. 'Zie je hem? De witte hertenbok!'

'De witte hertenbok?' Tanis staarde in de richting die de ridder aanwees. 'Waar? Ik zie—'

'Daar,' zei Sturm zachtjes. Hij deed een paar passen naar voren in de richting van het dier, dat was blijven staan alsof het op hem wachtte. Hij knikte met zijn grote kop, rende verder, een paar passen maar, en draaide zich vervolgens weer om naar de ridder. 'Hij wil dat we hem volgen,' zei Sturm verwonderd. 'Net als Huma!'

De anderen hadden zich inmiddels om Sturm heen verzameld en keken hem aan met blikken die varieerden van zeer bezorgd tot onverhuld sceptisch.

'Ik zie geen hertenbok, van welke kleur dan ook,' zei Waterwind, die met zijn donkere ogen het bos afspeurde.

'Hoofdwond.' Caramon knikte als een kwakzalvende priester. 'Kom, Sturm, ga liggen en rust wat uit—'

'Klets niet, stomme idioot!' snauwde de ridder tegen Caramon. 'Het is maar goed ook dat jij die hertenbok niet ziet, aangezien je met je maag denkt. Waarschijnlijk zou je hem doodschieten en aan het spit rijgen! Ik meen het. We moeten hem volgen!'

'Krankzinnigheid door een hoofdwond,' fluisterde Waterwind tegen Tanis. 'Ik heb het vaak zien gebeuren.'

'Ik ben er niet zo zeker van,' zei Tanis. Hij zweeg even. Toen hij verder sprak, deed hij dat met overduidelijke tegenzin. 'Hoewel ik de witte hertenbok zelf niet heb gezien, heb ik iemand gekend die hem wél kon zien en ben ik hem gevolgd, net als in het verhaal van de oude man.' Afwezig betastte hij de ring in de vorm van een klimopkrans die hij aan zijn linkerhand droeg, denkend aan de elfenmaagd met de gouden lokken die had geweend toen hij Qualinesti verliet.

Caramons mond viel open. 'Wil je echt een dier volgen dat we niet eens kunnen zien?' vroeg hij.

'We hebben wel eens vreemdere dingen gedaan,' merkte Raistlin met zijn fluisterstem sarcastisch op. 'Maar vergeet niet dat het verhaal over de witte hertenbok van de oude man afkomstig is, en dat het door diezelfde oude man komt dat we nu in de penarie zitten—'

'Het komt door onze eigen keuzes dat we nu in de penarie zitten,' snauwde Tanis. 'We hadden de staf aan de Hogetheocraat kunnen overdragen en ons eruit kunnen kletsen. We hebben ons uit wel ergere situaties weten te kletsen. Ik vind dat we Sturm moeten volgen. Hij is ken-

nelijk uitverkoren, zoals Waterwind werd uitverkoren de staf in ontvangst te nemen—'

'Maar de hertenbok leidt ons niet eens in de juiste richting!' wierp Caramon tegen. 'Jij weet net zo goed als ik dat er geen paden door het westelijke deel van het woud lopen. Daar gaat nooit iemand naartoe.'

'Misschien is dat ook maar beter,' zei Goudmaan opeens. 'Tanis zei al
dat die monsters waarschijnlijk alle paden bewaken. Misschien is dit een
uitweg. Ik vind ook dat we de ridder moeten volgen.' Ze draaide zich
om en liep met Sturm mee, zonder zelfs maar achterom te kijken, duidelijk gewend te worden gehoorzaamd. Waterwind haalde zijn schouders op, schudde zijn hoofd en trok een boos gezicht, maar toch liep hij
achter Goudmaan aan. De anderen volgden zijn voorbeeld.

De ridder liet de platgetreden paden van Het Priestersoog links liggen
en liep in zuidwestelijke richting de helling op. In eerste instantie leek
het of Caramon gelijk kreeg, want er waren geen paden. Sturm baande
zich als een wildeman een weg door het struikgewas. Maar toen stuitten
ze opeens op een breed, vlak pad. Tanis staarde er vol verwondering
naar.

'Wie of wat heeft dit pad gebaand?' vroeg hij aan Waterwind, die het
net als hij met een verbaasd gezicht stond te bestuderen.

'Dat weet ik niet,' zei de Vlakteman. 'Maar het is al oud. Die omgevallen boom daar ligt er al zo lang dat hij half in het zand is weggezakt, en
hij is overdekt met mos en ranken. Alleen zijn er geen sporen, behalve
die van Sturm. Niets wijst erop dat hier mensen of dieren hebben gelopen. Maar waarom is het dan niet overwoekerd?'

Daar kon Tanis geen antwoord op geven, en hij had geen tijd om erover
na te denken. Sturm liep snel door, en de rest van het gezelschap moest
zich inspannen om hem alleen maar in het zicht te houden.

'Kobolden, boten, reptielenmensen, onzichtbare hertenbokken… Houdt
het nog een keer op?' klaagde Flint tegen de kender.

'Kon ik de hertenbok maar zien,' zei Tas spijtig.

'Zorg er dan voor dat je een klap op je hoofd krijgt.' De dwerg snoof.
'Hoewel we in jouw geval waarschijnlijk niet eens het verschil zouden
merken.'

De reisgenoten volgden Sturm, die in zijn wilde, uitgelaten stemming
kennelijk alle pijn was vergeten. Het kostte Tanis moeite om de ridder
in te halen. Toen hij daar uiteindelijk in slaagde, schrok hij van de
koortsige glans in Sturms ogen. Toch liet de ridder zich duidelijk ergens
door leiden. Het pad liep over de helling van Het Priestersoog omhoog.
Tanis zag dat het hen naar de opening tussen de stenen 'handen' leidde,
een opening waar, voor zover hij wist, niemand ooit doorheen was gegaan.

'Wacht even,' zei hij hijgend terwijl hij het laatste stukje dat hem van Sturm scheidde rennend overbrugde. Het middaguur was bijna aangebroken, vermoedde hij, hoewel het moeilijk vast te stellen was omdat de zon nog steeds achter rafelige grijze wolken schuilging. 'Laten we even rusten. Ik ga van daaruit het omringende land bekijken.' Hij wees naar een richel die aan de zijkant van de berg uitstak.

'Rusten...' herhaalde Sturm afwezig. Hij bleef staan om even op adem te komen. Even bleef hij voor zich uit staren, maar toen draaide hij zich om naar Tanis. 'Ja. We kunnen wel even rusten.' Zijn ogen glansden.

'Gaat het wel?'

'Prima,' antwoordde Sturm afwezig, ijsberend over het gras terwijl hij zachtjes zijn snor gladstreek. Besluiteloos bleef Tanis even naar hem staan kijken, om vervolgens terug te lopen naar de anderen, die net over de top van een heuveltje heen kwamen.

'We gaan hier even rusten,' zei de halfelf. Met een zucht van opluchting liet Raistlin zich op de natte bladeren zakken.

'Ik ga even een kijkje nemen in noordelijke richting, om te zien wat er op de weg naar Haven gebeurt,' ging Tanis verder.

'Ik ga wel even mee,' bood Waterwind aan.

Tanis knikte. Samen verlieten ze het pad en liepen naar de richel. Onder het lopen wierp Tanis een steelse blik op de lange krijger. Hij begon zich op zijn gemak te voelen bij de strenge, ernstige Vlakteman. Omdat hij zelf zo op zijn privacy gesteld was, respecteerde Waterwind ook die van anderen. Het zou niet eens bij hem opkomen om de grenzen te overschrijden die Tanis rond zijn ziel had ingesteld. Dat vond de halfelf minstens zo ontspannend als een goede nachtrust. Hij wist dat zijn vrienden, omdat ze nu eenmaal zijn vrienden waren en hem al jaren kenden, druk speculeerden over zijn relatie met Kitiara. Waarom had hij hun relatie vijf jaar eerder zo abrupt verbroken? En waarom was hij vervolgens zo teleurgesteld geweest toen ze niet kwam opdagen in de herberg? Waterwind wist natuurlijk niets van Kitiara, maar Tanis had het gevoel dat de Vlakteman zich niet anders zou gedragen als hij het wél wist. Hij zou vinden dat het Tanis' zaken waren, en dat het hem niet aanging.

Zodra ze in het zicht van de Havenweg waren, lieten ze zich op handen en voeten zakken om voorzichtig, stukje bij beetje over de natte rotsen naar de rand van de richel te kruipen. Toen hij in oostelijke richting naar beneden keek, kon Tanis zien hoe de oude picknickpaden achter de berg verdwenen. Waterwind wees, en Tanis besefte dat er wezens over de picknickpaden liepen. Dat verklaarde de griezelige stilte in het woud. Grimmig klemde Tanis zijn lippen opeen. Kennelijk lagen de wezens voor hen in hinderlaag. Sturm en zijn witte hertenbok hadden hun waarschijnlijk het leven gered. Maar het zou niet lang duren voor de wezens dit nieuwe pad hadden gevonden. Tanis keek naar beneden en knipperde verschrikt met zijn ogen, want er was helemaal geen pad. Hij zag niets dan dicht, ondoordringbaar bos. Achter hen had het pad zich gesloten. Mijn fantasie slaat op hol, dacht hij. Hij richtte zijn blik weer op de Havenweg en op de vele wezens die eroverheen bewogen. Ze hadden niet veel tijd nodig gehad om zich te organiseren, dacht hij. Hij sloeg zijn ogen op naar het noorden, naar het kalme, vredige water van het Kristalmirmeer. Toen dwaalde zijn blik af naar de horizon.

Hij fronste zijn wenkbrauwen. Er klopte iets niet. Hij kon er niet direct een vinger achter krijgen, dus zei hij niets tegen Waterwind, maar bleef hij naar de horizon staren. In het noorden pakten onweerswolken zich samen, dreigender dan ooit. Lange, grauwe vingers krasten over het land. En vanaf de grond... Dat was het! Met zijn hand op Waterwinds arm wees Tanis naar het noorden. Met samengeknepen ogen keek Waterwind in de aangewezen richting, in eerste instantie zonder te zien wat Tanis bedoelde. Toen zag hij het echter: dikke, zwarte rookkolommen die omhoogreikten naar de hemel. Hij trok zijn dikke, zwarte wenkbrauwen samen.

'Kampvuren,' zei Tanis.

'Honderden kampvuren,' vulde Waterwind zachtjes aan. 'Oorlogsvuren. Dat is een legerkamp.'

'Dat bevestigt de geruchten,' zei Sturm toen ze terugkeerden en verslag deden. 'Er verzamelt zich in het noorden inderdaad een leger.'

'Maar wat voor leger? Van wie? En waarom? Wat willen ze gaan aanvallen?' Caramon lachte ongelovig. 'Wie stuurt er nou een leger op uit om die staf te bemachtigen?' De krijger zweeg even. 'Niemand, toch?'

'De staf is hier slechts een onderdeel van,' siste Raistlin. 'Vergeet de verdwenen sterren niet!'

'Verhaaltjes voor het slapengaan!' snoof Flint. Hij hield de lege wijnzak ondersteboven, schudde hem heen en weer en slaakte een zucht.

'Mijn verhaaltjes houden je eerder wakker,' zei Raistlin fel, terwijl hij kronkelend als een slang uit de bladeren oprees. 'En je kunt maar beter naar me luisteren, dwerg!'

'Daar is hij! Daar is de hertenbok,' zei Sturm opeens, met zijn blik gericht op een groot rotsblok – zo zag het er tenminste uit voor zijn reisgenoten. 'Het is tijd om te gaan.'

De ridder ging op weg. De anderen raapten gehaast hun spullen bij elkaar en liepen achter hem aan. Terwijl ze over het pad – dat voor hen uit het niets leek op te doemen – steeds verder omhoogklommen, draaide de wind naar het zuiden. Het was een warm briesje dat de geur meevoerde van laatbloeiende wilde herfstbloemen. Het verdreef de on-weerswolken, en op het moment dat ze de opening tussen de twee helf-ten van de top bereikten, brak de zon door de wolken heen.

Het was al ver na het middaguur toen ze nog één keer stilhielden om te rusten, voordat ze zich waagden aan de klim naar de smalle opening tus-sen de wanden van Het Priestersoog waar ze volgens Sturm doorheen moesten. De hertenbok was hen al voorgegaan, hield hij vol.

'Het is bijna etenstijd,' zei Caramon. Met een verlangende zucht staarde hij naar zijn voeten. 'Ik heb zo'n honger dat ik mijn laarzen zou kunnen opeten!'

'Wat mij betreft gaan ze er ook steeds appetijtelijker uitzien,' zei Flint narrig. 'Was die hertenbok maar van vlees en bloed. Daar hadden we tenminste nog wat aan, behalve dat hij ons op een dwaalspoor brengt!'

'Hou je kop!' Plotseling woedend draaide Sturm zich met gebalde vuis-ten naar de dwerg om. Snel stond Tanis op om een bezwerende hand op de schouder van de ridder te leggen.

Met trillende snor bleef Sturm even naar de dwerg staan staren, waarna hij zich losrukte uit Tanis' greep. 'Kom, we gaan verder,' mompelde hij. Toen de reisgenoten de nauwe doorgang bereikten, zagen ze aan de an-dere kant een strakblauwe hemel. De zuidenwind floot tussen de hoge, steile wanden van de berg die zich aan weerszijden van hen verhieven. Ze liepen voorzichtig, want er lagen kiezelsteentjes waar ze keer op keer over uitgleden. Gelukkig was de doorgang zo smal dat ze maar een hand hoefden uit te steken naar een van de steile wanden om overeind te blij-ven.

Na ongeveer een halfuur kwamen ze aan de andere kant van Het Pries-tersoog uit. Ze bleven staan om naar de vallei in de diepte te kijken. Een zee van vruchtbare groene weilanden strekte zich voor hen uit en leek ver in het zuiden tegen een kust van lichtgroen espenbos te kabbelen. De onweerswolken hadden ze achter zich gelaten, en de zon stond stra-lend aan een azuurblauwe hemel.

Voor het eerst vonden ze hun mantels te warm, met uitzondering van Raistlin, die zijn rode mantel met kap nog steeds stevig om zich heen had gewikkeld. De hele ochtend had Flint lopen klagen over de regen, en nu begon hij over de zon die te fel was en in zijn ogen scheen. Bo-vendien werd het veel te warm onder zijn helm.

'Ik stel voor dat we de dwerg van de berg gooien,' bromde Caramon te-gen Tanis.

Tanis grijnsde. 'Hij zou helemaal tot onderaan blijven rammelen en on-ze positie verraden.'

'Er is daarbeneden toch niemand die hem kan horen,' zei Caramon, ter-wijl hij met zijn brede hand naar de vallei gebaarde. 'Ik wed dat wij de eerste levende wezens zijn die deze vallei mogen aanschouwen.'

'De eerste lévende wezens,' fluisterde Raistlin. 'Daar heb je gelijk in, broertje van me. Want je kijkt neer op het Duisterwold.'

Niemand zei iets. Waterwind schoof ongemakkelijk heen en weer. Goudmaan ging bijna ongemerkt naast hem staan terwijl ze met grote ogen naar de groene bomen staarde. Flint kuchte en streek zwijgend zijn lange baard glad. Sturm nam het woud kalm op. Tasselhof ook. 'Zo eng ziet het er niet uit,' zei de kender opgewekt. Hij zat in kleermakerszit op de grond met een vel perkament tussen zijn knieën, en probeerde met een stuk houtskool een kaart te tekenen, met daarop hun route naar Het Priestersoog.

'Schijn bedriegt, net als de vlugge vingers van een kender,' fluisterde Raistlin bars.

Tasselhof fronste en wilde iets terugzeggen, maar richtte zich weer op zijn tekening toen hij Tanis' blik zag. Tanis liep naar Sturm toe. De ridder stond op een richel. De zuidenwind deed zijn lange haar golven, en zijn gerafelde mantel klapperde om zijn lichaam.

'Sturm, waar is de hertenbok? Zie je hem nog?'

'Ja,' antwoordde Sturm. Hij wees naar beneden. 'Hij is dat weiland overgestoken. Ik kan zijn spoor in het hoge gras zien. Hij is daar tussen de espen verdwenen.'

'Het Duisterwold in,' mompelde Tanis.

Sturm draaide zich om naar Tanis. 'Wie zegt dat dat het Duisterwold is?'

'Raistlin.'

'Ha!'

'Hij is een magiër,' zei Tanis.

'Hij is gek,' antwoordde Sturm. Toen haalde hij zijn schouders op. 'Maar blijf rustig hier op de flank van de berg staan als je wilt, Tanis. Ik ga achter de hertenbok aan, net als Huma, zelfs al leidt hij me het Duisterwold binnen.' Sturm wikkelde zijn mantel om zich heen, klom van de richel en nam een kronkelpaadje dat over de berg naar beneden leidde.

Tanis keerde terug naar de anderen. 'De hertenbok leidt hem rechtstreeks het bos in,' zei hij. 'Hoe zeker ben je ervan dat het het Duisterwold is, Raistlin?'

'Hoe zeker kun je ooit van iets zijn, halfelf?' antwoordde de magiër. 'Ik ben niet eens zeker van mijn volgende ademtocht. Maar ga je gang. Betreed het woud dat niemand ooit levend heeft verlaten. De dood is de enige zekerheid in het leven, Tanis.'

Opeens had de halfelf zin om Raistlin van de berg te smijten. Hij keek Sturm na, die al bijna halverwege de helling was, op weg naar de vallei. 'Ik ga met Sturm mee,' zei hij plotseling. 'Maar verder moet ieder voor zich beslissen of hij mee wil. Die verantwoordelijkheid neem ik niet op me.'

'Ik ga mee!' Tasselhof rolde zijn kaart op en stopte hem in zijn perkamentkoker. Wegglijdend over de losse steentjes krabbelde hij overeind.

'Spoken!' Flint wierp Raistlin een boze blik toe, knipte minachtend met zijn vingers en liep toen vastbesloten naar de halfelf toe. Goudmaan volgde zonder aarzeling, hoewel ze lijkbleek was. Iets langzamer en met een bedachtzaam gezicht voegde Waterwind zich bij haar. Tanis was opgelucht, want de barbaren kenden vele angstaanjagende legenden over het Duisterwold, zo wist hij. En tot slot kwam Raistlin zo snel in beweging dat hij zijn broer volledig verraste.

Met een vage glimlach keek Tanis de magiër aan. 'Waarom ga je mee?' vroeg hij – hij kon het niet laten.

'Omdat je me nodig zult hebben, halfelf,' siste de magiër. 'En trouwens, waar moeten we anders naartoe? Je hebt ons hiernaartoe laten leiden, en nu is er geen weg terug meer. Het is een ogerkeuze die je ons biedt, Tanis: snel sterven of langzaam sterven.' Hij begon langs de helling omlaag te lopen. 'Ga je mee, broer?'

De anderen keken Tanis ongemakkelijk aan toen de broers hen passeerden. De halfelf voelde zich te kijk gezet. Natuurlijk had Raistlin gelijk. Hij had dit helemaal uit de hand laten lopen en vervolgens de indruk gewekt dat de beslissing aan hen was, niet aan hem, zodat hij zijn geweten kon zuiveren. Boos pakte hij een steen, die hij van de berg smeet. Waarom was het eigenlijk zijn verantwoordelijkheid? Waarom had hij zich hierin laten betrekken, terwijl hij alleen maar op zoek wilde gaan naar Kitiara om haar te vertellen dat hij een besluit had genomen, dat hij van haar hield en naar haar verlangde? Dat hij haar menselijke zwakheden kon accepteren, zoals hij had geleerd die van hemzelf te accepteren?

Kit was echter niet naar hem teruggekeerd. Ze had een 'nieuwe meester'. Misschien was dat de reden dat hij—

'Hé, Tanis!' hoorde hij de kender roepen.

'Ik kom al,' mompelde hij.

De zon begon net weg te zakken aan de westelijke hemel toen de reisgenoten de rand van het woud bereikten. Tanis berekende dat ze nog drie à vier uur daglicht overhadden. Als de hertenbok hen over vlakke, duidelijke paden bleef leiden, zouden ze misschien nog voor het vallen van de duisternis de andere kant van het woud bereiken.

Sturm wachtte op hen onder de espen, waar hij het zich in de lommerrijke, groene schaduw gemakkelijk had gemaakt. De reisgenoten verlieten het weiland langzaam, want geen van allen hadden ze haast om het woud te betreden.

'De hertenbok is hier naar binnen gegaan,' zei Sturm terwijl hij opstond en in het hoge gras wees.

Tanis zag geen sporen. Hij nam een slok water uit zijn bijna lege waterzak en staarde naar het woud. Zoals Tasselhof al had gezegd, wekte het geen sinistere indruk. Sterker nog, het zag er koel en uitnodigend uit na het felle schijnsel van de herfstzon.

'Misschien kunnen we daar wel ergens wild schieten,' zei Caramon. Hij verplaatste zijn gewicht naar zijn hakken. 'Geen hertenbokken, natuurlijk,' voegde hij er haastig aan toe. 'Konijnen misschien.'

'Niets schieten. Niets eten. Niets drinken in het Duisterwold,' fluisterde Raistlin.

Tanis keek naar de magiër, wiens zandlopervormige pupillen groot waren. Zijn metaalachtige huid had een spookachtige glans in het krachtige zonlicht. Raistlin leunde zwaar op zijn staf en huiverde alsof hij op de tocht stond.

'Verhalen voor kinderen,' mompelde Flint, maar er klonk geen overtuiging in zijn stem door. Tanis wist dat Raistlin gevoel voor dramatiek had, maar hij had de magiër nog nooit zo onrustig meegemaakt.

'Wat voel je, Raistlin?' vroeg hij zachtjes.

'Er rust een grote, krachtige magie op dit woud,' fluisterde Raistlin.

'Boze magie?'

'Alleen voor lieden die het kwaad met zich meedragen,' verklaarde de magiër.

'Dan ben jij de enige die dit woud hoeft te vrezen,' zei Sturm kil.

Met een felrood gezicht van woede tastte Caramon naar zijn zwaard. Ook Sturms hand ging naar zijn wapen. Tanis greep Sturms arm vast, op hetzelfde moment dat Raistlin zijn broer aantikte. De magiër keek de ridder met glinsterende, goudkleurige ogen aan.

'We zullen zien,' zei Raistlin. De woorden waren niet meer dan sisklanken die tussen zijn tanden vandaan schoten. 'We zullen zien.' Vervolgens draaide Raistlin zich, leunend op zijn staf, naar zijn broer om. 'Ga je mee?' Na een laatste boze blik op Sturm liep Caramon naast zijn tweelingbroer het woud in. De anderen gingen achter hen aan, tot alleen Tanis en de dwerg nog in het hoge, wuivende gras stonden.

'Ik word te oud voor dit soort dingen, Tanis,' zei de dwerg opeens.

'Onzin,' antwoordde de halfelf glimlachend. 'Je hebt gevochten als een—'

'Nee, ik heb het niet over mijn botten en spieren,' – de dwerg bestudeerde zijn knoestige handen – 'al zijn die oud genoeg. Ik heb het over mijn geest. Vroeger, voordat die anderen zelfs maar geboren waren, zouden jij en ik zonder er een tel bij na te denken een betoverd woud zijn binnengegaan. Maar nu…'

'Kop op,' zei Tanis. Hij probeerde luchtig te klinken, ook al was hij erg geschrokken van de ongebruikelijke somberheid van de dwerg. Voor het eerst sinds ze elkaar vlak buiten Soelaas waren tegengekomen, nam hij Flint aandachtig op. De dwerg zag er oud uit, maar dat was niets nieuws. Zijn gezicht, of wat ervan zichtbaar was tussen zijn dikke, grijze baard en snor en zijn overhangende witte wenkbrauwen, was bruin, gerimpeld en gebarsten als oud leer. De dwerg mopperde en klaagde, maar ook dat was niets nieuws. De verandering zat 'm in zijn ogen. Het vuur was eruit verdwenen.

'Laat je niet gek maken door Raistlin,' zei Tanis. 'Vanavond, als we om het kampvuur zitten, zullen we hartelijk lachen om zijn spookverhalen.'

'Dat zal wel,' verzuchtte Flint. Even zweeg hij, maar toen zei hij: 'Op een dag word ik een blok aan je been, Tanis. Ik wil niet dat je je ooit gaat afvragen waarom je de aanwezigheid van die ouwe zeurkous van een dwerg nog duldt.'

'Omdat ik je nodig heb, ouwe zeurkous van een dwerg,' zei Tanis. Hij legde zijn hand op Flints bonkige schouder. Hij gebaarde naar de plek waar de anderen in het woud waren verdwenen. 'Ik heb je nodig, Flint. Zij zijn allemaal zo... jong. Jij bent als een stevige rots waartegen ik me schrap kan zetten als ik mijn zwaard hanteer.'

Flints gezicht kleurde van genoegen. Hij trok aan zijn baard en schraapte verlegen zijn keel. 'Ja, nou ja, je bent altijd al een sentimentele dwaas geweest. Kom mee, we staan hier tijd te verspillen. Ik wil zo snel mogelijk door dat vermaledijde woud heen.' Toen mompelde hij: 'Ik ben blij dat het nog licht is.'

10

Duisterwold. De doden dwalen rond. Raistlins magie.

Het enige wat Tanis voelde toen hij het woud binnenging, was opluchting omdat hij van de felle herfstzon verlost was. De halfelf moest denken aan de legendes die hij over het Duisterwold had gehoord, spookverhalen 's avonds bij het kampvuur, en hij dwong zichzelf niet te vergeten dat Raistlin een slecht voorgevoel had gehad. Maar bovenal bekroop hem de gedachte dat er in dit woud veel meer leven was dan in elk ander bos dat hij ooit had meegemaakt.

Er was geen sprake van een doodse stilte, zoals eerder die dag. Kleine diertjes kwetterden in de struiken. Vogels vlogen hoog boven hen tussen de takken van de bomen. Insecten met vrolijk gekleurde vleugels fladderden voorbij. Blaadjes ruisten en ritselden, bloemen wiegden heen en weer, ook al was er geen zuchtje wind om ze in beweging te brengen – alsof de planten niet stil konden zitten van levensvreugde.

Allemaal betraden ze het woud met hun handen op hun wapens, op hun hoede, alert en argwanend. Een tijdlang probeerden ze te lopen zonder de blaadjes te doen ritselen, tot Tas zei dat hij dat eigenlijk 'een tikje dwaas' vond, waarop ze zich allemaal ontspanden. Allemaal, behalve Raistlin.

Een uur of twee liepen ze door, in een gelijkmatig en ontspannen, maar rap tempo over een vlak, duidelijk pad. De schaduwen werden langer naarmate de zon verder zakte. Tanis voelde zich tot rust komen in dit woud. Hij vreesde geen moment dat de afschuwelijke gevleugelde wezens hen zouden volgen. Het kwaad leek hier geen plaats te hebben, tenzij je, zoals Raistlin had gezegd, je eigen kwaad mee naar binnen nam. Tanis keek naar de magiër. Raistlin liep afgezonderd van de rest, met gebogen hoofd. De schaduwen van de bomen leken zich om de jonge magiër heen samen te pakken. Tanis huiverde en besefte dat het begon af te koelen nu de zon achter de boomtoppen was verdwenen.

Het werd tijd om op zoek te gaan naar een plek om de nacht door te brengen.

Tanis haalde Tasselhofs kaart tevoorschijn om die nog één keer te bestuderen voordat het te donker werd. Het was een door elfen vervaardigde kaart en over het woud was met vloeiende letters de naam DUISTER-WOLD geschreven. De grenzen van het woud waren echter slechts vagelijk aangeduid. Tanis wist dan ook niet zeker of de naam betrekking had op dit woud of een woud dat verder naar het zuiden lag. Raistlin had het bij het verkeerde eind, besloot Tanis. Dit kon het Duisterwold niet zijn. En als dit wel het Duisterwold was, dan heerste er geen kwaad, behalve in de verbeelding van de magiër. Ze liepen verder.

Al snel werd het schemerig, het deel van de avond waarin alles in het wegstervende licht op zijn helderst en duidelijkst is. De reisgenoten begonnen vermoeid te raken. Raistlin trok met zijn been en haalde zwoegend adem. Sturms gezicht werd asgrauw. De halfelf wilde net voorstellen om het kamp op te slaan, toen het pad – alsof het zijn gedachten kon lezen – recht naar een grote, groene open plek leidde. Helder water borrelde op uit een ondergrondse bron en sijpelde over gladde rotsen naar beneden, waar het een ondiep beekje vormde. De open plek was bedekt met dik, uitnodigend gras. Aan de randen leken de hoge bomen op wacht te staan. Zodra ze de open plek in het oog kregen, werd het licht van de zon rood, om vervolgens weg te sterven, waarna mistige nachtschaduw zich om de bomen vlijde.

'Verlaat het pad niet,' zei Raistlin gebiedend toen zijn reisgenoten de open plek wilden betreden.

Tanis zuchtte. 'Raistlin,' zei hij geduldig, 'er gebeurt heus niets. Het pad is duidelijk zichtbaar en nog geen tien voet hiervandaan. Kom. Je moet rusten. Wij allemaal, trouwens. Kijk.' Tanis hield hem de kaart voor. 'Volgens mij is dit niet eens het Duisterwold. Volgens deze kaart—'

Raistlin keurde de kaart geen blik waardig. De rest van het reisgezelschap besteedde geen aandacht aan de magiër. Ze verlieten het pad en sloegen het kamp op. Sturm liet zich met dichtgeknepen ogen van de pijn tegen een boomstam zakken, terwijl Caramon met hongerige blik kleine, schichtige schaduwen nakeek. Op een teken van Caramon glipte Tasselhof het woud in, op zoek naar brandhout.

De magiër zag het allemaal met een sardonische grijns op zijn gezicht aan. 'Jullie zijn dwazen, allemaal. Dit is wel degelijk het Duisterwold, en nog voor de nacht verstreken is, zullen jullie dat merken.' Hij haalde zijn schouders op. 'Maar zoals je al zei, Tanis, ik moet rusten. Ik weiger echter het pad te verlaten.' Raistlin ging midden op het pad zitten, met zijn staf naast zich.

Caramon bloosde van gêne toen hij zag hoe de anderen een geamuseerde blik wisselden. 'Ah, Raist,' zei de grote man, 'kom toch bij ons zitten. Tas is hout aan het sprokkelen, en misschien kan ik een konijn schieten.'

'Niets schieten!' Deze keer sprak Raistlin zowaar hardop, waarmee hij iedereen aan het schrikken maakte. 'Doe de levende wezens in het Duisterwold niets aan! Geen plant, geen boom, geen vogel of welk ander dier ook!'

'Ik ben het met Raistlin eens,' zei Tanis. 'We moeten hier de nacht doorbrengen, en ik wil liever geen dieren in dit bos doden als het niet hoeft.'

'Elfen willen sowieso nooit iets doden,' mopperde Flint. 'De magiër jaagt ons de stuipen op het lijf en jij laat ons verhongeren. Als we vannacht ergens door worden aangevallen, hoop ik dat het iets eetbaars is!'

'Dan ben je niet de enige, dwerg.' Caramon slaakte een diepe zucht, liep naar het beekje en probeerde zijn honger te stillen door veel te drinken.

Tasselhof kwam terug met sprokkelhout. 'Ik heb niets omgehakt,' zei hij op geruststellende toon tegen Raistlin. 'Ik heb alleen takken van de grond geraapt.'

Zelfs Waterwind kon het hout echter niet doen ontvlammen. 'Het is te nat,' zei hij uiteindelijk. Hij gooide zijn tondeldoos terug in zijn tas.

'We hebben licht nodig,' zei Flint slecht op zijn gemak terwijl de nachtelijke schaduwen oprukten. Geluiden in het bos die bij daglicht onschuldig hadden geleken, maakten nu een sinistere, dreigende indruk.

'Je bent toch zeker niet bang voor een verhaaltje voor kinderen?' siste Raistlin.

'Nee!' snauwde de dwerg. 'Ik wil er alleen voor zorgen dat de kender niet mijn reistas kan doorzoeken in het donker.'

'Goed dan,' zei Raistlin ongewoon mild. Hij sprak zijn machtswoord: *'Shirak.'* Een bleek, wit licht scheen uit het kristal boven op de staf van de magiër. Het was een spookachtig licht dat het duister nauwelijks kon verdrijven. Sterker nog, de dreiging van de nacht leek er alleen maar door te worden versterkt.

'Zo, nu heb je licht,' fluisterde de magiër zachtjes. Hij stak de staf naast zich in de natte grond.

Pas toen besefte Tanis dat zijn elfenzicht verdwenen was. Normaal gesproken zou hij nu de warm rode contouren van zijn metgezellen moeten kunnen zien, maar ze waren slechts donkerdere schaduwen tegen de met sterren bezaaide duisternis op de open plek. De halfelf zei er niets over tegen de anderen, maar het vredige gevoel waarvan hij zo had genoten werd doorboord met een scherpe steek van angst.

'Ik neem de eerste wacht wel,' bood Sturm vermoeid aan. 'Met die hoofdwond kan ik beter niet gaan slapen. Ik heb een keer een man gekend die wél gewoon ging slapen, en die is nooit meer wakker geworden.'

'We houden in tweetallen de wacht,' zei Tanis. 'Ik houd je wel gezelschap.'

De anderen maakten hun reistassen open en begonnen op het gras hun bed op te maken, behalve Raistlin. Die bleef op het pad zitten. Het licht van zijn staf scheen op de kap die zijn gebogen hoofd bedekte. Sturm maakte het zich gemakkelijk onder een boom. Tanis liep naar het beekje en dronk gulzig van het water. Opeens hoorde hij achter zich een verstikte kreet. In één vloeiende beweging stond hij op en trok zijn zwaard. Ook de anderen hadden hun wapens in de aanslag. Alleen Raistlin had zich niet verroerd.

'Steek jullie zwaarden weg,' zei hij. 'Je hebt er toch niets aan. Alleen met een krachtig magisch wapen kun je hen verwonden.'

Ze werden omringd door een leger van krijgers. Dat alleen zou al genoeg zijn het bloed in je aderen te doen stollen. Maar dat hadden de reisgenoten nog wel aangekund. Wat hen overweldigde, was de afschuw die hen overspoelde en hun zintuigen afstompte. Iedereen moest denken aan Caramons luchtige opmerking: 'Ik ben altijd bereid om het tegen de levenden op te nemen, maar niet tegen de doden.'

Deze krijgers waren dood.

Ze waren slechts zichtbaar doordat ze waren gehuld in een vluchtig, fragiel wit licht. Het was alsof ze de menselijke warmte die ze bij leven hadden uitgestraald hadden meegenomen in de dood. Het lichaam was weggerot, waardoor er alleen nog een beeld van over was zoals de ziel het zich herinnerde. Kennelijk herinnerde de ziel zich ook andere dingen. Iedere krijger was uitgedost in de oeroude wapenrusting uit zijn herinnering. Iedere krijger droeg de wapens uit zijn herinnering, waarmee hij net als in zijn herinnering dood en verderf kon zaaien. Maar de ondoden hadden geen wapens nodig. Ze konden hun tegenstanders doen sterven van angst, of met een aanraking van hun hand, zo koud als het graf.

Hoe kunnen we het tegen dergelijke monsters opnemen, vroeg Tanis zich wanhopig af, hij die nooit een dergelijke angst had gekend wanneer hij met vijanden van vlees en bloed was geconfronteerd. Paniek overspoelde hem, en even overwoog hij de anderen toe te schreeuwen dat ze moesten vluchten.

Boos maande de halfelf zichzelf tot kalmte. Hij moest wel realistisch blijven. Realistisch! Dat was zo ironisch dat hij er bijna om moest lachen. Vluchten was zinloos, want ze zouden elkaar binnen de kortste keren kwijtraken en verdwalen. Ze moesten hier blijven en dit oplossen, op de een of andere manier. Hij liep op de spookachtige krijgers af. De doden zeiden niets, maakten geen dreigende bewegingen. Ze bleven gewoon staan, midden op het pad. Het was onmogelijk om ze te tellen, want terwijl er hier een vervaagde, verscheen er daar een nieuwe, die ook weer vervaagde om plaats te maken voor een andere kameraad. Niet dat het iets uitmaakt, gaf Tanis toe. Het koude angstzweet brak hem uit. Eén van deze ondode krijgers kan ons allemaal doden door simpelweg een hand te heffen.

Toen de halfelf de krijgers bijna had bereikt, zag hij een lichtgloed. Raistlins staf. De magiër vatte, geleund op zijn staf, post voor de rest van de reisgenoten, die op een kluitje bijeen stonden. Tanis ging naast hem staan. Het bleke licht van het kristal weerspiegelde op het gelaat van de magiër, waardoor het bijna net zo spookachtig leek als de gezichten van de doden.

'Welkom in het Duisterwold, Tanis,' zei de magiër.

'Raistlin...' zei Tanis verstikt. Hij had er een paar pogingen voor nodig om een geluid uit zijn droge keel te krijgen. 'Wat zijn dat voor—'

'Spooksoldaten,' fluisterde de magiër zonder zijn blik van de krijgers af te wenden. 'We boffen.'

'Hoezo boffen we?' vroeg Tanis ongelovig.

'Dit zijn de geesten van mannen die een eed hebben gezworen om een bepaalde taak te verrichten. Die eed hebben ze gebroken, en daarom zijn ze gedoemd om hun taak keer op keer opnieuw uit te voeren, tot ze vergiffenis en rust vinden.'

'En hoe leid je daar in de naam van de Afgrond uit af dat we boffen?' fluisterde Tanis fel, door middel van woede uiting gevend aan zijn angst. 'Misschien hebben ze wel gezworen iedereen te doden die dit woud betreedt!'

'Dat is natuurlijk mogelijk.' Raistlin wierp de halfelf een vluchtige blik toe. 'Maar het lijkt me niet waarschijnlijk. We zullen het snel genoeg weten.'

Voordat Tanis hem kon tegenhouden, had de magiër de groep al verlaten en was hij op de geesten afgelopen.

'Raist!' zei Caramon met verstikte stem. Hij maakte aanstalten om zich door de groep naar voren te dringen.

'Hou hem tegen, Tanis,' beval Raistlin ruw. 'Ons leven hangt hiervan af.'

Terwijl hij de krijger bij de arm greep, vroeg Tanis aan de magiër: 'Wat ga je dan doen?'

'Ik ga een spreuk gebruiken die ons in staat zal stellen met hen te communiceren. Ik zal hun gedachten kunnen opvangen en zij zullen via mij spreken.'

De magiër wierp zijn hoofd naar achteren, zodat zijn kap naar achteren schoof. Met uitgestrekte armen sprak hij. *'Ast bilak parbilakar. Su tangus moipar?'* prevelde hij, waarna hij de zin nog drie keer herhaalde. Terwijl Raistlin sprak, weken de krijgers uiteen om plaats te maken voor een gestalte die nog ontzagwekkender en angstaanjagender was dan de rest. Hij was ook langer dan de anderen, en droeg een blikkerende kroon. Zijn bleek glanzende wapenrusting was rijk bewerkt met donkere edelstenen. Zijn gezicht straalde een afschuwelijk verdriet en lijden uit. Hij liep op Raistlin af.

Caramon maakte een verstikt geluidje en wendde zijn blik af. Tanis durfde niets te zeggen of te roepen, uit angst dat hij de concentratie van de magiër zou breken en de spreuk zou verpesten. De geestverschijning hief zijn benige hand en strekte die langzaam naar de jonge magiër uit. Tanis huiverde, want de aanraking van de geest betekende een wisse dood. Raistlin verkeerde echter in een trance en verroerde zich niet. Tanis vroeg zich af of hij de kille hand wel zag die op zijn hart afkwam. Toen sprak Raistlin.

'Gij die reeds lang geleden de dood vond, gebruik mijn levende stem om ons te vertellen over uw bittere verdriet. Verleen ons dan toestemming door dit woud te trekken, want wij hebben geen kwaad in de zin, zoals ge zult zien als ge in ons hart kijkt.'

De spookachtige hand verstijfde. De bleke ogen speurden Raistlins gelaat af. Toen, blikkerend in de duisternis, maakte de geestverschijning een buiging. Tanis voelde zijn adem stokken. Hij had gevoeld dat Raistlin machtig was geworden, maar dit...

Raistlin beantwoordde de buiging en ging toen naast de geestverschijning staan. Zijn gezicht was bijna net zo bleek als dat van de spookachtige gestalte naast hem. De levende dode en de dode levende, dacht Tanis met een rilling.

Toen Raistlin sprak, deed hij dat niet langer met de gepijnigde fluisterstem van de fragiele magiër. Deze stem was diep, duister en bevelend en galmde door het woud. Hij was koud en hol, alsof hij van onder de grond afkomstig was. 'Wie zijt gij, indringers in het Duisterwold?'

Tanis wilde wel antwoord geven, maar zijn keel was gortdroog geworden. Caramon, die naast hem stond, was niet eens in staat zijn hoofd op te tillen. Toen voelde Tanis naast zich een beweging. De kender! Zichzelf vervloekend probeerde hij Tasselhof te grijpen, maar het was al te laat. Met dansende knot rende het kleine mannetje de lichtkring van Raistlins staf binnen en bleef vóór de geestverschijning staan.

Tasselhof maakte een eerbiedige buiging. 'Mijn naam is Tasselhof Klisvoet,' zei hij. 'Mijn vrienden' – hij gebaarde met zijn kleine hand naar de groep – 'noemen me Tas. Wie bent u?'

'Dat doet er niet toe,' zei de naargeestige stem gebiedend. 'Weet slechts dat wij krijgers zijn uit een lang vergeten tijd.'

'Is het waar dat u een eed hebt gebroken en dat u daarom hier bent?' vroeg Tas geïnteresseerd.

'Ja. Wij hebben gezworen dit land te beschermen. Toen kwam de smeulende berg uit de hemel. Het land werd verscheurd. Kwade wezens kropen uit de krochten van de aarde tevoorschijn, en wij lieten onze zwaarden vallen en sloegen angstig op de vlucht, tot we door de bittere dood werden ingehaald. We zijn opgeroepen om onze eed te vervullen nu het kwaad opnieuw door het land sluipt. En hier zullen we blijven tot het kwaad is verdreven en het evenwicht weer is hersteld.'

Opeens krijste Raistlin. Hij wierp zijn hoofd in zijn nek, en zijn ogen rolden weg in hun kassen tot zijn toekijkende metgezellen alleen nog het wit konden zien. Zijn stem veranderde in duizenden krijsende stemmen tegelijk. Daarvan schrok zelfs de kender, die een stap achteruit deed en ongemakkelijk om zich heen keek, op zoek naar Tanis.

De geestverschijning hief gebiedend zijn hand, en het tumult verstomde alsof het door de duisternis werd opgeslokt. 'Mijn mannen eisen een verklaring voor uw aanwezigheid in het Duisterwold. Als ge met kwade bedoelingen gekomen zijt, zult ge ontdekken dat ge het kwaad over uzelf hebt afgeroepen, want dan zult ge het opkomen van de manen niet meer meemaken.'

'Nee, niet met kwade bedoelingen. Zeker niet,' zei Tasselhof gehaast. 'Het is nogal een lang verhaal, ziet u, maar aangezien wij nergens naartoe gaan en u duidelijk ook niet, zal ik het u vertellen.

Het begon allemaal toen we in de Herberg van het Laatste Huis in Soelaas waren. Waarschijnlijk kent u die niet. Ik weet niet precies hoe lang hij al bestaat, maar ten tijde van de Catastrofe bestond hij nog niet, en u zo te horen wel. Goed, daar waren we dus, en we zaten te luisteren naar die oude man die vertelde over Huma, en hij – de oude man, niet Huma – zei tegen Goudmaan dat ze haar lied moest zingen en toen vroeg ze welk lied en toen zong ze het en toen besloot een Zoeker kritiek op haar te leveren en toen duwde Waterwind – dat is die lange man daar – de Zoeker in het vuur. Dat was per ongeluk, het was niet zijn bedoeling. Maar die Zoeker brandde als een fakkel. U had het moeten zien! Maar goed, toen gaf die oude man me de staf en zei dat ik hem ermee moest slaan, en dat deed ik, en toen veranderde de staf in blauw kristal en doofden de vlammen en—'

'Blauw kristal!' Uit de mond van Raistlin galmde de holle stem van de geestverschijning, die op hen af kwam lopen. Tanis en Sturm sprongen allebei naar voren, grepen Tas vast en trokken hem uit de weg. De geestverschijning wilde kennelijk alleen de groep beter bestuderen. Zijn flakkerende ogen bleven rusten op Goudmaan. Met zijn bleke hand gebaarde hij dat ze naar voren moest komen.

'Nee!' Waterwind probeerde te voorkomen dat Goudmaan zijn zijde zou verlaten, maar ze duwde hem rustig van zich af en liep met de staf in haar hand op de geestverschijning af. Het spookachtige leger omsingelde hen.

Opeens trok de geest zijn zwaard uit de bleke schede. Hij hield het hoog boven zijn hoofd, en wit licht doorspekt met blauw omringde het blad.

'Moet je de staf zien!' zei Goudmaan verbaasd.

De staf gloeide blauw op, alsof hij reageerde op het zwaard.

De spookachtige koning draaide zich om naar Raistlin en stak zijn bleke hand naar de in trance verkerende magiër uit. Met een schorre kreet rukte Caramon zich los uit Tanis' greep. Hij viel uit naar de ondode krijger, met zijn zwaard al in zijn hand. Het blad doorboorde het flakkerende lichaam, maar Caramon was degene die het uitschreeuwde van pijn en zich kronkelend op de grond liet vallen. Tanis en Sturm knielden naast hem neer. Raistlin staarde roerloos en onaangedaan voor zich uit.

'Caramon, waar—' Tanis hield de grote man bezorgd vast en deed verwoede pogingen zijn verwonding te ontdekken.

'Mijn hand!' Snikkend wiegde Caramon heen en weer met zijn linkerhand – zijn zwaardhand – stevig onder zijn rechterarm geklemd.

'Wat is daarmee?' vroeg Tanis. Maar toen hij het zwaard van de krijger op de grond zag liggen, wist hij het al. Het was bedekt met rijp.

Vol afschuw keek Tanis op, juist op het moment dat de hand van de geestverschijning zich stevig om Raistlins pols klemde. Een huivering trok door het fragiele lichaam van de magiër en zijn gezicht vertrok van pijn, maar hij viel niet. Hij sloot zijn ogen, de cynische, verbitterde lijntjes in zijn gezicht verdwenen en de vredigheid van de dood daalde over hem neer. Vol ontzag keek Tanis toe, zich slechts ten dele bewust van Caramons schorre kreten. Opnieuw zag hij hoe Raistlins gezicht een verandering onderging. Deze keer werd het van extase vervuld. De magische aura die om hem heen hing werd krachtiger, tot het zo fel gloeide dat het bijna tastbaar leek.

'We worden ontboden,' zei Raistlin. Hij sprak met zijn eigen stem, alleen klonk die in Tanis' oren volkomen anders dan normaal. 'We moeten gaan.'

De magiër keerde hun de rug toe en liep het woud in. De ontvleesde hand van de spookachtige koning omklemde nog steeds zijn pols. De kring van ondoden week uiteen om hen door te laten.

'Hou ze tegen,' kreunde Caramon. Moeizaam krabbelde hij overeind.

'Dat kan niet.' Met veel moeite wist Tanis hem tegen te houden, en uiteindelijk liet de grote man zich huilend in de armen van de halfelf vallen. 'We gaan achter hem aan. Hij redt zich wel. Hij is een magiër, Caramon, wij kunnen het niet begrijpen. We gaan achter hem aan...'

In de ogen waarmee de ondoden de reisgenoten nakeken terwijl ze langs hen heen liepen en in het woud verdwenen, flakkerde een goddeloos licht op. Achter hen sloot het spookachtige leger de rangen.

De reisgenoten betraden een hels slagveld. Staal rinkelde, gewonden schreeuwden om hulp. De nachtelijke confrontatie tussen de spokenlegers leek zo echt dat Sturm in een reflex zijn zwaard trok. Het tumult was oorverdovend. Hij ontweek ongeziene uithalen waarvan hij zeker wist dat ze op hem waren gericht. Wanhopig zwaaide hij met zijn zwaard naar de duisternis, ervan overtuigd dat hij verdoemd was en dat er geen ontsnapping mogelijk was. Hij zette het op een rennen, maar opeens was hij het woud uit en stond hij op een kale, verwoeste open plek. Voor hem stond Raistlin, alleen.

De magiër had zijn ogen gesloten. Nu zakte hij met een zachte zucht in elkaar. Sturm rende al op hem af toen Caramon opeens opdook, Sturm bijna omverliep om bij zijn broer te komen en hem teder in zijn armen nam. Een voor een kwamen ook de anderen de open plek oprennen alsof ze achterna werden gezeten. Raistlin prevelde nog steeds vreemde, onverstaanbare woorden. De geesten verdwenen.

'Raist!' snikte Caramon moedeloos.

Knipperend gingen de ogen van de magiër open. 'De spreuk... heeft me uitgeput,' fluisterde hij. 'Ik moet rusten...'

'En rusten zult ge!' klonk een diepe basstem, de stem van een levend wezen.

Tanis slaakte een zucht van verlichting, al legde hij tegelijkertijd zijn hand op het gevest van zijn zwaard. Snel sprongen hij en de anderen beschermend vóór Raistlin en draaiden zich om in de richting van de stem, turend in de duisternis. Toen verscheen plotseling de zilverkleurige maan, alsof iemand de zwarte zijden doek had weggetrokken die eroverheen had gelegen. Nu konden ze het hoofd en de schouders zien van een man die tussen de bomen stond. Zijn blote schouders waren minstens zo zwaar en krachtig als die van Caramon. Lange lokken krulden om zijn hals en zijn heldere ogen hadden een kille glans. De reisgenoten hoorden geritsel in de struiken en zagen het maanlicht weerkaatsen op de punt van een speer die op Tanis werd gericht.

'Leg uw miezerige wapens neer,' zei de man waarschuwend. 'Ge zijt omsingeld en hebt geen schijn van kans.'

'Een truc,' grauwde Sturm, maar op het moment dat hij dat zei, klonk er luidruchtig gekraak en het knappen van takken. Er verschenen nog meer mannen, overal om hen heen, allen gewapend met speren die glansden in het maanlicht.

De eerste man liep het grote passen op hen af, en hun greep op hun wapens verslapte terwijl ze verwonderd naar hem staarden.

Het was helemaal geen man, maar een centaur. Vanaf het middel omhoog had hij het lichaam van een mens, maar onder het middel dat van een paard. Gracieus draafde hij op hen af, zodat de krachtige spieren van zijn brede torso rimpelden. Op zijn bevelende gebaar kwamen ook andere centaurs naar voren. Tanis stak zijn zwaard terug in de schede. Flint nieste.

'Ge dient met ons mee te komen,' beval de centaur.

'Mijn broer is ziek,' grauwde Caramon. 'Hij kan helemaal nergens naartoe.'

'Zet hem op mijn rug,' zei de centaur koeltjes. 'En mochten er onder u nog meer vermoeiden zijn, dan kunt ook gij rijden naar onze bestemming.'

'Waar brengen jullie ons naartoe?' vroeg Tanis.

'Ge zijt niet in de positie om vragen te stellen.' De centaur stak zijn speer uit en prikte Caramon ermee in de rug. 'We zullen ver en snel reizen. Ik stel voor dat ge rijdt. Maar vrees niet.' Hij maakte een buiging voor Goudmaan, met zijn voorbeen naar voren en zijn hand tegen het stugge haar op zijn voorhoofd. 'Er zal u deez' nacht niets overkomen.'

'Mag ik alsjeblieft rijden, Tanis?' smeekte Tasselhof.

Flint nieste hevig. 'Vertrouw ze niet!'

'Dat doe ik ook niet,' mompelde Tanis, 'maar ik geloof niet dat we veel keus hebben. Raistlin kan niet lopen. Toe maar, Tas. En de rest ook.'

Met een boze, wantrouwige blik op de centaurs tilde Caramon zijn broer op en zette hem op de rug van een van de halfmensen. Raistlin zakte zwakjes voorover.

'Stijg op,' zei de centaur tegen Caramon. 'Ik kan u allebei dragen. Uw broer zal uw steun nodig hebben, want we zullen snel rijden.'

De grote krijger werd rood van gêne, maar toch klom hij op de rug van de centaur. Zijn benen waren zo lang dat zijn voeten bijna de grond raakten. Hij sloeg een arm om Raistlin heen, waarop de centaur over het pad weg galoppeerde. Giechelend van opwinding sprong Tasselhof op de rug van een andere centaur, om er aan de andere kant meteen weer af te glijden en in de modder terecht te komen. Sturm zuchtte diep, hielp de kender overeind en zette hem stevig op de rug van de centaur. Vervolgens tilde hij Flint op, en voordat die kon protesteren zat hij al achter Tas. Flint wilde nog iets zeggen, maar hij kon alleen maar niezen terwijl de centaur in beweging kwam. Tanis reed mee met de eerste centaur, die de leider leek te zijn.

'Waar brengen jullie ons naartoe?' vroeg Tanis opnieuw.

'Naar de Woldmeester,' antwoordde de centaur.

'De Woldmeester?' herhaalde Tanis. 'Wie is dat? Is hij net zoals jullie?'
'Zij is de Woldmeester,' antwoordde de centaur. Op een drafje liep hij het pad op.

Tanis wilde nog iets vragen, vloog bijna van de rug van de centaur toen die snelheid maakte, waarna hij zo hard weer neerkwam dat hij bijna zijn tong afbeet. Omdat hij steeds verder naar achteren dreigde te schuiven naarmate de centaur sneller ging galopperen, sloeg Tanis zijn armen om diens brede torso.

'Nee, ge hoeft me niet stuk te knijpen.' De centaur keek achterom met ogen die glinsterden in het maanlicht. 'Het is mijn taak ervoor te zorgen dat ge blijft zitten. Ontspant ge zich. Plaats uw handen op mijn achterhand om uzelf in evenwicht te houden. Goed zo. En omklem me nu met uw benen.'

De centaurs verlieten het pad en stormden het woud in. Meteen werd het maanlicht opgeslokt door het dichte bladerdak. Tanis voelde takken tegen zich aan slaan die aan zijn kleren bleven haken. De centaur galoppeerde echter verder zonder ook maar één keer in te houden of uit te wijken, en Tanis kon er alleen maar op vertrouwen dat hij de weg goed kende, een weg die hij zelf niet kon onderscheiden.

Al snel ging het tempo omlaag, en uiteindelijk bleef de centaur staan. Tanis kon niets zien in de verstikkende duisternis. Hij wist dat zijn metgezellen er ook waren, maar alleen omdat hij Raistlins oppervlakkige ademhaling, Caramons rammelende wapenrusting en Flints onophoudelijke genies kon horen. Zelfs het licht van Raistlins staf was gedoofd.

'Er rust een krachtige magie op dit woud,' fluisterde de magiër zwak toen Tanis hem vroeg hoe dat kwam. 'Hij doet alle andere magie teniet.'

Dat stelde Tanis niet bepaald gerust. 'Waarom stoppen we?'

'Omdat we er zijn. Stijg af,' beval de centaur bars.

'Maar waar zijn we precies?' Tanis liet zich van de brede rug van de centaur op de grond glijden. Hij keek ingespannen om zich heen, maar zag niets. Kennelijk voorkwamen de bomen dat zelfs het dunste straaltje maan- of sterrenlicht doordrong tot op het pad.

'Ge staat in het midden van het Duisterwold,' antwoordde de centaur. 'En nu bid ik u vaarwel – of vaar onwel, afhankelijk van het oordeel dat de Woldmeester over u velt.'

'Wacht eens even!' riep Caramon boos. 'Je kunt ons niet zomaar midden in het woud alleen achterlaten, blind als pasgeboren katjes—'

'Houd ze tegen,' beval Tanis, reikend naar zijn zwaard. Maar zijn wapen was verdwenen. Een vernietigende verwensing van Sturm gaf aan dat hem hetzelfde lot had getroffen.

De centaur grinnikte. Tanis hoorde hoefgeklop op de zachte grond en het geritsel van boomtakken. Toen waren de centaurs verdwenen.

'Opgeruimd staat netjes!' zei Flint niezend.

'Zijn we er allemaal?' vroeg Tanis. Hij stak zijn hand uit en voelde Sturms krachtige, geruststellende greep.

'Ik ben er,' zei Tasselhof met zijn hoge stemmetje. 'Was het niet geweldig, Tanis? Ik—'

'Stil, Tas!' snauwde Tanis. 'De Vlaktelieden?'

'We zijn er,' zei Waterwind grimmig. 'Zonder wapens.'

'Heeft er niemand een wapen?' vroeg Tanis. 'Niet dat we er veel aan zouden hebben in deze vervloekte duisternis,' voegde hij er grimmig aan toe.

'Ik heb mijn staf,' zei Goudmaan zachtjes met haar welluidende stem.

'En dat is een ontzagwekkend wapen, dochter van Que-shu,' klonk een diepe stem. 'Een wapen dat ten goede dient te worden gebruikt, om te strijden tegen ziekte en verwondingen.' De lichaamsloze stem kreeg een bedroefde klank. 'In deze tijd zal hij tevens als wapen worden gebruikt tegen de boze wezens die hem willen vinden en uit de wereld willen bannen.'

11
De Woldmeester.
Een periode van rust.

'W ie bent u?' riep Tanis. 'Laat uzelf zien!'
'We doen u niets,' blufte Caramon.
'Natuurlijk niet.' Nu klonk de diepe stem geamuseerd. 'U hebt geen wapens. Ik zal ze aan u teruggeven als de tijd rijp is. Niemand kan het Duisterwold met wapens betreden, zelfs een ridder van Solamnië niet. Vrees niet, nobele ridder, ik heb gezien dat uw zwaard oud en zeer kostbaar is. Ik zal het veilig bewaren. Vergeef me voor dit blijk van wantrouwen, maar zelfs de grote Huma legde de Drakenlans aan mijn voeten.'
'Huma!' zei Sturm stomverbaasd. 'Wie bent u?'
'Ik ben de Woldmeester.' Op het moment dat de diepe stem weer sprak, week de duisternis terug. Een zucht van ontzag, zacht als een lentebries, steeg op uit het gezelschap toen ze naar het tafereel staarden dat zich voor hen ontvouwde. Zilverkleurig maanlicht scheen helder op een hoge rotsrichel. Op die richel stond een eenhoorn. Ze nam hen koeltjes op met intelligente ogen die een oneindige wijsheid uitstraalden.
De eenhoorn was hartverscheurend mooi. Goudmaan voelde de tranen in haar ogen springen en moest ze snel dichtknijpen om ze te beschermen tegen het schitterende, stralende schepsel. Haar vacht was zilver als het licht van de maan, haar hoorn glansde als parelmoer en haar manen waren wit als het schuim van de zee. Haar hoofd zag eruit alsof het uit glinsterend marmer was gehouwen, maar geen mensenhand, zelfs geen dwergenhand had de elegantie en de gratie kunnen vastleggen die uit de fijne belijning van haar krachtige hals en gespierde borst spraken. Haar benen waren sterk maar slank, en haar hoeven klein en gespleten als die van een geit. Na die tijd, wanneer Goudmaan duistere wegen bewandelde en haar hart vervuld was van wanhoop en hopeloosheid, hoefde ze slechts haar ogen te sluiten en terug te denken aan de eenhoorn om troost te vinden.

De eenhoorn wierp haar hoofd in haar nek en liet het toen in een plechtige begroeting zakken. De reisgenoten beantwoordden de buiging, verward en onhandig. Toen opeens draaide de eenhoorn zich om, verliet de richel en draafde over de rotsen naar hen toe.

Met een gevoel alsof er een ban was gebroken, keek Tanis om zich heen. Het heldere, zilveren maanlicht scheen op een open plek in het bos. Eromheen stonden hoge bomen als reusachtige, goedaardige schildwachten. De halfelf voelde dat hier een diepe, blijvende rust heerste, maar ook dat er een zeker verdriet achter school.

'Rust wat,' zei de Woldmeester terwijl ze zich bij hen voegde. 'Jullie zijn vermoeid en hongerig. Er zal voedsel worden gebracht, en schoon water om je te wassen. Vanavond kunnen jullie je waakzaamheid en angsten laten varen. Als het ergens in dit land veilig is deze nacht, dan is het hier.'

Caramon, wiens ogen oplichtten toen hij het woord 'voedsel' hoorde, liet voorzichtig zijn broer op de grond zakken. Raistlin ging met zijn rug tegen een boom op het gras zitten. Zijn gelaat was lijkbleek in het licht van de maan, maar zijn ademhaling was rustig en gelijkmatig. Hij leek niet zozeer ziek als wel volkomen uitgeput. Caramon ging naast hem zitten en keek om zich heen, op zoek naar eten. Toen slaakte hij een zucht.

'Waarschijnlijk zijn het toch gewoon weer bessen,' zei de krijger bedroefd tegen Tanis. 'Ik hunker naar vlees. Een geroosterde hertenbout, een lekker, gloedheet stuk konijn…'

'Stil,' zei Sturm zachtjes maar bestraffend, met een vluchtige blik op de Woldmeester. 'Waarschijnlijk zal ze jou nog eerder aan het spit rijgen!'

Uit het woud kwamen centaurs met een schoon wit kleed, dat ze op het gras uitspreidden. Anderen zetten doorschijnende kristallen bollampen op het kleed, die het omringende woud verlichtten.

Tasselhof bestudeerde de lampen nieuwsgierig. 'Het zijn insectenlampen!'

In de kristallen bollen zaten duizenden piepkleine insecten die allemaal twee fel gloeiende stippen op hun rug hadden. Ze kropen tevreden in de bollen rond, alsof ze rustig hun omgeving verkenden.

Vervolgens kwamen de centaurs kommen met koel water en schone witte doeken brengen, zodat ze hun gezicht en handen konden wassen. Het water waste niet alleen de smetten van de strijd weg, maar verfriste bovendien hun lichaam en geest. Andere centaurs zetten stoelen neer, die Caramon met een bedenkelijk gezicht opnam. Ze waren vervaardigd uit één stuk hout dat het lichaam omvatte. Ze zagen er gerieflijk uit, ware het niet dat ze allemaal slechts één poot hadden.

'Neem toch plaats,' zei de Woldmeester uitnodigend.

'Daar kan ik toch niet op zitten!' protesteerde de krijger. 'Dan val ik om!' Hij ging bij de rand van het kleed staan. 'En trouwens, het tafelkleed ligt op het gras. Ik ga er wel naast zitten.'

'Dicht bij het eten,' mompelde Flint in zijn baard.

De anderen lieten, slecht op hun gemak, hun blik gaan over de stoelen, de merkwaardige kristallen insectenlampen en de centaurs. De stamhoofdsdochter wist echter wat er van gasten werd verwacht. De buitenwereld mocht haar volk dan als barbaars beschouwen, Goudmaans stam hanteerde een strenge etiquette waarvan nooit mocht worden afgeweken. Goudmaan wist dat het een belediging was als je een goedgeefse gastvrouw liet wachten. Met koninklijke gratie nam ze plaats. De stoel met de ene poot wiegde even heen en weer en paste zich toen aan haar lengte aan, alsof hij speciaal voor haar was vervaardigd.

'Neem plaats aan mijn rechterhand, krijger,' zei ze formeel, zich bewust van de vele ogen die op haar waren gericht. Waterwinds gezicht toonde geen emotie, al zag hij er belachelijk uit toen hij zijn lange lijf in de ogenschijnlijk zo breekbare stoel probeerde te persen. Toen hij eenmaal zat, leunde hij echter gerieflijk achterover, met een zweem van een glimlach van verbazing en goedkeuring.

'Dank je, dat jullie hebben gewacht tot ik zat,' zei Goudmaan haastig om de aarzeling van de anderen te camoufleren. 'Neem toch plaats.'

'Nee, laat maar,' begon Caramon met zijn armen over elkaar. 'Ik stond helemaal niet te wachten. Ik ben echt niet van plan om op zo'n rare stoel—' Sturm gaf de krijger een felle por in de ribben met zijn elleboog.

'Genadige vrouwe.' Sturm maakte een buiging en nam met de waardigheid van een ridder plaats.

'Nou, als hij het kan, kan ik het ook,' mompelde Caramon, die haastig een besluit nam nu hij zag dat de centaurs het eten kwamen brengen. Hij hielp zijn broer in een stoel en ging toen zelf ook zitten, heel voorzichtig om te controleren of de stoel hem wel kon dragen.

Vier centaurs vatten post bij de hoeken van het reusachtige witte kleed dat op de grond lag. Ze tilden het op tot de hoogte van een tafel en lieten het los. Het kleed bleef hangen, en het kunstig geborduurde oppervlak was zo hard en stevig als de robuuste tafels in de Herberg van het Laatste Huis.

'Fantastisch! Hoe doen ze dat?' riep Tasselhof uit terwijl hij onder het kleed tuurde. 'Er zit helemaal niets onder!' rapporteerde hij met ogen als schoteltjes.

De centaurs schaterden het uit, en zelfs de Woldmeester glimlachte. Nu zetten de centaurs borden neer van prachtig uitgesneden en glanzend geboend hout. Iedere gast kreeg een mes en vork, vervaardigd uit het gewei van een hert. Schalen vol warm, geroosterd vlees verspreidden een verleidelijke rooklucht. Geurige broden en enorme schalen vol fruit glansden in het zachte licht van de lampen.

Caramon, die zich nu veilig voelde op zijn stoel, wreef in zijn handen. Toen pakte hij met een brede grijns zijn vork. 'Aah!' verzuchtte hij tevreden toen een van de centaurs een schaal vol geroosterd hertenvlees vóór hem neerzette. Hij stak zijn vork erin en snoof genietend de geur op van de sappen die uit het vlees stroomden, tot hij besefte dat iedereen naar hem zat te staren. Hij verstijfde en keek om zich heen.

'Wat—' zei hij, knipperend met zijn ogen. Toen zijn blik op de Woldmeester viel, liep hij rood aan en trok hij haastig zijn vork terug. 'Ik... Neemt u me niet kwalijk. Dat hert was waarschijnlijk iemand die u kende... Ik bedoel... een van uw onderdanen.'

De Woldmeester glimlachte vriendelijk. 'Wees gerust, krijger,' zei ze. 'Dit hert heeft zijn levensdoel vervuld door de jager – zij het een wolf of een mens – tot voedsel te dienen. Wij rouwen niet om het verlies van hen die sterven ter vervulling van hun levensdoel.'

Tanis had de indruk dat de donkere ogen van de Woldmeester bij de woorden afdwaalden naar Sturm, en er sprak een groot verdriet uit, dat het hart van de halfelf met kille angst vervulde. Maar toen hij de Woldmeester aankeek, zag hij dat het schitterende dier weer glimlachte. Mijn verbeelding, dacht hij.

'Hoe weten we, Woldmeester,' vroeg Tanis aarzelend, 'of het levensdoel van een wezen is vervuld? Ik heb zeer oude lieden meegemaakt die verbitterd en vol wanhoop stierven. En ik heb jonge kinderen zien sterven voor hun tijd, die echter zo'n erfenis van liefde en vreugde achterlieten dat het verdriet om hun verscheiden werd getemperd door de wetenschap dat ze in hun korte leven veel aan anderen hadden gegeven.'

'Je hebt je eigen vraag veel beter beantwoord dan ik had kunnen doen, Tanis Halfelf,' zei de Woldmeester ernstig. 'We moeten het nut van ons leven afmeten aan wat we hebben geschonken, niet aan wat we hebben ontvangen.'

De halfelf wilde reageren, maar de Woldmeester sneed hem de pas af. 'Zet je zorgen even van je af. Geniet van de rust in mijn woud zolang het nog kan. Het einde nadert.'

Tanis wierp de Woldmeester een scherpe blik toe, maar het prachtige dier had geen aandacht meer voor hem en staarde met niets ziende blik naar het woud. Haar ogen waren omfloerst van verdriet. De halfelf vroeg zich af wat ze bedoelde, en bleef in gedachten verzonken zitten tot hij een tedere hand op de zijne voelde.

'Je moet iets eten,' zei Goudmaan. 'Deze maaltijd zal je zorgen niet doen verdwijnen. En gebeurt dat toch, dan is dat des te beter.'

Tanis glimlachte naar haar en viel hongerig op het eten aan. Hij nam het advies van de Woldmeester ter harte en verdrong zijn zorgen even naar de achtergrond. Goudmaan had gelijk. Ze zouden toch niet zomaar weggaan.

De rest van het gezelschap deed hetzelfde. Ze accepteerden hun vreemde omgeving met de zelfverzekerdheid van doorgewinterde reizigers. Hoewel er – tot Flints grote teleurstelling – alleen water te drinken was, spoelde de koele, heldere vloeistof de angst en twijfel uit hun hart zoals het eerder het bloed en vuil van hun handen had gewassen. Ze lachten, praatten en aten, genietend van elkaars gezelschap. De Woldmeester nam niet langer deel aan hun gesprekken, maar observeerde hen een voor een.

Sturms bleke gezicht had weer wat kleur gekregen. Hij dineerde met gratie en waardigheid. Hij zat naast Tasselhof en beantwoordde de onuitputtelijke vragen van de kender over zijn geboorteland. Ook verwijderde hij, zonder er onnodig de aandacht op te vestigen, een mes en vork die op onverklaarbare wijze in een van Tasselhofs tassen waren terechtgekomen. De ridder was zo ver mogelijk bij Caramon vandaan gaan zitten en deed zijn best om geen aandacht aan hem te besteden.

De grote krijger genoot overduidelijk van de maaltijd. Hij at drie keer zoveel als de rest, drie keer zo snel en drie keer zo luidruchtig. Tussen de happen door beschreef hij voor Flint een gevecht met een trol, waarbij hij het bot waarop hij zat te knagen gebruikte als een zwaard om zijn bewegingen te illustreren. Flint at gretig en zei tegen Caramon dat hij de grootste leugenaar op Krynn was.

Raistlin, die naast zijn broer zat, at heel weinig. Hij at wat kleine hapjes van het malse vlees, een paar druiven en een stukje brood dat hij eerst in water doopte. Hij zei niets, maar luisterde ingespannen naar de anderen, waarbij hij alles wat hij hoorde opsloeg in zijn geheugen, met het oog op de toekomst.

Goudmaan at beschaafd en met geoefend gemak. De prinses uit Queshu was eraan gewend om in het openbaar te eten en wist precies hoe ze een gesprek op gang moest houden. Ze babbelde met Tanis, moedigde hem aan om het elfenland en de andere oorden die hij had bezocht te beschrijven. Waterwind, die naast haar zat, voelde zich duidelijk slecht op zijn gemak. Hoewel hij geen luidruchtige eter was, zoals Caramon, was de Vlakteman duidelijk gewend samen met andere mannen van zijn stam rond het kampvuur te eten, niet in een koninklijke eetzaal. Hij had moeite met het hanteren van het bestek en was zich ervan bewust dat hij in vergelijking met Goudmaan lomp oogde. Hij zei niets, kennelijk bereid zich op de achtergrond te houden.

Eindelijk schoven de eerste tafelgenoten hun bord van zich af en maakten het zich gemakkelijk in de merkwaardige houten stoelen. Het diner werd afgesloten met stukjes zoet zandgebak. Tas zong het reislied van de kenders, tot groot genoegen van de centaurs. Toen opeens sprak Raistlin. Zijn zachte fluisterstem sneed dwars door het gelach en het luide gepraat heen.

'Woldmeester,' siste de magiër, 'vandaag hebben we gestreden tegen afschuwwekkende wezens die we nooit eerder ergens op Krynn hebben gezien. Kunt u ons meer over ze vertellen?'

De ontspannen, feestelijke sfeer was meteen verdwenen, alsof er een wolk voor de zon schoof. Iedereen wisselde grimmige blikken.

'Ze lopen als mensen,' voegde Caramon eraan toe, 'maar zien eruit als reptielen. Ze hebben klauwen aan hun handen en voeten, en vleugels, en' – zijn stem werd zacht – 'ze veranderen in steen als ze sterven.'

De Woldmeester keek hen bedroefd aan terwijl ze overeind kwam. Het leek alsof ze die vraag had verwacht.

'Ik ben op de hoogte van het bestaan van die wezens,' antwoordde ze. 'Een week geleden is een aantal van hen met een groep kobolden uit Haven het Duisterwold binnengedrongen. Ze droegen mantels en kappen, ongetwijfeld om hun afgrijselijke uiterlijk te verhullen. De centaurs zijn ze heimelijk gevolgd om ervoor te zorgen dat ze niemand leed berokkenden voordat de spooksoldaten met ze afrekenden. De centaurs wisten te melden dat de wezens zichzelf "draconen" noemden en dat ze zeiden tot de "Orde van Draco" te behoren.'

Raistlin fronste zijn voorhoofd. 'Draco,' fluisterde hij niet-begrijpend. 'Maar wat zijn het voor wezens? Wat voor ras, wat voor soort?'

'Dat weet ik niet. Ik kan je alleen dit vertellen: ze behoren niet tot het dierenrijk, en ze behoren niet tot een van de rassen van Krynn.'

Het duurde even voordat iedereen dat had verwerkt. Caramon knipperde met zijn ogen. 'Ik begrijp niet—' begon hij.

'Ze bedoelt, broer, dat ze niet van deze wereld zijn,' legde Raistlin ongeduldig uit.

'Waar komen ze dan vandaan?' vroeg Caramon geschrokken.

'Ja, dat is de vraag, hè?' zei Raistlin kil. 'Waar komen ze vandaan, en waarom?'

'Daarop kan ik geen antwoord geven.' De Woldmeester schudde haar hoofd. 'Maar ik kan je wel vertellen dat de draconen, voordat de spooksoldaten met hen afrekenden, spraken over "een leger in het noorden".'

'Ik heb het gezien.' Tanis stond op. 'Kampvuren…' Zijn stem stokte in zijn keel toen hij besefte wat de Woldmeester op het punt had gestaan te zeggen. 'Een leger! Van die draconen? Dan moeten het er duizenden zijn!' Inmiddels stond iedereen door elkaar te praten.

'Onmogelijk!' zei de ridder boos.

'Wie zit hierachter? De Zoekers? Bij de goden,' brulde Caramon, 'het liefst zou ik naar Haven gaan om hun koppen—'

'We moeten naar Solamnië, niet naar Haven,' adviseerde Sturm luid.

'We kunnen beter naar Qualinost gaan,' zei Tanis. 'De elfen—'

'De elfen hebben hun eigen problemen,' viel de Woldmeester hem in de rede. Haar koele stem deed de gemoederen bedaren. 'En voor de Hogezoekers van Haven geldt hetzelfde. Het is nergens veilig. Maar ik zal jullie vertellen waar jullie naartoe moeten om antwoorden te vinden op jullie vragen.'

'Hoezo wilt u ons vertellen waar we naartoe moeten?' Langzaam deed Raistlin een paar stappen naar voren, zodat zijn rode mantel om hem heen golfde. 'Wat weet u over ons?' De magiër zweeg en kneep zijn ogen samen toen hem een licht opging.

'Ja, ik verwachtte jullie al,' antwoordde de Woldmeester alsof ze Raistlins gedachten had gelezen. 'Vandaag verscheen in de wildernis een groot, stralend wezen aan mij. Hij vertelde me dat de hoeder van de blauw kristallen staf vanavond naar het Duisterwold zou komen. De spooksoldaten zouden de hoeder en haar metgezellen laten passeren, ook al hebben ze al sinds de Catastrofe niemand meer in het Duisterwold toegelaten, mens noch elf, dwerg noch kender. De hoeder moest ik deze boodschap doorgeven: "Vlucht meteen, over het Oostermuurgebergte. Binnen twee dagen moet de hoeder van de staf in Xak Tsaroth zijn. Daar zul je, als je je waardig betoont, het grootste geschenk ontvangen dat ooit aan de wereld is geschonken." '

'Het Oostermuurgebergte!' De mond van de dwerg viel open. 'Als we binnen twee dagen in Xak Tsaroth willen zijn, zullen we eerst vleugels moeten krijgen. Stralend wezen! Ha!' Hij knipte met zijn vingers.

De anderen keken elkaar ongemakkelijk aan. Uiteindelijk zei Tanis aarzelend: 'Ik ben bang dat de dwerg gelijk heeft, Woldmeester. De reis naar Xak Tsaroth is lang en gevaarlijk. Dan moeten we landen doorkruisen waarvan we weten dat ze worden bevolkt door kobolden en draconen.'

'En daarna moeten we de Vlakten oversteken.' Voor het eerst sinds de ontmoeting met de Woldmeester zei Waterwind iets. 'Daar zijn wij vogelvrij verklaard.' Hij gebaarde naar Goudmaan. 'De Que-shu's zijn woeste krijgers die het land door en door kennen. Ze wachten op ons. We komen er nooit heelhuids doorheen.' Hij keek naar Tanis. 'En mijn volk heeft iets tegen elfen.'

'Waarom moeten we eigenlijk naar Xak Tsaroth?' bromde Caramon. 'Het grootste geschenk. Wat zou dat kunnen zijn? Een machtig zwaard? Een kist vol ijzeren munten? Dat zou handig zijn, maar in het noorden schijnt een oorlog te broeien. Die wil ik niet graag missen.'

De Woldmeester knikte ernstig. 'Ik begrijp jullie dilemma,' zei ze. 'Ik bied jullie alle hulp aan die ik kan geven. Ik zal ervoor zorgen dat jullie binnen twee dagen in Xak Tsaroth zijn. De vraag is, zijn jullie bereid te gaan?'

Tanis draaide zich om naar de anderen. Sturms gezicht was verstrakt. Zuchtend beantwoordde hij Tanis' blik. 'De hertenbok heeft ons hiernaartoe geleid,' zei hij langzaam, 'wellicht om dit advies aan te horen. Maar mijn hart ligt in het noorden, in mijn vaderland. Als een leger van die draconen zich klaarmaakt voor de aanval, hoor ik me aan te sluiten bij de ridders, die ongetwijfeld de handen ineen zullen slaan om dit kwaad te bestrijden. Aan de andere kant wil ik jou niet in de steek laten, en u ook niet, edele vrouwe.' Hij knikte naar Goudmaan en liet zich toen op zijn stoel zakken, met zijn pijnlijke hoofd in zijn handen.

Caramon haalde zijn schouders op. 'Het maakt mij niet uit waar we naartoe gaan en we tegen vechten, Tanis. Dat weet je. Wat vind jij ervan, broer?'

Maar Raistlin, die in de duisternis zat te staren, gaf geen antwoord.

Goudmaan en Waterwind stonden zachtjes te overleggen. Ze knikten tegen elkaar, waarna Goudmaan tegen Tanis zei: 'Wij gaan naar Xak Tsaroth. We stellen het op prijs wat jullie allemaal voor ons hebben gedaan—'

'Maar we vragen niet langer om hulp,' verklaarde Waterwind trots. 'Dit is de afsluiting van onze queeste. Alleen zijn we eraan begonnen, en alleen zullen we hem beëindigen.'

'En alleen zullen jullie sterven!' zei Raistlin zachtjes.

Tanis huiverde. 'Raistlin,' zei hij, 'ik wil je even spreken.'

De magiër draaide zich gehoorzaam om en liep met de halfelf mee naar een groepje knoestige, misvormde bomen. De duisternis sloot zich om hen heen.

'Net als vroeger,' zei Caramon, die zijn broer bezorgd nakeek.

'En vergeet niet wat een problemen we ons toen op de hals haalden,' hielp Flint hem herinneren terwijl hij zich op het gras liet vallen.

'Ik vraag me af waar ze het over hebben,' zei Tasselhof. Vroeger had de kender regelmatig geprobeerd dergelijke privégesprekken tussen de magiër en de halfelf af te luisteren, maar Tanis had hem telkens weer betrapt en weggejaagd. 'En waarom kunnen ze het niet met ons bespreken?'

'Omdat we waarschijnlijk Raistlins kop van zijn romp zouden rukken,' antwoordde Sturm met zachte, van pijn vervulde stem. 'Je kunt me nog meer vertellen, Caramon, maar je broer heeft een duistere kant, en Tanis heeft die gezien. Daar ben ik hem overigens dankbaar voor. Hij kan ermee omgaan. Ik niet.'

Geheel tegen zijn gewoonte in zei Caramon niets. Geschrokken keek

Sturm de krijger aan. Vroeger zou de jongeman meteen voor zijn broer in de bres zijn gesprongen. Nu bleef hij zwijgend zitten, in gedachten verzonken, met een verontrust gezicht. Raistlin heeft dus inderdaad een duistere kant, dacht Sturm, en nu weet ook Caramon hoe die eruitziet. Hij huiverde en vroeg zich af wat er de afgelopen vijf jaar was gebeurd, dat de vrolijke krijger onder zo'n donkere schaduw gebukt leek te gaan. Raistlin liep vlak naast Tanis. Hij had zijn armen in de mouwen van zijn mantel over elkaar geslagen en zijn hoofd bedachtzaam gebogen. Tanis kon de warmte van Raistlins lichaam dwars door het rode gewaad heen voelen, alsof de magiër door een innerlijk vuur werd verteerd. Zoals gewoonlijk voelde Tanis zich slecht op zijn gemak in het gezelschap van de jongeman, maar op het moment kon hij niemand anders bedenken die hij om advies kon vragen. 'Wat weet je over Xak Tsaroth?' vroeg Tanis.

'Ooit stond daar een tempel, gewijd aan de oude goden,' fluisterde Raistlin. Zijn ogen glinsterden in het griezelige licht van de rode maan. 'Tijdens de Catastrofe is hij vernietigd en zijn de bewoners op de vlucht geslagen, ervan overtuigd dat de goden hen in de steek hadden gelaten. De stad verdween uit de herinnering. Ik wist niet dat hij nog bestond.'

'Wat heb je gezien, Raistlin?' vroeg Tanis zachtjes, na een lange stilte. 'Je leek heel ver weg. Wat heb je gezien?'

'Ik ben een magiër, Tanis, geen ziener.'

'Hou op met die onzin,' snauwde Tanis. 'Het is al een tijdje geleden, maar zo lang nu ook weer niet. Ik weet dat je niet in de toekomst kunt kijken. Dat deed je ook niet, je dacht na. En je hebt antwoorden bedacht. Die antwoorden wil ik horen. Jij hebt meer hersens dan de rest van ons bij elkaar, ook al...' Hij maakte zijn zin niet af.

'Ook al ben ik halfgek.' Raistlins stem werd luider, doordrenkt met brute arrogantie. 'Ik ben inderdaad slimmer dan jij, dan jullie allemaal. En op een dag zal ik het bewijzen! Op een dag zul jij, met je kracht en je charme en je knappe uiterlijk, mij meester noemen! Jij en de rest!' Hij balde zijn handen in zijn mouwen tot vuisten en zijn ogen lichtten rood op in het licht van de maan. Tanis, die deze tirade gewend was, wachtte geduldig af. De magiër ontspande zich en strekte zijn handen. 'Maar nu zal ik je in elk geval van advies dienen. Je wilt weten wat ik heb gezien. Dat leger, Tanis, dat draconenleger, zal Soelaas, Haven en alle landen van je voorvaderen overspoelen. Dat is de reden dat we naar Xak Tsaroth moeten. Wat we daar zullen aantreffen, zal het einde van dat leger betekenen.'

'Maar waarom is dat leger er?' vroeg Tanis. 'Waarom zou iemand Soelaas, Haven en de Vlakten in het oosten willen beheersen? Zijn het de Zoekers?'

'De Zoekers! Ha!' Raistlin snoof. 'Open je ogen, halfelf. Een machtig iets of iemand heeft die wezens, die draconen, geschapen. Niet die dwaze Zoekers. En niemand doet al die moeite om de macht in twee boerendorpen over te nemen of zelfs om een blauw kristallen staf in handen te krijgen. Dit is een veroveringsoorlog, Tanis. Iemand wil Ansalon veroveren! Binnen twee dagen zal het leven zoals wij dat op Krynn hebben gekend ten einde zijn. Dat was de betekenis van de verdwenen sterren. De Koningin van de Duisternis is teruggekeerd. We moeten het opnemen tegen een vijand die op z'n allerminst tot doel heeft ons te onderwerpen, en mogelijk zelfs ons uit te roeien.'

'En je advies?' vroeg Tanis met tegenzin. Hij kon voelen dat er veranderingen op til waren, en als alle elfen vreesde en verafschuwde hij verandering.

Raistlin glimlachte scheef en bitter, genietend van zijn superieure positie. 'Dat we meteen naar Xak Tsaroth reizen. Dat we, indien mogelijk, vanavond nog vertrekken, met behulp van de Woldmeester. Als we dat geschenk niet binnen twee dagen weten te bemachtigen, zal het in handen van het draconenleger vallen.'

'Wat voor geschenk zou het zijn?' vroeg Tanis zich hardop af. 'Denk je dat het een zwaard of geld is, zoals Caramon zei?'

'Mijn broer kletst maar wat,' zei Raistlin koeltjes. 'Dat geloof jij niet, en ik ook niet.'

'Wat is het dan?' drong Tanis aan.

Raistlin kneep zijn ogen samen. 'Ik heb je mijn advies gegeven. Doe ermee wat je wil. Ik heb mijn eigen redenen om te gaan. Laten we het daarop houden, halfelf. Maar het zal gevaarlijk zijn. Xak Tsaroth is driehonderd jaar geleden al verlaten. Ik denk niet dat het lang zo is gebleven.'

'Dat is zo,' zei Tanis nadenkend. Een hele tijd bleef hij zwijgend staan. De magiër kuchte één keer, zachtjes. 'Geloof jij dat we zijn uitverkoren, Raistlin?' vroeg Tanis.

De magiër aarzelde geen moment. 'Ja. Dat is me in de Torens van de Magie te verstaan gegeven. En dat heeft Par-Salian me verteld.'

'Maar waarom dan?' vroeg Tanis ongeduldig. 'We zijn helemaal geen helden. Nou ja, Sturm misschien…'

'Ah,' zei Raistlin. 'Maar wíé heeft ons uitverkoren? En met welk doel? Denk daar maar eens over na, Tanis Halfelf.'

De magiër maakte een spottende buiging voor Tanis en liep door de struiken terug naar de rest van de groep.

12
Gevleugelde slaap. Rook in het oosten. Duistere herinneringen.

'Xak Tsaroth,' zei Tanis. 'Dat is mijn beslissing.'

'Adviseert de magiër dat ook?' vroeg Sturm mokkend.

'Ja,' antwoordde Tanis, 'en ik geloof dat het goede raad is. Als we niet binnen twee dagen in Xak Tsaroth zijn, zullen anderen ons voor zijn en gaat dat "grootste geschenk" mogelijk voorgoed verloren.'

'Het grootste geschenk!' zei Tasselhof met glanzende ogen. 'Stel je voor, Flint. Kostbare juwelen! Of misschien wel—'

'Een vat bier en de gebakken aardappelen van Otik,' mompelde de dwerg. 'En een lekker warm haardvuur. Maar nee, Xak Tsaroth!'

'Dan zijn we het volgens mij allemaal eens,' zei Tanis. 'Als jij vindt dat jouw aanwezigheid in het noorden onmisbaar is, Sturm, dan staat het je natuurlijk vrij om—'

'Ik ga met je mee naar Xak Tsaroth,' verzuchtte Sturm. 'In het noorden heb ik niets te zoeken. Ik hield mezelf voor de gek. De ridders van mijn orde zijn uiteengeslagen en hebben zich verschanst in hun afbrokkelende forten, waar ze de schuldeisers op afstand proberen te houden.'

De ridder trok een gekweld gezicht en boog zijn hoofd. Opeens voelde Tanis zich moe. Zijn nek, schouders en rug deden pijn, zijn beenspieren trilden. Hij wilde nog iets zeggen, maar voelde toen een tedere hand op zijn schouder. Hij keek op in het gezicht van Goudmaan, koel en kalm in het maanlicht.

'Je bent vermoeid, mijn vriend,' zei ze. 'Dat zijn we allemaal. Maar we zijn blij dat je meegaat, Waterwind en ik.' Haar hand was krachtig. Ze keek op en liet haar heldere blik over de hele groep gaan. 'We zijn blij dat jullie allemaal meegaan.'

Tanis wierp een vluchtige blik op Waterwind. Hij was er niet van overtuigd dat de lange Vlakteman haar mening deelde.

'Gewoon het zoveelste avontuur,' zei Caramon, rood van gêne. 'Toch,

Raist?' Hij gaf zijn broer een por. Raistlin deed alsof hij zijn tweeling-broer niet gehoord had, maar keek de Woldmeester aan.

'We moeten meteen weg,' zei hij kil. 'U zei iets over dat u ons kon hel-pen aan de andere kant van de bergen te komen.'

'Inderdaad,' antwoordde de Woldmeester met een plechtige hoofd-knik. 'Ook ik ben blij dat jullie deze beslissing hebben genomen. Ik hoop dat jullie blij zullen zijn met mijn hulp.'

De Woldmeester keek op naar de hemel. De reisgenoten volgden haar blik. Aan de nachtelijke hemel, die tussen de bladeren van de hoge bo-men door zichtbaar was, schitterden de sterren. Al snel werden de reis-genoten zich ervan bewust dat daarboven iets vloog, iets wat in het voorbijgaan de sterren tijdelijk uitdoofde.

'Bij alle greppeldwergen,' zei Flint ernstig. 'Vliegende paarden. Houdt het dan nooit op?'

'O!' Tasselhof hapte naar adem. Gebiologeerd staarde hij naar de prach-tige dieren die boven hen rondcirkelden en steeds verder afdaalden. Hun vacht leek in het maanlicht een blauwwitte gloed te hebben. Tas vouwde zijn handen. Zelfs in zijn wildste kenderdromen had hij niet durven denken dat hij ooit zou vliegen. Dit was een gevecht tegen alle draconen op Krynn waard.

De pegasi zetten hun hoeven aan de grond, waarbij ze met hun geve-derde vleugels een windvlaag veroorzaakten die de boomtakken deed zwiepen en het gras plat tegen de grond drukte. Een grote pegasus met vleugels die tot aan de grond reikten als hij liep, maakte een eerbiedige buiging voor de Woldmeester. Zijn houding was trots en nobel. Ook de andere prachtige dieren maakten een voor een een buiging.

'U hebt ons ontboden?' vroeg de leider aan de Woldmeester.

'Mijn gasten hebben dringende zaken af te handelen in het oosten. Ik verzoek u hen met de snelheid van de wind aan de andere kant van het Oostermuurgebergte te brengen.'

Verbijsterd nam de pegasus het gezelschap op. Met statige tred liep hij van de een naar de ander om ze goed te bestuderen. Toen Tas zijn hand optilde om de hengst over zijn neus te aaien, draaide hij zijn oren naar voren en wierp zijn machtige hoofd in zijn nek. Toen hij echter bij Flint was aangekomen, snoof hij vol afkeer en wendde zich tot de Wold-meester. 'Een kender? Mensen? En een dwerg!'

'Ik ben er ook niet blij mee, paard,' zei Flint niesend.

De Woldmeester glimlachte slechts en knikte. De pegasus boog instem-mend, zij het met tegenzin. 'Zoals u wilt, Woldmeester,' zei hij. Met een krachtig soort gratie liep hij naar Goudmaan toe en stond op het punt door zijn voorbeen te zakken en te bukken, zodat ze gemakkelij-ker kon opstijgen.

'Nee, kniel niet, edel dier,' zei ze. 'Ik reed al voordat ik kon lopen. Ik heb geen hulp nodig.' Ze gaf Waterwind haar staf, sloeg haar armen om de hals van de pegasus en slingerde haar been over zijn brede rug. Haar golvende, zilverachtig gouden haar leek zacht en wit in het maanlicht en haar gezicht was zuiver en kil als marmer. Gezeten op het gevleugelde paard zag ze er werkelijk uit als de prinses van een barbaarse stam.

Ze pakte haar staf aan van Waterwind, stak hem in de lucht en zette een lied in. Met glanzende ogen van bewondering sprong Waterwind achter haar op de rug van het gevleugelde dier. Hij sloeg zijn armen om haar heen en voegde zijn baritonstem bij de hare.

Tanis had geen idee wat ze zongen, maar het klonk als een triomfantelijk overwinningslied. Het raakte hem, en hij zou dolgraag hebben meegezongen. Een van de pegasi draafde op hem af. Hij trok zichzelf omhoog en nam plaats op de brede rug van het dier, vlak vóór diens machtige vleugels.

Nu stegen alle reisgenoten op, meegesleurd in de verrukking van het moment. Goudmaans zang gaf hun ziel vleugels toen de pegasi zich lieten meevoeren door de luchtstromingen. Hoger en hoger vlogen ze, cirkelend boven het woud. De zilveren en de rode maan hulden de vallei in de diepte en de wolken aan de hemel in een griezelig, maar prachtig paarsachtig licht dat naadloos overging in het diepere purper van de nacht. Het woud verdween snel uit het zicht, en het laatste wat de reisgenoten zagen, was de Woldmeester, die schitterde als een ster die uit de hemel was gevallen, verloren en alleen in een donker wordend land.

Een voor een werden de reisgenoten door slaperigheid overvallen.

Tasselhof vocht het langst tegen die magische slaap. Gebiologeerd door de straffe wind in zijn gezicht, gefascineerd door de aanbik van de hoge bomen die gewoonlijk boven hem uittorenden, maar nu niet meer leken dan stukken speelgoed, deed Tas veel langer dan de anderen zijn uiterste best om wakker te blijven. Flints hoofd rustte tegen zijn rug en de dwerg snurkte luid. Goudmaan lag veilig in Waterwinds armen. Zijn hoofd hing over haar schouder. Zelfs in zijn slaap hield hij haar beschermend vast. Caramon lag luidruchtig ademend voorover over de hals van zijn paard. Zijn tweelingbroer leunde tegen zijn brede rug. Sturm sliep vredig. De lijntjes van pijn in zijn gezicht waren verdwenen. Zelfs Tanis' bebaarde gezicht was vrij van zorgen en verantwoordelijkheid.

Tas gaapte. 'Nee,' mompelde hij, terwijl hij verwoed met zijn ogen knipperde en zichzelf kneep.

'Ga toch rusten, kleine kender,' zei zijn pegasus geamuseerd. 'Stervelingen zijn niet gemaakt om te vliegen. 'Die slaap is voor je eigen veiligheid. We willen niet dat je in paniek raakt en eraf valt.'

'Dat gebeurt toch niet,' protesteerde Tas, opnieuw gapend. Zijn hoofd zakte voorover. De hals van de pegasus was warm en gerieflijk, en zijn vacht zacht en geurig. 'Ik raak niet in paniek,' fluisterde Tas slaperig. 'Ik raak nooit in paniek...' Hij viel in slaap.

De halfelf werd met een schok wakker, om tot de ontdekking te komen dat hij op een grazige weide lag. De leider van de pegasi stond vlak bij hem naar het oosten te staren. Tanis ging rechtop zitten.
'Waar zijn we?' begon hij. 'Dit is geen stad.' Hij keek om zich heen. 'Maar... we zijn nog niet eens de bergen overgestoken!'
'Het spijt me.' De pegasus draaide zich naar hem om. 'We konden jullie niet helemaal naar de Oostermuurbergen brengen. In het oosten dreigt een groot gevaar. Er hangt een duisternis die ik op Krynn niet meer heb gevoeld sinds...' Hij zweeg, liet zijn hoofd hangen en tikte rusteloos met zijn hoef op de grond. 'Ik durf niet verder te reizen.'
'Waar zijn we?' herhaalde de verwarde halfelf. 'En waar zijn de andere pegasi?'
'Die heb ik naar huis gestuurd. Ik ben achtergebleven om jullie te bewaken zolang jullie nog sliepen. Nu jij wakker bent, moet ook ik naar huis.' De pegasus keek Tanis streng aan. 'Ik weet niet waardoor dit grote kwaad op Krynn is gewekt. Ik vertrouw erop dat jij en je metgezellen er niet verantwoordelijk voor zijn.'
Hij spreidde zijn machtige vleugels.
'Wacht!' Tanis krabbelde overeind. 'Wat voor...'
De pegasus sprong de lucht in, beschreef twee cirkels en verdween toen in rap tempo aan de westelijke hemel.
'Wat voor kwaad?' vroeg Tanis mistroostig. Zuchtend keek hij om zich heen. Zijn metgezellen lagen verspreid om hem heen in verschillende houdingen te slapen als een roos. Hij bestudeerde de horizon in een poging vast te stellen waar hij was. Het werd al bijna licht, besefte hij. De eerste zonnestralen piepten boven de oostelijke kim uit. Hij stond op een vlakke prairie. Er was nergens een boom te bekennen, niets dan golvende grasvlakten zo ver als het oog reikte.
Zich afvragend wat de pegasus had bedoeld met dat gevaar in het oosten ging Tanis weer zitten, om de zon te zien opkomen en te wachten tot zijn vrienden ontwaakten. Hij hoefde niet exact te weten waar hij was, want hij vermoedde dat Waterwind dit land tot aan het kleinste grassprietje kende. Daarom strekte hij zich met zijn gezicht naar het oosten uit op de grond, meer ontspannen na die vreemde slaap dan hij zich in dagen had gevoeld.
Opeens kwam hij overeind. Weg was de ontspanning. De adem stokte in zijn keel, alsof een onzichtbare hand die samenkneep. Want daar in

de verte rezen drie dikke, vettige, zwarte rookkolommen op, als vieze vingers die naar het frisse, felle ochtendlicht reikten. Tanis sprong overeind, rende naar Waterwind en schudde voorzichtig aan diens schouder, in een poging hem wakker te maken zonder Goudmaan te storen.

'Sst,' deed Tanis met een vinger waarschuwend tegen zijn lippen en een knikje naar de slapende vrouw, toen Waterwind knipperend met zijn ogen opkeek naar de halfelf. Zodra hij de duistere blik in Tanis' ogen zag, was de barbaar klaarwakker. Zachtjes stond hij op, en om zich heen kijkend liep hij een eindje met Tanis op.

'Wat krijgen we nu?' fluisterde hij. 'We bevinden ons op de Vlakten van Abanasinië. Zeker nog een halve dag reizen bij de Oostermuurbergen vandaan. Mijn dorp ligt ten oosten van hier...'

Hij zweeg, want Tanis wees woordeloos naar het oosten. De Vlakteman slaakte een korte, hese kreet toen hij de rookkolommen aan de hemel zag. Goudmaan schrok wakker. Ze ging rechtop zitten en keek Waterwind aan, eerst slaperig, toen met groeiende angst. Ze draaide zich om en volgde zijn ontzette blik.

'Nee,' kreunde ze, en toen luider: 'Nee!' Snel stond ze op om hun bezittingen bij elkaar te rapen. De anderen werden wakker van haar kreet.

'Wat is er?' vroeg Caramon, die meteen overeind sprong.

'Hun dorp,' zei Tanis zachtjes met een gebaar naar het oosten. 'Het staat in brand. Kennelijk verplaatst het leger zich sneller dan we dachten.'

'Nee,' zei Raistlin. 'Weet je nog? De draconenpriesters zeiden dat ze de staf hadden gevolgd tot in een dorp op de Vlakten.'

'Mijn volk,' prevelde Goudmaan. Alle energie leek uit haar weg te vloeien. Starend naar de rook liet ze zich tegen Waterwind aan zakken. 'Mijn vader...'

'We kunnen maar beter gaan.' Caramon keek slecht op zijn gemak om zich heen. 'We trekken hier de aandacht als een edelsteen in de navel van een buikdanseres.'

'Ja,' zei Tanis. 'We moeten hier weg. Maar waar gaan we naartoe?' vroeg hij aan Waterwind.

'Naar Que-shu.' Goudmaans stem maakte duidelijk dat ze geen tegenspraak zou dulden. 'Dat ligt toch op onze route. De Oostermuurbergen beginnen vlak achter mijn dorp.' Door het hoge gras ging ze op weg.

Tanis wierp Waterwind een vluchtige blik toe.

'Marulina!' riep de Vlakteman haar toe. Hij rende Goudmaan achterna en pakte haar arm vast. 'Nikh pat-takh merilar!' zei hij streng.

Ze keek naar hem op met ogen zo kil en blauw als de ochtendhemel.

'Nee,' zei ze resoluut. 'Ik ga naar ons dorp. Als er iets is gebeurd, is dat onze schuld. Al staan duizend van die monsters ons op te wachten, dat kan me niet schelen. Dan zal ik samen met de rest van ons volk sterven, zoals het hoort.' Haar stem begaf het. Tanis zag het aan, en zijn hart schrijnde van medelijden.

Waterwind sloeg zijn arm om haar heen. Samen liepen ze in de richting van de opkomende zon.

Caramon schraapte zijn keel. 'Ik hoop dat ik inderdaad duizend van die monsters tegenkom,' mompelde hij terwijl hij zijn reistas en die van zijn broer over zijn schouders hees. 'Hé,' zei hij vol verwondering, 'ze zitten vol.' Hij tuurde in zijn tas. 'Proviand. Genoeg voor een paar dagen. En mijn zwaard zit weer in de schede!'

'Dan hoeven we ons daar in elk geval geen zorgen meer om te maken,' zei Tanis grimmig. 'Hoe gaat het met jou, Sturm?'

'Goed,' antwoordde de ridder. 'Ik voel me een stuk beter na die nachtrust.'

'Mooi, dan gaan we. Flint, waar is Tas?' Tanis draaide zich om, waarbij hij bijna over de kender struikelde, die vlak achter hem stond.

'Arme Goudmaan,' zei Tas zachtjes.

Tanis gaf hem een klopje op zijn schouder. 'Misschien is het niet zo erg als we vrezen,' zei de halfelf terwijl hij door het golvende gras achter de Vlaktelieden aan liep. 'Misschien hebben de krijgers de aanval afgeslagen en zijn dat vreugdevuren.'

Met een diepe zucht keek Tasselhof op naar Tanis. Zijn bruine ogen waren groot. 'Je bent een belabberde leugenaar, Tanis,' zei de kender. Hij had het gevoel dat het een heel lange dag ging worden.

Schemering. De bleke zon ging onder. Helgele en amberkleurige stralen kleurden de westelijke hemel, om vervolgens plaats te maken voor een sombere nacht. De reisgenoten zaten ineengedoken om een kampvuur dat geen warmte bood, want op heel Krynn bestond geen vuur dat de kilte uit hun ziel kon verdrijven. Ze zeiden niets, maar staarden in de vlammen, terwijl ze probeerden te verwerken wat ze hadden gezien, een poging deden het onbegrijpelijke te begrijpen.

In zijn leven had Tanis al heel wat verschrikkingen meegemaakt, maar het verwoeste dorp Que-shu zou hem altijd bijblijven als een symbool voor de verschrikkingen van de oorlog.

Toch zag hij, als hij aan Que-shu terugdacht, slechts losse flarden, omdat zijn geest weigerde het afgrijselijke totaalbeeld te aanvaarden. Vreemd genoeg herinnerde hij zich vooral de gesmolten stenen in Que-shu. Die herinnerde hij zich tot in het kleinste detail. Alleen in zijn dromen zag hij de verwrongen, zwartgeblakerde lichamen die tussen het rokende puin hadden gelegen.

De machtige stenen muren, de enorme stenen tempels, de ruime stenen gebouwen met hun geplaveide pleinen en standbeelden, de grote stenen arena, allemaal waren ze gesmolten als boter op een warme zomerdag. Het puin smeulde nog na, al was het duidelijk minstens een zonsopgang geleden dat het dorp was aangevallen. Het was alsof een withete, alles-verschroeiende vlam het hele dorp had opgeslokt. Maar welk vuur op Krynn kon steen doen smelten?

Hij herinnerde zich een zacht gekraak, een geluid dat hij in eerste instantie niet kon plaatsen en waarvan hij zich had afgevraagd waar het vandaan kwam. Vanaf dat moment was het vinden van de herkomst van dat enige geluid in het verder doodstille dorp voor hem uitgegroeid tot een obsessie. Hij was door het verwoeste dorp gerend tot hij de bron had gevonden. Hij wist nog dat hij naar de anderen had geschreeuwd dat ze moesten komen. Allemaal bleven ze aan de rand van de gesmolten arena staan staren.

Enorme steenblokken waren langs de wanden van de komvormige arena naar beneden gesijpeld, zodat er onderaan een rand van golvend gesteente was ontstaan. In het midden, op het zwartgeblakerde gras, stond een geïmproviseerde galg. Twee stevige palen waren met onuitsprekelijke kracht in de grond gedreven, zo hard dat ze aan de onderkant waren versplinterd. Op een hoogte van tien voet was er een dwarsbalk aan de twee palen bevestigd. Het hout was aangetast door de hitte. Aasgieren hadden er postgevat. Daaraan bungelden drie kettingen, zo te zien vervaardigd van ijzer, die waren samengesmolten. Daar kwam het gekraak vandaan. Aan elke ketting hing, aan de voeten, een lijk. Het waren geen mensen, maar kobolden. Aan de dwarsbalk van het gruwelijke bouwsel was met een kapot zwaard een schild bevestigd. Op dat gebutste en gedeukte schild waren in een primitief soort Gemeenschaps woorden gekrast.

DIT IS WAT ER GEBEURT MET HEN DIE TEGEN MIJN BEVELEN IN LIE-DEN GEVANGENNEMEN. DODEN OF GEDOOD WORDEN. Eronder stond een naam: CANAILLAARD.

Canaillaard. Die naam zei Tanis niets.

Andere beelden. Hij herinnerde zich hoe Goudmaan staand in het verwoeste huis van haar vader had geprobeerd een kapotte vaas te repareren. Hij herinnerde zich een hond – het enige levende wezen dat ze in het dorp waren tegengekomen – die tegen het lichaam van een dood kind aan lag. Caramon was blijven staan om het hondje te aaien. Het diertje was ineengekrompen, maar begon toen de hand van de grote man te likken. Vervolgens likte hij aan het koude gezicht van het kind en keek hoopvol op naar de krijger, alsof hij verwachtte dat die mens alles weer goed kon maken, dat hij zijn kleine speelkameraadje weer zou kunnen laten rennen en lachen. Hij herinnerde zich hoe Caramon met zijn reusachtige handen teder de zachte vacht van de hond had gestreeld.

Hij herinnerde zich Waterwind, die doelloos een steen had opgeraapt en met die steen in zijn hand om zich heen had staan kijken naar zijn verbrande, vernietigde dorp.

Hij herinnerde zich dat Sturm als aan de grond genageld voor de galg was blijven staan staren naar het schild, en hij wist nog dat de lippen van de ridder hadden bewogen, alsof hij bad, of misschien stilletjes een eed aflegde.

Hij herinnerde zich het door verdriet getekende gelaat van de dwerg, die in zijn lange leven al zoveel rampspoed had gezien, terwijl hij omringd door verwoesting zachtjes Tasselhof op de rug klopte, nadat hij de kender snikkend in een hoekje had aangetroffen.

Hij herinnerde zich Goudmaans wanhopige zoektocht naar overlevenden. Ze was over het zwartgeblakerde puin geklauterd, namen schreeuwend en vervolgens hoopvol wachtend of ze een zwak antwoord hoorde, tot ze zich schor had geschreeuwd en Waterwind haar ervan had overtuigd dat het geen zin had. Als er overlevenden waren, waren die al lang gevlucht.

Hij herinnerde zich dat hij alleen midden in het dorp had staan kijken naar hoopjes stof met pijlpunten erin, die hij herkende als lijken van de draconen.

Hij herinnerde zich een koude hand op zijn arm en de fluisterstem van de magiër, die zei: 'Tanis, we moeten gaan. Hier kunnen we niets meer doen, en we moeten naar Xak Tsaroth. Daarna kunnen we wraak nemen.'

Ze hadden Que-shu verlaten. Tot diep in de nacht waren ze doorgereisd, want geen van allen wilden ze stoppen, allemaal wilden ze zichzelf uitputten, zodat ze, als ze eindelijk in slaap zouden vallen, niet zouden worden geplaagd door nachtmerries.

Maar de nachtmerries kwamen toch.

13
Een kille dageraad. Bruggen van lianen. Donker water.

Tanis voelde hoe klauwen naar zijn keel grepen. Hij verweerde zich woest, maar werd toen wakker. Waterwind stond in de duisternis over hem heen gebogen en schudde hem ruw heen en weer.

'Wat...' Tanis ging rechtop zitten.

'Je droomde,' zei de Vlakteman grimmig. 'Ik moest je wakker maken voordat er een leger op je geschreeuw afkwam.'

'Ja, bedankt,' prevelde Tanis. 'Het spijt me.' Hij probeerde de nachtmerrie van zich af te schudden. 'Hoe laat is het?'

'Nog een paar uur voor de dageraad,' antwoordde Waterwind vermoeid. Hij liep terug naar de plek waar hij had gezeten, met zijn rug tegen de verwrongen stam van een boom. Goudmaan lag naast hem op de grond te slapen. Ze begon te mompelen en met haar hoofd te schudden, onder het slaken van een zacht gekreun als dat van een gewond dier. Waterwind streek over haar zilverachtig gouden haar, en ze werd weer rustig.

'Je had me eerder wakker moeten maken,' zei Tanis. Wrijvend over zijn schouders en nek stond hij op. 'Het is nu mijn wacht.'

'Dacht je echt dat ik zou kunnen slapen?' vroeg Waterwind verbitterd.

'Je moet wel,' antwoordde Tanis. 'Anders houd je ons op.'

'De mannen van mijn stam kunnen dagen achtereen reizen zonder te slapen,' zei Waterwind. Zijn ogen waren dof en glazig, en hij leek in het niets te staren.

Tanis wilde een tegenwerping maken, maar besloot niets te zeggen. Hij zuchtte, wetend dat hij nooit echt zou kunnen begrijpen wat de Vlakteman nu doormaakte. Als je vrienden en familie, je leven, zo grondig werd verwoest, moest dat zo verpletterend zijn dat je er niet eens bij wilde stilstaan. Tanis liet hem zitten en liep naar Flint toe, die met zijn dolk een houtblok zat te bewerken.

'Je kunt net zo goed even gaan slapen,' zei Tanis tegen de dwerg. 'Ik houd wel de wacht.'

Flint knikte. 'Ik hoorde je schreeuwen.' Hij stak zijn dolk in de schede en stopte het houtblok in een buidel. 'Was je Que-shu aan het verdedigen?'

Tanis fronste zijn wenkbrauwen bij de herinnering. Rillend van de kou sloeg hij zijn mantel om zich heen en deed zijn kap op. 'Enig idee waar we zijn?' vroeg hij.

'De Vlakteman zegt dat we ons op een weg bevinden die bekendstaat als de Oostelijke Wijzenweg,' antwoordde de dwerg. Hij ging languit op de koude grond liggen en trok zijn deken op tot aan zijn schouders. 'Een of andere oude hoofdweg. Hij dateert nog van voor de Catastrofe.'

'We hebben zeker niet het geluk dat die weg ons helemaal naar Xak Tsaroth brengt?'

'Volgens Waterwind in elk geval niet,' mompelde de dwerg slaperig. 'Hij zegt dat hij er maar een klein stukje van kent. Maar in elk geval leidt hij naar de andere kant van de bergen.' Hij gaapte omstandig en draaide zich om, met zijn mantel als een kussen onder zijn hoofd.

Tanis ademde diep in. Het leek een vrij vredige nacht. Tijdens hun wilde vlucht uit Que-shu waren ze geen draconen of kobolden tegengekomen. Zoals Raistlin al had gezegd, hadden de draconen kennelijk Que-shu aangevallen omdat ze op zoek waren naar de staf, en niet als onderdeel van de voorbereidingen op de oorlog. Ze hadden toegeslagen en zich vervolgens weer teruggetrokken. De tijdslimiet die de Woldmeester had gesteld, was nog bruikbaar, vermoedde Tanis: binnen twee dagen moesten ze in Xak Tsaroth zijn. En de eerste dag was al voorbij.

Huiverend liep de halfelf naar Waterwind toe. 'Heb je enig idee hoe ver we moeten reizen en in welke richting?' vroeg hij terwijl hij zich naast de Vlakteman op zijn hurken liet zakken.

'Ja,' zei Waterwind knikkend. Hij wreef in zijn brandende ogen. 'We moeten naar het noordwesten, richting de Nieuwezee. Daar ligt volgens de geruchten de stad. Ik ben er nooit geweest...' Hij fronste, schudde toen zijn hoofd. 'Ik ben er nooit geweest,' herhaalde hij.

'Kunnen we er morgen zijn?' vroeg Tanis.

'Het schijnt dat de Nieuwezee op twee dagreizen van Que-shu ligt.' De barbaar zuchtte. 'Als Xak Tsaroth bestaat, moeten we er binnen een dag kunnen zijn, hoewel ik heb horen zeggen dat het land tussen hier en de Nieuwezee moerassig en moeilijk te bereizen is.'

Afwezig streek hij over Goudmaans haar, en zijn ogen vielen dicht. Tanis zei niets meer, in de hoop dat de Vlakteman in slaap zou vallen. Stilletjes ging hij naast de boom zitten en staarde hij naar het duister. Hij nam zich voor om de volgende ochtend aan Tasselhof te vragen of hij een kaart van het gebied had.

De kender had wel een kaart, maar daar hadden ze niet veel aan, want hij dateerde van vóór de Catastrofe. De Nieuwezee stond er niet op, aangezien die pas was ontstaan nadat het land in tweeën was gespleten en de wateren van de Turbidusoceaan naar binnen waren gestroomd om het ontstane gat op te vullen. Toch gaf de kaart aan dat Xak Tsaroth niet ver van de Oostelijke Wijzenweg lag. Ze zouden de stad tegen de middag moeten kunnen bereiken, als het terrein dat ze moesten oversteken tenminste niet onbegaanbaar was.

De reisgenoten nuttigden een vreugdeloos ontbijt. De meesten hadden helemaal geen trek en moesten zichzelf dwingen iets te eten. Raistlin brouwde op het kampvuur zijn smerig ruikende kruidendrankje. Zijn vreemde ogen bleven rusten op Goudmaans staf.

'Wat is die staf kostbaar geworden,' merkte hij zachtjes op, 'nu het bloed van zoveel onschuldige mensen ervoor is vergoten.'

'Is hij het waard? Is hij het leven van mijn volk waard?' vroeg Goudmaan terwijl ze met doffe blik naar de onopvallende bruine staf keek. Het leek of ze in één nacht veel ouder was geworden. Ze had grauwe kringen onder haar ogen.

Geen van de reisgenoten gaf antwoord. Allemaal wendden ze zwijgend en slecht op hun gemak hun blik af. Waterwind stond abrupt op en liep met grote passen het bos in. Goudmaan sloeg haar ogen op om hem na te kijken, maar liet toen haar hoofd in haar handen zakken en begon geluidloos te huilen. 'Hij neemt het zichzelf kwalijk.' Ze schudde haar hoofd. 'En ik maak het er niet gemakkelijker op voor hem. Het is niet zijn schuld.'

'Het is niemands schuld,' zei Tanis langzaam terwijl hij op haar afliep. Hij legde zijn hand op haar schouder en wreef over de spanningsknopen die hij in haar nek voelde. 'Het is niet te begrijpen. We moeten gewoon doorgaan en hopen dat we in Xak Tsaroth antwoorden vinden.'

Ze knikte, wreef haar ogen droog, ademde diep in en snoot haar neus in de zakdoek die Tasselhof haar aanreikte.

'Je hebt gelijk,' zei ze. Ze slikte moeizaam. 'Mijn vader zou zich voor me schamen. Ik moet niet vergeten dat ik de stamhoofdsdochter ben.'

'Nee,' klonk de diepe stem van Waterwind, die achter haar tussen de bomen stond. 'Je bent het stamhoofd.'

Goudmaans adem stokte. Ze stond op en draaide zich om, zodat ze Waterwind met grote ogen kon aankijken. 'Misschien wel,' zei ze aarzelend, 'maar het is een lege titel. Ons volk is dood—'

'Ik heb sporen gezien,' antwoordde Waterwind. 'Een enkeling is erin geslaagd te ontkomen. Waarschijnlijk zijn ze de bergen ingetrokken.

Ze zullen terugkeren, en dan zul jij hen leiden.'

'Ons volk... Ze leven nog!' Goudmaans gezicht begon te stralen.

'Het zijn er niet veel. Misschien zelfs helemaal geen meer. Dat hangt ervan af of de draconen hen zijn gevolgd naar de bergen.' Waterwind haalde zijn schouders op. 'Desondanks ben jij nu hun leider.' Er sloop iets van verbittering in zijn stem. 'En ik zal de echtgenoot van het stamhoofd zijn.'

Goudmaan kromp ineen alsof hij haar een klap had gegeven. Ze knipperde met haar ogen en schudde toen haar hoofd. 'Nee, Waterwind,' zei ze zachtjes. 'Ik... We hebben het erover gehad—'

'O ja?' viel hij haar in de rede. 'Ik moest er vannacht aan denken. Ik ben jaren weg geweest. In mijn beleving was je gewoon een vrouw. Ik heb niet beseft...' Hij slikte moeizaam en ademde diep in. 'Ik ben weggegaan bij Goudmaan. Bij mijn terugkeer trof ik een stamhoofdsdochter aan.'

'Ik had toch geen keus?' riep Goudmaan boos uit. 'Mijn vader was ziek. Ik moest wel de leiding nemen, anders zou Sageman de stam hebben overgenomen. Heb je enig idee hoe het is om stamhoofdsdochter te zijn? Om je bij elke maaltijd af te vragen of dit soms de hap is waar het vergif in zit? Om elke dag geld uit de schatkist bijeen te moeten schrapen om de soldaten te betalen, zodat Sageman geen excuus had de macht over te nemen? En al die tijd moest ik me gedragen als de stamhoofdsdochter, terwijl mijn vader zat te kwijlen en te mompelen.' Haar stem klonk verstikt van de tranen.

Waterwind hoorde haar met een streng, onbewogen gezicht aan. Hij staarde naar een punt boven haar hoofd. 'We moesten maar eens gaan,' zei hij koeltjes. 'Het wordt bijna licht.'

De reisgenoten hadden nog maar een paar mijl afgelegd op de oude, verweerde weg toen die in een moeras eindigde. Het was hun al opgevallen dat de grond natter werd en dat de hoge, robuuste bomen van het bos in de bergkloof dunner werden. Vóór hen verhieven zich merkwaardig verwrongen bomen. Een miasma onttrok de zon aan het zicht en de lucht die ze inademden was smerig. Raistlin begon te hoesten en moest zijn mond met een zakdoek bedekken. Ze bleven op de gebarsten stenen van de oude weg lopen en meden de muf ruikende, drassige grond ernaast.

Flint liep samen met Tasselhof voorop, toen hij opeens met een luide kreet in de modder wegzakte. Ze konden alleen zijn hoofd nog zien.

'Help! De dwerg!' riep Tas, en de anderen schoten hem te hulp.

'Ik word naar beneden gezogen!' Paniekerig sloeg Flint om zich heen naar de zachte, zwarte modder.

'Niet bewegen!' waarschuwde Waterwind. 'Je bent in doodsslijk gevallen. Spring niet achter hem aan!' zei hij snel tegen Sturm, die al naar voren wilde springen. 'Dan komen jullie allebei om. Pak een tak.'
Caramon greep met beide handen een jong boompje vast, ademde diep in en begon er kreunend aan te sjorren. Ze hoorden wortels knappen en kraken toen de reusachtige krijger het boompje uit de grond trok. Waterwind ging languit op zijn buik liggen om de tak naar de dwerg uit te steken. Flint, die inmiddels bijna tot aan zijn neus in de slijmerige modder lag, maaide wild om zich heen tot hij hem uiteindelijk te pakken kreeg. De barbaar trok het boompje uit het doodsslijk, samen met de dwerg die zich eraan vastklampte.
'Tanis!' De kender pakte de halfelf bij zijn arm en wees. Een slang zo dik als Caramons arm liet zich het slijk in glijden, precies op de plek waar de dwerg kort daarvoor had liggen spartelen.
'Hier kunnen we niet doorheen lopen!' Tanis gebaarde naar het moeras. 'Misschien kunnen we beter teruggaan.'
'Geen tijd,' fluisterde Raistlin. Zijn zandlopervormige ogen glinsterden.
'En er is geen andere weg,' zei Waterwind. Zijn stem had een vreemde klank. 'We kunnen er wel doorheen. Ik weet een pad.'
'Hè?' Tanis draaide zich naar hem om. 'Ik dacht dat je zei—'
'Ik ben hier al eens geweest,' zei de Vlakteman met verstikte stem. 'Ik weet niet meer wanneer, maar ik ben hier geweest. Ik weet de weg door het moeras. En hij leidt naar...' Hij likte zijn lippen.
'Naar een verwoeste stad waar het kwaad heerst?' vroeg Tanis grimmig toen de Vlakteman zijn zin niet afmaakte.
'Xak Tsaroth!' siste Raistlin.
'Natuurlijk,' zei Tanis zachtjes. 'Dat is alleen maar logisch. Waar kunnen we beter naartoe gaan om antwoorden te zoeken omtrent de staf, dan naar de plek waar de staf aan jou is geschonken?'
'En we moeten nu gaan!' zei Raistlin nadrukkelijk. 'We moeten er vóór middernacht zijn!'
Waterwind ging voorop. Hij vond vaste grond naast het zwarte water, droeg hun op in ganzenpas te lopen en leidde hen vervolgens bij de weg vandaan, dieper het oerwoud in. Bomen die hij 'ijzerklauw' noemde rezen op uit het water. Hun kromgetrokken wortels kwamen boven de modder uit. Lianen hingen aan de takken en streken over het nauwelijks zichtbare pad. De mist werd dichter, en al snel was het zicht beperkt tot een paar voet. Ze waren gedwongen om langzaam te lopen en hun voeten voorzichtig neer te zetten. Eén verkeerde beweging en ze zouden in het vieze, stinkende moeras terechtkomen dat overal om hen heen lag te dampen.
Opeens eindigde het pad in een waterpoel.

'Wat nu?' vroeg Caramon somber.

'Dat,' zei Waterwind wijzend. Een primitieve brug, gemaakt van lianen die tot touwen waren gedraaid, was aan een boom vastgebonden. Hij overspande het water als de draden van een spinnenweb.

'Wie heeft die brug gebouwd?' vroeg Tanis.

'Dat weet ik niet,' antwoordde Waterwind. 'Maar je vindt ze overal langs dit pad, op de plekken waar het onbegaanbaar wordt.'

'Ik zei toch dat Xak Tsaroth niet lang leeg zou blijven,' fluisterde Raistlin.

'Tja, we moeten natuurlijk geen stenen gooien naar een geschenk van de goden,' antwoordde Tanis. 'In elk geval hoeven we niet te zwemmen.'

De oversteek via de brug van lianen was niet aangenaam. De lianen waren bedekt met een laagje slijmerig mos, waardoor het niet meeviel eroverheen te lopen. Het bouwsel wiebelde schrikbarend als je het aanraakte, en die bewegingen werden alleen maar wilder als iemand eroverheen liep. Ze wisten veilig de overkant te bereiken, maar hadden nog maar een klein stukje gelopen toen ze gedwongen werden van een tweede brug gebruik te maken. En altijd lag onder hen en om hen heen het donkere water, van waaruit vreemde ogen hen hongerig aanstaarden. Toen bereikten ze een punt waar de vaste grond eindigde en er geen lianenbruggen waren. Voor hen lag niets dan water.

'Het is niet zo diep,' mompelde Waterwind. 'Loop achter me aan. Zet je voeten op precies dezelfde plek neer als ik.'

Waterwind deed tastend een stap naar voren, en nog een. De rest bleef vlak achter hem, starend naar het water. Angstig en vol afschuw staarden ze naar hun benen, waar onbekende, ongeziene wezens langs streken. Eenmaal op vaste grond zagen ze dat hun benen onder het slijk zaten, en ze kokhalsden van de stank. Toch leek het erop dat ze nu het ergste achter de rug hadden. De begroeiing was hier niet meer zo dicht en ze konden zelfs heel vaag door een groene waas de zon zien.

Hoe verder ze naar het noorden trokken, hoe steviger de grond onder hun voeten werd. Tegen het middaguur liet Tanis hen halt houden, toen hij een droog stukje grond onder een oeroude eikenboom ontwaarde. Gezeten op de grond nuttigden de reisgenoten het middagmaal en spraken ze hun hoop uit dat ze het moeras nu achter zich hadden gelaten. Allemaal behalve Goudmaan en Waterwind. Die zeiden geen woord.

Flints kleren waren drijfnat. Hij beefde van de kou en begon te klagen over pijn in zijn gewrichten. Dat maakte Tanis bezorgd. Hij wist dat de dwerg soms last had van reumatiek en was niet vergeten wat hij had gezegd over zijn angst dat hij de groep zou ophouden. Tanis tikte de kender op zijn rug en nam hem even terzijde.

'Ik weet dat je in een van die bundels wel iets hebt wat de kou uit de botten van de dwerg zou kunnen verdrijven, als je begrijpt wat ik bedoel,' zei Tanis zachtjes.

'O, ja, natuurlijk, Tanis,' zei Tas opgewekt. Hij tastte eerst in de ene buidel, toen in de andere, en duikelde uiteindelijk een zilveren flacon op. 'Brandewijn. De beste die Otik heeft.'

'Je hebt er zeker niet voor betaald, hè?' vroeg Tanis grinnikend.

'Dat doe ik nog wel,' antwoordde de kender gekwetst. 'De volgende keer dat ik er ben.'

'Uiteraard.' Tanis gaf hem een klopje op zijn schouder. 'Geef er een beetje van aan Flint. Niet te veel,' waarschuwde hij. 'Net genoeg om hem een beetje op te warmen.'

'Goed. En dan gaan wij wel voorop, wij machtige krijgers.' Lachend huppelde Tas op de dwerg af. Tanis voegde zich weer bij de anderen. Die waren zwijgend bezig de restanten van het middagmaal op te ruimen en zich voor te bereiden op de rest van de reis. We kunnen allemaal wel wat gebruiken van 'de beste die Otik heeft', dacht hij. Goudmaan en Waterwind hadden al de hele ochtend geen woord tegen elkaar gezegd. Hun stilzwijgen drukte de stemming behoorlijk. Tanis kon niets bedenken wat een eind zou maken aan de kwelling van het tweetal. Hij kon alleen maar hopen dat de tijd hun pijn zou verzachten. Na de lunch volgden de reisgenoten ongeveer een uur lang het pad. Ze kwamen sneller vooruit nu ze de dichtste begroeiing achter zich hadden gelaten. Net op het moment dat ze dachten van het moeras verlost te zijn, kwam er abrupt een einde aan de stevige grond. Vermoeid, ontmoedigd en misselijk van de stank moesten de metgezellen opnieuw door de modder waden.

Alleen Flint en Tasselhof lieten zich niet uit het veld slaan door dit nieuwe moeras. Ze waren ver voor de anderen uit gegaan. Tasselhof was Tanis' waarschuwing dat ze maar een beetje brandewijn moesten drinken al snel 'vergeten'. De drank verwarmde het bloed en maakte de sombere sfeer net iets draaglijker. De fles ging dan ook heel wat keertjes van hand tot hand, tot hij leeg was en ze al sjokkend grapjes maakten over wat ze zouden doen als ze een dracoon tegenkwamen.

'Ik zou hem meteen in steen laten veranderen, reken maar,' zei de dwerg, zwaaiend met een denkbeeldige strijdbijl. 'Bam! Hagedissenhachee.'

'Ik wed dat Raistlin zo'n monster met één blik in steen kan laten veranderen!' Tas imiteerde het grimmige gezicht en de strenge blik van de magiër. Ze schaterden het uit, sisten elkaar giechelend toe dat ze stil moesten zijn en keken op onvaste benen achterom om te controleren of Tanis hen had gehoord.

'Ik wed dat Caramon zijn vork erin zou steken en hem op zou eten!' zei Flint.

Stikkend van de lach wreef Tas de tranen uit zijn ogen. De dwerg bulderde het uit. Opeens bereikte het tweetal de rand van de sponsachtige grond. Tasselhof greep de dwerg vast, die bijna voorover in een moeraspoel duikelde, die zo breed was dat je hem niet met een brug van lianen zou kunnen overspannen. Er lag een reusachtige ijzerklauwboom over het water, en de brede stam bood een pad dat breed genoeg was voor twee personen naast elkaar.

'Dat noem ik nog eens een brug!' zei Flint terwijl hij een stap achteruit deed in een poging de boom scherp te krijgen. 'Heel anders dan die stomme groene webben waar je als een spin overheen moest kruipen. Kom.'

'Kunnen we niet beter op de anderen wachten?' vroeg Tasselhof mild. 'Tanis zou niet willen dat we elkaar kwijtraakten.'

'Tanis? Hmpf!' snoof de dwerg. 'We zullen hem eens een poepie laten ruiken.'

'Goed dan,' zei Tasselhof opgewekt. Hij sprong op de omgevallen boom. 'Voorzichtig,' zei hij toen hij even uitgleed, maar soepel zijn evenwicht hervond. 'Het is hier glad.' Met zijn armen uitgestrekt en zijn tenen naar buiten, net als de koorddanser die hij een keer op de kermis had gezien, nam hij een paar snelle passen.

De dwerg klauterde achter de kender aan. Op zijn stevige laarzen kloste hij onhandig over de boom. Een stemmetje in het niet door brandewijn bedwelmde deel van Flints geest vertelde hem dat hij dit broodnuchter nooit had gekund. Het stemmetje vertelde hem ook dat hij niet goed bij zijn hoofd was, dat hij het water overstak zonder op de anderen te wachten, maar hij besteedde er geen aandacht aan. Hij voelde zich weer piepjong.

Tasselhof, die niet goed oplette omdat hij deed alsof hij de Magnifieke Mirgo was, keek op en kwam tot de ontdekking dat hij nog publiek had ook: vlak vóór hem sprong zo'n dracoon op de boom. Die aanblik werkte meteen ontnuchterend. De kender werd nooit echt bang, maar verrast was hij wel. Hij had de tegenwoordigheid van geest om twee dingen te doen. Eerst riep hij keihard: 'Tanis! Hinderlaag!' Vervolgens tilde hij zijn hoopakstaf op en beschreef er een wijde boog mee.

Daarmee verraste hij de dracoon. De adem van het wezen stokte, en hij sprong weer van de boom af, op de oever. Daardoor raakte Tas even uit evenwicht, maar hij herstelde zich snel en vroeg zich af wat hij nu moest doen. Toen hij om zich heen keek, zag hij op de oever nog een dracoon staan. Ze waren, zo zag hij tot zijn verbazing, niet gewapend. Voordat hij over dat merkwaardige feit kon nadenken, hoorde hij achter zich gebrul. Hij was vergeten dat de dwerg er ook nog was.

'Wat is er?' riep Flint.

'Draconendingesen,' zei Tas met zijn hoopak stevig in zijn handen. Hij tuurde om zich heen in de mist. 'Twee, vlak voor ons! Daar komen ze!'

'Nou, vervloekt, ga dan uit de weg!' snauwde Flint. Hij tastte naar de strijdbijl op zijn rug.

'Waar moet ik dan naartoe?' riep Tas wild.

'Plat!' schreeuwde de dwerg.

De kender dook voorover op de boomstam, precies op het moment dat een van de draconen met uitgestrekte klauwen op hem afsprong. Flint haalde met al zijn kracht uit met zijn strijdbijl, en de dracoon zou ongetwijfeld onthoofd zijn als het wapen ook maar enigszins bij hem in de buurt was gekomen. Helaas had de dwerg een misrekening gemaakt, waardoor het blad zonder schade aan te richten voor de dracoon langs floot. Het monster stond inmiddels met zijn handen te zwaaien en op zangerige toon vreemde woorden uit te spreken.

Niet in staat de zwaai van zijn strijdbijl te remmen, draaide Flint om zijn as. Zijn voeten gleden weg op het slijmerige hout en met een luide kreet viel de dwerg achterover in het water.

Tasselhof trok al jaren op met Raistlin, dus besefte hij meteen dat de dracoon met een spreuk bezig was. De kender, die nog steeds met zijn hoopakstaf in zijn hand op zijn buik op de boomstam lag, vermoedde dat hij misschien anderhalve tel had om na te denken over wat hij moest doen. Onder hem lag de dwerg in het water te proesten en te sputteren. Vlakbij had de dracoon duidelijk bijna de verpletterende apotheose van zijn spreuk bereikt. Tas besloot dat alles beter was dan betoverd worden. Hij ademde diep in en liet zich van de boomstam vallen.

'Tanis! Hinderlaag!'

'Vervloekt!' zei Caramon toen ze ergens voor zich in de mist de stem van de kender hoorden.

Met z'n allen renden ze in de richting van het geluid, de lianen en takken verwensend die hun de weg versperden. Toen ze met veel kabaal de rand van het bos bereikten, zagen ze de omgevallen ijzerklauw die als brug fungeerde. Vier draconen kwamen uit de schaduw op hen afgestormd en sneden hun de pas af.

Opeens werden de kameraden omringd door een duisternis die zo diep was dat ze hun eigen handen niet eens konden zien, laat staan hun metgezellen.

'Magie!' hoorde Tanis Raistlin sissen. 'Dit zijn gebruikers van magie. Uit de weg. Hier winnen jullie het niet van.'

Vervolgens hoorde Tanis de magiër een kreet van pijn slaken.

'Raist!' schreeuwde Caramon. 'Waar… Oef…' Er klonk een kreun, gevolgd door een doffe dreun toen de krijger met zijn zware lijf tegen de grond sloeg.

Tanis hoorde de draconen iets opzeggen. Hij tastte naar zijn zwaard, maar bijna meteen werd hij van top tot teen gehuld in een dikke, kleverige substantie die in zijn neus en mond ging zitten. Hoe meer hij zijn best deed om zich te bevrijden, hoe steviger hij vast kwam te zitten. Naast zich hoorde hij Sturm vloeken, Goudmaan slaakte een kreet, Waterwinds stem werd afgesneden. Toen werd Tanis opeens slaperig. Hij liet zich op zijn knieën zakken, nog steeds worstelend om zich te bevrijden uit de webachtige substantie die zijn armen tegen zijn lichaam plakte. Toen viel hij voorover op zijn gezicht en zakte weg in een onnatuurlijke slaap.

14
Gevangenen van de draconen.

Op zijn buik op de grond, hijgend en wel, keek Tasselhof toe terwijl de draconen voorbereidingen troffen om zijn bewusteloze vrienden weg te voeren. De kender zat goed verstopt in een struik vlak bij het moeras. Naast hem lag, languit en buiten westen, de dwerg. Tas had geen keus. De dwerg had hem in zijn paniek meegesleurd onder het koude water. Als hij de dwerg geen dreun op zijn hoofd had gegeven met zijn hoopakstaf, zouden ze er geen van beiden levend uit zijn gekomen. Hij had de bewusteloze dwerg uit het water gesleurd en onder een struik verstopt.

Vervolgens moest Tasselhof hulpeloos toekijken terwijl de draconen met een toverspreuk zijn vrienden hulden in iets wat eruitzag als een stevig spinnenweb. Tas vermoedde dat ze allemaal bewusteloos waren – of dood – want ze verweerden zich niet.

De kender putte enig grimmig amusement uit de mislukte pogingen van de draconen om Goudmaans staf te pakken. Kennelijk herkenden ze hem, want ze krasten wat in hun taal vol keelklanken terwijl ze opgetogen gebaarden. Een van hen – waarschijnlijk de leider – wilde de staf pakken. Er volgde een blauwe lichtflits. Met een schelle kreet liet de dracoon de staf vallen. Hij hupte heen en weer langs de oever onder het uiten van woorden waarvan Tas aannam dat het krachttermen waren. Uiteindelijk bedacht de leider echter een ingenieuze oplossing. Hij haalde een bontdeken uit Goudmaans reistas en legde die op de grond. Vervolgens raapte het wezen een stok op en gebruikte die om de staf op de deken te rollen. Ten slotte wikkelde hij de staf voorzichtig in de bontdeken en tilde hem triomfantelijk op. De draconen tilden de in webben gehulde lichamen van Tas' vrienden op en gingen op weg. De rest van de draconen kwam achter ze aan met de reistassen en wapens van de reisgenoten.

Juist op het moment dat de draconen over een pad marcheerden dat vlak langs de kender liep, begon Flint opeens te bewegen en te kreunen. Tas sloeg zijn hand voor de mond van de dwerg. De draconen leken niets te hebben gehoord, want ze liepen gewoon verder. Toen ze hem passeerden, kon Tas zijn vrienden duidelijk zien in het zwakker wordende middaglicht. Ze leken in een diepe slaap. Caramon snurkte zelfs. De kender moest denken aan Raistlins slaapspreuk, en vermoedde dat de draconen net zoiets met zijn vrienden hadden uitgehaald.

Flint kreunde opnieuw. Een van de draconen achter in de rij bleef staan om in de struiken te turen. Tas raapte zijn hoopak op en hield die boven het hoofd van de dwerg in de aanslag, voor het geval dát. Het was echter niet nodig. De dracoon haalde zijn schouders op, mompelde iets bij zichzelf en sloot toen in looppas aan bij zijn kameraden. Met een zucht van verlichting haalde Tas zijn hand van de mond van de dwerg. Flint knipperde met zijn ogen.

'Wat is er gebeurd?' kreunde de dwerg met zijn hand op zijn hoofd.

'Je bent van de brug gevallen, en toen heb je je hoofd gestoten aan een stuk hout,' zei Tas gladjes.

'O ja?' Flint keek wantrouwig. 'Daar kan ik me niets van herinneren. Ik weet nog dat een van die draconen op me afkwam en dat ik in het water viel—'

'Nou, zo is het gegaan, dus niet zeuren,' zei Tas haastig terwijl hij overeind krabbelde. 'Kun je lopen?'

'Natuurlijk kan ik lopen,' snauwde de dwerg. Hij stond op, een beetje onvast op zijn benen, maar met rechte rug. 'Waar is iedereen?'

'De draconen hebben hen overmeesterd en meegenomen.'

'Allemaal?' Flints mond viel open. 'Zomaar?'

'Deze draconen gebruikten magie,' zei Tas ongeduldig, want hij stond te popelen om op pad te gaan. 'Ik neem aan dat ze een spreuk hebben uitgesproken. Ze hebben niemand verwond, behalve Raistlin. Hem hebben ze volgens mij iets vreselijks aangedaan. Ik heb hem gezien toen ze hier langskwamen. Hij zag er beroerd uit. Maar hij is de enige.' De kender trok de dwerg aan zijn natte mouw. 'Kom op nou, we moeten achter hen aan.'

'Ja, goed,' mompelde Flint, om zich heen kijkend. Toen legde hij zijn hand weer op zijn hoofd. 'Waar is mijn helm?'

'Op de bodem van het moeras,' zei Tas geërgerd. 'Wilde je hem gaan opduiken?'

De dwerg wierp het water een blik vol afschuw toe, rilde en wendde zich snel af. Weer legde hij zijn hand op zijn hoofd, op de fikse bult die hij daar voelde. 'Ik kan me echt niet herinneren dat ik mijn hoofd heb gestoten,' mompelde hij. Toen bedacht hij opeens iets. Wild tastte hij op zijn rug. 'Mijn bijl!' kreet hij.

'Sst!' deed Tas berispend. 'Je leeft in elk geval nog. En nu moeten we de anderen gaan redden.'

'En hoe stel je je voor dat we dat moeten doen zonder wapens, afgezien van die uit de kluiten gewassen slinger van je?' mopperde Flint terwijl hij achter de lichtvoetige kender aan stampte.

'We bedenken wel iets,' zei Tas vol zelfvertrouwen, al had hij het gevoel dat hij elk moment kon struikelen nu de moed hem snel in de schoenen begon te zinken.

De kender wist zonder enige moeite het spoor van de draconen te vinden. Het was duidelijk een oud en veelgebruikt pad, want het zag eruit alsof het door de voeten van honderden draconen was platgetreden. Toen hij de sporen bestudeerde, besefte Tasselhof opeens dat ze misschien wel midden in een kamp vol monsters terecht zouden komen. Hij haalde zijn schouders op. Het had geen zin om je over dergelijke onbenullige details druk te maken.

Helaas was Flint een andere filosofie toegedaan. 'Er zit daar verdorie een compleet leger!' zei de dwerg verbijsterd, terwijl hij de kender bij de schouder greep.

'Ja, nou ja...' Tas bleef even staan om de situatie te overdenken. Zijn gezicht lichtte op. 'En dat is maar goed ook. Hoe meer er zijn, des te kleiner de kans dat ze ons zullen zien.' Hij liep weer verder. Flint fronste zijn voorhoofd. Er klopte iets niet aan die logica, maar op het moment kon hij er niet de vinger achter krijgen, en hij was te nat en koud om de discussie aan te gaan. En trouwens, hij dacht er net zo over als de kender: de enige andere mogelijkheid die ze hadden, was door het moeras terug vluchten en hun vrienden aan hun lot overlaten. En dat was geen reële optie.

Ze liepen nog een halfuur door. De zon zakte weg in de mist, waardoor die een bloedrode gloed kreeg. Het werd snel donker in het sombere moeras.

Al snel zagen ze voor zich uit een fel licht. Ze verlieten het pad en kropen de struiken in. De kender bewoog zich geruisloos voort, maar de dwerg stapte op takjes die knapten onder zijn voeten en deed de blaadjes luid ritselen. Gelukkig werd er gefeest in het draconenkamp, waardoor ze het waarschijnlijk niet eens zouden hebben gehoord als er een heel leger van dwergen op hen afkwam. Flint en Tas lieten zich net buiten de lichtkring van het kampvuur op hun knieën zakken en keken toe. Opeens greep de dwerg de kender zo ruw vast dat de laatste bijna omviel.

'Grote Reorx!' vloekte Flint wijzend. 'Een draak!'

Tas was te verbijsterd om iets te kunnen zeggen. Verbaasd en ontzet keken hij en de dwerg naar de dansende draconen, die zich met enige regelmaat voor een reusachtige zwarte draak op de grond lieten vallen.

Het monster zat weggedoken in het overgebleven deel van een half verbrokkeld, koepelvormig gebouw. Zijn kop kwam boven de boomtoppen uit en zijn spanwijdte was gigantisch. Een van de draconen, gekleed in een gewaad, maakte een buiging voor de draak en gebaarde naar de staf, die bij de in beslag genomen wapens op de grond lag.

'Er is iets vreemds aan die draak,' fluisterde Tas nadat hij het monster even had bestudeerd.

'Behalve dat ze niet horen te bestaan, bedoel je?'

'Dat is het 'm nu juist,' zei Tas. 'Kijk maar eens goed. Het monster beweegt helemaal niet en reageert nergens op. Het zit daar maar. Ik heb altijd gedacht dat draken iets levendiger zouden zijn, jij niet?'

'Ga maar eens aan zijn poot kriebelen!' snoof Flint. 'Dan zul je eens zien hoe levendig hij is!'

'Ik denk dat ik dat inderdaad maar eens ga doen,' zei de kender. Voordat de dwerg iets kon zeggen, was Tasselhof al tussen de struiken vandaan gekropen en schoot hij van de ene donkere plek naar de andere in de richting van het kamp. Flint kon zijn baard wel uittrekken van frustratie, maar het zou rampzalig zijn als hij de kender nu nog probeerde tegen te houden. Het enige wat hij kon doen, was achter hem aan gaan.

'Tanis!'

De halfelf hoorde iemand zijn naam roepen, als van de andere kant van een brede kloof. Hij wilde antwoord geven, maar zijn mond zat vol met iets kleverigs. Hij schudde zijn hoofd. Toen voelde hij een arm om zijn schouders, die hem hielp rechtop te gaan zitten. Hij opende zijn ogen. Het was donker. Afgaand op het flakkerende licht brandde er ergens in de buurt een groot, fel vuur. Sturms bezorgde gezicht was vlak bij het zijne. Met een zucht legde Tanis zijn hand op de schouder van de ridder. Hij wilde iets zeggen, maar eerst moest hij stukjes van de kleverige substantie wegtrekken die als een spinnenweb aan zijn gezicht en mond plakte.

'Het gaat wel,' zei Tanis zodra hij iets kon zeggen. 'Waar zijn we?' Hij keek om zich heen. 'Is iedereen er? Zijn er gewonden?'

'We bevinden ons in een draconenkamp,' zei Sturm terwijl hij de halfelf hielp bij het opstaan. 'Tasselhof en Flint zijn er niet, en Raistlin is gewond.'

'Ernstig?' vroeg Tanis, geschrokken door het ernstige gezicht van de ridder.

'Het ziet er niet best uit,' antwoordde Sturm.

'Gifpijl,' zei Waterwind. Tanis draaide zich om naar de Vlakteman, waarbij hij voor het eerst hun gevangenis in ogenschouw kon nemen. Ze zaten in een kooi van bamboe die werd bewaakt door draconenwachters met hun lange kromzwaarden in de aanslag. Verderop krioelden honderden draconen rond een kampvuur. En daarachter…

'Ja,' zei Sturm toen hij Tanis' geschrokken gezicht zag. 'Een draak. Nog meer verhaaltjes voor het slapengaan. Raistlin zou zijn lol niet op kunnen.'

'Raistlin…' Tanis liep naar de magiër toe, die in een hoek van de kooi lag met zijn mantel over zich heen. De jongeman rilde van de koorts. Goudmaan zat op haar knieën naast hem, met haar hand op zijn voorhoofd, en streek over zijn witte haar. Hij was bewusteloos. Zijn hoofd bewoog onrustig heen en weer en hij prevelde vreemde woorden. Af en toe schreeuwde hij onverstaanbare bevelen. Aan zijn andere zijde zat Caramon, wiens gezicht bijna net zo bleek was als dat van zijn broer. Goudmaan beantwoordde Tanis' vragende blik en schudde bedroefd haar hoofd, met grote ogen die glansden in het licht van het kampvuur. Waterwind kwam naast Tanis staan.

'Ze heeft dit in zijn hals gevonden,' zei hij terwijl hij voorzichtig een klein, gevederd pijltje tussen zijn duim en wijsvinger omhooghield. Hij wierp de magiër een blik toe waaruit weinig genegenheid, maar wel enig medeleven sprak. 'Wie zal zeggen wat voor gif er in zijn aderen brandt?'

'Als we de staf hadden…' zei Goudmaan.

'Ja,' zei Tanis. 'Waar is die?'

'Daar,' zei Sturm met een wrange trek om zijn mond. Hij wees. Tanis tuurde langs de honderden draconen en zag de staf liggen, op Goudmaans bontdeken, vóór de zwarte draak.

Tanis pakte een tralie van de kooi vast. 'We zouden kunnen uitbreken,' zei hij tegen Sturm. 'Caramon kan dit bamboe als een twijgje doormidden breken.'

'Zelfs Tasselhof zou het doormidden kunnen breken als hij er was,' zei Sturm. 'Natuurlijk hoeven we het dan alleen nog op te nemen tegen honderden van die monsters, om over de draak nog maar te zwijgen.'

'Ja, al goed. Je hoeft het me niet in te peperen.' Tanis zuchtte. 'Enig idee wat er met Flint en Tas is gebeurd?'

'Waterwind zegt dat hij een plons hoorde, vlak nadat Tas riep dat het een hinderlaag was. Met een beetje geluk zijn ze van de boomstam gesprongen en het moeras ingevlucht. Zo niet…' Sturm maakte zijn zin niet af.

Tanis sloot zijn ogen voor het licht van het kampvuur. Hij was moe. Moe van het vechten, moe van het moorden, moe van het waden door de modder. Vol verlangen stelde hij zich voor dat hij zou gaan liggen en in slaap zou vallen. In plaats daarvan opende hij zijn ogen, liep met grote, boze passen naar een andere wand van de kooi en rammelde aan de tralies. Een van de draconenwachters draaide zich met geheven zwaard naar hem om.

'Spreek je Gemeenschaps?' vroeg Tanis in de laagste, primitiefste vorm van de gemeenschappelijke taal die op Krynn werd gebruikt.

'Ja, ik spreek Gemeenschaps. En kennelijk beter dan jij, elfenrat,' sneerde de dracoon. 'Wat moet je?'

'Een van ons is gewond. We verzoeken u hem te behandelen. Geef hem een antigif tegen het pijlgif.'

'Gif?' De dracoon tuurde in de kooi. 'O ja, de magiër.' Het wezen maakte een gorgelend geluid diep in zijn keel, dat duidelijk moest doorgaan voor gelach. 'Dus hij is ziek? Tja, het gif werkt snel. We kunnen hier geen magiër gebruiken. Zelfs achter tralies zijn ze dodelijk. Maar maak je geen zorgen. Hij zal zich niet eenzaam voelen, want jullie zullen je snel genoeg bij hem voegen. Sterker nog, je zou hem moeten benijden. Jullie zullen een veel minder snelle dood sterven.'

De dracoon wendde zich van Tanis af en zei iets tegen zijn metgezel, met zijn geklauwde duim wijzend op de kooi. Allebei lachten ze krassend en gorgelend. Tanis voelde afschuw en woede in zich opborrelen. Hij keek om naar Raistlin.

De toestand van de magiër verslechterde snel. Goudmaan legde haar vingers op Raistlins hals, zoekend naar een polsslag, maar schudde mismoedig haar hoofd. Caramon kreunde zachtjes. Toen gleed zijn blik naar de twee draconen die buiten stonden te praten en te lachen.

'Stop, Caramon!' riep Tanis, maar het was al te laat.

Brullend als een gewond dier sprong de krijger op de draconen af. De wand van bamboe scheurde, en splinters drongen in Caramons huid, maar in zijn krankzinnige moordlust merkte hij er niets van. Tanis sprong op zijn rug, maar Caramon schudde hem van zich af met het gemak waarmee een beer zich van een irritante vlieg ontdoet.

'Caramon, dwaas die je bent,' gromde Sturm terwijl hij en Waterwind zich samen op de krijger stortten. Maar de woedende Caramon was onstuitbaar.

Een van de draconen draaide zich met een ruk om, zwaaiend met zijn zwaard, maar Caramon sloeg het uit zijn handen. Het wezen sloeg tegen de grond, bewusteloos geslagen door de machtige vuist van de reus. Binnen een paar tellen stonden er zes draconen om de krijger heen, met pijl en boog in de aanslag. Sturm en Waterwind werkten Caramon tegen de grond. Sturm ging boven op hem zitten en duwde zijn gezicht in de modder toen hij de grote man voelde verslappen en hem verstikt hoorde snikken.

Op dat moment sneed een hoge, schrille stem door het kamp. 'Breng de krijger naar mij toe!' zei de draak.

Tanis' nekharen gingen overeind staan. De draconen lieten hun wapens zakken en draaiden zich met verbijsterde gezichten en onderling mompelend om naar de draak. Waterwind en Sturm krabbelden overeind. Caramon bleef op de grond liggen, verstikt snikkend. De draconenwachters keken elkaar slecht op hun gemak aan. Degenen die vlak bij de draak stonden, deinsden haastig terug en vormden een enorme halve cirkel.

Tanis zag een van de wezens, afgaand op de insignes op zijn wapenrusting waarschijnlijk een kapitein, met grote passen aflopen op een in een gewaad gehulde dracoon die met open mond naar de zwarte draak stond te staren.

'Wat gebeurt er?' vroeg de kapitein op hoge toon. De dracoon sprak in het Gemeenschaps. Tanis, die ingespannen stond te luisteren, besefte dat ze tot verschillende rassen behoorden. De draconen met de gewaden waren kennelijk de magiërs en priesters. Het leek erop dat de twee niet in hun eigen taal konden communiceren. De militaire dracoon was duidelijk boos.

'Waar is die Bozakpriester van jullie? Hij moet ons vertellen wat we moeten doen!'

'De hogere van mijn orde is er niet.' De dracoon met het gewaad herstelde zich snel. 'Een van hén is hiernaartoe komen vliegen en heeft hem meegenomen naar heer Canaillaard voor een overleg over de staf.'

'Maar de draak spreekt nooit als de priester er niet is.' De kapitein dempte zijn stem. 'Mijn jongens vinden het maar niks. Je moet iets doen, en snel!'

'Waarom duurt het zo lang?' krijste de draak met een stem als de huilende wind. 'Breng me de krijger!'

'Doe wat de draak zegt.' De dracoon in het gewaad maakte een snel gebaar met zijn geklauwde hand. Enkele draconen kwamen aanrennen om Tanis, Waterwind en Sturm weer in de vernielde kooi te duwen en de bloedende Caramon aan zijn armen overeind te hijsen. Ze sleepten hem naar de draak toe en zetten hem met zijn rug naar het vuur vóór het monster neer. Vlak bij hem lagen de blauw kristallen staf, Raistlins staf, hun wapens en hun reistassen.

Caramon hief zijn hoofd om het monster aan te kijken, zijn blik vertroebeld door de tranen en het bloed van de vele wondjes die het bamboe in zijn gezicht had achtergelaten. De draak torende hoog boven hem uit en was slechts vaag zichtbaar door de rook die van het vreugdevuur opsteeg.

'Wij delen onze straffen snel en doeltreffend uit, mensenrat,' siste de draak. Onder het spreken klapperde hij langzaam met zijn reusachtige vleugels. De draconen slaakten verschrikte kreten en deinsden terug. Sommigen wilden zo graag bij het monster vandaan dat ze over hun eigen voeten struikelden. Kennelijk wisten ze wat er komen ging.

Zonder angst keek Caramon het monster aan. 'Mijn broer is stervende,' schreeuwde hij. 'Doe met mij wat je wilt. Ik heb slechts één verzoek. Geef me mijn zwaard, zodat ik strijdend ten onder kan gaan!'

De draak lachte schril, en de draconen vielen in met hun afschuwelijke gekras en gegorgel. Nog steeds klapperde de draak met zijn vleugels, en nu begon hij heen en weer te wiegen, kennelijk met de bedoeling zich op de krijger te storten en hem op te vreten.

'Dit kan leuk worden. Geef hem zijn wapen,' beval de draak. Zijn klapperende vleugels veroorzaakten windvlagen die door het kamp raasden en het kampvuur deden vonken.

Caramon duwde de draconenwachters van zich af. Hij veegde zijn ogen droog, liep naar de wapens en pakte zijn zwaard van de stapel. Toen draaide hij zich om naar de draak, zijn gezicht getekend door verdriet en berusting. Hij hief zijn zwaard.

'We kunnen hem niet in zijn eentje laten sterven!' zei Sturm bruusk, en hij deed een stap naar voren met de bedoeling uit te breken.

Opeens klonk er achter hen een stem uit de duisternis.

'Psst... Tanis!'

De halfelf draaide zich met een ruk om. 'Flint!' riep hij uit. Hij wierp een angstvallige blik op de draconenwachters, maar die werden volledig in beslag genomen door het spektakel met Caramon en de draak. Tanis haastte zich naar de achterwand van de kooi van bamboe, waar de dwerg stond.

'Maak dat je wegkomt!' beval de halfelf. 'Je kunt toch niets doen. Raistlin is stervende, en de draak—'

'Is Tasselhof,' zei Flint kort en bondig.

'Hè?' Tanis keek naar de dwerg. 'Praat geen onzin.'

'De draak is Tasselhof,' herhaalde Flint geduldig.

Bij hoge uitzondering was Tanis sprakeloos. Hij staarde de dwerg aan.

'Het is een draak van wilgentenen,' fluisterde de dwerg haastig. 'Tasselhof is achterlangs geslopen om vanbinnen een kijkje te nemen. Er zit een heel mechaniek in! Als je in de draak gaat zitten, kun je de vleugels laten bewegen en door een buis spreken. Zo zullen de priesters hier de orde wel bewaken. Maar goed, Tasselhof is dus degene die met zijn vleugels klappert en Caramon dreigt op te eten.'

Tanis zuchtte. 'Maar wat moeten we doen? Er lopen nog steeds honderden draconen rond. Vroeg of laat zullen ze beseffen wat er gaande is.'

'Ga samen met Waterwind en Sturm naar Caramon toe. Pak de wapens, de reistassen en de staf. Ik zal samen met Goudmaan Raistlin het bos in

dragen. Tasselhof is iets van plan. Zorg dat je voorbereid bent.'
Tanis kreunde.
'Ik vind het zelf ook niks,' grauwde de dwerg. 'Ons leven toevertrouwen aan dat leeghoofd van een kender. Maar ja, hij is nu eenmaal de draak.'
'Dat is hij zeker,' zei Tanis met een achterdochtige blik op de draak, die krijste en jammerde, met zijn vleugels sloeg en heen en weer wiegde. De draconen stonden er met open mond van verwondering naar te staren. Tanis greep Sturm en Waterwind bij de arm, en samen gingen ze gehurkt naast Goudmaan zitten, die niet van Raistlins zijde was geweken. De halfelf legde uit wat er gaande was. Sturm keek hem aan alsof hij net zo gek was geworden als Raistlin. Waterwind schudde zijn hoofd.
'Hebben jullie dan een beter plan?' vroeg Tanis.
De twee mannen keken naar de draak, toen weer naar Tanis, en haalden hun schouders op.
'Goudmaan gaat met de dwerg mee,' zei Waterwind.
Ze wilde protesteren, maar hij keek haar aan met zijn uitdrukkingsloze ogen, waarop ze slikte en er het zwijgen toe deed.
'Ja,' zei Tanis. 'Blijf bij Raistlin, vrouwe, als je wilt. We komen je de staf wel brengen.'
'Snel dan,' zei ze met een strakke trek om haar mond. 'Hij heeft nog maar heel weinig tijd.'
'We zullen ons haasten,' zei Tanis grimmig. 'Ik heb het gevoel dat het allemaal heel snel zal gaan zodra we de strijd aangaan.' Hij gaf haar een klopje op haar hand. 'Kom mee.' Hij stond op en ademde diep in.
Waterwind zat nog steeds naar Goudmaan te kijken. Hij wilde iets zeggen, maar schudde toen geïrriteerd zijn hoofd en ging naast Tanis staan. Sturm voegde zich bij hen. Gedrieën slopen ze op de draconenwachters af.

Caramon hief zijn zwaard. Het reflecteerde het licht van het vuur. De draak werd tot waanzin gedreven, en alle draconen liepen schreeuwend achteruit, terwijl ze met hun zwaard op hun schild sloegen. De wind van de drakenvleugels deed as en vonken uit het vuur opvliegen, waardoor de dichterbij gelegen bamboehutten in brand vlogen. De draconen merkten er niets van, zozeer waren ze op bloed belust. De draak krijste en brulde, en Caramon voelde zijn mond droog worden en zijn buikspieren samentrekken. Dit was de eerste keer dat hij zich zonder zijn broer aan zijn zijde in de strijd begaf. Bij die gedachte klopte zijn hart pijnlijk in zijn keel. Hij stond op het punt met een sprong in de aanval te gaan, toen Tanis, Sturm en Waterwind uit het niets naast hem opdoken.

'We laten onze vriend niet alleen sterven!' riep de halfelf uitdagend naar de draak. De draconen juichten woest.

'Weg hier, Tanis!' zei Caramon boos. Zijn rood aangelopen gezicht was nat van de tranen. 'Dit is mijn gevecht.'

'Hou je mond en luister naar me!' beval Tanis. 'Pak jouw zwaard en dat van mij, Sturm. Waterwind, pak je wapens, de reistassen en alle draconenwapens die je kunt vinden ter compensatie voor alles wat we kwijt zijn. Caramon, pak de twee staven.'

Caramon staarde hem niet-begrijpend aan. 'Wat—'

'Tasselhof is de draak,' zei Tanis. 'Er is geen tijd voor verdere uitleg. Doe gewoon wat ik zeg! Pak de staf en ga ermee naar het bos. Goudmaan wacht op je.' Hij gaf de krijger een zet tegen zijn schouder. 'Schiet op! Raistlin maakt het niet lang meer. Dit is zijn enige kans!'

Dat drong tot Caramon door. Hij rende naar de stapel wapens en haalde er de blauw kristallen staf en Raistlins staf van Magius uit, onder luid geschreeuw van de draconen. Sturm en Waterwind wapenden zich, en Sturm kwam Tanis zijn zwaard brengen.

'Bereid je nu voor om te sterven, mensen!' krijste de draak. Hij maakte een schokkerige beweging met zijn vleugels, en opeens zweefde het monster boven de grond. De draconen krasten en schreeuwden van schrik. Sommigen zetten het op een lopen naar het bos, anderen wierpen zich op de grond.

'Nu!' riep Tanis. 'Rennen, Caramon!'

De grote krijger rende zo snel als hij kon naar het bos, naar de plek waar hij Goudmaan en Flint op hem zag wachten. Er dook een dracoon voor hem op, maar die duwde hij met zijn sterke arm opzij. Achter zich hoorde hij een hoop kabaal: Sturm die een Solamnische oorlogskreet slaakte, schreeuwende draconen. Er sprongen nog meer draconen op Caramon af. Hij gebruikte de blauw kristallen staf zoals hij het Goudmaan had zien doen: met zijn grote rechterhand beschreef hij er een wijde boog mee. Een blauwe vlam laaide op en de draconen trokken zich terug.

Toen Caramon eindelijk het bos bereikte, trof hij Raistlin aan Goudmaans voeten aan. Hij ademde nauwelijks. Goudmaan pakte de staf aan en legde die op het bewegingloze lichaam van de magiër. Flint keek hoofdschuddend toe. 'Het werkt niet,' mompelde hij. 'Hij is opgebruikt.'

'Het móét werken,' zei Goudmaan stellig. 'Alstublieft,' prevelde ze, 'wie ook de meester is van deze staf, genees deze man. Toe.' Zonder het te beseffen herhaalde ze die woorden keer op keer. Caramon bleef even staan toekijken, knipperend met zijn ogen. Op dat moment werd het bos om hem heen verlicht door een reusachtige steekvlam.

'In de naam van de Afgrond!' verzuchtte Flint. 'Moet je kijken!'

Caramon draaide zich net op tijd om om te kunnen zien hoe de grote, zwarte draak van wilgentenen voorover in het laaiende vreugdevuur dook. Brandende houtblokken vlogen door de lucht en een regen van vonken daalde neer op het kamp. De bamboehutten van de draconen, waarvan er al een paar in brand stonden, gingen nu snel in vlammen op. De draak van wilgentenen slaakte een laatste, angstaanjagend schelle kreet, om vervolgens ook in brand te vliegen.

'Tasselhof!' zei Flint geschrokken. 'Die vervloekte kender... Hij zit er nog in!' Voordat Caramon hem kon tegenhouden, rende de dwerg het brandende draconenkamp binnen.

'Caramon...' mompelde Raistlin. De grote krijger knielde naast hem neer. Raistlin was nog steeds bleek, maar zijn ogen waren open en helder. Zwakjes kwam hij overeind en leunde tegen zijn broer aan, starend naar het razende vuur. 'Wat gebeurt er?'

'Ik weet het niet precies,' zei Caramon. 'Tasselhof is in een draak veranderd, en verder snap ik er helemaal niks van. Rust jij nou maar uit.' De krijger staarde naar de rook, met zijn zwaard in de aanslag, voor het geval de draconen hen zouden aanvallen.

De draconen hadden echter geen aandacht meer voor de gevangenen. Die van het kleinere ras waren volledig in paniek het bos in gevlucht nu hun machtige drakengod door de vlammen werd verslonden. Een paar van de draconen in gewaden, die groter en kennelijk intelligenter waren dan die van het andere ras, probeerden wanhopig orde te scheppen in de angst en chaos die hen omringden.

Sturm vocht en hakte zich een weg door de draconen, zonder op enige georganiseerde tegenstand te stuiten. Hij had net de rand van de open plek bereikt, vlak bij de bamboekooi, toen Flint hem voorbij kwam stuiven, terug naar het kamp.

'Hé! Waar—' riep Sturm tegen de dwerg.

'Tas, in de draak!' Flint rende zonder in te houden verder.

Toen Sturm zich omdraaide, zag hij de zwarte draak van wilgentenen branden. De vlammen schoten hoog de lucht in. Dikke rookwolken stegen op en verspreidden zich als een deken over het kamp, want de zware, vochtige moeraslucht voorkwam dat de rook kon opstijgen en wegdrijven. Vonken regenden neer op het kamp toen een deel van de brandende draak ontplofte. Sturm bukte, sloeg de vonken uit die op zijn cape belandden en rende achter de dwerg aan. Met zijn lange passen had hij de kleine dwerg snel ingehaald.

'Flint,' hijgde hij terwijl hij de dwerg bij zijn arm greep. 'Het heeft geen zin. In die oven kan niets overleven! We moeten terug naar de anderen—'

'Laat me los!' brulde Flint zo woest dat Sturm van schrik deed wat hij zei. De dwerg zette het weer op een lopen richting de draak. Met een diepe zucht ging Sturm achter hem aan, al begonnen zijn ogen te tranen van de rook.

'Tasselhof Klisvoet!' riep Flint. 'Stomme kender! Waar zit je?'

Geen antwoord.

'Tasselhof!' krijste Flint. 'Als jij deze ontsnapping verpest, vermoord ik je, zowaar als ik…' Tranen van frustratie, verdriet, woede en rook stroomden over de wangen van de dwerg.

De hitte was overweldigend. De lucht brandde in Sturms longen, en hij wist dat ze hem niet lang konden inademen, wilden ze zelf in leven blijven. Stevig pakte hij de dwerg vast, zich voornemend om hem indien nodig buiten westen te slaan, maar opeens zag hij aan de rand van de vlammenzee iets bewegen. Hij wreef in zijn ogen en keek nog eens goed.

De draak lag op de grond, en de kop was door de lange hals van wilgentenen nog met het brandende lijf verbonden. De kop stond nog niet in brand, maar de vlammen likten inmiddels wel aan de hals. Nog even, en ook de kop zou in vlammen opgaan. Weer zag Sturm iets bewegen.

'Flint! Kijk!' Sturm rende naar de kop, met de dwerg klossend op zijn hielen. Twee beentjes, gehuld in een felblauwe broek, staken zwakjes schoppend uit de bek van de draak.

'Tas!' riep Sturm. 'Kom eruit! De kop vliegt zo in brand!'

'Kan niet! Ik zit vast!' klonk Tas' gedempte stem.

Sturm staarde naar de kop terwijl hij wanhopig een manier probeerde te denken om de kender te bevrijden. Flint pakte Tas domweg bij zijn benen en begon te trekken.

'Au! Hou op!' gilde Tas.

'Het lukt niet,' zei de dwerg puffend. 'Hij zit muurvast.'

De vlammen kropen langs de drakenhals omhoog.

Sturm trok zijn zwaard. 'Ik hoop dat ik zijn hoofd er niet af hak,' mompelde hij tegen Flint, 'maar het is zijn enige kans.' Sturm schatte de lengte van de kender, berekende waar zijn hoofd ongeveer zat en bad dat hij zijn armen niet gestrekt boven zijn hoofd hield. Toen tilde hij zijn zwaard op boven de hals van de draak.

Flint sloot zijn ogen.

De ridder haalde diep adem en liet zijn zwaard met een klap op de draak neerkomen. De kop rolde van de hals. De kender slaakte een kreet, misschien van pijn, misschien van verbijstering, dat wist Sturm niet.

'Trekken!' riep hij tegen de dwerg.

Flint greep de kop van wilgentenen vast en trok hem bij de brandende hals vandaan. Opeens doemde er een lange, donkere gestalte op uit de rook. Sturm draaide zich met geheven zwaard razendsnel om, maar zag toen dat het Waterwind was.

'Waar zijn jullie mee…' De Vlakteman staarde naar de drakenkop. Misschien waren Flint en Sturm wel gek geworden.

'De kender zit erin vast!' riep Sturm. 'We kunnen de kop hier niet uit elkaar halen, omringd door draconen! We moeten—'

De rest ging verloren in het gebrul van de vlammen, maar eindelijk zag Waterwind de blauwe benen uit de bek van de draak steken. Hij greep de ene kant van de drakenkop vast, met zijn hand in een oogkas. Sturm pakte de andere kant, en samen tilden ze de kop met kender en al op en renden ermee door het kamp. De paar draconen die ze tegenkwamen wierpen één blik op het angstaanjagende tafereel en sloegen op de vlucht.

'Kom op, Raist,' zei Caramon bezorgd, met zijn arm om de schouders van zijn broer. 'Je moet proberen op te staan. We moeten ons klaarmaken voor het vertrek. Hoe voel je je?'

'Net zoals ik me altijd voel,' fluisterde Raistlin verbitterd. 'Help me overeind. Zo. En laat me nu even met rust.' Huiverend, maar staand op zijn eigen benen, leunde hij tegen een boom.

'Goed dan, Raist,' zei Caramon gekwetst terwijl hij wegliep. Goudmaan wierp Raistlin een walgende blik toe, terugdenkend aan Caramons verdriet toen hij dacht dat zijn broer stervende was. Ze wendde zich af en probeerde door de steeds dichter wordende rook te zien of de anderen er al aan kwamen.

Tanis dook als eerste op, zo hard rennend dat hij tegen Caramon op botste. De grote krijger ving hem met zijn machtige armen op, zodat hij de halfelf kon afremmen zonder dat die viel.

'Bedankt,' zei Tanis hijgend. Voorovergebogen, met zijn handen op zijn knieën, probeerde hij op adem te komen. 'Waar zijn de anderen?'

'Zijn die dan niet bij jou?' vroeg Caramon fronsend.

'Ik ben ze kwijtgeraakt.' Tanis nam grote happen lucht, maar moest hoesten toen de rook in zijn longen drong.

'*SuTorakh!*' zei Goudmaan opeens, vol ontzag. Geschrokken draaiden Tanis en Caramon zich om en staarden naar het in rook gehulde kamp. Er dook een groteske verschijning op uit de kolkende walmen: een drakenkop met een blauwe, gevorkte tong die naar hen uitviel. Tanis knipperde vol ongeloof met zijn ogen. Op dat moment hoorde hij achter zich een geluid waar hij zo van schrok dat hij bijna in een boom sprong. Met zijn hart bonzend in zijn keel draaide hij zich om, met zijn zwaard in de hand.

Raistlin lachte.

Tanis had de magiër nog nooit horen lachen, zelfs niet als kind, en hij hoopte het ook nooit meer te horen. Het was een vreemd, schril, spottend geschater. Caramon staarde vol verwondering naar zijn broer, Goudmaan vol afschuw. Eindelijk stierf Raistlins geschater weg, tot hij alleen nog geluidloos lachte. In zijn gouden ogen weerkaatsten de vlammen die het draconenkamp verslonden.

Huiverend draaide Tanis zich weer om, om tot de ontdekking te komen dat de drakenkop door Sturm en Waterwind werd gedragen. Flint rende voor hen uit met een draconenhelm op zijn hoofd. Tanis holde op hen af.

'In de naam van—'

'De kender zit hierin vast!' zei Sturm. Hijgend lieten hij en Waterwind de kop op de grond vallen. 'We moeten hem eruit zien te krijgen.' Sturm nam de lachende Raistlin argwanend op. 'Wat is er met hem? Nog last van het gif?'

'Nee, hij is weer beter,' zei Tanis terwijl hij de drakenkop bestudeerde.

'Jammer,' mompelde Sturm. Hij liet zich naast de halfelf op zijn knieën zakken.

Tanis tilde de grote bek op, zodat hij naar binnen kon kijken. 'Tas, gaat het wel?' riep hij.

'Volgens mij heeft Sturm mijn haar eraf gekapt!' jammerde de kender.

'Wees blij dat het niet je hoofd was!' snoof Flint.

'Waar zit hij aan vast?' Waterwind bukte om in de bek van de draak te kijken.

'Weet ik niet precies,' antwoordde Tanis. Hij slaakte een zachte verwensing. 'Ik kan het niet zien met al die vervloekte rook.' Met een zucht van frustratie stond hij op. 'En we moeten hier weg, voordat de draconen de kans krijgen zich te hergroeperen. Caramon, kom hier. Probeer eens of jij de bovenkant eraf kunt trekken.'

De grote krijger ging voor de drakenkop van wilgentenen staan. Hij pakte de twee oogkassen beet, zette zich schrap, sloot zijn ogen, haalde diep adem en zette toen kreunend kracht. In eerste instantie gebeurde er niets. Tanis zag hoe de spieren in de armen van de reus zich spanden, zag de spieren in zijn bovenbenen de druk opvangen. Het bloed stroomde naar Caramons gezicht. Toen klonk er een scheurend geluid, en het geknap van brekend hout. Met een scherp gekraak kwam de bovenste helft van de drakenkop los. Caramon wankelde achterover, uit balans gebracht.

Tanis stak zijn hand naar binnen, greep Tas' hand vast en trok hem los. 'Gaat het?' vroeg hij. De kender leek een beetje onvast op zijn voeten te staan, maar zijn grijns was net zo breed als anders.

'Prima,' zei Tas opgewekt. 'Alleen een beetje verschroeid.' Toen betrok zijn gezicht. 'Tanis,' zei hij ongewoon bezorgd. Hij voelde aan de lange haarknot boven op zijn hoofd. 'Mijn haar?'

'Alles zit er nog,' zei Tanis glimlachend.

Tas slaakte een zucht van verlichting. Toen begon hij te vertellen. 'Tanis, het was echt ongelooflijk zo te vliegen. En dat gezicht van Caramon—'

'Het verhaal zal even moeten wachten,' zei Tanis vastbesloten. 'We moeten hier weg. Caramon? Kunnen jij en je broer het aan?'

'Ja, hoor,' zei Caramon.

Raistlin liep op wankele benen naar voren en accepteerde de sterke arm van zijn broer als steun. De magiër keek achterom naar de afgehakte drakenkop en lachte zachtjes piepend. Zijn schouders schokten van grimmige geamuseerdheid.

15
Ontsnapping. De put.
De zwart gevleugelde dood.

Rook van het brandende draconenkamp hing boven de zwarte moeraslanden en onttrok de reisgenoten aan de blik van de vreemde, boosaardige wezens. De rook dwarrelde ijl als een geestverschijning over het moeras, dreef voor de zilverkleurige maan langs en verduisterde de sterren. De reisgenoten durfden het niet aan om licht te maken – zelfs niet het licht van Raistlins staf – want overal om hen heen hoorden ze het hoorngeschal van de draconenleiders die de orde probeerden te herstellen.

Waterwind had de leiding. Hoewel Tanis altijd prat was gegaan op zijn bedrevenheid als woudloper, was hij in dit donkere, mistige, drassige gebied al zijn gevoel voor richting kwijtgeraakt. Als de rook even wegtrok ving hij soms een glimp op van de sterren, die hem vertelden dat ze in noordelijke richting liepen.

Ze waren nog niet lang onderweg toen Waterwind zich verstapte en tot aan zijn knieën in de modder zakte. Nadat Tanis en Caramon de Vlakteman uit het water hadden getrokken, ging Tasselhof hen voetje voor voetje voor terwijl hij met zijn hoopakstaf de grond testte. Elke keer zakte de staf weg.

'We zullen moeten waden, we hebben geen keus,' zei Waterwind grimmig.

Zoekend naar de plekken waar het water het minst diep was, verlieten de vrienden de vaste grond en waadden de viezigheid in. In eerste instantie kwam het tot hun enkels, en vervolgens tot hun knieën. Al snel zakten ze nog dieper weg en was Tanis gedwongen om Tasselhof te dragen. De giechelende kender sloeg zijn armen stevig om Tanis' nek heen. Flint sloeg vastberaden alle hulp af die hem werd geboden, zelfs toen het puntje van zijn baard al nat werd, tot hij onder water verdween. Caramon, die achter hem liep, viste hem uit het water en slingerde hem als een natte zak over zijn schouder. De dwerg was te moe en te bang om te mopperen. Raistlin strompelde hoestend door het water, gehinderd door zijn zware gewaad dat zich had volgezogen. Vermoeid en nog altijd niet hersteld van het gif zakte de magiër uiteindelijk door zijn knieën. Sturm pakte hem vast en sleepte hem met zich mee door het moeras.

Na een uur worstelen door het ijskoude water bereikten ze eindelijk vaste grond, waar ze rillend van de kou gingen zitten om uit te rusten.

De bomen begonnen te kraken en kreunen en hun takken bogen door toen er een scherpe wind uit het noorden kwam opzetten, die de mist aan flarden blies. Raistlin, die op de grond lag, keek omhoog. Zijn adem stokte in zijn keel en hij ging geschrokken zitten.

'Onweerswolken.' Hij verslikte zich, hoestte en moest zijn best doen om iets te kunnen zeggen. 'Ze komen uit het noorden. We hebben geen tijd. Geen tijd! We moeten Xak Tsaroth zien te bereiken. Snel! Voordat de maan ondergaat!'

Iedereen keek op. Een dreigende duisternis rukte vanuit het noorden op en slokte de sterren op. Net als de magiër kreeg Tanis sterk het gevoel dat haast geboden was. Vermoeid stond hij op. Zonder een woord te zeggen stonden ook zijn metgezellen op, en samen strompelden ze voort, met Waterwind voorop. Maar opnieuw versperde donker moeraswater hun de weg.

'Niet weer!' kreunde Flint.

'Nee, we hoeven niet meer te waden. Kom maar eens kijken,' zei Waterwind. Hij ging de anderen voor naar de rand van het water. Daar, te midden van vele andere ruïnes die uit de natte, stinkende grond verrezen, lag een obelisk die was gevallen, of omvergeduwd, en nu fungeerde als een brug naar de andere oever van het moeras.

'Ik ga wel als eerste,' bood Tas aan. Energiek sprong hij op de stenen zuil. 'Hé, er staat iets op dat ding geschreven. Runen of iets dergelijks.'

'Dat moet ik zien!' fluisterde Raistlin terwijl hij zich ernaartoe haastte. Hij sprak zijn machtswoord: 'Shirak,' en het kristal aan het uiteinde van zijn staf lichtte fel op.

'Haast je!' bromde Sturm. 'Je hebt net iedereen binnen een straal van twintig mijl laten weten waar we zijn.'

Raistlin liet zich echter niet opjagen. Hij hield het licht bij de stakerige runen om ze goed te kunnen bestuderen. Tanis en de anderen klommen op de obelisk en voegden zich bij de magiër.

De kender bukte en volgde de runen met zijn slanke vingers. 'Wat staat er, Raistlin? Kun je het lezen? Het lijkt me een erg oude taal.'

'Het is ook een oude taal,' fluisterde de magiër. 'Hij dateert van vóór de Catastrofe. Er staat: "De machtige stad Xak Tsaroth, wiens schoonheid u omringt, getuigt van de goedheid en de grootmoedigheid van zijn bewoners. Deze luisterrijke stad is onze beloning van de goden." '

'Wat afschuwelijk!' Goudmaan huiverde, haar blik gericht op de troosteloze ruïnes om haar heen.

'Inderdaad, wat een beloning van de goden,' zei Raistlin met een cynische glimlach om zijn lippen. Niemand zei iets. Toen fluisterde Raistlin: *'Dulak,'* en het licht doofde. Opeens leek de nacht nog donkerder. 'We moeten door,' zei de magiër. 'Er zijn vast wel meer gevallen monumenten waarop wordt vermeld waarvoor deze stad vroeger stond.'

Ze liepen over de obelisk een dicht oerwoud in. In eerste instantie leek er geen pad te zijn, maar Waterwind bleef ijverig zoeken, tot hij er uiteindelijk een vond, tussen de lianen en de bomen door. Hij bukte om het te bestuderen. Toen hij weer overeind kwam, stond zijn gezicht grimmig.

'Draconen?' vroeg Tanis.

'Ja,' zei Waterwind moeizaam. 'De sporen van vele voeten met klauwen. En ze leiden in noordelijke richting, recht naar de stad.'

Op gedempte toon vroeg Tanis: 'Is dit de verwoeste stad, waar je de staf hebt gekregen?'

'En waar de dood zwarte vleugels heeft,' voegde Waterwind eraan toe. Hij sloot zijn ogen en wreef over zijn gezicht. Toen ademde hij diep en bevend in. 'Ik weet het niet. Ik kan het me niet herinneren, maar ik ben bang zonder te weten waarom.'

Tanis legde zijn hand op Waterwinds arm. 'De elfen hebben een zegswijze: "Alleen de doden kennen geen angst".'

Waterwind verraste hem door opeens zijn hand om die van de halfelf te klampen. 'Ik heb nooit eerder een elf gekend,' zei de Vlakteman. 'Mijn volk wantrouwt hen en beweert dat de elfen niets geven om Krynn of de mensen. Ik vermoed dat mijn volk zich heeft vergist. Ik ben blij dat ik je heb leren kennen, Tanis van Qualinost. Ik beschouw je als een vriend.'

Tanis wist genoeg over de Vlakten om te weten dat Waterwind zich met die woorden bereid verklaarde om alles voor de halfelf op te offeren, zelfs zijn leven. Een eed van vriendschap was een plechtige eed onder de Vlaktelieden. 'Jij bent ook mijn vriend, Waterwind,' zei Tanis eenvoudig. 'Jij en Goudmaan zijn allebei mijn vrienden.'

Waterwind richtte zijn blik op Goudmaan, die vlak bij hem stond, leunend op haar staf met haar ogen gesloten. Haar gezicht was vertrokken van pijn en uitputting. Waterwinds gezicht verzachtte van medeleven toen hij naar haar keek. Toen verhardde het echter, omdat zijn trots hem gebood zijn strenge masker weer op te zetten.

'Xak Tsaroth is niet ver meer,' zei hij koeltjes. 'En deze sporen zijn oud.' Hij ging de anderen voor, het oerwoud in. Al na korte tijd ging het pad, dat in noordelijke richting voerde, over in een klinkerweg.

'Een straat!' riep Tasselhof uit.

'De buitenwijken van Xak Tsaroth,' fluisterde Raistlin.

'Dat werd tijd.' Flint staarde vol afkeer om zich heen. 'Wat een troep! Als het grootste geschenk dat ooit aan de wereld is geschonken zich hier bevindt, is het goed verborgen.'

Dat was Tanis met hem eens. Zo'n troosteloos oord had hij nog nooit gezien. De brede straat bracht hen bij een plein. Aan de rechterkant stonden vier losse zuilen die niets ondersteunden, want het gebouw lag in brokstukken eromheen. Een enorme, onbeschadigde, ronde stenen muur verrees tot ongeveer vier voet boven de grond. Caramon, die ernaartoe was gelopen om hem te bestuderen, verklaarde dat het een waterput was.

'En een diepe ook,' zei hij. Hij boog naar voren om erin te kunnen turen. 'Het stinkt.'

Achter de muur stond het enige gebouw dat zo te zien aan de vernietiging van de Catastrofe was ontsnapt. Het was zorgvuldig opgetrokken uit zuiver witte steen en werd ondersteund door hoge, smalle zuilen. Een grote, goudkleurige dubbele deur glansde in het maanlicht.

'Dit was een tempel gewijd aan de oude goden,' zei Raistlin meer in zichzelf dan tegen de anderen. Maar Goudmaan, die vlakbij stond, ving zijn gefluister op.

'Een tempel?' herhaalde ze, starend naar het gebouw. 'Hij is prachtig.' Merkwaardig gefascineerd liep ze erop af.

Tanis en de anderen speurden het terrein af, maar vonden geen andere gebouwen die nog intact waren. Gebroken, gecanelleerde zuilen lagen op de grond, de brokstukken netjes op hun plek, zodat nog goed te zien was hoe mooi ze waren geweest. Overal lagen kapotte standbeelden, die in sommige gevallen op afschuwelijke wijze geschonden waren. Alles was oud, zo oud dat zelfs de dwerg zich er jong bij voelde.

Flint ging op een zuil zitten. 'Nou, we zijn er.' Hij knipperde met zijn ogen naar Raistlin en gaapte. 'Wat nu, magiër?'

Raistlins dunne lippen weken vaneen, maar voordat hij iets kon zeggen, riep Tasselhof: 'Dracoon!'

Iedereen draaide zich met een wapen in de aanslag om. Een dracoon zat hen vanaf de rand van de put dreigend aan te kijken, klaar om in beweging te komen.

'Hou hem tegen!' schreeuwde Tanis. 'Straks waarschuwt hij zijn kameraden!'

Maar voordat iemand hem kon bereiken, spreidde de dracoon zijn vleugels en vloog de put in. Met gouden ogen die vlamden in het maanlicht rende Raistlin naar de put om over de rand te kijken. Hij hief zijn hand alsof hij een spreuk wilde uitspreken, maar hij aarzelde en liet toen zijn hand slapjes langs zijn zij vallen. 'Ik kan het niet,' zei hij. 'Ik kan niet denken. Ik kan me niet concentreren. Ik heb slaap nodig.'

'We zijn allemaal moe,' zei Tanis berustend. 'Als daarbeneden iets is, wordt het nu gewaarschuwd. Daar kunnen we niets meer aan doen. We moeten rusten.'

'Er wordt inderdaad iets gewaarschuwd,' fluisterde Raistlin. Hij stond diep weggedoken in zijn mantel met grote ogen om zich heen te kijken. 'Voelen jullie het dan niet? Geen van allen? Halfelf? Een kwaad dat op het punt staat te ontwaken en tevoorschijn te komen.'

Er viel een stilte.

Toen klom Tasselhof op de stenen muur en keek naar beneden. 'Moet je zien! De dracoon dwarrelt als een boomblaadje naar beneden. Zijn vleugels bewegen niet eens—'

'Stil!' snauwde Tanis.

Tasselhof keek de halfelf verrast aan, want Tanis' stem klonk gespannen en onnatuurlijk. De halfelf stond naar de put te staren. Onrustig balde hij keer op keer zijn handen. Er heerste een stilte. Een te volmaakte stilte. In het noorden pakten onweerswolken zich samen, maar er stond geen zuchtje wind. Er kraakten geen takken, er ritselden geen blaadjes. De zilveren en de rode maan wierpen dubbele schaduwen, waardoor alles wat je vanuit je ooghoek waarnam onwerkelijk en verstoord leek.

Toen begon Raistlin langzaam achteruit weg te lopen bij de put, met zijn handen voor zich uit alsof hij een afgrijselijk gevaar wilde afweren.

'Ik voel het ook.' Tanis slikte moeizaam. 'Wat is dat?'

'Ja, wat is dat?' Diep voorovergebogen staarde Tasselhof gretig in de put. Die leek zo diep en donker als de zandlopervormige ogen van de magiër.

'Haal hem daar weg!' kreet Raistlin.

Tanis, in de ban van de angst van de magiër en zijn eigen sterker wordende gevoel dat er iets mis was, wilde op Tas afrennen. Op het moment dat hij in beweging wilde komen, voelde hij echter de grond onder zijn voeten trillen. De kender slaakte een verschrikte kreet toen de oeroude stenen muur van de put onder hem instortte. Tas voelde zichzelf wegglijden in het afschuwelijk donkere gat dat onder hem gaapte. Verwoed sloeg hij met zijn handen en voeten om zich heen in een poging zich vast te klampen aan de afbrokkelende stenen. Tanis maakte een wanhopige snoekduik, maar hij was te ver weg.

Waterwind was in beweging gekomen zodra hij Raistlins kreet hoorde, en met zijn lange, snelle passen was hij binnen een mum van tijd bij de put. Hij wist Tas in de kraag te grijpen en hem van de muur te plukken, precies op het moment dat de stenen en mortel in de duisternis vielen. Opnieuw beefde de grond. Tanis probeerde zijn verdoofde geest te dwingen te begrijpen wat er gebeurde. Toen kwam er een stoot koude lucht uit de put. De windvlaag joeg over het plein en deed blaadjes en zand opstuiven. Het prikte in zijn gezicht en ogen.

'Rennen!' wilde Tanis roepen, maar hij stikte zowat door de afschuwelijke stank die uit de put kwam.

De zuilen die de Catastrofe hadden overleefd, begonnen te schudden. Vol angst staarden de reisgenoten naar de put. Toen rukte Waterwind zijn blik los. 'Goudmaan…' zei hij, om zich heen kijkend. Hij liet Tas op de grond vallen. 'Goudmaan!' Hij verstijfde toen een hoog gekrijs uit de krochten van de put opsteeg. Het was zo'n hard, schril geluid dat het door merg en been sneed. Verwoed zocht Waterwind naar Goudmaan, keer op keer haar naam roepend.

Tanis was lamgeslagen door het geluid. Niet in staat zich te bewegen zag hij Sturm met zijn hand op het gevest van zijn zwaard langzaam terugdeinzen, weg van de put. Hij zag Raistlin, wiens doodsbleke gezicht een gele glans had en wiens ogen rood opgloeiden in het licht van de rode maan, iets onverstaanbaars gillen. Hij zag Tasselhof met grote ogen van verwondering naar de put staren. Sturm rende over het plein in de richting van de bomen, en nam in het voorbijgaan de kender onder zijn arm. Caramon snelde naar zijn uitgeputte broer, tilde hem op en zocht eveneens dekking. Tanis wist dat er iets monsterlijks en kwaadaardigs uit de put zou komen, maar hij kon zich niet verroeren. Een stemmetje in zijn hoofd schreeuwde: 'Vlucht, stommeling. Vlucht!'

Ook Waterwind bleef bij de put in de buurt, vechtend tegen de angst die hem in zijn greep probeerde te krijgen, want hij kon Goudmaan niet vinden. Omdat hij even afgeleid was geweest toen hij de kender redde van zijn val in de put, had hij niet gezien dat Goudmaan naar de onbeschadigde tempel was gelopen. Wild keek hij om zich heen, vechtend om zijn evenwicht te bewaren nu de aarde onder zijn voeten beefde. Het hoge gekrijs en het gonzende ondergrondse gerommel riepen afgrijselijke, nachtmerrieachtige herinneringen bij hem op. 'De dood op zwarte vleugels.' Hij begon te beven en te zweten, maar dwong zichzelf zich op Goudmaan te concentreren. Ze had hem nodig. Hij, en hij alleen, wist dat haar zelfverzekerdheid niet meer was dan uiterlijk vertoon, een masker voor haar angst, twijfel en onzekerheid. Ze was vast doodsbang, en hij moest haar zien te vinden.

Waterwind deinsde terug toen de overgebleven stenen van de put begonnen te verschuiven. Daarbij viel zijn blik op Tanis, die iets schreeuwde en langs hem heen naar de tempel wees. Hij wist dat Tanis hem iets duidelijk wilde maken, maar hij kon hem door het gekrijs niet verstaan.

Toen snapte hij het. Goudmaan! Waterwind draaide zich om om haar achterna te gaan, maar hij verloor zijn evenwicht en kwam op zijn knieen terecht. Hij zag dat Tanis op hem af kwam rennen.

Toen doemde de verschrikking uit de put op, de verschrikking uit zijn angstaanjagende koortsdromen. Waterwind sloot zijn ogen om niets te hoeven zien.

Het was een draak.

Tijdens die eerste paar momenten, waarop het bloed uit zijn lichaam leek weg te trekken en hij slap en hulpeloos op de grond lag, keek Tanis op naar de draak die uit de put vloog en hij dacht: wat mooi... wat mooi...

Met haar glinsterende vleugels strak om haar glanzend zwart geschubde lijf gevouwen steeg de draak op. Haar zwarte ogen hadden een rode gloed, de kleur van gesmolten gesteente. Haar bek, die was vertrokken in een grauw, toonde blinkend witte, vlijmscherpe tanden. Haar lange, rode tong krulde om haar lippen toen ze de nachtlucht inademde. Bevrijd uit de krappe put spreidde de draak haar vleugels. Sterren leken te doven, de manen leken te worden opgeslokt. Aan het uiteinde van beide vleugels had ze een zuiver witte klauw, die in het licht van Lunitari een bloedrode gloed had.

Een angst waarvan Tanis het bestaan niet had vermoed deed zijn maag omkeren. Zijn hart bonkte pijnlijk in zijn borstkas en hij kon geen adem krijgen. Het enige wat hij kon doen was vol afschuw, ontzag en verwondering staren naar de dodelijke schoonheid van het monster. De draak cirkelde steeds hoger. Toen, juist op het moment dat Tanis de verlammende angst voelde wegtrekken, juist toen hij naar zijn boog en een pijl wilde tasten, sprak de draak.

Eén woord zei ze, in de taal van de magie, en een verschrikkelijke, ondoordringbare duisternis die hen allemaal met blindheid sloeg daalde vanuit de hemel neer. Meteen had Tanis geen idee meer waar hij was. Het enige wat hij wist, was dat er ergens boven hem een draak vloog die op het punt stond aan te vallen. Hij kon niets doen om zichzelf te verdedigen. Hij kon slechts op zijn knieën door het puin kruipen, op zoek naar een plaats om zich te verstoppen.

Beroofd van zijn zicht concentreerde de halfelf zich op zijn gehoor. Het gekrijs was gestopt op het moment dat de duisternis neerdaalde. Tanis hoorde het zachte, trage geklapper van de leerachtige drakenvleugels, waaruit hij kon afleiden dat ze nog steeds stijgend boven hen rondcirkelde. Toen kon hij zelfs het geklapper niet meer horen. De draak hield haar vleugels stil. Voor zijn geestesoog verscheen een grote, zwarte roofvogel, die eenzaam en afwachtend in de lucht zweefde.

Toen klonk er een heel zacht geritsel, het geluid van blaadjes die zachtjes trillen in de aanwakkerende wind. Het geluid werd steeds harder, tot het was als het razen van de wind als de storm losbreekt, om vervolgens over te gaan in het geweld van een orkaan. Tanis drukte zijn lijf tegen de afgebrokkelde muur van de put en beschermde met beide armen zijn hoofd.

De draak viel aan.

Khisanth kon niets zien door de duisternis die ze had opgeroepen, maar ze wist dat de indringers zich nog steeds op het plein in de diepte bevonden. Haar onderdanen, de draconen, hadden haar gewaarschuwd dat er een groep door het land reisde met de blauw kristallen staf. Heer Canaillaard wilde die staf houden, wilde dat die veilig bij haar zou blijven en nooit in het land van de mensen zou opduiken. Maar ze was hem kwijtgeraakt, en dat stond heer Canaillaard niet aan. Ze moest hem terug zien te krijgen. Daarom had Khisanth even gewacht voordat ze de duisternisspreuk had uitgesproken, zodat ze goed kon kijken of de indringers de staf bij zich hadden. Niet wetend dat die al uit haar blikveld was verdwenen, was ze tevreden met wat ze zag. Ze hoefde alleen maar te vernietigen.

De draak liet zich uit de lucht vallen, met haar gekromde vleugels naar achteren als het lemmet van een zwarte dolk. Ze dook recht op de put af, waar ze de indringers had zien rennen voor hun leven. In de wetenschap dat ze verlamd zouden zijn door drakenvrees, was Khisanth ervan overtuigd dat ze hen allemaal in één keer kon doden. Ze opende haar bek vol vlijmscherpe tanden.

Tanis hoorde de draak naderbij komen. Het donderende geraas werd steeds luider, maar hield toen even op. Hij hoorde het gekraak van de reusachtige pezen die de enorme vleugels optilden en spreidden. Hij hoorde hoe er lucht in een gapende keel werd gezogen, gevolgd door een merkwaardig geluid dat hem deed denken aan stoom die uit een ketel ontsnapt. Vlak bij hem spetterde iets op de grond. Hij hoorde stenen barsten, splijten en borrelen. Een paar druppeltjes kwamen op zijn hand terecht, en hij hapte naar adem toen een verschroeiende pijn tot hem doordrong.

Toen hoorde Tanis een gil. Het was een diepe stem, een mannenstem. Waterwind. Zo afschuwelijk, zo gekweld klonk die kreet dat Tanis zijn nagels in zijn handpalm moest drukken om te voorkomen dat hij zijn eigen stem bij dat afgrijselijke gejammer zou voegen en daardoor zijn positie zou verraden. Er leek geen eind te komen aan het gegil, maar toen ging het eindelijk over in een zacht gekreun. Tanis voelde de luchtverplaatsing toen een groot lijf in de duisternis langs hem heen zoefde. De trilling die de aanwezigheid van de draak verried zakte steeds verder weg in de onmetelijke diepten van de put. Eindelijk hield de grond op met beven.

Er viel een stilte.

Tanis vulde zijn schrijnende longen met lucht en opende zijn ogen. De duisternis was verdwenen. De sterren fonkelden en de manen stonden stralend aan de hemel. Even kon de halfelf slechts keer op keer in- en uitademen terwijl hij probeerde zijn trillende lijf tot bedaren te brengen. Toen sprong hij overeind en rende hij naar een donkere gestalte op het geplaveide plein.

Tanis was de eerste die het lichaam van de Vlakteman bereikte. Na slechts één vluchtige blik wendde hij zich kokhalzend af.

Wat er van Waterwind over was, leek niet meer op een mens. Het vlees was van zijn lijf geschroeid. Het wit van botten was duidelijk zichtbaar op de plekken waar de huid en spieren van zijn armen waren weggesmolten. Zijn ogen stroomden als gelei over zijn ontvleesde, ingevallen wangen. Zijn mond hing open in een geluidloze schreeuw. Je kon zijn ribbenkast zien. Hier en daar hingen er nog spierresten en verschroeide stof aan de botten. Maar het afschuwelijkste was dat het vlees van zijn torso was geschroeid, zodat de organen, rood en kloppend in het felle maanlicht, duidelijk zichtbaar waren.

Tanis liet zich op zijn knieën zakken om over te geven. De halfelf had mannen aan zijn zwaard zien sterven. Hij had gezien hoe mensen door trollen aan stukken werden gehakt. Maar dit... dit was anders, dit was afgrijselijk, en hij wist dat de herinnering hieraan hem de rest van zijn leven zou blijven achtervolgen. Een sterke arm werd in een gebaar van troost, medeleven en begrip om zijn schouders geslagen. De misselijkheid trok weg. Tanis ging rechtop zitten en ademde diep in. Hij veegde zijn mond en neus af en probeerde zichzelf toen te dwingen pijnlijk kokhalzend te slikken.

'Gaat het wel?' vroeg Caramon bezorgd.

Tanis knikte, niet in staat iets te zeggen. Toen draaide hij zich om bij het horen van Sturms stem.

'Ware goden, heb meelij! Tanis, hij leeft nog! Ik zag zijn hand bewegen!' Sturms stem stokte. Hij kon geen woord meer uitbrengen.

Tanis stond op en liep op onvaste benen naar het lichaam. Een van de zwart verkoolde handen hing krampachtig bewegend vlak boven de grond.

'Maak er een eind aan!' zei Tanis schor, want zijn keel was rauw van het gal. 'Maak er een eind aan! Sturm...'

De ridder had zijn zwaard al getrokken. Hij drukte een kus op het gevest, ging vlak bij Waterwinds lichaam staan en hief het wapen zo hoog als hij kon. Hij sloot zijn ogen en keerde in gedachten terug naar een vergane wereld waarin sneuvelen in de strijd een eervolle deugd was geweest. Langzaam en plechtig droeg hij het oeroude Solamnische doodslied voor. Terwijl hij de woorden uitsprak waarmee hij de ziel van de krijger ving en naar het vredige rijk van het hiernamaals stuurde, draaide hij het zwaard om en hield het boven de borst van Waterwind.

Rust in Huma's armen, krijger
Voorbij de woeste wolken van rede
Laat je ziel zijn rust vinden, krijger
En sluit je ogen, moegestreden
Bevrijd van oorlog en smeulende haat
Laat je laatste ademtocht voeren
Door sterrentoortsen naar het licht
Van de koest'rende hemel, waar de raven
Dromen en de dood nog slechts
In haviks herinnering verder leeft
Laat je schaduw tot Huma rijzen
Voorbij de woeste wolken van rede

De stem van de ridder stierf weg.
Tanis voelde de rust van de goden over zich heen komen als koel, reinigend water dat zijn verdriet en de verschrikkingen wegwaste. Caramon, die naast hem stond, weende geluidloos. Samen keken ze naar het maanlicht dat de kling van het zwaard deed glanzen.
Toen klonk een heldere stem: 'Stop. Breng hem bij mij.'
Als één man sprongen Tanis en Caramon voor het verminkte lichaam van de Vlakteman, wetend dat Goudmaan deze afschuwelijke aanblik bespaard moest blijven. Sturm, in de ban van traditie, keerde met een schok terug naar de werkelijkheid en brak de dodelijke stoot van zijn zwaard af. Daar stond Goudmaan, een lang, slank silhouet voor de gouden, maanverlichte deuren van de tempel. Tanis wilde iets zeggen, maar opeens voelde hij de koude hand van de magiër op zijn arm. Huiverend rukte hij zich los uit Raistlins greep.
'Doe wat ze zegt,' siste de magiër. 'Breng hem naar haar toe.'
Tanis' gezicht vertrok van woede bij de aanblik van Raistlins uitdrukkingsloze gezicht en de onverschillige ogen.
'Breng hem naar haar toe,' herhaalde Raistlin kil. 'Het is niet aan ons om te bepalen of deze man moet sterven. Dat is aan de goden.'

16
Een bittere keuze.
Het grootste geschenk.

Tanis staarde naar Raistlin. Niet de minste trilling van een ooglid verried diens gevoelens, als hij die al had. Hun blikken kruisten elkaar, en zoals altijd had Tanis het gevoel dat de magiër meer kon zien dan hij. Opeens haatte Tanis Raistlin, met een heftigheid waar hij zelf van schrok. Hij haatte de magiër omdat die zijn pijn niet voelde, maar tegelijkertijd benijdde hij hem.

'We moeten iets doen!' zei Sturm bruusk. 'Hij is nog niet dood, en misschien komt die draak nog terug!'

'Goed dan,' zei Tanis met een stem die in zijn keel dreigde te stokken. 'Wikkel hem in een deken... maar laat me eerst even met Goudmaan praten.'

Langzaam stak de halfelf het plein over. Zijn voetstappen echoden in de doodstille nacht toen hij over een marmeren trap omhoogliep naar de brede portiek waar Goudmaan stond, vóór de glanzende gouden deuren. Toen Tanis vluchtig achteromkeek, zag hij dat zijn vrienden dekens uit hun reistassen om boomtakken wikkelden om een geïmproviseerde brancard te maken. Waterwinds lichaam was niet meer dan een donker, vormeloos silhouet in het maanlicht.

'Breng hem bij me, Tanis,' herhaalde Goudmaan toen de halfelf bijna bij haar was. Hij pakte haar hand vast.

'Goudmaan,' zei hij, 'Waterwind is afschuwelijk verminkt. Hij is stervende. Je kunt er niets meer aan doen. Zelfs de staf—'

'Sst, Tanis,' zei Goudmaan vriendelijk.

De halfelf zweeg en bekeek haar eens goed. Verbijsterd besefte hij dat de Vlaktevrouw kalm, sereen en in vervoering was. Haar gezicht was als dat van een zeeman die in zijn breekbare bootje heeft gestreden tegen de woeste baren en nu eindelijk rustiger wateren heeft bereikt.

'Treed binnen in de tempel, mijn vriend,' zei Goudmaan. Met haar prachtige ogen keek ze Tanis recht aan. 'Kom binnen en breng Waterwind bij me.'

Goudmaan had de draak niet horen naderen, had niets gezien van haar aanval op Waterwind. Zodra ze het verwoeste plein van Xak Tsaroth hadden betreden, had Goudmaan een vreemde, onweerstaanbare kracht ervaren die haar naar de tempel trok. Ze was over het puin naar de trap gelopen, volkomen in beslag genomen door de gouden deuren die glansden in het zilverrode maanlicht. Ze liep ernaartoe en bleef even staan. Toen werd ze zich bewust van de commotie achter zich en hoorde ze Waterwind haar naam roepen. 'Goudmaan...' Ze aarzelde, niet bereid Waterwind en haar vrienden achter te laten, want ze wist dat er een verschrikkelijk kwaad uit de put opsteeg.
'Kom binnen, kind,' zei een vriendelijke stem.
Goudmaan hief haar kin en staarde naar de deuren. De tranen sprongen haar in de ogen. Het was de stem van haar moeder. Tranenzang, priesteres van Que-shu, was lang geleden gestorven, toen Goudmaan nog maar een klein kind was.
'Tranenzang?' vroeg Goudmaan verstikt. 'Moeder...'
'Vele droevige jaren zijn voor jou verstreken, mijn dochter,' klonk de stem van haar moeder, niet zozeer in haar oren als wel in haar hart. 'En ik vrees dat je je last nog lang zult dragen. Als je verder reist op de ingeslagen weg, zul je deze duisternis slechts kunnen verruilen voor een nog diepere duisternis. De waarheid zal je pad verlichten, mijn dochter, al zal het in jouw ogen wellicht een zwak licht zijn in de grenzeloze, verschrikkelijke nacht die voor je ligt. Echter, zonder de waarheid zal alles en iedereen onherroepelijk verloren gaan. Kom bij me in de tempel, mijn dochter. Daar zul je vinden wat je zoekt.'
'Maar mijn vrienden dan, en Waterwind?' Goudmaan keek achterom naar de put en zag Waterwind wankelen op het bevende plaveisel. 'Zij kunnen het niet winnen van dit kwaad. Zonder mij zullen ze sterven. Misschien kan de staf helpen. Ik kan niet weggaan.' Ze draaide zich om, maar het was te donker.
'Ik kan hen niet zien! Waterwind! Moeder, help me!' riep ze gekweld uit.
Er kwam echter geen antwoord. Dit is niet eerlijk, kreet Goudmaan in stilte. Ze balde haar vuisten. Dit hebben we nooit gewild! Het enige wat we wilden, was elkaar liefhebben, en nu dreigen we zelfs dat kwijt te raken. We hebben heel veel opgeofferd, maar het heeft allemaal geen verschil gemaakt. Ik ben dertig jaar oud, moeder! Dertig, en kinderloos. Ik ben beroofd van mijn jeugd, van mijn volk, en ik heb er niets voor teruggekregen. Niets, alleen dit. Ze schudde de staf heen en

weer. En nu wordt van me verlangd dat ik nog meer opoffer.

Haar woede bedaarde. Waterwind... Was hij boos geweest, al die lange jaren waarin hij op zoek was geweest naar antwoorden? Het enige wat hij had gevonden, was deze staf, en die riep alleen maar meer vragen op. Nee, hij was niet boos geweest, dacht ze. Zijn geloof is rotsvast. Ik ben de zwakkeling. Waterwind was bereid te sterven voor zijn geloof. Nu lijkt het erop dat ik bereid moet zijn te blijven leven, zelfs als dat betekent dat ik zonder hem door moet.

Goudmaan leunde met haar voorhoofd tegen de gouden deuren. Ze voelden koel aan op haar huid. Met tegenzin nam ze haar bittere beslissing. Ik zal doorgaan, moeder, maar als Waterwind sterft, zal mijn hart met hem sterven. Ik vraag slechts één ding: als hij sterft, zorg er dan voor dat hij weet dat ik zijn zoektocht zal voortzetten.

Leunend op haar staf duwde het stamhoofd van de Que-shu's de gouden deuren open en trad de tempel binnen. De deuren sloten achter haar op het moment dat de zwarte draak de put uit vloog.

Goudmaan stapte een zachte, koesterende duisternis binnen. In eerste instantie kon ze niets zien, maar door haar hoofd speelde een vroege herinnering aan de warme omhelzing van haar moeder. Overal om haar heen ontstond een bleke gloed. Goudmaan zag dat ze onder een reusachtige koepel stond, die hoog boven een kunstig ingelegde tegelvloer welfde. Onder die koepel, in het midden van de zaal, stond een overweldigend mooi, elegant marmeren standbeeld. Het licht in de zaal was van dat standbeeld afkomstig. Als betoverd liep Goudmaan erop af. Het was een beeld van een vrouw in een lang, golvend gewaad. Haar marmeren gezicht drukte stralende hoop uit, getemperd door droefheid. Om haar hals hing een vreemd medaillon.

'Dit is Mishakal, de godin van de genezing, die ik dien,' hoorde Goudmaan haar moeder zeggen. 'Luister naar haar woorden, mijn dochter.'

Goudmaan stond recht voor het standbeeld, verwonderd over de schoonheid ervan. Maar het leek onaf, onvolledig. Er ontbrak iets aan, besefte Goudmaan. De handen van de marmeren vrouw waren gekromd, alsof ze een lange, smalle stok hadden omvat, maar er was geen stok. Zonder er echt bij na te denken, slechts gedreven door haar behoefte iets van een dergelijke schoonheid te completeren, schoof Goudmaan haar staf in de marmeren handen.

Een zachtblauw licht gloeide op. Geschrokken deinsde Goudmaan terug. De gloed van de staf groeide uit tot een verblindend licht. Met haar hand beschermend voor haar ogen liet Goudmaan zich op haar knieën vallen. Een grootse, krachtige liefde vulde haar hart. Nu betreurde ze haar woede bitter.

'Schaam je niet voor je twijfels, mijn geliefde discipel. Juist je twijfel heeft je bij ons gebracht, en je woede zal je op de been houden bij de vele beproevingen die je te wachten staan. Je bent hier gekomen op zoek naar de waarheid, en die zul je krijgen.

De goden hebben zich niet van de mens afgekeerd. De mens heeft zich juist van de ware goden afgekeerd. Krynn wacht de zwaarste beproeving aller tijden. Meer dan ooit zal de mens behoefte hebben aan de waarheid. Jij, mijn discipel, moet de mens opnieuw de waarheid en de macht van de ware goden brengen. Het is tijd om het evenwicht te herstellen. Nu heeft het kwaad de weegschaal doen doorslaan. Want hoewel de goden van het goede naar de mens zijn teruggekeerd, geldt hetzelfde voor de goden van het kwaad, en de strijd om 's mensen ziel is in alle hevigheid losgebarsten. De Koningin van de Duisternis is teruggekeerd, op zoek naar datgene wat haar opnieuw in staat zal stellen ongehinderd dit land te bewandelen. Draken, die ooit naar de diepste krochten zijn verbannen, zwerven weer vrij rond.'

Draken, dacht Goudmaan dromerig. Het viel haar zwaar om zich te concentreren op de woorden die haar geest overspoelden. Pas later zou ze de boodschap volledig gaan begrijpen. Vanaf dat moment zou ze de woorden nooit meer vergeten.

'Teneinde de macht te vergaren om hen te verslaan, zul je de waarheid van de goden nodig hebben. Dat is het grootste geschenk waarover je hebt gehoord. Onder deze tempel, in de ruïnes waar de herinnering aan de glorie van weleer nog rondwaart, liggen de schijven van Mishakal, ronde schijven vervaardigd van glanzend platina. Vind die schijven en je kunt mijn macht aanwenden, want ik ben Mishakal, godin van de genezing.

De weg ernaartoe zal niet gemakkelijk zijn. De goden van het kwaad kennen en vrezen de grote macht van de waarheid. De oude, machtige zwarte draak Khisanth, die de mensen kennen als Onyx, bewaakt de schijven. Haar schuilplaats bevindt zich in de verwoeste stad Xak Tsaroth onder ons. Er wacht je groot gevaar als je verkiest te proberen de schijven te bemachtigen. Daarom zegen ik deze staf. Hanteer hem dapper, zonder aarzeling, en je zult overwinnen.'

De stem stierf weg. Op dat moment hoorde Goudmaan de doodskreet van Waterwind.

Tanis betrad de tempel. Het gevoel bekroop hem dat hij was teruggegaan in de tijd. De zon scheen tussen de bomen van Qualinost door. Hij en Laurana en haar broer Gilthanas lagen in de nasleep van een of ander kinderspel aan de oever van de rivier lachend te vertellen over hun dromen. Gelukkige momenten waren schaars geweest in Tanis' jeugd, want de halfelf had al vroeg beseft dat hij anders was dan de anderen. Dat was echter een dag vol gouden zonneschijn en warme vriendschap geweest. Het vredige gevoel uit zijn herinnering overspoelde hem en verzachtte zijn verdriet en afschuw.

Hij wendde zich tot Goudmaan, die naast hem stond. 'Wat is dit voor een oord?'

'Dat is een verhaal dat een andere keer moet worden verteld,' antwoordde Goudmaan. Ze liet haar hand licht op zijn arm rusten en leidde hem mee over de glanzende tegelvloer, tot ze samen voor het stralende marmeren standbeeld van Mishakal stonden. De blauw kristallen staf wierp een blauwe gloed tot in het verste hoekje van de zaal.

Tanis' lippen weken vaneen van verwondering, maar precies op dat moment viel er een schaduw in de zaal. Tanis en Goudmaan draaiden zich om naar de deur. Caramon en Sturm kwamen binnen, met tussen hen in, op een geïmproviseerde brancard, het lichaam van Waterwind. Flint, die er oud en vermoeid uitzag, en Tasselhof, ongewoon terneergeslagen, stonden aan weerszijden van de brancard, als een merkwaardig soort erewacht. Langzaam bewoog de sombere processie zich voort. Achter hen aan kwam Raistlin, zijn kap over zijn hoofd, zijn handen gevouwen in de mouwen van zijn gewaad, als de geest van de dood.

Geconcentreerd op de last die ze droegen liepen de dragers over de marmeren vloer, om voor Tanis en Goudmaan tot stilstand te komen. Tanis keek naar het lichaam aan Goudmaans voeten en sloot zijn ogen. Bloed was door de dikke deken heen gesijpeld en maakte grote, donkere vlekken in de stof.

'Haal de deken weg,' beval Goudmaan. Caramon keek Tanis smekend aan.

'Goudmaan—' begon Tanis voorzichtig.

Plotseling, voordat iemand hem kon tegenhouden, bukte Raistlin zich om de met bloed bevlekte deken van het lichaam te rukken.

Goudmaan slaakte een verstikte kreet bij het zien van Waterwinds verminkte lichaam, en ze trok zo bleek weg dat Tanis een hand naar haar uitstak om haar op te vangen, mocht ze flauwvallen. Maar Goudmaan was een dochter van een sterk, trots volk. Ze slikte moeizaam en ademde beverig, maar diep in. Toen draaide ze zich om en liep op het marmeren beeld af. Voorzichtig trok ze de blauw kristallen staf uit de handen van de godin, waarna ze zich omdraaide en naast Waterwind knielde.

Kan-tokah,' zei ze zachtjes. 'Mijn geliefde.' Met bevende hand raakte ze het voorhoofd van de stervende Vlakteman aan. Het blinde gezicht draaide in haar richting, alsof hij haar kon horen. Een van de zwartgeblakerde handen bewoog zwakjes, alsof hij haar wilde aanraken. Toen trok er een hevige rilling door zijn lichaam en bleef hij roerloos liggen. Tranen stroomden over Goudmaans gezicht, maar ze besteedde er geen aandacht aan terwijl ze de staf over het lichaam van Waterwind legde. Een zacht blauw licht vulde de kamer. Iedereen op wie dat licht viel, voelde zich uitgerust en verfrist. De pijn en uitputting van die zware dag trokken weg uit hun lichaam. De verschrikking van de aanval van de draak verdween uit hun gedachten, als mist die door de zon wordt verdreven. Toen dimde en doofde het licht van de staf. Duisternis daalde neer over de tempel, die nog slechts werd verlicht door de zachte gloed, afkomstig van het marmeren standbeeld.

Tanis knipperde met zijn ogen in een poging die te laten wennen aan het donker. Toen hoorde hij een zware stem.

'*Kan-tokah neh sirakan.*'

Hij hoorde Goudmaan een kreet van vreugde slaken en keek naar Waterwind, die dood had moeten zijn. In plaats daarvan zag hij dat de Vlakteman rechtop zat en zijn armen uitstak naar Goudmaan. Ze klampte zich aan hem vast, huilend en lachend tegelijk.

'En zodoende,' zei Goudmaan ter afsluiting van haar verhaal, 'moeten we een weg vinden naar de verwoeste stad die zich ergens onder de tempel bevindt, en daar de schijven uit de schuilplaats van de draak stelen.'

Ze zaten op de vloer van de grote zaal van de tempel aan een karig maal. Na een snelle inspectie was gebleken dat het gebouw verlaten was, al vertelde Caramon er wel bij dat hij op de trap sporen van draconen had aangetroffen, en die van een ander wezen dat hij niet kon benoemen.

Het was geen groot gebouw. Aan weerszijden van de gang die naar de grote zaal met het standbeeld leidde, bevonden zich twee gebedsruimtes. Ten noorden en ten zuiden kwamen bovendien twee ronde kamers op de hoofdzaal uit. Ze waren versierd met fresco's die nu bedekt waren met schimmel, en zo vervaagd dat ze onherkenbaar waren geworden. Aan de oostkant bevonden zich twee dubbele deuren van goud. Daar begon de trap waar Caramon het over had gehad, die omlaag leidde naar de verwoeste stad. In de verte klonk het geluid van de branding, wat hen eraan herinnerde dat ze zich boven op een grote klif bevonden die uitstak boven de Nieuwezee.

Ieder in zijn eigen gedachten verzonken probeerden de reisgenoten het nieuws van Goudmaan tot zich te laten doordringen. Alleen Tasselhof liep nog rond, neuzend in alle hoekjes en gaatjes. Hij vond weinig interessants, dus al snel begon het hem te vervelen en liep hij terug naar de rest van de groep, met een oude helm in zijn hand. Hij was te groot voor hem. Bovendien droegen kenders nooit een helm, want die vonden ze maar lastig en beperkend. Hij wierp hem de dwerg toe.

'Wat is dit?' vroeg Flint achterdochtig terwijl hij de helm omhooghield, zodat hij hem bij het licht van Raistlins staf kon bestuderen. Het was een helm van oude makelij, vakkundig vervaardigd door een uitstekende smid. Ongetwijfeld een dwerg, besloot Flint terwijl hij er liefdevol overheen wreef. De bovenkant werd gesierd door een lange staart van dierenhaar. Flint gooide de draconenhelm die hij had meegenomen op de grond en zette de nieuwe helm op zijn hoofd. Hij paste precies. Glimlachend deed hij hem weer af, zodat hij opnieuw het vakmanschap kon bewonderen. Tanis keek hem geamuseerd aan.

'Dat is paardenhaar,' zei hij, wijzend naar de staart.

'Welnee,' wierp de dwerg fronsend tegen. Met opgetrokken neus rook hij eraan. Toen hij niet moest niezen, beantwoordde hij triomfantelijk Tanis' blik. 'Het zijn de manen van een griffioen.'

Caramon lachte ruw. 'Griffioenen!' snoof hij. 'Daar zijn er op Krynn ongeveer net zoveel van als—'

'Draken,' viel Raistlin hem soepel in de rede.

Meteen viel het gesprek stil.

Sturm kuchte. 'We kunnen maar beter wat gaan slapen,' zei hij. 'Ik neem de eerste wacht wel.'

'Vannacht hoeft niemand de wacht te houden,' zei Goudmaan zacht. Ze zat dicht bij Waterwind. De lange Vlakteman had niet veel gezegd sinds zijn flirt met de dood. Een hele tijd had hij naar het standbeeld van Mishakal zitten kijken, in wie hij de vrouw gehuld in blauw licht herkende die hem de staf had gegeven, maar hij weigerde vragen te beantwoorden of erover te praten.

'We zijn hier veilig,' zei Goudmaan stellig, met een blik op het standbeeld.

Caramon trok zijn wenkbrauwen op. Sturm fronste en streek over zijn snor. Beide mannen waren te beleefd om Goudmaans overtuiging openlijk in twijfel te trekken, maar Tanis wist dat de krijgers zich geen van beiden veilig zouden voelen tenzij er iemand op wacht stond. Aan de andere kant was het nog maar een paar uur tot de dageraad en konden ze allemaal wel wat rust gebruiken. Raistlin sliep al, gewikkeld in zijn mantel, in een donker hoekje van de zaal.

'Ik denk dat Goudmaan gelijk heeft,' zei Tasselhof. 'Laten we op de oude goden vertrouwen, nu het erop lijkt dat we ze hebben gevonden.'

'De elfen zijn hen nooit kwijtgeraakt, en de dwergen ook niet,' wierp Flint met een boos gezicht tegen. 'Ik begrijp er helemaal niks van. Reorx is volgens mij ook een van de oude goden. We aanbidden hem in elk geval al sinds de tijd voor de Catastrofe.'

'Aanbidden jullie hem?' vroeg Tanis. 'Of roepen jullie hem vol wanhoop aan omdat jullie volk de toegang tot het Koninkrijk onder de Berg is ontzegd? Nee, niet boos worden.' Tanis zag het gezicht van de dwerg vuurrood worden, en hief bezwerend zijn handen. 'De elfen zijn geen haar beter. We riepen de goden aan toen ons land werd verwoest. We kennen de goden en we eren hen, zoals je de doden zou eren. De elfenpriesters zijn allang verdwenen, net als de dwergenpriesters. Ik herinner me Mishakal de Genezeres. Ik weet dat ik als kind verhalen over haar heb gehoord. Ik weet ook dat ik verhalen over draken heb gehoord. Verhaaltjes voor het slapengaan, zou Raistlin zeggen. Kennelijk heeft onze jeugd ons ingehaald om ons te kwellen, of mogelijk om ons te redden, dat weet ik niet. Ik heb vanavond twee wonderen aanschouwd, één kwaad en één goed. Ik moet in beide geloven, als ik op mijn zintuigen wil kunnen vertrouwen. En toch…' De halfelf zuchtte. 'Toch vind ik dat we vannacht de wacht moeten houden. Het spijt me, edele vrouwe. Ik zou willen dat mijn geloof zo onwankelbaar was als dat van jou.'

Sturm nam de eerste wacht. De anderen strekten zich met een deken over zich heen uit op de tegelvloer. De ridder liep door de met maanlicht overgoten tempel en controleerde de verlaten kamers, meer uit gewoonte dan omdat hij zich bedreigd voelde. Hij kon buiten de felle, koude wind uit het noorden horen fluiten. Binnen was het echter merkwaardig warm en gerieflijk. Te gerieflijk.

Zodra hij aan de voet van het standbeeld ging zitten, voelde Sturm hoe een zoete vredigheid hem bekroop. Geschrokken ging hij rechtop zitten. Tot zijn ontstelelinis besefte hij dat hij tijdens zijn wacht bijna in slaap was gevallen. Dat was onvergeeflijk! Zichzelf streng berispend nam de ridder zich voor om als straf zijn hele wacht, twee uur lang, te blijven lopen. Hij wilde al opstaan, maar verstijfde toen. Hij hoorde een vrouwenstem die zong. Met zijn hand op het gevest van zijn zwaard keek hij wild om zich heen. Toen gleed zijn hand weg. Hij herkende de stem, en het wijsje. Het was de stem van zijn moeder. Even was Sturm weer bij haar. Ze waren op de vlucht geslagen, Solamnië uit, en ze reisden alleen, afgezien van één betrouwbare vazal, die de dood zou vinden voordat ze Soelaas bereikten. Het wijsje was een woordeloos wiegeliedje, ouder nog dan draken. Sturms moeder hield haar kind stevig vast en probeerde haar angst niet te verraden door dat zoete, troostende wijsje te neuriën. Sturms ogen gingen dicht. Hij viel in een gezegende slaap, net als de andere reisgenoten.

Het licht van Raistlins staf scheen fel en hield de duisternis op afstand.

17

De Paden van de Doden.
Raistlins nieuwe vrienden.

Het geluid van metaal dat op de tegelvloer kletterde, wekte Tanis uit een diepe slaap. Geschrokken kwam hij overeind, tastend naar zijn zwaard.

'Neem me niet kwalijk,' zei Caramon, beschaamd grinnikend. 'Ik liet mijn borstkuras vallen.'

Tanis slaakte een zucht die overging in een gaap, rekte zich uit en ging weer op zijn deken liggen. De aanblik van Caramon die – met hulp van Tasselhof – zijn wapenrusting vastgespte, deed de halfelf denken aan wat hen vandaag te wachten stond. Hij zag dat ook Sturm zijn harnas vastgespte, terwijl Waterwind het zwaard poetste dat hij de vorige dag had meegenomen. Ferm zette Tanis de gedachte aan wat hen vandaag allemaal kon overkomen van zich af.

Dat was geen eenvoudige opgave, met name voor de elf in Tanis. Elfen vereren immers het leven, en hoewel ze geloven dat de dood niet meer is dan een overgang naar een hoger plan, vinden ze ook dat de dood van elk levend wezen afbreuk doet aan het leven in deze werkelijkheid. Tanis dwong zijn menselijke kant vandaag de leiding te nemen. Hij zou moeten doden, en mogelijk zou hij zelfs de dood moeten accepteren van een of meer van deze mensen van wie hij hield. Het stond hem nog helder voor ogen hoe hij zich een dag eerder had gevoeld, toen hij dacht dat ze Waterwind zouden verliezen. Opeens ging de halfelf weer recht-op zitten, met het gevoel dat hij was ontwaakt uit een boze droom.

'Is iedereen wakker?' vroeg hij, krabbend aan zijn baard.

Flint kwam stampend op hem af om hem een stuk brood en een paar repen gedroogd hertenvlees te geven. 'Dat niet alleen, we hebben al ontbeten,' bromde hij. 'Al was er een nieuwe Catastrofe gekomen, dan was jij er dwars doorheen geslapen, halfelf.'

Zonder veel eetlust nam Tanis een hap van het hertenvlees. Toen snoof hij en trok zijn neus op. 'Wat is dat voor een stank?'

'Een of ander brouwsel van de magiër.' Met een grimas liet de dwerg zich naast Tanis op de grond vallen. Hij haalde een houtblok tevoorschijn en begon er woest in te snijden, zodat de houtsnippers alle kanten op vlogen. 'Hij heeft een of ander poedertje in een beker fijngemalen en er water doorheen geroerd. Hij heeft het al opgedronken, maar niet voordat het die strontgeulstank verspreidde. Ik wil liever niet weten wat het was.'

Dat was Tanis met hem eens. Hij kauwde op het hertenvlees. Raistlin zat nu in zijn spreukenboek te lezen en keer op keer dezelfde woorden te mompelen, tot hij ze uit zijn hoofd kende. Tanis vroeg zich af wat voor spreuk Raistlin had gevonden die tegen een draak van nut kon zijn. Afgaand op het weinige wat hij wist van drakenleer – en alles wat hij wist, had hij geleerd van de elfenbard Quivalen Soth – mochten alleen de allermachtigste magiërs hopen dat hun spreuken enig effect zouden hebben op een draak, aangezien die zelf ook magie konden gebruiken. Dat hadden ze met eigen ogen kunnen aanschouwen.

Tanis keek naar de fragiele jongeman, die verdiept was in zijn spreukenboek, en schudde zijn hoofd. Raistlin mocht dan machtig zijn voor zijn leeftijd, en slim en geslepen bovendien, maar draken waren zo oud als de wereld. Nog vóór de eerste elfen, de oudste van alle rassen, hadden ze op Krynn rondgezworven. Maar goed, als het plan dat de reisgenoten de vorige dag hadden besproken werkte, zouden ze de draak niet eens tegenkomen. Ze hoopten simpelweg haar schuilplaats te vinden en zich met de schijven uit de voeten te kunnen maken. Het was een goed plan, dacht Tanis, en waarschijnlijk net zoveel waard als verwaaide rook. Wanhoop bekroop hem als een stinkende mist.

'Nou, ik ben er helemaal klaar voor,' verkondigde Caramon opgewekt. De grote krijger voelde zich stukken beter nu hij zijn harnas aanhad. De draak leek die ochtend niet meer dan een ergerlijk detail. Toonloos een oud marsliedje fluitend stopte hij zijn bemodderde kleren in zijn reistas. Sturm, die zijn harnas zorgvuldig had omgegord, was een eindje bij de anderen vandaan op de grond gaan zitten, met zijn ogen gesloten, terwijl hij het geheime ritueel afwerkte waarmee een ridder zich mentaal voorbereidde op de strijd. Koud en stijf stond Tanis op en liep even rond om de bloedsomloop weer op gang te brengen en de pijn uit zijn spieren te verdrijven. Elfen hadden geen ritueel voor de strijd, behalve dat ze om vergiffenis vroegen voor de levens die ze zouden nemen.

'Ook wij zijn klaar,' zei Goudmaan. Ze was gekleed in een dikke grijze tuniek van zacht leer, afgebiesd met bont. Haar lange zilverachtig gouden haar had ze rondom haar hoofd ingevlochten om te voorkomen dat een vijand haar bij de haren kon vasthouden.

'Hoe sneller we beginnen, hoe sneller het achter de rug is,' verzuchtte Tanis terwijl hij de boog en de pijlenkoker opraapte die Waterwind uit het kamp van de draconen had meegenomen en die over zijn schouder hing. Verder droeg Tanis een dolk en zijn slagzwaard. Caramon had zijn schild, een zwaard en twee dolken die Waterwind had gebietst. Flint had een strijdbijl uit het draconenkamp ter vervanging van zijn eigen bijl, die hij was kwijtgeraakt. Tasselhof had zijn hoopak en een kleine dolk die hij had gevonden. Hij was er erg trots op, en reageerde dan ook diep gekwetst toen Caramon zei dat het een handig ding was voor het geval ze op woeste konijnen stuitten. Waterwind had zijn zwaard, dat aan een riem op zijn rug hing, en had nog steeds Tanis' dolk bij zich. Goudmaan droeg geen wapens, afgezien van de staf. We zijn goed bewapend, dacht Tanis somber. Al moet ik nog zien of we er iets aan hebben.

De reisgenoten verlieten de zaal van Mishakal, Goudmaan als laatste. In het voorbijgaan legde ze zachtjes haar hand op het standbeeld van de godin en prevelde geluidloos een gebed.

Tas ging voorop, vrolijk huppelend zodat zijn knotje op en neer stuiterde. Hij ging een echte, levende draak zien! De kender kon zich niets spannenders voorstellen.

Op Caramons aanwijzingen liepen ze in oostelijke richting, door nog twee dubbele gouden deuren, waarop ze uitkwamen in een groot rond vertrek. In het midden stond een met slijm bedekte sokkel, die zo hoog was dat zelfs Waterwind niet kon zien of er iets op stond, laat staan wat. Tas bleef er even bij staan en keek smachtend omhoog.

'Ik heb gisteravond geprobeerd erop te klimmen,' zei hij, 'maar het was te glad. Ik zou graag willen weten wat erop staat.'

'Nou, wat het ook is, het zal voorgoed buiten het bereik van de kenders moeten blijven,' snauwde Tanis aangebrand. Hij liep naar de wenteltrap die naar beneden leidde om die te inspecteren. De treden waren gebarsten en bedekt met rottende planten en schimmels.

'De Paden van de Doden,' zei Raistlin plotseling.

'Hè?' vroeg Tanis verschrikt.

'De Paden van de Doden,' herhaalde de magiër. 'Zo heet die trap.'

'Hoe weet je dat in Reorx' naam?' grauwde Flint.

'Ik heb wel eens iets over deze stad gelezen,' antwoordde Raistlin met zijn fluisterstem.

'Maar wij hebben er nog nooit van gehoord,' zei Sturm kil. 'Wat weet je nog meer wat je ons niet hebt verteld?'

'Heel wat, ridder,' pareerde Raistlin met een boos gezicht. 'Terwijl jij en mijn broer met houten zwaarden speelden, zat ik te studeren.'

'Ja, op alles wat duister en mysterieus was,' sneerde de ridder. 'Wat is er werkelijk gebeurd in de Torens van de Hoge Magie, Raistlin? Je hebt die geweldige vermogens van je vast niet voor niets gekregen. Wat heb je opgeofferd in die toren? Je gezondheid... of je ziel?'

'Ik was bij mijn broer toen hij naar de toren ging,' zei Caramon. Het normaal zo opgewekte gelaat van de krijger stond opeens gekweld. 'Ik heb hem met slechts een paar eenvoudige spreuken zien strijden tegen machtige magiërs en tovenaars. Hij wist hen te verslaan, ook al verwoestten ze zijn lichaam. Op het randje van de dood heb ik hem uit dat verschrikkelijke oord weggedragen. En ik...' De grote man aarzelde.

Raistlin deed een snelle stap naar voren en legde zijn koude, magere hand op de arm van zijn tweelingbroer.

'Pas op met wat je zegt,' siste hij.

Caramon ademde diep in en slikte moeizaam. 'Ik weet wat hij heeft opgeofferd,' zei de krijger met hese stem. Toen hief hij trots het hoofd. 'Het is ons niet toegestaan erover te praten. Maar je kent mij al vele jaren, Sturm Zwaardglans, en op mijn erewoord, je kunt mijn broer vertrouwen zoals je mij vertrouwt. Als dat ooit verandert, mag ik hopen dat mijn dood – en die van hem – niet ver weg is.'

Bij het horen van die eed kneep Raistlin zijn ogen tot spleetjes. Met een bedachtzaam, somber gezicht keek hij zijn broer aan. Toen zag Tanis zijn lip krullen en werd de ernst verdreven door zijn gebruikelijke cynisme. Het was een verbijsterende transformatie. Even was de gelijkenis tussen de broers onmiskenbaar geweest. Nu leken ze echter weer zo verschillend als dag en nacht.

Sturm deed een stap naar voren en greep zonder iets te zeggen Caramons hand stevig vast. Toen wendde hij zich tot Raistlin, vergeefs trachtend zijn overduidelijke afkeer voor hem te verbergen. 'Mijn verontschuldigingen, Raistlin,' zei hij stijfjes. 'Je mag blij zijn dat je zo'n loyale broer hebt.'

'O, maar dat ben ik ook,' fluisterde Raistlin.

Tanis wierp de magiër een scherpe blik toe, zich afvragend of hij zich het sarcasme in diens sissende stem had ingebeeld. De halfelf likte zijn lippen, want opeens had hij een bittere smaak in zijn mond. 'Kun je ons door dit oord heen leiden?' vroeg hij bruusk.

'Dat zou ik gekund hebben,' antwoordde Raistlin, 'als we hier voor de Catastrofe waren gekomen. De boeken die ik heb bestudeerd, dateren van vele honderden jaren geleden. Tijdens de Catastrofe, toen de vuurberg Krynn trof, werd de stad Xak Tsaroth van de klif geslagen. Deze trap herken ik omdat hij nog intact is. Maar wat daarna komt...' Hij haalde zijn schouders op.

'Waar leidt de trap naartoe?'

'Naar een plek die de Zaal van de Voorvaderen wordt genoemd. Daar

werden de priesters en koningen van Xak Tsaroth in crypten begraven.'
'Laten we maar gaan,' zei Caramon bars. 'We staan onszelf hier alleen
maar bang te maken.'
'Ja,' zei Raistlin knikkend. 'We moeten gaan, en snel. We hebben tot
het vallen van de avond. Morgen zal deze stad worden overspoeld door
het leger uit het noorden.'
'Ha!' Sturm fronste zijn wenkbrauwen. 'Misschien weet je inderdaad
heel veel, zoals je beweert, magiër, maar dát kun je niet weten. Desondanks heeft Caramon gelijk. We staan hier al veel te lang. Ik ga wel voorop.'
Voorzichtig liep hij de eerste treden af, oppassend dat hij niet uitgleed
op het glibberige oppervlak. Tanis zag dat Raistlin de ridder met een
vijandige blik in zijn samengeknepen gouden ogen nakeek.
'Raistlin, ga met hem mee en licht hem bij,' beval Tanis, zonder acht te
slaan op de boze blik die Sturm hem toewierp. 'Caramon, loop met
Goudmaan mee. Waterwind en ik vormen de achterhoede.'
'En waar blijven wij dan?' mopperde Flint tegen de kender terwijl ze
achter Caramon en Goudmaan aan liepen. 'In het midden, zoals gewoonlijk. Als overbodige bagage—'
'Er kan daar van alles zijn,' zei Tas, die nog steeds naar de sokkel stond te
kijken. Hij had duidelijk geen woord gehoord van wat er was gezegd.
'Een kristallen bol waarmee je in de toekomst kunt kijken, of een magische ring zoals die ene die ik ooit heb gehad. Heb ik je weleens verteld
over mijn magische ring?' Flint kreunde. Tanis hoorde de kender babbelen terwijl het tweetal de trap afliep.
De halfelf draaide zich om naar Waterwind. 'Jij bent hier geweest, dat
moet haast wel. We hebben de godin gezien die jou de staf heeft gegeven. Ben je ook hierbeneden geweest?'
'Dat weet ik niet,' zei Waterwind vermoeid. 'Ik kan me er niets van
herinneren. Helemaal niets, behalve de draak.'
Tanis deed er het zwijgen toe. De draak. Het kwam allemaal aan op de
draak. Dat wezen beheerste ieders gedachten. En wat stak hun kleine
groepje zwak af bij dat monster dat in zijn volle glorie was opgedoken
uit de meest duistere legendes van Krynn. Waarom wij, dacht Tanis
verbitterd. Was er ooit een onwaarschijnlijker groepje helden geweest
met al dat gekibbel, gemopper en geruzie, en waarin de ene helft de andere helft niet vertrouwde? 'We zijn uitverkoren.' Dat bood weinig
troost. Tanis wist nog precies wat Raistlin had gezegd: 'Wíé heeft ons
uitgekozen? En met welk doel?' Dat begon de halfelf zich ook af te vragen.
Stilletjes liepen ze de steile wenteltrap af, die steeds dieper doordrong in
de flank van de heuvel. In eerste instantie was het aardedonker, maar na

een tijdje werd het lichter, zo licht zelfs dat Raistlin het kristal op zijn staf kon doven. Kort daarna hief Sturm zijn hand om de anderen te beduiden te stoppen. Voor hen uit strekte zich een korte gang uit, niet meer dan een paar voet lang. Die leidde naar een gewelfde doorgang waarachter een enorme open ruimte gaapte. Een vaalgrijs licht scheen de gang in, en het stonk er naar vocht en rotting.

Een hele tijd bleven de reisgenoten aandachtig staan luisteren. Ergens onder hen en aan de andere kant van de doorgang klonk het geruis van water, dat bijna alle andere geluiden overstemde. Toch dacht Tanis dat hij nog iets had gehoord, een scherpe knal, en een ritmisch gebons op de grond, dat hij eerder voelde dan hoorde. Het was echter van korte duur en er klonken geen knallen meer. Vervolgens klonk er een nog merkwaardiger geluid: een metaalachtig, schril geknars. Tanis keek vragend naar Tasselhof.

De kender haalde zijn schouders op. 'Ik heb geen flauw idee,' zei hij terwijl hij met zijn hoofd schuin geconcentreerd luisterde. 'Ik heb nog nooit zoiets gehoord, Tanis, behalve die ene keer...' Hij zweeg en schudde toen zijn hoofd. 'Wil je dat ik even ga kijken?' vroeg hij gretig. 'Doe maar.'

Tasselhof sloop door de korte gang, van de ene schaduw naar de andere schietend. Een muis die over een dik tapijt rent maakt nog meer lawaai dan een kender die zijn aanwezigheid niet wil verraden. Al snel was hij bij de doorgang en kon hij om het hoekje gluren. Voor hem uit strekte zich een zaal uit die ooit een ceremoniële functie moest hebben vervuld. De Zaal van de Voorvaderen, zo had Raistlin hem genoemd. Nu was het een zaal van puin. Aan de oostkant was een deel van de vloer weggezakt in een gat waar een smerig ruikende witte mist uit opsteeg. Tas zag nog meer grote gaten in de vloer, en her en der staken grote stukken steen recht omhoog, als grafstenen. Voorzichtig tastte de kender met zijn voeten de vloer af voordat hij de zaal inliep. Door de mist heen kon hij vaag een donkere doorgang in de zuidelijke wand onderscheiden... en nog een in de noordelijke. Het vreemde geknars kwam uit zuidelijke richting. Die kant liep Tas op.

Opeens hoorde hij in het noorden, achter zich, weer dat ritmische gebonk. De vloer trilde ervan. Haastig vluchtte de kender terug naar de trap. Zijn vrienden hadden het geluid ook gehoord en stonden met hun rug plat tegen de muur, hun wapens in hun handen. Het gebonk ging over in een luid gesuis. Achter de gewelfde doorgang schoten een stuk of tien, vijftien gedrongen, donkere silhouetten voorbij. De vloer beefde. Ze hoorden gehijg en af en toe een gemompeld woord. Toen verdwenen de gestalten in zuidelijke richting in de mist. Opnieuw klonk er zo'n scherpe knal, gevolgd door stilte.

'In de naam van de Afgrond, wat was dat?' riep Caramon uit. 'Dat waren geen draconen, tenzij er nu opeens een klein, dik ras bij is gekomen. En waar kwamen ze vandaan?'

'Van de noordzijde van de zaal,' zei Tas. 'Daar is een doorgang, en aan de zuidkant nog een. Dat rare geknars komt uit zuidelijke richting, waar die wezens naartoe renden.'

'Wat is er in het oosten?' vroeg Tanis.

'Afgaand op het geluid van vallend water dat ik hoorde, een gat van ongeveer duizend voet diep,' antwoordde de kender. 'De vloer is daar weggezakt. Het lijkt me geen goed idee om die kant op te lopen.'

Flint snoof. 'Ik ruik iets… iets bekends. Ik kan het alleen niet plaatsen.'

'Ik ruik de dood,' zei Goudmaan, die rillend de staf dichter tegen zich aan drukte.

'Welnee, dit is veel erger,' mompelde Flint. Toen sperde hij zijn ogen open en werd zijn gezicht vuurrood van woede. 'Ik heb het!' bulderde hij. 'Greppeldwergen!' Hij haalde zijn bijl van zijn rug. 'Dat waren die kleine ellendelingen dus, greppeldwergen. Nou, dat zal niet lang meer duren. Nog even en het zijn stinkende lijken.'

Hij rende de gang in. Tanis, Sturm en Caramon haastten zich achter hem aan, wisten hem nog vóór het eind van de gang te bereiken en sleurden hem mee terug.

'Wees stil!' beval Tanis de tegensputterende dwerg. 'Vertel. Hoe zeker ben je ervan dat het greppeldwergen zijn?'

De dwerg rukte zich boos los uit Caramons greep. 'Heel zeker!' brulde hij, maar toen liet hij zijn stem dalen tot een luid gefluister. 'Ze hebben me toch zeker drie jaar gevangengehouden?'

'O ja?' vroeg Tanis verschrikt.

'Daarom heb ik je niet verteld waar ik de afgelopen vijf jaar heb uitgehangen,' zei de dwerg, rood van schaamte. Zijn gezicht werd duister. 'Maar ik heb gezworen dat ik wraak zou nemen. Ik vermoord iedere levende greppeldwerg die ik tegenkom.'

'Wacht eens even,' viel Sturm hem in de rede. 'Greppeldwergen zijn niet boosaardig, tenminste, niet zoals kobolden. Waarom wonen ze hier dan, samen met de draconen?'

'Omdat ze slaven zijn,' antwoordde Raistlin koel. 'Ongetwijfeld wonen de greppeldwergen hier al jaren, waarschijnlijk al sinds de stad is leeggelopen. Toen de draconen hiernaartoe werden gestuurd, wellicht om de schijven te bewaken, troffen ze de greppeldwergen aan en dwongen ze die tot slavenarbeid.'

'Misschien kunnen ze ons dan wel helpen,' prevelde Tanis.

'Greppeldwergen!' barstte Flint uit. 'Ben je echt van plan te vertrouwen op die smerige, kleine—'

'Nee,' zei Tanis. 'Natuurlijk kunnen we niet op ze vertrouwen. Maar vrijwel iedere slaaf is bereid zijn meester te verraden, en zoals de meeste dwergen zijn greppeldwergen niet erg loyaal, behalve aan hun eigen stamhoofden. Zolang we hun niet vragen iets te doen waarmee ze hun eigen leven in gevaar brengen, kunnen we ons misschien van hun hulp verzekeren.'

'Alle ogerkonten nog an toe!' zei Flint verontwaardigd. Hij smeet zijn bijl op de grond, rukte zijn reistas van zijn schouders en ging met zijn armen over elkaar tegen de muur op de grond zitten. 'Je gaat je gang maar. Vraag je nieuwe vriendjes maar om hulp. Ik doe er niet aan mee! O, ze zullen je best helpen. Recht de snuit van die draak in!'

Tanis en Sturm wisselden een bezorgde blik. Ze moesten denken aan het incident met de boot. Flint kon ongelooflijk koppig zijn, en Tanis achtte het heel waarschijnlijk dat de dwerg deze keer onvermurwbaar zou blijken te zijn.

'Ik weet niet, hoor,' verzuchtte Caramon hoofdschuddend. 'Jammer dat de dwerg niet meegaat. Als we die greppeldwergen zover krijgen dat ze ons helpen, wie moet dat uitschot dan in het gareel houden?'

Tanis glimlachte, verbaasd dat Caramon zo geraffineerd kon zijn, en speelde het spelletje mee. 'Sturm, denk ik.'

'Sturm!' De dwerg sprong overeind. 'Een ridder die het vertikt een vijand in de rug aan te vallen? Je hebt iemand nodig die weet hoe je met die smerige wezens moet omgaan!'

'Daar heb je gelijk in, Flint,' zei Tanis ernstig. 'Het lijkt erop dat je toch maar met ons mee moet gaan.'

'Reken maar,' bromde Flint. Hij raapte zijn spullen bij elkaar en stommelde de gang in. 'Komen jullie nog?'

De reisgenoten moesten een glimlach verbergen terwijl ze achter de dwerg aan de Zaal van de Voorvaderen betraden. Ze bleven dicht bij de wand om de verraderlijke vloer zoveel mogelijk te vermijden. Ze liepen in zuidelijke richting, achter de greppeldwergen aan, en kwamen in een schemerig verlichte gang die slechts een paar honderd voet lang was voordat hij een scherpe bocht naar het oosten maakte. Opnieuw hoorden ze die scherpe knal. Het metaalachtige geschraap was opgehouden. Opeens hoorden ze achter zich rennende voetstappen.

'Greppeldwergen!' grauwde Flint.

'Achteruit!' beval Tanis. 'We springen erbovenop. We kunnen niet toestaan dat ze alarm slaan.'

Iedereen drukte zich met de rug tegen de muur, zwaard getrokken en in de aanslag. Flint had zijn bijl in zijn handen en een gretige, afwachtende uitdrukking op zijn gezicht. Hun blik was gericht op de grote zaal, waar een nieuwe groep kleine, dikke gestalten opdook die in hun richting kwamen rennen.

Opeens keek de leider van de greppeldwergen op en zag hen. Met zijn enorme arm bevelend geheven sprong Caramon pal voor de kleine, rennende figuurtjes. 'Halt!' zei hij. De greppeldwergen keken vluchtig naar hem op, zwermden om hem heen en verdwenen om de hoek in oostelijke richting. Caramon draaide zich om en staarde hen verbijsterd na.

'Halt...' zei hij halfslachtig.

Een van de greppeldwergen kwam terug, keek Caramon boos aan en legde een groezelige vinger tegen zijn lippen. 'Sst!' Het gedrongen wezentje verdween. Het geknal en geknars was weer begonnen.

'Wat zou er gaande zijn, denken jullie?' vroeg Tanis zachtjes.

'Zien ze er allemaal zo uit?' vroeg Goudmaan met grote ogen. 'Wat zijn ze smerig en haveloos, en ze hebben allemaal zweren op hun lichaam.'

'En net zoveel hersens als de gemiddelde deurklink,' gromde Flint.

Voorzichtig, met hun handen bij hun wapens, liepen de metgezellen de hoek om. Een lange, smalle gang liep in oostelijke richting en werd verlicht door toortsen die flakkerden en rookten in de benauwde, vochtige lucht. Het licht weerspiegelde op wanden die nat waren van de condens. Aan weerszijden van de gang bevonden zich gewelfde doorgangen die slechts duisternis onthulden.

'De crypten,' fluisterde Raistlin.

Tanis huiverde. Water drupte vanaf het plafond op zijn hoofd en schouders. Het metaalachtige geknars was nu luider en dichterbij. Goudmaan raakte de arm van de halfelf aan en wees ergens naar. Aan het uiterste einde van de gang zag Tanis een deuropening. Daarachter was nog een gang, haaks op die van hen, die vol stond met greppeldwergen.

'Ik vraag me af waarvoor ze in de rij staan,' zei Caramon.

'Dit is onze kans om erachter te komen,' zei Tanis. Hij wilde al weglopen toen hij de hand van de magiër op zijn arm voelde.

'Laat dit maar aan mij over,' fluisterde Raistlin.

'Maar we gaan wel met je mee,' verkondigde Sturm. 'Om je rugdekking te geven, uiteraard.'

'Uiteraard,' snoof Raistlin. 'Goed dan, maar loop me niet in de weg.'

Tanis knikte. 'Flint, bewaak jij samen met Waterwind deze kant van de gang.' Flint wilde protesteren, maar liet zich toen met een boos gezicht terugzakken, tot hij tegenover de Vlakteman stond.

'Blijf achter me, op ruime afstand,' beval Raistlin, waarna hij de gang inliep. Zijn rode gewaad ruiste om zijn enkels en de Staf van Magius tikte bij iedere stap zachtjes tegen de vloer. Tanis en Sturm liepen achter hem aan, waarbij ze zo dicht mogelijk bij de druipende muren bleven. Koude lucht stroomde uit de crypten. Toen Tanis bij een ervan naar binnen keek, kon hij bij het licht van de flakkerende toortsen de donkere contouren onderscheiden van een sarcofaag. De grafkist was rijk bewerkt en ingelegd met goud dat zijn glans was verloren. In de crypten hing een beklemmende sfeer. Sommige tombes leken te zijn opengebroken en geplunderd. Tanis ving een glimp op van een grijnzende schedel in de duisternis. Hij vroeg zich af of deze oeroude doden op wraak zonnen omdat hun rust was verstoord. Tanis dwong zichzelf zich te richten op de realiteit. Die was al onaangenaam genoeg.

Vlak voor het einde van de gang bleef Raistlin staan. De greppeldwergen namen hem nieuwsgierig op, maar besteedden geen aandacht aan de anderen, die achter hem aan kwamen. De magiër zei niets. Hij stak zijn hand in een buidel aan zijn riem en haalde er een paar gouden munten uit. De ogen van de greppeldwergen begonnen te glinsteren. Een enkeling vooraan in de rij kwam voorzichtig iets dichterbij om beter te kunnen zien wat Raistlin deed. De magiër hield een munt omhoog, zodat ze hem allemaal goed konden zien. Toen wierp hij hem hoog in de lucht... waar hij verdween!

De greppeldwergen hapten collectief naar adem. Met een zwierig gebaar opende Raistlin zijn hand, en daar was de munt weer. Hier en daar klonk applaus. De greppeldwergen kwamen dichterbij, met open mond van verbazing.

Greppeldwergen – of de Aghars, zoals het ras officieel heette – waren werkelijk uitschot. Ze vormden de laagste kaste van de dwergenmaatschappij en waren overal op Krynn te vinden. In erbarmelijke, smerige omstandigheden leefden ze op plekken die de meeste andere levende wezens – inclusief dieren – de rug hadden toegekeerd. Zoals alle dwergen kenden ze een clansysteem, en vaak leefden verschillende clans samen, geregeerd door stamhoofden, of door één uitzonderlijk machtig clanhoofd. In Xak Tsaroth leefden drie clans: de Sluds, de Bulps en de Gloeps. Raistlin was omringd door leden van alle drie de clans. Er waren zowel mannen als vrouwen bij, al waren die niet makkelijk van elkaar te onderscheiden. De vrouwen hadden geen beharing op hun kin, maar wel op hun wangen, en ze droegen een gerafelde sloof die tot aan hun benige knieën kwam. Verder waren ze minstens zo lelijk als hun mannelijke soortgenoten. Maar hoe ellendig ze er ook uitzagen, greppeldwergen leidden over het algemeen een opgewekt bestaan.

Met ongelooflijke behendigheid liet Raistlin de munt over zijn knokkels dansen, van de ene vinger naar de andere. Toen liet hij hem weer verdwijnen, om hem vervolgens ogenschijnlijk uit het oor te halen van een geschrokken greppeldwerg, die de magiër vol verwondering aanstaarde. Dat laatste trucje leidde tot een korte pauze in de voorstelling, aangezien de vrienden van de Aghar hem vastgrepen en ingespannen in zijn oor tuurden. Eén van hen stak er zelfs een vinger in, om te zien of er misschien nog meer munten in zaten. Aan die interessante activiteit kwam echter een einde toen Raistlin zijn hand in een andere buidel stak en daar een rolletje perkament uit haalde. Met zijn lange, dunne vingers rolde hij het open, waarna hij er met zachte, gedragen stem een tekst van voorlas: '*Suh tangus moipar, ast akular kalipar.*' De greppeldwergen keken gebiologeerd toe.

Zodra de magiër klaar was met voorlezen, begonnen de stakerige letters op het perkament te branden. Vlammen laaiden op en doofden weer, en lieten niets dan wat groene rookkringels achter.

'Wat was dat nou weer?' vroeg Sturm achterdochtig.

'Ze zijn betoverd,' antwoordde Raistlin. 'Ik heb een vriendschapsspreuk over hen uitgesproken.'

De greppeldwergen waren in zijn ban, en het viel Tanis op dat de belangstelling op hun gezicht plaats had gemaakt voor openlijke, onbeschaamde genegenheid jegens de magiër. Ze staken hun groezelige handjes uit om hem klopjes te geven en babbelden vrolijk in hun onontwikkelde taaltje. Sturm wierp Tanis een verschrikte blik toe. Tanis wist wat de ridder dacht: als hij had gewild, had Raistlin die spreuk over hen kunnen uitspreken.

Bij het horen van rennende voetstappen keek Tanis snel achterom naar de plek waar Waterwind op wacht stond. De Vlakteman wees naar de greppeldwergen en stak toen zijn beide handen met de vingers gespreid op. Er kwamen er nog tien hun richting uit. Al snel zag hij de nieuwkomers aankomen. Zonder Waterwind ook maar een blik waardig te keuren, draafden ze langs hem heen. Ze stopten pas toen ze de commotie rond de magiër zagen.

'Wat gebeurt?' vroeg er een, starend naar Raistlin. De betoverde greppeldwergen stonden om de magiër heen, trekkend aan zijn gewaad, en probeerden hem met zich mee te sleuren, verder de gang in.

'Vriend. Dit onze vriend,' kwetterden ze allemaal wild in een primitieve vorm van het Gemeenschaps.

'Ja,' zei Raistlin met zachte, vriendelijke stem, zo beleefd en innemend dat Tanis even van zijn stuk was gebracht. 'Jullie zijn allemaal mijn vrienden,' ging de magiër verder. 'Vertel eens, mijn vrienden, waar gaat deze gang naartoe?' Meteen klonken er overal opgewonden antwoorden.

'Gang gaat die kant op,' zei er een, naar het oosten wijzend.

'Nee, hij gaat die kant op!' zei een ander, naar het westen wijzend.

Er ontstond een opstootje toen de greppeldwergen begonnen te duwen en trekken. Al snel zwaaiden er vuisten, en binnen een mum van tijd had de ene greppeldwerg de andere tegen de grond gewerkt en schopten ze elkaar, terwijl ze om het hardst schreeuwden: 'Die kant op! Die kant op!'

Sturm draaide zich om naar Tanis. 'Dit is belachelijk! Nog even en iedere dracoon die hier rondloopt komt op het kabaal af. Ik weet niet wat die maffe magiër heeft gedaan, maar je moet hem tegenhouden.'

Voordat Tanis echter kon ingrijpen, nam een vrouwelijke greppeldwerg het heft in handen. Ze dook in het strijdgewoel, greep de twee vechters vast, sloeg ze stevig met de koppen tegen elkaar en liet ze op de grond vallen. De anderen, die om hen heen hadden staan juichen, vielen meteen stil, en de nieuwkomer draaide zich om naar Raistlin. Ze had een dikke, bolle neus en haar haren stonden alle kanten op. Ze droeg een verstelde, gerafelde jurk, stevige schoenen en een maillot waarvan de helft om haar enkels hing. Desondanks had ze kennelijk een leidende positie onder de greppeldwergen, want ze betoonden haar allemaal respect. Dat kwam wellicht door de enorme, zware tas die om haar schouder hing en die over de grond sleepte als ze liep, waardoor ze er keer op keer over struikelde. Kennelijk was die tas erg belangrijk voor haar. Telkens als een van de andere greppeldwergen hem wilde aanraken, draaide ze zich met een ruk om en gaf hem een klap in zijn gezicht.

'Gang leidt naar grote bazen,' zei ze met een knikje naar het oosten.

'Dank je, lief kind,' zei Raistlin terwijl hij zijn hand tegen haar wang legde. Hij sprak een paar woorden: *'Tan-tago, musalah.'*

De vrouwelijke greppeldwerg keek gefascineerd toe terwijl hij sprak. Toen slaakte ze een zucht en keek vol aanbidding naar hem op.

'Vertel eens, kleintje,' zei Raistlin. 'Hoeveel bazen?'

De greppeldwerg fronste geconcentreerd haar wenkbrauwen. Ze stak haar groezelige hand op. 'Eén,' zei ze met één vinger opgestoken. 'En één, en één, en één.' Met een triomfantelijke blik op Raistlin stak ze vier vingers op en zei: 'Twee.'

'Volgens mij had Flint gelijk,' bromde Sturm.

'Sst,' deed Tanis. Op dat moment hield het geknars op. De greppeldwergen wierpen ongemakkelijke blikken naar het andere eind van de gang, waar de stilte werd verbroken door weer zo'n scherpe knal.

'Wat is dat voor een geluid?' vroeg Raistlin aan zijn betoverde bewonderaar.

'Zweep,' antwoordde de vrouwelijke greppeldwerg emotieloos. Met haar smerige hand greep ze Raistlins gewaad vast, en ze wilde hem in oostelijke richting mee de gang in trekken. 'Bazen worden boos. We gaan.'

'Wat doen jullie precies voor de bazen?' vroeg Raistlin, die bleef staan.

'We gaan. Je zult zien.' De greppeldwerg trok aan zijn gewaad. 'Wij neer. Zij op. Neer. Op. Neer. Op. Kom. Jij gaat. Wij geven lift neer.'

Raistlin, die werd meegevoerd door een golf van Aghars, keek achterom naar Tanis en gebaarde naar hem. Tanis gaf een teken aan Flint en Waterwind, waarna iedereen achter de greppeldwergen aan verder de gang inliep. Degenen die Raistlin had betoverd, verdrongen zich om hem heen in een poging zo dicht mogelijk bij hem te zijn, terwijl de rest vooruitrende toen opnieuw het knallen van de zweep klonk. Het hele gezelschap ging de hoek om, waar het geknal en geknars weer begon, veel luider deze keer.

Het gezicht van de vrouwelijke greppeldwerg lichtte op toen ze het hoorde. Zij en de andere greppeldwergen bleven staan. Sommigen hingen tegen de met slijm bedekte muren, anderen lieten zich als zoutzakken op de grond vallen. De vrouw bleef bij Raistlin staan, met de mouw van zijn gewaad in haar kleine hand. 'Wat is er?' vroeg hij. 'Waarom blijven we staan?'

'We wachten. Nog niet aan de beurt,' legde ze uit.

'Wat doen we als we wel aan de beurt zijn?' vroeg hij geduldig.

'Neer gaan,' zei ze, terwijl ze hem met een blik vol aanbidding aanstaarde.

Hoofdschuddend keek Raistlin op naar Tanis. De magiër besloot een andere benadering te proberen.

'Hoe heet je, kleintje?' vroeg hij.

'Boepoe.'

Caramon snoof van het lachen, maar sloeg snel zijn hand voor zijn mond.

'Goed, Boepoe,' zei Raistlin zoetgevooisd, 'weet je waar de schuilplaats van de draak is?'

'Draak?' herhaalde Boepoe verbijsterd. 'Wil jij draak?'

'Nee,' zei Raistlin haastig, 'we willen de draak niet. Alleen de schuilplaats van de draak, waar de draak woont.'

'O, weet mij niet.' Boepoe schudde haar hoofd. Toen ze de teleurstelling op Raistlins gezicht zag, pakte ze zijn hand vast. 'Maar mij jou naar Hoogbulp brengen. Hij weet alles.'

Raistlin trok zijn wenkbrauwen op. 'En hoe komen we bij de Hoogbulp?'

'Neer!' antwoordde ze met een vrolijke grijns. Het geknars hield op. Daar klonk het knallen van de zweep. 'Wij nu aan de beurt voor neer gaan. Jij komen. Jij nu komen. Naar Hoogbulp toe.'

'Wacht even.' Raistlin maakte zich los uit de greep van de greppeldwerg. 'Ik moet even met mijn vrienden praten.' Hij liep naar Tanis en Sturm toe. 'Die Hoogbulp is waarschijnlijk het hoofd van de clan, misschien zelfs van meerdere clans.'

'Als hij net zo intelligent is als de rest, weet hij niet eens waar zijn eigen waskom staat, laat staan waar de draak is,' bromde Sturm.

'Waarschijnlijk weet hij het wel,' zei Flint schoorvoetend. 'Ze zijn niet slim, maar greppeldwergen onthouden alles wat ze zien en horen. Je moet het alleen uit ze zien te krijgen, in woorden van meer dan één lettergreep.'

'Dan kunnen we maar beter naar die Hoogbulp gaan,' zei Tanis spijtig. 'Als we er nu alleen nog achter kunnen komen wat dat "op en neer" en dat geknars te betekenen heeft...'

'Dat kan ik je vertellen!' zei iemand.

Tanis keek om zich heen. Hij was Tasselhof helemaal vergeten. De kender kwam met dansende knot en vrolijk glinsterende ogen de hoek om rennen. 'Het is een lift, Tanis,' zei hij. 'Net als in de dwergenmijnen. Ik ben een keer in zo'n mijn geweest. Prachtig was dat. Ze hadden een lift om stenen mee naar boven en naar beneden te brengen. En dit is net zoiets. Nou ja, bijna net zoiets. Zie je...' Opeens kreeg hij de slappe lach en kon hij geen woord meer uitbrengen. Omdat de anderen hem boos aankeken, deed de kender zijn uiterste best om zich te beheersen.

'Ze gebruiken een enorme reuzelketel. De greppeldwergen die hier in de rij staan, zetten het op een rennen zodra een van die draconendingesen met zijn zweep slaat. Dan springen ze allemaal in die ketel, die is bevestigd aan een dikke ketting die om een wiel is gewikkeld met spaken die in de schakels passen. Daar komt dat geknars vandaan. Het wiel draait rond en hup, ze gaan naar beneden. En na een tijdje komt er een tweede ketel naar boven—'

'Grote bazen. Ketel vol grote bazen,' zei Boepoe.

'Vol met draconen!' zei Tanis geschrokken.

'Komen niet hier,' zei Boepoe. 'Gaan die kant op.' Ze maakte een vaag gebaar.

Tanis was niet gerustgesteld. 'Dus dat zijn de bazen. Hoeveel draconen staan er bij die ketel?'

'Twee,' zei Boepoe, die nog steeds stevig Raistlins mouw vasthield. 'Niet meer dan twee.'

'Nou, het zijn er vier,' zei Tas met een verontschuldigende blik omdat hij de greppeldwerg tegensprak. 'Het zijn van die kleintjes, niet van die grote die spreuken uitspreken.'

'Vier.' Caramon spande de spieren in zijn machtige armen. 'Vier kunnen we er wel aan.'

'Ja, maar we moeten het zó aanpakken dat er niet juist op dat moment vijftien nieuwe verschijnen,' merkte Tanis op.

De zweep knalde weer.

'Kom!' Boepoe trok dwingend aan Raistlins mouw. 'We gaan. Bazen worden boos.'

'Ik zou zeggen dat dit de beste kans is die we krijgen,' zei Sturm schouderophalend. 'Laat de greppeldwergen maar zoals gewoonlijk naar buiten rennen. Dan komen wij achter ze aan en overmeesteren de bazen in
de verwarring. Als hierboven één ketel wacht op de greppeldwergen,
moet de andere onderaan hangen.'

'Waarschijnlijk wel,' zei Tanis. Hij draaide zich om naar de greppeldwergen. Als jullie bij de lift... eh, de ketel zijn, moeten jullie er niet in
springen. Gewoon opzijgaan en niet in de weg lopen. Goed?'

De greppeldwergen keken Tanis vol argwaan aan. Met een zucht keek
de halfelf naar Raistlin. Met een vage glimlach herhaalde de magiër Tanis' instructies. Meteen begonnen de greppeldwergen enthousiast te
knikken en te glimlachen.

De zweep knalde weer, en de reisgenoten hoorden een barse stem.
'Hou op met dat gelummel, stelletje ratten, anders hakken we jullie
smerige voeten af, dan heb je tenminste een reden om te treuzelen!'

'We zullen nog wel eens zien wiens voeten worden afgehakt,' zei Caramon.

'Dit is wel leuk!' zei een van de greppeldwergen plechtig. De Aghars
renden de gang door.

18
Gevecht bij de lift.
Boepoes geneesmiddel tegen hoest.

Hete mist steeg op uit twee grote gaten in de vloer en kolkte om alles heen wat in de buurt was. Tussen de twee gaten bevond zich een groot wiel, waar een enorme ketting omheen lag. Aan die ketting, boven een van de gaten, hing een reusachtige zwarte ketel. Het andere eind van de ketting verdween in het andere gat. Vier in wapenrusting gehulde draconen, waarvan er twee met leren zwepen zwaaiden en een kromzwaard droegen, stonden om de ketel heen. Ze waren slechts heel even zichtbaar voordat de mist hen weer aan het oog onttrok. Tanis hoorde het knallen van de zweep en het gebrul van een zware stem.

'Stelletje luizige dwergenratten! Wat is dat voor een getreuzel? Maak dat je in die ketel komt, voordat ik je smerige huid van je stinkende lijf stroop! Ik—huh!'

De dracoon hield midden in zijn zin op en keek met uitpuilende reptielenogen naar Caramon, die onder het brullen van zijn strijdkreet uit de mist opdoemde. De dracoon slaakte een kreet die overging in verstikt gegorgel toen Caramon het wezen bij zijn magere nek pakte, van zijn geklauwde voeten tilde en wegslingerde. Greppeldwergen vluchtten alle kanten op toen het lichaam met een krakende dreun tegen de muur sloeg.

Op het moment dat Caramon aanviel, riep Sturm, zwaaiend met zijn machtige slagzwaard, de riddergroet naar de vijand en hakte het hoofd af van een dracoon die geen moment besefte wat hem te wachten stond. Het afgehakte hoofd rolde knarsend over de grond, want het was meteen in steen veranderd.

In tegenstelling tot kobolden, die zonder enige strategie of doordachtheid alles aanvielen wat bewoog, waren draconen intelligent en konden ze snel denken. De twee die nog bij de ketel stonden, waren geenszins van plan het op te nemen tegen vijf geoefende, zwaarbewapende krijgers. Een van hen sprong onmiddellijk in de ketel en schreeuwde in zijn taal vol keelklanken instructies naar zijn metgezel. De andere dracoon rende naar het wiel toe en haalde de rem van het mechanisme. De ketel begon te zakken.

'Houd hem tegen!' riep Tanis. 'Hij gaat versterking halen!'

'Mis!' schreeuwde Tasselhof, die over de rand tuurde. 'Die versterkingen zijn in de andere ketel al op weg naar boven. Het zijn er zeker twintig!'

Caramon rende op de dracoon af die de lift bediende om hem tegen te houden, maar hij was te laat. Het wezen liet het mechanisme draaien en rende op de ketel af. Met een grote boog sprong hij zijn metgezel achterna. En Caramon, die de mening was toegedaan dat je de vijand nooit mocht laten ontsnappen, volgde zonder aarzeling zijn voorbeeld. De greppeldwergen juichten en floten. Een enkeling rende zelfs naar de rand om beter te kunnen kijken.

'Die stomme idioot!' vloekte Sturm. Hij duwde een paar greppeldwergen opzij om naar beneden te kunnen kijken, en zag de zwaaiende vuisten en glanzende wapenrusting van Caramon en de draconen, die wild naar elkaar uithaalden. Door Caramons gewicht zakte de ketel nog sneller.

'Daarbeneden hakken ze die lummel aan reepjes,' mompelde Sturm. 'Ik ga achter hem aan!' riep hij naar Tanis. Hij nam een aanloop, sprong, greep de ketting vast en liet zich daarlangs in de ketel glijden.

'Nu zijn we ze allebei kwijt!' kreunde Tanis. 'Flint, kom met mij mee. Waterwind, blijf hier met Raistlin en Goudmaan. Kijk of je dat vervloekte wiel kunt terugdraaien. Nee, Tas, jij niet!'

Te laat. Met een enthousiaste kreet sprong Tas naar de ketting en liet zich naar beneden zakken. Tanis en Flint sprongen ook in het gat. Tanis sloeg zijn armen en benen om de ketting, zodat hij vlak boven de kender bleef hangen, maar de dwerg greep mis en kwam op zijn gehelmde hoofd in de ketel terecht. Prompt stapte Caramon boven op hem.

De draconen in de ketel sloten de krijger in. Hij gaf er één een stomp, zodat die aan de andere kant tegen de rand van de ketel sloeg, en trok zijn dolk terwijl de tweede onhandig naar zijn zwaard tastte. Caramon stak toe voordat hij zijn zwaard uit de schede kon krijgen, maar de dolk ketste af op de wapenrusting van het wezen en vloog uit zijn hand. Snel greep Caramon het monster bij de polsen, en hij slaagde erin zijn handen bij zijn gezicht vandaan te trekken. De twee machtige wezens – één mens, één dracoon – worstelden met elkaar tegen de wand van de pot.

De andere dracoon was inmiddels bekomen van de klap en trok zijn zwaard. Zijn snoekduik naar de krijger werd echter abrupt onderbroken door Sturm, die langs de ketting naar beneden kwam glijden en het wezen met zijn zware laars een harde trap in het gelaat gaf. De dracoon wankelde achteruit en het zwaard vloog uit zijn hand. Sturm sprong in de ketel en probeerde het wezen met de platte kant van zijn zwaard neer te knuppelen, maar de dracoon duwde de kling met zijn blote handen opzij.

'Ga van me af!' brulde Flint vanaf de bodem van de ketel. Zijn helm was over zijn ogen gezakt, en hij werd langzaam verpletterd onder Caramons grote voeten. In een plotselinge vlaag van felle woede zette de dwerg zijn helm recht en duwde zichzelf overeind, waardoor Caramon weggleed en voorover tegen de dracoon aan viel. Het wezen deed een pas opzij, en Caramon viel struikelend tegen de ketting aan. Wild haalde de dracoon uit met zijn zwaard. Caramon dook weg en het zwaard raakte de ketting zo hard dat er een keep in de kling kwam. Flint sprong op de dracoon af en raakte hem vol in de buik met zijn helm. De twee vielen tegen de wand.

De ketel maakte meer snelheid. De smerige mist kolkte om hen heen.

Met zijn blik gericht op wat er onder hem gebeurde, liet Tanis zich langs de ketting omlaagzakken. 'Blijf waar je bent!' snauwde hij tegen Tasselhof. Hij liet de ketting los en kwam midden in het strijdgewoel terecht. Tas, teleurgesteld maar niet bereid om Tanis' bevel te negeren, hield met één hand de ketting vast terwijl hij met de andere een steen uit een buidel haalde, klaar om hem te laten vallen, hopelijk op het hoofd van een vijand.

De ketel begon te schommelen doordat de vechtenden keer op keer tegen de wanden botsten. En ondertussen zakten ze steeds verder naar beneden, terwijl de andere ketel – gevuld met schreeuwende en vloekende draconen – steeds verder naar boven kwam.

Waterwind, die samen met de greppeldwergen aan de rand van het gat stond, kon door de mist heel weinig zien. Hij kon echter wel gebons, gevloek en gekreun horen in de ketel waar zijn vrienden in zaten. Toen doemde uit de mist de andere ketel op. Daar stonden draconen met hun zwaard in de hand naar hem te staren. Hun rode tong hing uit hun muil en ze hijgden verwachtingsvol. Nog even en hij, Goudmaan, Raistlin en vijftien greppeldwergen moesten het opnemen tegen een stuk of twintig boze draconen.

Hij draaide zich om, struikelde over een greppeldwerg, hervond zijn evenwicht en rende naar het mechanisme. Op de een of andere manier moest hij voorkomen dat die ketel bovenkwam. Het enorme wiel draaide langzaam rond, en de ketting knarste tegen de spaken. Waterwind staarde ernaar. Het enige wat hij kon bedenken, was de ketting met zijn blote handen vast te pakken. Iets roods duwde hem uit de weg. Raistlin bestudeerde het wiel even om de rotatiesnelheid te berekenen, en ramde toen de Staf van Magius tussen het wiel en de vloer. De staf trilde even, en Waterwind hield zijn adem in uit angst dat de staf zou breken. Maar hij hield het. Het mechanisme kwam schokkend tot stilstand.

'Waterwind!' riep Goudmaan vanaf haar plek bij het gat. De Vlakteman rende naar de rand toe, met Raistlin op zijn hielen. De greppeldwergen, die nog steeds op een rijtje rond het gat stonden, vermaakten zich uitstekend, want zo'n spektakel hadden ze zelden in hun leven meegemaakt. Alleen Boepoe was bij de rand weg te lokken. Zij draafde achter Raistlin aan en pakte zodra ze de kans kreeg weer zijn gewaad vast.

'*Khark-umat!*' verzuchtte Waterwind toen hij omlaag keek in de kolkende mist.

Caramon smeet de dracoon met wie hij worstelde over de rand van de ketel. Met een schelle kreet verdween hij in de mist. De grote krijger had diepe krassen van klauwen op zijn gezicht en een snee van een zwaard in zijn rechterarm. Sturm, Tanis en Flint worstelden nog steeds met de tweede dracoon, die bereid leek te moorden, wat de gevolgen ook zouden zijn. Toen eindelijk duidelijk werd dat slaan niet afdoende was, stak Tanis hem met zijn dolk. Meteen zakte het wezen dood ineen, zodat Tanis' wapen vast bleef zitten in het versteende lijk.

Toen kwam de ketel tot stilstand met een schok die iedereen deed wankelen.

'Pas op! Buren!' riep Tasselhof terwijl hij zich liet vallen. Tanis keek opzij en zag de andere ketel, vol draconen, op nog geen twintig voet afstand heen en weer slingeren. De draconen, tot de tanden gewapend, bereidden zich voor op een soort enteractie. Twee klommen er al op de rand van de ketel, klaar om over de mistige afgrond heen te springen. Caramon leunde over de rand en haalde woest uit met zijn zwaard in een poging een van de springers te verwonden. Hij miste, en door de kracht van zijn slag begon de ketel aan zijn ketting rond te draaien.

Caramon verloor zijn evenwicht en viel voorover. Door zijn grote gewicht helde de ketel gevaarlijk ver over, met als gevolg dat hij recht naar de bodem ver onder hem keek. Sturm greep Caramon bij zijn kraag en trok hem zo fel achteruit dat de ketel vervaarlijk begon te slingeren. Tanis gleed uit, kwam op handen en voeten op de bodem van de ketel terecht en ontdekte daar dat de stenen dracoon tot stof was vergaan, zodat hij zijn dolk terug had.

'Daar komen ze!' riep Flint terwijl hij Tanis overeind hielp.

Een van de draconen sprong op hen af en wist met zijn geklauwde handen de rand van de ketel te grijpen. Opnieuw helde die ver over.

'Ga daar staan!' Tanis duwde Caramon naar de andere kant, in de hoop dat het gewicht van de krijger de ketel recht zou trekken. Sturm hakte in op de handen van de dracoon in de hoop dat die zou loslaten. Toen sprong een tweede dracoon naar hen toe, en hij schatte de afstand beter in dan zijn kameraad. Hij kwam naast Sturm in de ketel terecht.

'Verroer je niet!' schreeuwde Tanis toen Caramon in een reflex wilde aanvallen en de ketel weer scheef kwam te hangen. Snel keerde de krijger terug naar zijn plaats, en de ketel hing weer recht. De dracoon die zich aan de rand vastklampte met vingers waar groen bloed uit stroomde, liet los, spreidde zijn vleugels en zweefde door de mist naar beneden.

Tanis draaide zich met een ruk om om het op te nemen tegen de dracoon die in de ketel was terechtgekomen, maar struikelde over Flint, die weer viel. De halfelf botste wankelend tegen de zijkant. De ketel schommelde wild heen en weer, en toen hij naar beneden keek, week de mist uiteen en zag hij in de diepte de verwoeste stad Xak Tsaroth liggen. Misselijk en gedesoriënteerd rukte hij zijn blik los, net op tijd om te zien hoe Tasselhof de dracoon van achteren besloop en hem met een steen een dreun op zijn hoofd gaf. Ondertussen raapte Flint de gevallen dolk van Caramon op van de bodem en stak het monster diep in zijn been. De dracoon gilde het uit. Wetend dat er nog meer dracoonen op het punt stonden de afstand te overbruggen, keek Tanis wanhopig op. De wanhoop maakte echter plaats voor hoop toen hij Waterwind en Goudmaan door de mist naar beneden zag turen.

'Haal ons weer naar boven!' riep Tanis wild, vlak voordat hij een klap tegen zijn hoofd kreeg. De pijn was verschrikkelijk. Hij voelde dat hij viel, en viel, en viel...

Raistlin had Tanis' kreet niet gehoord, want hij was al lang in actie gekomen.

'Kom hier, mijn vrienden,' zei de magiër snel. De betoverde greppeldwergen verdrongen zich gretig om hem heen. 'Die bazen daarbeneden willen me pijn doen,' zei hij zachtjes.

De greppeldwergen gromden. Een paar fronsten boos. Een enkeling schudde met zijn vuist naar de pot vol dracoonen.

'Maar jullie kunnen me helpen,' zei Raistlin. 'Jullie kunnen hen tegenhouden.'

De greppeldwergen keken de magiër weifelend aan. Vriendschap kende immers zo zijn grenzen.

'Het enige wat jullie hoeven doen,' legde Raistlin geduldig uit, 'is naar die ketting rennen en eraan gaan hangen.' Hij wees naar de ketting die aan de ketel van de dracoonen bevestigd was.

De gezichten van de greppeldwergen klaarden op. Dat klonk nog niet zo verkeerd. Sterker nog, dat deden ze bijna dagelijks als ze de ketel zelf misten.

Raistlin maakte een armgebaar. 'Rennen!' beval hij.

De greppeldwergen – met uitzondering van Boepoe – wierpen elkaar een vluchtige blik toe, waarna ze naar de rand van het gat renden en zich onder het slaken van wilde kreten op de ketting boven de draconen stortten. Ongelooflijk behendig klampten ze zich eraan vast.

De magiër rende naar het wiel toe, met Boepoe in een drafje op zijn hielen, en trok de staf van Magius los. Het wiel trilde even voor het weer in beweging kwam en steeds sneller begon te draaien nu het gewicht van de greppeldwergen ervoor zorgde dat de ketel van de draconen door de mist naar beneden stortte.

Verschillende draconen die op de rand waren geklommen om in de andere ketel te springen, werden verrast door de plotselinge schok. Ze verloren hun evenwicht en vielen naar beneden. Hoewel hun vleugels hen voldoende afremden om de val te breken, krijsten ze van woede terwijl ze naar de grond zweefden, een gekrijs dat een merkwaardig contrast vormde met de vreugdekreten van de greppeldwergen.

Waterwind boog over de rand van het gat naar voren om de ketel van zijn kameraden vast te grijpen toen die het wiel bereikte.

'Is er iemand gewond?' vroeg Goudmaan bezorgd terwijl ze naar voren boog om Caramon te helpen.

'Tanis is gewond,' zei Caramon, die de halfelf ondersteunde.

'Ik heb gewoon mijn hoofd gestoten,' wierp Tanis een beetje verdwaasd tegen. Hij voelde een grote bult op zijn achterhoofd opkomen. 'Ik dacht dat ik uit die ketel viel.' De herinnering deed hem huiveren.

'Zo kunnen we niet naar beneden,' zei Sturm terwijl hij uit de ketel klom. 'En we kunnen ook niet hier blijven. Het zal niet lang duren voordat ze de lift weer kunnen gebruiken, en dan komen ze achter ons aan. We moeten terug.'

'Nee! Niet weggaan!' Boepoe klampte zich aan Raistlin vast. 'Ik weet weg naar Hoogbulp!' Trekkend aan zijn mouw wees ze naar het noorden. 'Goede weg! Geheime weg! Geen bazen,' zei ze zachtjes. Ze streelde zijn hand. 'Ik laat bazen jou niet pakken. Jij mooi.'

'We hebben niet veel keus. We zullen naar beneden moeten,' zei Tanis. Hij kromp ineen toen Goudmaan hem met haar staf aantikte. Toen golfde de geneeskracht door zijn lichaam. De pijn trok weg. Zuchtend ontspande hij zich. 'Zoals je al zei, ze wonen hier al jaren.'

Grommend schudde Flint zijn hoofd toen Boepoe in noordelijke richting de gang in wilde lopen.

'Stop! Luister!' riep Tasselhof zachtjes. Ze hoorden tikkende klauwen die in hun richting kwamen.

'Draconen!' zei Sturm. 'We moeten hier weg! Terug in westelijke richting!'

'Ik wist het wel,' bromde Flint boos. 'Die greppeldwerg heeft ons recht-streeks naar die hagedissen geleid.'

'Wacht!' Goudmaan greep Tanis' arm vast. 'Kijk haar nou!'

De halfelf draaide zich om en zag dat Boepoe iets slaps en vormeloos uit de tas haalde die ze over haar schouder droeg. Ze liep naar de muur en bewoog het ding een paar keer heen en weer, onder het mompelen van een paar woorden. De wand trilde, en een paar tellen later verscheen er een doorgang waarachter niets dan duisternis te zien was.

De reisgenoten wisselden weifelende blikken uit.

'Geen keus,' mompelde Tanis. Het geratel en gerammel van een nieu-we groep draconen die door de gang op hen afmarcheerden werd steeds luider. 'Raistlin, licht,' beval hij.

De magiër sprak een woord en het kristal op zijn staf lichtte op. Hij, Boepoe en Tanis liepen snel door de geheime deur. De anderen volg-den, waarna de deur achter hen dichtschoof. De staf van de magiër ont-hulde een klein, vierkant vertrek versierd met reliëfs, die echter onder zo'n dikke laag groen slijm schuilgingen dat ze onherkenbaar waren. Zwijgend bleven ze staan tot ze de draconen in de gang voorbij hadden horen komen.

'Ze zullen het gevecht wel hebben gehoord,' fluisterde Sturm. 'Het zal niet lang duren voor ze de lift weer kunnen gebruiken, en dan krijgen we het hele draconenleger achter ons aan!'

'Ik weet weg naar beneden.' Boepoe maakte een laatdunkend gebaar. 'Geen punt.'

Raistlin knielde naast Boepoe neer. 'Hoe heb je die deur geopend, kleintje?' vroeg hij nieuwsgierig.

'Tover,' zei ze verlegen. Ze stak haar groezelige handje uit, waarmee ze een dode rat vasthield waarvan de tanden in een verstarde grijns waren ontbloot. Raistlin trok zijn wenkbrauwen op. Tasselhof legde zijn hand op zijn arm.

'Het is geen magie, Raistlin,' fluisterde de kender. 'Het is domweg een verborgen deurslot. Ik zag het toen ze naar de muur wees, en ik wilde er net iets over zeggen toen ze met dat omslachtige "getover" van haar be-gon. Ze gaat erop staan als ze vlak bij de deur komt en met dat ding gaat zwaaien.' De kender giechelde. 'Waarschijnlijk heeft ze het mechanisme een keer per ongeluk in werking gesteld terwijl ze die rat vasthad.'

Boepoe wierp de kender een vernietigende blik toe. 'Tover!' verklaar-de ze terwijl ze pruilend de rat streelde. Ze stopte hem terug in haar tas en zei: 'Kom, gaan.' Ze leidde hen in noordelijke richting door een reeks beschadigde, met slijm bedekte vertrekken. Eindelijk bleef ze staan, in een kamer vol steenstof en puin. Een deel van het plafond was ingestort en de vloer was bedekt met kapotte tegels. De greppeldwerg brabbelde iets en wees naar de noordoostelijke hoek van het vertrek. 'Neer,' zei ze.

Tanis en Raistlin liepen naar de hoek om te kijken wat zich daar bevond. Ze troffen een vier voet brede buis aan, waarvan het uiteinde uit de verbrokkelde vloer omhoogstak. Kennelijk was hij dwars door het plafond heen gevallen, waardoor dat deel van het vertrek was ingestort. Raistlin stak zijn staf in de buis en tuurde naar binnen.

'Kom, gaan!' zei Boepoe wijzend, terwijl ze dwingend aan Raistlins mouw trok. 'Bazen kunnen niet door.'

'Dat is waarschijnlijk waar,' zei Tanis. 'Niet met die vleugels van hen.'

'Maar je kunt er je zwaard niet keren,' zei Sturm fronsend. 'Ik vind het maar—'

Opeens hield iedereen zijn mond. Ze hoorden het wiel kraken en de ketting knarsen. De reisgenoten keken elkaar aan.

'Ik eerst!' zei Tasselhof grijnzend. Hij stak zijn hoofd in de buis, waarna hij er op handen en voeten in kroop.

'Weet je zeker dat ik daarin pas?' vroeg Caramon, met een bezorgde blik op de opening.

'Maak je geen zorgen,' klonk Tas' stem hol. 'Er zit zo'n dikke slijmlaag in dat je er als een ingevet varken doorheen zult glijden.'

Die opgewekte opmerking maakte weinig indruk op Caramon. Hij bleef somber naar de buis staan staren terwijl Raistlin, voortgetrokken door Boepoe, zijn gewaad om zich heen trok en naar binnen glipte, bijgelicht door zijn staf. Flint ging achter hen aan. Goudmaan was de volgende. Ze trok een vies gezicht toen haar handen weggleden in de dikke laag groen slijm. Waterwind glibberde na haar naar binnen.

'Dit is volslagen krankjorum. Ik hoop dat je dat beseft,' mompelde Sturm vol afkeer.

Tanis gaf geen antwoord. Hij gaf Caramon een klop op zijn rug. 'Jij bent aan de beurt,' zei hij, luisterend naar het geluid van de ketting, die steeds sneller ronddraaide.

Caramon kreunde. Op handen en voeten kroop de grote krijger de buis in. Het gevest van zijn zwaard bleef achter de rand hangen. Achteruit kroop hij terug om zijn zwaard recht te hangen, waarna hij nog een poging waagde. Deze keer stak zijn achterwerk zo ver omhoog dat zijn rug langs de bovenkant van de buis schaafde. Tanis zette zijn voet stevig tegen het zitvlak van de krijger en gaf hem een ferme duw.

'Plat op je buik!' beval de halfelf.

Nog steeds kreunend liet Caramon zich als een zoutzak vallen. Hij wurmde zich naar binnen terwijl hij zijn schild voor zich uit duwde. Het hoge, scherpe gekras van zijn wapenrusting over het metaal van de buis ging Tanis door merg en been.

De halfelf pakte de bovenkant van de buis vast en schoof met zijn benen voor zich uit door het stinkende slijm. Over zijn schouder keek hij naar Sturm, die als laatste kwam.

'Het is al krankjorum sinds we achter Tika aan zijn gelopen naar de keuken van de Herberg van het Laatste Huis,' zei hij.

'Daar zit wat in,' zei de ridder met een zucht van berusting.

Tasselhof, opgewonden door de nieuwe ervaring van het kruipen door een buis, zag opeens donkere gestalten die hem tegemoet kwamen. Hij graaide om zich heen tot hij grip kreeg en zichzelf kon tegenhouden.

'Raistlin!' fluisterde hij. 'Er komt iets door de buis op ons af!'

'Wat dan?' wilde de magiër vragen, maar de smerige, vochtige lucht deed zijn adem stokken en veroorzaakte een hoestbui. Terwijl hij probeerde normaal adem te halen, hield hij zijn verlichte staf omhoog om te zien wie eraan kwam.

Boepoe keek één keer en snoof. 'Gulppulpers,' mompelde ze. Zwaaiend met haar hand schreeuwde ze: 'Terug! Terug!'

'Wij gaan op, naar lift! Grote bazen worden boos,' riep er een terug.

'Wij gaan neer. Naar Hoogbulp!' zei Boepoe gewichtig.

Bij die woorden trokken de greppeldwergen zich mopperend en vloekend terug.

Maar Raistlin kon zich even niet bewegen. Hij greep naar zijn borst en kokhalsde. Het geluid galmde verontrustend door de smalle buis. Boepoe keek hem bezorgd aan, waarna ze haar handje in haar tas stak, ergens naar viste en er iets uit haalde wat ze tegen het licht hield. Ze bestudeerde het met samengeknepen ogen, maar schudde toen zuchtend haar hoofd. 'Dit is niet wat ik zoek,' prevelde ze.

Tasselhof, die een glimp opving van iets glinsterends en kleurigs, kroop dichterbij. 'Wat is dat?' vroeg hij, hoewel hij het antwoord al wist. Ook Raistlin keek met grote, glanzende ogen naar het voorwerp.

Boepoe haalde haar schouders op. 'Mooi steentje,' zei ze ongeïnteresseerd terwijl ze weer in haar tas begon te zoeken.

'Een smaragd,' zei Raistlin piepend.

Boepoe keek op. 'Vind jij mooi?' vroeg ze aan Raistlin.

'Nou en of!' zei de magiër moeizaam.

'Hou maar.' Boepoe drukte de edelsteen in de hand van de magiër. Vervolgens haalde ze met een triomfantelijke kreet datgene tevoorschijn wat ze zocht. Tas, die nog dichterbij was gekomen om dit nieuwe wonder te aanschouwen, deinsde vol afkeer terug. Het was een dode – heel dode – hagedis. Om de stijve staart van het dier was een afgekauwd leren koordje gebonden. Boepoe bood hem aan Raistlin aan.

'Draag om je nek,' zei ze. 'Goed tegen hoest.'

De magiër, die gewend was met veel onaangenamere voorwerpen te werken, bedankte Boepoe glimlachend. Hij sloeg haar aanbod echter af en verzekerde haar dat het al veel beter ging met zijn hoest. Ze keek hem schattend aan, maar het leek inderdaad beter met hem te gaan. De hoestbui was voorbij. Ze haalde haar schouders op en stopte de hagedis terug in haar tas. Raistlin, die de smaragd met de blik van een kenner bestudeerde, wierp Tasselhof een kille blik toe. Zuchtend draaide de kender zich om en begon weer te kruipen. Raistlin liet de steen verdwijnen in een van de vele geheime zakken die in zijn gewaad waren genaaid.

Toen ze op een aftakking stuitten, keek Tas de greppeldwerg vragend aan. Aarzelend wees Boepoe naar de nieuwe buis, die in zuidelijke richting liep. Tas kroop er langzaam in. 'Jeetje, het is hier stei—' zei hij verrast toen hij weggleed en de buis in schoot. Hij probeerde vaart te minderen, maar de slijmlaag was te dik. Een woeste krachtterm van Caramon, die achter hem aan de buis ingleed, vertelde de kender dat zijn metgezellen hetzelfde probleem hadden. Opeens zag Tas licht voor zich uit. Het eind van de tunnel was in zicht, maar waar kwam hij uit? Even zag Tas voor zich hoe hij boven een afgrond van vijfhonderd voet naar buiten schoot. Hij kon er echter niets meer aan veranderen. Het licht werd feller, en Tasselhof schoot met een korte, hoge kreet uit de buis.

Raistlin gleed naar buiten en kwam bijna boven op Boepoe terecht. De magiër keek om zich heen, en even dacht hij dat hij midden in een brand terecht was gekomen. Grote, witte wolken bolden op. Raistlin begon te hoesten, happend naar adem.

'Wa—' Flint schoot uit de buis en kwam op handen en knieën op de grond terecht. Hij probeerde door de wolken heen te turen. 'Gif?' vroeg hij proestend terwijl hij naar de magiër toe kroop. Raistlin schudde zijn hoofd, maar was niet in staat antwoord te geven. Boepoe greep de magiër vast en leidde hem naar de deur. Goudmaan kwam op haar buik de buis uit en viel zo hard op de grond dat de lucht uit haar longen werd gedreven. Achter haar aan kwam Waterwind getuimeld, die halsbrekende toeren moest uithalen om te voorkomen dat hij tegen Goudmaan aan zou botsen. Met een luid gerammel schoof Caramons schild uit de buis. De scherpe uitsteeksels op Caramons wapenrusting en zijn grote omvang hadden hem dusdanig afgeremd dat hij rustig uit de buis kon kruipen. Hij zat echter onder de butsen, builen en groene troep. Tegen de tijd dat Tanis arriveerde, stikte iedereen zowat van het stof in de lucht.

'Wat is hier in de naam van de Afgrond aan de hand?' vroeg Tanis verbijsterd, om zich prompt te verslikken omdat zijn longen zich vulden met het witte spul. 'Weg hier,' kraste hij. 'Waar is die greppeldwerg gebleven?'

Boepoe kwam in de deuropening staan. Ze had Raistlin uit de kamer gehaald en gebaarde nu naar de anderen dat ze mee moesten komen. Dankbaar betraden ze de schone lucht en lieten ze zich op een door ruines geflankeerde straat zakken om uit te rusten. Tanis hoopte dat ze niet zouden worden verrast door een leger van draconen. Opeens keek hij op. 'Waar is Tas?' vroeg hij terwijl hij geschrokken overeind kwam.

'Hier,' hoorde hij de kender verstikt en ontmoedigd zeggen.

Tanis draaide zich met een ruk om.

Tasselhof – tenminste, Tanis ging ervan uit dat het Tasselhof was – stond vlak voor hem. De kender was van knot tot teen gehuld in een dikke, witte, deegachtige smurrie. Het enige wat Tanis van hem kon zien, waren zijn bruine ogen in het witte masker.

'Wat is er gebeurd?' vroeg de halfelf. Hij had nog nooit iemand zo beteuterd zien kijken als de kender.

Tasselhof gaf geen antwoord. Hij wees naar het vertrek waar ze uit waren gekomen.

Tanis, die groot gevaar vreesde, rende naar de half ingestorte deuropening en tuurde voorzichtig naar binnen. Het witte stof was neergeslagen, zodat hij het vertrek kon bekijken. In de hoek, recht tegenover de buis, stond een aantal grote, bolle zakken. Twee ervan waren opengescheurd, waardoor de witte inhoud op de vloer was terechtgekomen.

Toen begreep Tanis het. Hij sloeg zijn hand voor zijn mond om zijn glimlach te verbergen. 'Bloem,' mompelde hij.

19
De verwoeste stad.
Hoogbulp Futs I, de grote.

D e nacht van de Catastrofe was er een vol verschrikkingen geweest voor de stad Xak Tsaroth. Toen de vuurberg Krynn had getroffen, was het land in tweeën gespleten. De prachtige oude stad Xak Tsaroth was langs de helling van een klif in een enorme grot gestort die was ontstaan toen de bodem scheurde. Verborgen onder de grond was hij aan het oog van de mensen onttrokken, waardoor de meeste mensen geloofden dat de stad helemaal was verdwenen, verzwolgen door de Nieuwezee. Hij bestond echter nog steeds, deels vastgeklampt aan de ruwe wanden van de grot, deels verspreid over de vloer ervan. Op allerlei verschillende hoogtes bevonden zich ruïnes. Het gebouw waarin de reisgenoten terecht waren gekomen en waarvan Tanis vermoedde dat het ooit een bakkerij was geweest, bevond zich qua hoogte ongeveer in het midden, want het was blijven steken achter een stel rotsen die het tegen de loodrechte wand van de klif drukten. Water van ondergrondse riviertjes stroomde langs de wanden naar beneden en door de straat, kolkend tussen de ruïnes.

Tanis volgde het water met zijn blik. Het stroomde midden over de geplaveide straat vol barsten langs allerlei winkels en huizen waar ooit mensen hadden gewoond en handel hadden gedreven. Toen de stad was gevallen, waren de hoge gebouwen aan weerszijden tegen elkaar aan gevallen, waardoor er boven de straat een soort tunnel van kapotte marmeren platen was ontstaan. Deuren en kapotte etalages gaapten aan alle kanten. Het was er verlaten en stil, afgezien van het geluid van stromend water. Er hing een zware rottingslucht die de stemming drukte. En hoewel het daar onder de grond warmer was dan boven, verkilde de sombere sfeer hen tot op het bot. Niemand zei iets. Ze wasten zo goed en zo kwaad als het ging het slijm van hun lichaam (en boenden Tas schoon), waarna ze hun waterzakken vulden. Sturm en Caramon doorzochten de omgeving, maar zagen geen draconen. Na een korte rustpauze stonden de reisgenoten op en liepen ze verder.

Boepoe leidde hen in zuidelijke richting over de straat, door de tunnel van omgevallen gebouwen. De straat kwam uit op een plein. Hier vormde het water uit de straten een rivier die naar het westen stroomde. 'Volg rivier,' zei Boepoe wijzend.

Tanis fronste, want boven het geraas van de rivier uit hoorde hij nog een geluid: het gebulder van een grote waterval. Boepoe ging echter door, dus liepen de helden voorzichtig langs de randen van het plein om de rivier heen, waarbij ze nu en dan tot aan hun enkels in het water wegzakten. Aan het eind van de straat ontdekten de reisgenoten de waterval. De straat hield abrupt op, en de rivier stortte zich tussen kapotte zuilen naar de bodem van de grot, zeker vijfhonderd voet in de diepte. Daar lag de rest van de verwoeste stad Xak Tsaroth.

In het schemerlicht dat hoog boven hun hoofd door spleten in het plafond naar binnen kwam, konden ze zien dat het hart van de oude stad in vele verschillende stadia van verval verspreid lag over de vloer van de grot. Sommige gebouwen waren nog vrijwel intact. Van andere was niet meer over dan een berg puin. Een kille mist, veroorzaakt door de vele watervallen die de grot binnenstroomden, hing boven de stad. De meeste straten waren veranderd in rivieren, die in het noorden samenkwamen om daar in een bodemloze diepte te verdwijnen. Turend door de mist konden de reisgenoten de reusachtige ketting zien, die iets ten noorden van hun huidige positie op slechts een paar honderd voet afstand hing. Ze beseften dat de lift mensen vervoerde over een afstand van zeker duizend voet.

'Waar woont de Hoogbulp?' vroeg Tanis terwijl hij neerkeek op de dode stad in de diepte.

'Boepoe zegt dat hij daar woont,' – Raistlin maakte een gebaar – 'in een van die gebouwen aan de westkant van de grot.'

'En wie wonen er in de gerepareerde gebouwen vlak onder ons?' vroeg Tanis.

'Bazen,' antwoordde Boepoe met een boos gezicht.

'Hoeveel bazen?'

'Eén, en één, en één…' Boepoe telde door tot ze al haar vingers had gehad. 'Twee,' zei ze. 'Niet meer dan twee.'

'Wat betekent dat het er tweehonderd kunnen zijn, of tweeduizend,' mopperde Sturm. 'Hoe komen we bij die Hoogboer?'

'Hoogbulp!' Boepoe keek hem boos aan. 'Hoogbulp Futs I. De Grote.'

'Hoe komen we bij hem zonder dat de bazen ons te pakken krijgen?'

Als antwoord wees Boepoe omhoog, naar de ketel vol draconen die werd opgehesen. Tanis keek er niet-begrijpend naar en wierp Sturm een korte blik toe. De ridder haalde ongeduldig zijn schouders op. Met een zucht van ergernis wendde Boepoe zich tot Raistlin, overduidelijk van mening dat de anderen te dom waren om haar te begrijpen. 'Bazen gaan op. Wij gaan neer,' zei ze.

Raistlin staarde door de mist naar de lift. Toen knikte hij begrijpend. 'De draconen denken waarschijnlijk dat we daarboven ergens vastzitten en dat we geen andere weg naar beneden weten. Als de meeste draconen boven zijn, kunnen we ons hier in de stad veilig verplaatsen.'

'Goed dan,' zei Sturm. 'Maar hoe komen we in Istars naam beneden? De meesten van ons kunnen niet vliegen.'

Boepoe spreidde haar handen. 'Ranken!' zei ze. Omdat iedereen haar verward aankeek, kloste de greppeldwerg naar de rand van de waterval en wees naar beneden. Over de rand van de klif hingen dikke, groene ranken zo groot als reuzenslangen. De blaadjes aan die ranken waren gescheurd en rafelig en op sommige plekken zelfs helemaal afgerukt, maar de ranken zelf zagen er dik en stevig uit, al waren ze nogal glibberig.

Voetje voor voetje liep Goudmaan met een opvallend bleek gezicht naar de rand en blikte eroverheen. Meteen deinsde ze terug. Het was vijfhonderd voet recht naar beneden tot aan een met puin bezaaide geplaveide straat. Waterwind sloeg troostend zijn arm om haar heen.

'Ik heb wel moeilijkere beklimmingen gezien in mijn leven,' zei Caramon rustig.

'Nou, ik vind het maar niks,' zei Flint. 'Maar alles is beter dan door een rioolpijp glijden.' Hij greep een rank vast, slingerde zijn benen over de rand en begon hand over hand langzaam af te dalen. 'Het valt mee,' riep hij naar boven.

Tasselhof liet zich achter Flint aan langs een rank naar beneden glijden, zo snel en vaardig dat het hem een goedkeurend gebrom van Boepoe opleverde.

De greppeldwerg keek achterom naar Raistlin en wees met een frons naar zijn lange, golvende gewaad. De magiër glimlachte geruststellend naar haar. Hij ging aan de rand van de klif staan en zei zachtjes: 'Pveatrval.' De kristallen bol op zijn staf lichtte op, waarop Raistlin van de klif sprong en door de mist werd opgeslokt. Boepoe gilde. Tanis hield haar tegen, want hij was bang dat de verliefde greppeldwerg zich van de klif zou werpen.

'Hij is veilig,' zei de halfelf geruststellend en vol medelijden toen hij de oprecht bezorgde blik in haar ogen zag. 'Hij is magiër. Tover. Je weet wel.'

Maar Boepoe wist het duidelijk níet, want ze staarde Tanis argwanend aan, hing haar tas om haar nek, pakte een rank vast en klom langs de glibberige rotswand naar beneden. De andere reisgenoten stonden op

het punt haar voorbeeld te volgen toen Goudmaan ontmoedigd fluisterde: 'Ik kan het niet.'
Waterwind pakte haar handen beet. *'Kan-toka,'* zei hij zachtjes. 'Het
komt wel goed. Je hebt gehoord wat de dwerg zei. Gewoon niet naar
beneden kijken.'
Met trillende kin schudde Goudmaan haar hoofd. 'Er moet een andere
weg naar beneden zijn,' zei ze koppig. 'Kom, dan gaan we die zoeken.'
'Wat is er aan de hand?' vroeg Tanis. 'We moeten opschieten—'
'Ze heeft hoogtevrees,' zei Waterwind.
Goudmaan duwde hem van zich af. 'Hoe durf je hem dat te vertellen!'
schreeuwde ze met een rood aangelopen gezicht van woede.
Waterwind keek haar kil aan. 'Waarom niet?' vroeg hij raspend. 'Hij is
geen onderdaan van je. Hij mag best weten dat je menselijk bent, dat je
menselijke zwaktes hebt. Je hebt nog maar één onderdaan om indruk op
te maken, stamhoofd, en dat ben ik!'
Als Waterwind haar had neergestoken, had hij haar niet meer pijn kunnen doen. Alle kleur trok weg uit Goudmaans lippen. Haar ogen werden groot en star, als de ogen van een dode. 'Maak de staf vast op mijn
rug, alsjeblieft,' zei ze tegen Tanis.
'Goudmaan, hij bedoelde niet—' begon hij.
Woede laaide op in haar blauwe ogen. 'Doe wat ik zeg!' beval ze kortaf.
Zuchtend bond Tanis de staf met een stuk touw op haar rug. Goudmaan
keurde Waterwind niet eens een blik waardig. Zodra de staf stevig vast-
zat, liep ze naar de rand van de klif. Sturm versperde haar de weg.
'Sta me toe voor je uit af te dalen,' zei hij. 'Als je uitglijdt—'
'Als ik uitglijd, neem ik je mee in mijn val. Het enige wat we daarmee bereiken, is dat we samen zouden sterven,' snauwde ze. Ze bukte, pakte de
rank stevig vast en zwaaide haar lichaam over de rand. Bijna meteen gleden haar bezwete handen weg. Tanis' adem stokte in zijn keel. Sturm
sprong naar voren, al wist hij dat hij niets zou kunnen doen. Goudmaan
klauwde wanhopig naar de ranken en de dikke bladeren. Eindelijk vond
ze houvast, en ze klampte zich stevig vast, niet in staat te ademen, niet bereid te bewegen. Rillend drukte ze haar gezicht tegen de natte bladeren,
met haar ogen stevig dicht zodat ze de afschuwelijke afgrond niet hoefde
te zien. Sturm liet zich over de rand zakken en klom naar haar toe.
'Laat me met rust,' beet Goudmaan hem met opeengeklemde kaken
toe. Ze haalde beverig adem, wierp een trotse, opstandige blik op Waterwind en liet zich langs de rank omlaag zakken.
Sturm bleef bij haar in de buurt om een oogje op haar te houden terwijl
hij behendig langs de rotswand naar beneden klom. Tanis, die naast
Waterwind stond, wilde iets tegen de Vlakteman zeggen, maar was bang
dat het meer kwaad dan goed zou doen. Zonder een woord klom hij

daarom over de rand. Waterwind kwam zwijgend achter hem aan.

De halfelf vond het een gemakkelijke klim, al gleed hij een paar voet boven de grond weg en kwam hij in duimdiep water terecht. Raistlin, zo zag hij, rilde van de kou, en zijn hoest was erger geworden door de vochtige lucht. Verschillende greppeldwergen stonden om de magiër heen bewonderend naar hem op te kijken. Tanis vroeg zich af hoe lang de vriendschapsspreuk zou blijven werken.

Bevend leunde Goudmaan tegen de wand. Ze keek niet naar Waterwind toen die de grond bereikte en met een nog immer uitdrukkingsloos gezicht een eindje bij haar vandaan ging staan.

'Waar zijn we?' riep Tanis boven het gebulder van het water uit. De mist was zo dicht dat hij niets kon zien, behalve kapotte zuilen bedekt met ranken en schimmel.

'Grote Plein die kant op.' Boepoe wees dringend met haar groezelige vinger naar het westen. 'Kom. Ga mee. Naar Hoogbulp.'

Ze wilde weglopen. Tanis pakte haar vast, zodat ze gedwongen was te stoppen. Diep beledigd keek ze hem aan. De halfelf liet haar los. 'Toe, luister gewoon even. De draak. Waar is de draak?'

Boepoes ogen werden groot. 'Jij wil de draak?' vroeg ze.

'Nee!' riep Tanis gefrustreerd. 'We willen de draak niet. Maar we moeten weten of de draak weleens in dit deel van de stad komt—' Toen hij Sturms hand op zijn schouder voelde, zweeg hij. 'Laat maar,' zei hij vermoeid. 'Toe maar.'

Boepoe wierp Raistlin een blik vol mededogen toe omdat hij opgescheept was met zulke gekken, pakte de magiër bij zijn hand en draafde over de straat in westelijke richting. De andere greppeldwergen volgden hen. Het oorverdovende geraas van de waterval maakte dat de reisgenoten onrustig om zich heen keken terwijl ze achter de groep aan waadden. Donkere ramen doemden boven hen op, donkere deuropeningen straalden dreiging uit. Ze verwachtten elk moment dat er geschubde, gewapende draconen zouden opduiken. De greppeldwergen leken zich echter nergens druk om te maken. Ze plasten over de straat, waarbij ze zo dicht mogelijk bij Raistlin in de buurt bleven en druk kwebbelden in hun grove taal.

Uiteindelijk stierf het geraas van de waterval weg. De mist daarentegen hing nog steeds om hen heen, en de stilte in de dode stad was drukkend. Donker water stroomde gorgelend over de rivierbedding van kinderkopjes om hun voeten heen. Opeens hielden de gebouwen op en kwam de straat uit op een enorm rond plein. Door het water heen zagen ze dat het was versierd met een ingewikkeld mozaïek in de vorm van een zon. Midden op het plein voegde zich een ander beekje vanuit het noorden bij de rivier. Op de plek waar de twee elkaar kruisten, was een draaikolk ontstaan, en van daaruit liep een bredere rivier westwaarts tussen alweer een groep ingestorte gebouwen door.

Hier stroomde licht door een barst in het plafond, hoog boven hun hoofd, de grot binnen en verlichtte de spookachtige mist. Op de plekken waar de mist uiteenweek, danste het op het wateroppervlak.

'Andere kant Grote Plein,' zei Boepoe wijzend.

De reisgenoten bleven staan in de schaduw van de ruïnes. Allemaal dachten ze hetzelfde: het plein was meer dan honderd voet breed en nergens was iets te bekennen wat dekking kon bieden. Als ze overstaken, konden ze zich nergens verstoppen.

Boepoe was onbezorgd verder gelopen, maar besefte opeens dat behalve de andere greppeldwergen niemand achter haar aan kwam. Geërgerd over het oponthoud keek ze achterom. 'Kom mee, Hoogbulp deze kant op.'

'Kijk!' Goudmaan greep Tanis bij zijn arm.

Aan de andere kant van het grote plein met het mozaïek stonden hoge marmeren zuilen die een stenen dak schraagden. De zuilen waren gebarsten en verbrokkeld, waardoor het dak was doorgezakt. De mist week uiteen en Tanis ving een glimp op van een binnenplaats achter de zuilen. Achter die binnenplaats waren de donkere contouren zichtbaar van hoge gebouwen met koepels. Toen sloot de mist zich weer. Hoewel het nu verweerd en vervallen was, moest dit ooit het indrukwekkendste gebouw van heel Xak Tsaroth zijn geweest.

'Het koninklijk paleis,' bevestigde Raistlin kuchend.

'Sst!' Goudmaan trok aan Tanis' arm. 'Zie je het? Nee, wacht even...'

De mist kolkte voor de zuilen langs. Even zagen de reisgenoten helemaal niets. Toen trok de mist weer op. Allemaal trokken ze zich terug in een donkere deuropening. De greppeldwergen kwamen abrupt tot stilstand op het plein, draaiden zich om en zochten angstig bescherming bij Raistlin.

Boepoe tuurde Tanis van onder de mouw van de magiër aan. 'Die draak,' zei ze. 'Wil je die?'

Het was inderdaad de draak.

Met haar leerachtige vleugels om haar soepele, glanzend zwarte lijf gevouwen gleed Khisanth onder het dak vandaan, met haar kop naar beneden zodat die onder de ingezakte stenen gevel door kon. De klauwen van haar voorpoten klakten op de marmeren trap toen ze bleef staan om met haar helrode ogen naar de kolkende mist te turen. Haar achterpoten en zware hagedissenstaart waren niet zichtbaar, maar het lichaam van de draak strekte zich op de binnenplaats achter haar nog zeker dertig voet uit. Een kruiperige dracoon liep naast haar. De twee waren zo te zien diep in gesprek verwikkeld.

Khisanth was boos. De dracoon was haar verontrustend nieuws komen brengen. Het was bijna niet mogelijk dat de vreemdelingen haar aanval bij de put hadden overleefd, maar nu wist de kapitein van haar garde haar te vertellen dat er vreemdelingen in de stad waren gesignaleerd. Vreemdelingen die haar troepen dapper en vakkundig bestreden, vreemdelingen die een bruine staf bij zich hadden waarvan de omschrijving bekend was bij iedere dracoon die in dit deel van het Ansalonische continent diende.

'Ik geloof niets van die berichten! Niemand kan aan mij zijn ontsnapt.' Khisanths stem klonk zacht, bijna poeslief, maar de dracoon beefde als een rietje. 'Ze hadden de staf niet bij zich. Ik zou de aanwezigheid ervan hebben gevoeld. Dus volgens jou zijn de vreemdelingen nog boven, in de bovenste vertrekken? Weet je dat zeker?'

De dracoon slikte moeizaam en knikte. 'Er is geen weg naar beneden, koninklijke vrouwe, behalve de lift.'

'Natuurlijk zijn er andere wegen, stomme hagedis,' sneerde Khisanth. 'Die ellendige greppeldwergen krioelen als parasieten overal rond. De indringers hebben de staf, en nu proberen ze de stad binnen te dringen. Dat kan maar één ding betekenen: ze zijn op de schijven uit. Hoe weten ze dat die bestaan?' De draak bewoog als een slang haar kop heen en weer en op en neer, alsof ze dwars door de verhullende mist heen degenen kon zien die haar plannen dreigden te dwarsbomen. De mist was echter dichter dan ooit.

Khisanth grauwde van frustratie. 'De staf! Die ellendige staf! Canaillaard had dit moeten voorzien met die profetische gaven van hem waarover hij zo hoog van de toren blaast, dan had hij vernietigd kunnen worden. Maar nee, hij heeft het druk met zijn oorlog terwijl ik hier in dit klamme graf van een stad wegrot.' Bedachtzaam knaagde Khisanth op een klauw.

'Jullie zouden de schijven kunnen vernietigen,' opperde de dracoon dapper.

'Dwaas, denk je soms dat we dat niet hebben geprobeerd?' mompelde Khisanth. Ze tilde haar kop op. 'Nee, het is veel te gevaarlijk om hier nog te blijven. Als die indringers op de hoogte zijn van het geheim, zijn ze vast niet de enigen. De schijven moeten worden overgebracht naar een veilige plaats. Vertel heer Canaillaard dat ik wegga uit Xak Tsaroth. Ik zal me in Pax Tharkas bij hem voegen en ik zal de indringers meenemen ter ondervraging.'

'Vertél heer Canaillaard?' vroeg de dracoon gechoqueerd.

'Goed dan,' antwoordde Khisanth sarcastisch. 'Als je de farce zo nodig in stand wilt houden, vraag mijn heer dan om toestemming. Je hebt het grootste deel van je manschappen zeker naar boven gestuurd?'

'Ja, koninklijke vrouwe.' De dracoon maakte een buiging.

Khisanth dacht even na. 'Misschien ben je toch niet zo dom als ik dacht,' mijmerde ze. 'Ik kan het hierbeneden wel alleen af. Richt je zoektocht op de bovenste regionen van de stad. Als je de indringers vindt, breng ze dan rechtstreeks naar mij toe. Verwond ze niet meer dan absoluut noodzakelijk is om ze te onderwerpen. En pas op voor die staf!'

De dracoon liet zich voor de draak op zijn knieën vallen, maar Khisanth snoof minachtend en kroop terug in de donkere schaduw waar ze vandaan was gekomen.

De dracoon rende de trap af, waar hij werd opgewacht door enkele andere monsters die uit de mist waren opgedoken. Na een kort, gedempt gesprek in hun eigen taal gingen de draconen de straat in die in noordelijke richting voerde. Ze liepen nonchalant, lachend om een grap, en gingen al snel op in de mist.

'Ze maken zich niet druk, hè?' vroeg Sturm.

'Nee,' antwoordde Tanis grimmig. 'Ze denken dat ze ons in de tang hebben.'

'Laten we onszelf niet voor de gek houden, Tanis. Ze hebben gelijk,' zei Sturm. 'Het plan dat we hebben besproken heeft één grote zwakke plek. Als we erin slagen om binnen te glippen zonder dat de draak het merkt, en áls we de schijven te pakken krijgen, moeten we nog altijd zien weg te komen uit deze godvergeten stad, en in het hooggelegen deel krioelt het van de draconen.'

'Ik heb het je al eerder gevraagd, en ik vraag het je nog een keer,' zei Tanis. 'Heb jij een beter idee?'

'Ik heb een beter idee,' zei Caramon bars. 'Ik wil je niet beledigen, Tanis, maar we weten allemaal hoe elfen denken over vechten.' De grote man gebaarde naar het paleis. 'Het lijkt me duidelijk dat de draak daar woont. We lokken haar naar buiten, zoals gepland, maar in plaats van als een dievenbende haar schuilplaats binnen te sluipen, gaan we de strijd aan. Zodra we ons van de draak hebben ontdaan, kunnen we de schijven gewoon gaan halen.'

'Mijn dierbare broer,' fluisterde Raistlin, 'je grote kracht bevindt zich in je zwaardarm, niet tussen je oren. Zoals de ridder al zei toen we aan dit avontuurtje begonnen, Tanis is wijs. Je kunt maar beter naar hem luisteren. Wat weet jij nu van draken, mijn broer? Je hebt gezien wat haar dodelijke adem kan aanrichten.' Raistlin werd overvallen door een hoestbui. Hij haalde een zachte doek uit de mouw van zijn gewaad. Tanis zag dat het onder de bloedvlekken zat.

Even later ging Raistlin verder: 'Misschien zou je je daartegen kunnen verdedigen, en tegen de scherpe klauwen en tanden, en tegen de zwiepende staart, waarmee ze die zuilen omver kan slaan. Maar wat, mijn dierbare broer, wil je inbrengen tegen haar magie? Draken zijn de oudste gebruikers van magie. Ze kan je betoveren zoals ik onze kleine vrienden heb betoverd. Ze kan je met één woord in slaap brengen en je vermoorden zonder dat je er iets van merkt.'

'Al goed, al goed,' mompelde Caramon teleurgesteld. 'Dat wist ik allemaal niet. Verdorie, wie weet er eigenlijk wél iets over die monsters?'

'In Solamnië is er veel kennis over draken,' zei Sturm zachtjes.

Hij wil ook tegen de draak vechten, besefte Tanis. Hij moest denken aan Huma, de volmaakte ridder, die ook Drakenvloek werd genoemd.

Boepoe trok aan Raistlins gewaad. 'Kom. Jij gaan. Geen bazen meer. Geen draken meer.' Samen met de andere greppeldwergen waadde ze het plein op.

'Nou?' vroeg Tanis aan de twee krijgers.

'Het lijkt erop dat we geen keus hebben,' zei Sturm stijfjes. 'We nemen het niet op tegen de vijand, we verstoppen ons achter greppeldwergen. Maar vroeg of laat komt er een moment dat we het tegen die monsters moeten opnemen.' Hij draaide zich om en liep met rechte rug boos weg. De anderen volgden hem.

'Misschien maken we ons nodeloos zorgen.' Tanis krabde aan zijn baard terwijl hij een blik achterom wierp op het paleis, dat nu geheel door de mist aan het zicht werd onttrokken. 'Misschien is dat de enige draak die nog over is op Krynn, een die toevallig het Dromentijdperk heeft overleefd.'

Raistlins lippen vertrokken. 'Denk aan de sterren, Tanis,' prevelde hij. 'De Koningin van de Duisternis is teruggekeerd. Denk aan de woorden van het Hooglied: "haar zwermende, krijsende leger". Haar leger bestond uit draken, volgens de ouden. Ze is teruggekeerd en haar leger vergezelt haar.'

'Deze kant!' Boepoe klampte Raistlin aan en wees naar een zijstraat die in noordelijke richting liep. 'Dat is thuis!'

'In elk geval is het hier droog,' bromde Flint. Ze sloegen rechts af en lieten de rivier achter zich. De mist pakte zich samen om de reisgenoten toen die tussen de vervallen, dicht opeengepakte huizen door liepen. Dit was kennelijk een armoedig deel van de stad Xak Tsaroth geweest, zelfs in de glorietijd, want de gebouwen verkeerden in de laatste stadia van rotting en verval. De greppeldwergen begonnen te juichen en te roepen terwijl ze over straat renden. Sturm keek Tanis geschrokken aan bij het horen van al dat kabaal.

'Kan dat niet wat zachter?' vroeg Tanis aan Boepoe. 'Zodat de draconen... eh, de bazen ons niet vinden?'

'Poeh!' Ze haalde haar schouders op. 'Geen bazen. Zij komen hier niet. Bang van de grote Hoogbulp.'

Daar had Tanis zo zijn twijfels over, maar toen hij om zich heen keek, zag hij niets wat op de aanwezigheid van draconen wees. Voor zover hij kon beoordelen, hielden de hagedisachtige mannen er een geordende, militaristische levensstijl op na. De straten in dit deel van de stad, daarentegen, lagen vol rommel. Overal in de sjofele gebouwen barstte het van de greppeldwergen. Mannen, vrouwen en groezelige kinderen in vieze lompen staarden hen nieuwsgierig na terwijl ze door de straat liepen. Boepoe en de andere betoverde greppeldwergen zwermden om Raistlin heen. Ze droegen hem bijna letterlijk op handen.

De draconen waren onbetwistbaar slim, dacht Tanis. Ze lieten hun slaven in hun vrije tijd met rust, zolang ze geen problemen veroorzaakten. Een goed idee als je naging dat er ongeveer tien keer zoveel greppeldwergen als draconen waren. Hoewel ze van nature lafaards waren, hadden de greppeldwergen de reputatie uiterst gemene vechters te zijn als ze in een hoek werden gedreven.

Boepoe liet de groep halt houden voor een van de donkerste, armoedigste, smerigste steegjes die Tanis ooit had gezien. Een stinkende mist golfde eruit. De gebouwen stonden scheef en hielden elkaar overeind als dronkenlappen die uit een taveerne komen strompelen. Onder zijn ogen schoten kleine, donkere diertjes uit het steegje, en de greppeldwergkinderen gingen erachteraan.

'Eten!' gilde er een smakkend met zijn lippen.

'Dat zijn ratten!' riep Goudmaan ontzet uit.

'Moeten we daar echt in?' bromde Sturm, die naar de wankele gebouwen stond te staren.

'De stank alleen is al genoeg om een trol mee dood te slaan,' voegde Caramon eraan toe. 'En ik sterf liever onder de klauwen van de draak dan onder het omgevallen krot van een greppeldwerg.'

Boepoe gebaarde naar het steegje. 'De Hoogbulp!' zei ze, wijzend naar het meest vervallen gebouw dat er stond.

'Blijf hier maar de wacht houden als je wilt,' zei Tanis tegen Sturm. 'Dan ga ik wel met de Hoogbulp praten.'

'Nee.' Met een vertrokken gezicht gebaarde de ridder dat de halfelf het steegje in moest gaan. 'Samen uit, samen thuis.'

Het steegje liep een paar honderd voet in oostelijke richting, om vervolgens af te buigen naar het noorden en abrupt dood te lopen. Vóór hen was alleen een verweerde bakstenen muur, maar geen uitweg. Omdraaien konden ze ook niet, want het steegje werd versperd door de greppeldwergen die achter hen aan waren gerend.

'Hinderlaag!' siste Sturm terwijl hij zijn zwaard trok. Caramon grauwde diep in zijn keel. Bij het zien van de koude glans van staal raakten de greppeldwergen in paniek. Struikelend over elkaar en over hun eigen voeten draaiden ze zich om en vluchtten het steegje uit.

Boepoe staarde Sturm en Caramon vol afkeer aan. Ze wendde zich tot Raistlin. 'Laat ze ophouden!' eiste ze, wijzend op de krijgers. 'Anders ik niet naar Hoogbulp brengen!'

'Stop je zwaard weg, ridder,' siste Raistlin, 'tenzij je denkt een vijand te hebben gevonden die je aandacht waard is.'

Sturm keek Raistlin boos aan, en even dacht Tanis dat hij de magiër zou aanvallen, maar toen stak de ridder zijn zwaard terug in de schede. 'Wist ik maar wat voor spelletje je speelde, magiër,' zei Sturm kil. 'Zelfs voordat we wisten dat de schijven hier lagen, popelde je al om naar deze stad te gaan. Waarom? Waar ben je op uit?'

Raistlin gaf geen antwoord. Hij staarde de ridder aan met een boosaardige blik in zijn vreemde, gouden ogen, voordat hij zich tot Boepoe wendde. 'Ze zullen je niet meer lastigvallen, kleintje,' fluisterde hij.

Boepoe keek even om zich heen om te controleren of iedereen zich wel schuldbewust genoeg voelde en liep toen op de muur af. Ze klopte er twee keer op met haar groezelige vuist. 'Geheime deur,' zei ze gewichtig.

Er werd twee keer geklopt als antwoord op Boepoes teken.

'Is signaal,' zei ze. 'Drie keer kloppen. Nu laten ze binnen.'

'Maar ze heeft maar twee keer geklopt—' begon Tas giechelend.

Boepoe keek hem boos aan.

Tanis gaf de kender een por. 'Sst!'

Er gebeurde niets. Fronsend klopte Boepoe nog twee keer. Opnieuw klonken er twee kloppen als antwoord. Ze wachtte. Caramon, die zijn blik strak gericht hield op het steegje achter hen, begon rusteloos van de ene voet op de andere te wippen.

Uiteindelijk schreeuwde Boepoe tegen de muur: 'Ik klop geheime codeklop. Jij binnenlaten!'

'Geheime klop vijf kloppen,' antwoordde iemand gedempt.

'Ik klop vijf kloppen!' verklaarde Boepoe boos. 'Jij binnenlaten!'

'Jij klopt zes kloppen.'

'Ik tel acht kloppen,' wierp iemand anders tegen.

Opeens duwde Boepoe met beide handen tegen de muur. De deur ging soepel open. Ze tuurde naar binnen. 'Ik klop vier kloppen. Jij binnenlaten!' zei ze, zwaaiend met haar vuist.

'Goed dan,' bromde de ander.

Boepoe sloot de deur en klopte twee keer. In de hoop een nieuw incident en nog meer vertraging te voorkomen, wierp Tanis een boze blik op de kender, die kronkelde van het onderdrukte lachen.

De deur zwaaide weer open. 'Jij binnenkomen,' zei de wachter zuur. 'Maar dat geen vier kloppen,' fluisterde hij luid tegen Boepoe. Zonder aandacht aan hem te besteden liep ze hooghartig naar binnen. Haar tas sleepte achter haar aan over de vloer.

'Wij naar Hoogbulp,' verkondigde ze.

'Jij brengt dit stel naar Hoogbulp?' vroeg een van de wachters verschrikt. Met ogen als schoteltjes keek hij naar de reus Caramon en de lange Waterwind. Zijn metgezel deinsde terug.

'Naar Hoogbulp,' zei Boepoe trots.

Zonder ook maar een tel zijn blik af te wenden van de indrukwekkend ogende groep trok de greppeldwergwachter zich terug in de smerige, stinkende gang, waarna hij zich omdraaide en het op een lopen zette. Zo hard als hij kon begon hij te schreeuwen: 'Een leger! Een leger is binnengedrongen!' De echo van zijn geschreeuw verwijderde zich door de gang. 'Bah!' Boepoe snoof minachtend. 'Glupfungerratten! Kom mee. Naar Hoogbulp.'

Met haar tas tegen haar borst geklemd liep ze de gang in. De reisgenoten hoorden nog steeds de galmende stem van de greppeldwerg, verderop in de gang. 'Een leger! Een reuzenleger! Red de Hoogbulp!'

De grote Hoogbulp, Futs I, was een greppeldwerg onder de greppeldwergen. Hij was bijna intelligent, en het gerucht ging dat hij stinkend rijk was, en een beruchte lafaard bovendien. De Bulps waren al de eliteclan van Xak Tsaroth – of 'Th', zoals zij het noemden – sinds Nulf Bulp op een nacht stomdronken in een schacht was gevallen en de stad had ontdekt. Zodra hij de volgende ochtend weer nuchter was, had hij de stad voor zijn eigen clan opgeëist. De Bulps namen meteen hun intrek, en in latere jaren waren ze zo genadig om ook de clans van de Sluds en de Gloeps in de stad toe te laten.

Het leven was goed in de verwoeste stad, tenminste, naar greppeldwergmaatstaven. De buitenwereld liet hen met rust (aangezien men daar geen flauw idee had dat ze er waren en zich niet voor hen zou hebben geïnteresseerd al had ze het wél geweten). De Bulps wisten moeiteloos hun leidende positie onder de clans vast te houden, voornamelijk omdat een Bulp (Glunggoe) met een wetenschappelijke inslag (boze tongen binnen de Slud-clan beweerden dat zijn moeder een gnoom was geweest) de lift had ontwikkeld, met behulp van de twee enorme ijzeren ketels die de voormalige bewoners van de stad hadden gebruikt voor het uitkoken van reuzel. Die lift stelde de greppeldwergen in staat om ook in het oerwoud boven de verzakte stad op strooptocht te gaan, waardoor hun levensstandaard aanzienlijk verbeterde. Glunggoe Bulp werd een held en werd unaniem verkozen tot Hoogbulp. Sindsdien was het hoofdmanschap altijd in handen van de familie Bulp gebleven.

De jaren verstreken, tot opeens de buitenwereld wél belangstelling kreeg voor Xak Tsaroth. De komst van de draak en de draconen had een eind gemaakt aan het luxeleventje van de greppeldwergen. In eerste instantie waren de draconen van plan geweest het smerige ongedierte uit te roeien, maar de greppeldwergen – onder leiding van de grote Futs – hadden zo overtuigend gesmeekt, gehuild, gejammerd, gekropen en gebogen dat de draconen met de hand over het hart streken en hen alleen maar tot slavernij dwongen.

Zo kwam het dat de greppeldwergen voor het eerst sinds ze enkele honderden jaren eerder in Xak Tsaroth waren komen wonen tot werken werden gedwongen. De draconen herstelden gebouwen, stelden een militaire orde in en maakten in het algemeen het leven van de greppeldwergen die moesten koken, poetsen en klussen tot een hel.

Het spreekt vanzelf dat de grote Futs niet blij was met de situatie. Urenlang broedde hij op manieren om van de draak af te komen. Natuurlijk wist hij waar de schuilplaats van de draak zich bevond, en hij had zelfs een geheime route ontdekt die ernaartoe leidde. Hij was er zelfs een keer binnengeslopen, toen de draak weg was. Futs was met stomheid geslagen bij de aanblik van die ongelooflijke hoeveelheid mooie steentjes en glanzende munten die in de grote ondergrondse zaal lag. De grote Hoogbulp had in zijn wilde jeugd wat rondgereisd, en wist dat er in de buitenwereld lieden waren die dol waren op zulke mooie steentjes en die bereid waren er enorme hoeveelheden kleurige, bonte stoffen voor te ruilen (Futs had een zwak voor mooie kleren). Ter plekke had de Hoogbulp een kaart gemaakt, zodat hij de weg naar de schat niet zou vergeten. Hij had zelfs de tegenwoordigheid van geest om een paar kleine steentjes te gappen.

Nog maandenlang droomde Futs over zijn rijkdom, maar hij had geen kans meer gekregen om terug te gaan. Dat had twee oorzaken: ten eerste was de draak nooit meer weggegaan, en ten tweede kon Futs geen chocola maken van de kaart die hij had getekend.

Als die draak nou eens voorgoed wegging, dacht hij, of als er nou eens een held langskwam die zo vriendelijk was om er een zwaard in te steken! Dat waren de mooiste dromen van de Hoogbulp, en zo stonden de zaken ervoor op het moment dat de grote Futs zijn wachters hoorde verkondigen dat er een leger in aantocht was.

En zo kwam het dat Hoogbulp Futs I – toen hij eindelijk door Boepoe onder zijn bed vandaan was gesleurd en zij hem ervan had overtuigd dat er geen leger van reuzen in aantocht was om hem te vermoorden – begon te geloven dat zijn dromen zouden uitkomen.

'Dus jullie zijn hier om de draak te doden,' zei de grote Hoogbulp Futs I tegen Tanis Halfelf.

'Nee,' zei Tanis geduldig. 'Daarvoor zijn we niet gekomen.'

De reisgenoten stonden in het Hof van de Aghar voor de troon van een greppeldwerg die Boepoe aan hen had voorgesteld als de grote Hoogbulp. Boepoe had de groep scherp in de gaten gehouden toen ze de troonzaal binnenliepen, gretig wachtend op hun blikken van verbijsterd ontzag. Boepoe werd niet teleurgesteld. 'Verbijsterd' was een prima omschrijving voor de gezichten van de reisgenoten toen ze binnenkwamen.

De stad Xak Tsaroth was van zijn opsmuk beroofd door de eerste Bulps, die alles wat ze konden vinden hadden gebruikt om de troonzaal van hun heerser op te luisteren. Vanuit de filosofie 'als één el goudbrokaat goed is, is veertig el nóg beter', en niet gehinderd door enige goede smaak, hadden de greppeldwergen de troonzaal van de grote Hoogbulp omgetoverd tot een meesterlijke chaos. Zware, gerafelde lappen goudbrokaat bedekten elk stukje muur. Aan het plafond hingen enorme wandtapijten (soms op de kop). Die wandtapijten moesten ooit schitterend zijn geweest. Met garen in vele subtiele kleuren waren stadstaferelen uitgebeeld, of verhalen en legenden uit het verleden. Maar de greppeldwergen vonden ze een beetje saai, dus hadden ze er met felle, vloekende kleuren overheen geschilderd.

Zo kreeg Sturm de schok van zijn leven toen hij werd geconfronteerd met een felrode Huma die het onder een smaragdgroene hemel opnam tegen een draak met paarse vlekken.

De zaal was verder opgeluisterd met naaktbeelden, die op de slechtst denkbare plekken stonden. Ook die waren door de greppeldwergen 'opgeknapt' omdat ze het witte marmer maar kleurloos en deprimerend vonden. Ze hadden de standbeelden zo realistisch en met zo veel oog voor detail ingekleurd dat Caramon na een beschaamde blik op Goudmaan vuurrood aanliep en zijn ogen op de grond gericht hield.

De reisgenoten hadden dan ook grote moeite om ernstig te blijven toen ze die zaal vol artistieke verschrikkingen werden binnengeleid. Een van hen faalde jammerlijk: Tasselhof viel direct ten prooi aan zo'n hevige giechelbui dat Tanis zich gedwongen voelde om de kender terug te sturen naar de Wachtplaats buiten het hof tot hij weer een beetje bedaard was. De rest van de groep maakte een plechtige buiging voor de grote Futs, met uitzondering van Flint, die stijf rechtop bleef staan met zijn handen op zijn strijdbijl. Zijn gezicht vertoonde geen spoor van een glimlach.

De dwerg had zijn hand op Tanis' arm gelegd voordat ze het hof van de Hoogbulp hadden betreden. 'Laat je niet foppen door al die dwaasheid, Tanis,' had Flint gewaarschuwd. 'Greppeldwergen kunnen heel verraderlijk zijn.'

De Hoogbulp was een beetje zenuwachtig toen het gezelschap binnenkwam, met name toen hij de lange krijgers zag. Raistlin maakte echter
enkele goedgeplaatste opmerkingen die de Hoogbulp aanzienlijk ver-
murwden en geruststelden (en ook een beetje teleurstelden).

Af en toe onderbroken door een hoestbui legde de magiër uit dat ze geen
problemen wilden veroorzaken, dat ze alleen maar een voorwerp van
grote religieuze betekenis uit de schuilplaats van de draak wilden weghalen en dan weer zouden vertrekken, bij voorkeur zonder de draak te storen.

Dat paste uiteraard niet in de plannen van Futs. Daarom nam hij aan dat
hij Raistlin verkeerd had verstaan. Dik ingepakt in een bont gewaad
leunde hij achterover in zijn afgebladderde vergulde troon en zei kalm:
'Jullie hier. Met zwaarden. Om draak te doden.'

'Nee,' zei Tanis opnieuw. 'Zoals onze vriend Raistlin al uitlegde: de
draak bewaakt een voorwerp dat aan onze goden toebehoort. Dat voorwerp willen we meenemen, en dan willen we de stad ontvluchten voordat de draak merkt dat het weg is.'

De Hoogbulp fronste. 'Hoe weet mij dat jullie niet hele schat meenemen en boze draak achterlaten voor Hoogbulp? Grote schat, mooie
steentjes.'

Raistlin keek met een ruk op. Zijn ogen glansden. Sturm, die aan zijn
zwaard stond te frunniken, wierp de magiër een vuile blik toe.

'We zullen de mooie steentjes naar u toe brengen,' verzekerde Tanis de
Hoogbulp. 'Als u ons helpt, krijgt u de hele schat. Wij willen alleen het
reliek van onze goden.'

Het was de Hoogbulp inmiddels duidelijk dat hij te maken had met dieven en leugenaars, niet met de helden die hij had verwacht. Kennelijk
was dit gezelschap net zo bang voor de draak als hijzelf, en dat bracht
hem op een idee. Hij deed zijn best zijn opgetogenheid te verbergen en
het subtiel aan te pakken. 'Wat wil je van Hoogbulp?' vroeg hij.

Tanis slaakte een zucht van verlichting. Eindelijk leken ze vooruitgang
te boeken. 'Boepoe' – hij wees naar de vrouwelijke greppeldwerg die
Raistlins mouw vasthield – 'heeft ons verteld dat u de enige bent in de
stad die ons naar de schuilplaats van de draak kan leiden.'

'Leiden!' Even verloor de grote Futs zijn kalmte. Angstig klemde hij zijn
gewaad om zich heen. 'Niks leiden! Grote Hoogbulp onmisbaar. Volk
heeft mij nodig!'

'Nee, nee, ik bedoelde niet dat u mee moest,' verbeterde Tanis zichzelf
gehaast. 'Maar als u een kaart heeft, of iemand met ons mee kunt sturen
om de weg te wijzen…'

'Kaart!' Futs veegde met de mouw van zijn gewaad het zweet van zijn
voorhoofd. 'Zeg dan meteen. Kaart. Ja. Ik laat kaart halen. Intussen,

eten voor jullie. Gasten van Hoogbulp. Wachters brengen naar eetzaal.'
'Nee, dank u,' zei Tanis beleefd, zonder de anderen aan te kijken. Op weg naar de Hoogbulp waren ze langs de eetzaal van de greppeldwergen gekomen. De stank die ervandaan kwam had zelfs Caramons eetlust bedorven.

'We hebben zelf eten,' ging Tanis verder. 'We zouden graag wat tijd voor onszelf hebben om uit te rusten en onze plannen verder uit te werken.'

'Zeker.' De Hoogbulp schoof naar het randje van zijn troon. Twee wachters liepen op hem af om hem op de grond te helpen, want zijn voeten bungelden een heel eind boven de grond. 'Ga terug naar Wachtplaats. Zit. Eet. Praat. Ik stuur kaart. Misschien jullie Futs vertellen over plannen?'

Tanis bestudeerde de Hoogbulp snel en zag een sluwe glinstering in zijn samengeknepen ogen. De halfelf kreeg het opeens koud, want hij besefte dat deze greppeldwerg geen hansworst was. Had hij maar wat langer met Flint gepraat. 'Onze plannen zijn nog verre van definitief, majesteit,' zei de halfelf.

De grote Hoogbulp wist wel beter. Een hele tijd geleden had hij al een gat geboord in de muur van de ruimte die bekendstond als de Wachtplaats, zodat hij zijn onderdanen kon afluisteren terwijl ze op hun audientie wachtten. Zo wist hij van tevoren waarmee ze hem wilden lastigvallen. Hij wist dan ook al heel veel over de plannen van het gezelschap, dus liet hij het erbij. Dat had misschien ook iets te maken met het gebruik van de term 'majesteit'. De Hoogbulp had nog nooit zoiets passends gehoord.

'Majesteit,' herhaalde Futs met een zucht van genoegen. Hij porde een van de wachters in de rug. 'Jij onthouden. Van nu af aan "majesteit" zeggen.'

'J-ja, eh… m-majesteit,' stotterde de greppeldwerg. De grote Futs gebaarde hoffelijk met zijn smerige hand, en de reisgenoten trokken zich al buigend terug. Even bleef Hoogbulp Futs I naast zijn troon staan, met in zijn beleving zijn charmantste glimlach, tot zijn gasten weg waren. Toen veranderde zijn gezichtsuitdrukking en zette hij zo'n sluwe, geslepen grijns op dat zijn wachters zich gretig en afwachtend om hem heen verdrongen.

'Jij,' zei hij tegen een van hen. 'Ga naar vertrekken. Haal kaart. Geef aan dwazen hiernaast.'

De wachter salueerde en rende weg. De andere wachter bleef vlakbij met open mond staan wachten. Futs blikte om zich heen en trok de wachter nog dichter naar zich toe terwijl hij bedacht hoe hij zijn volgende bevel precies moest verwoorden. Hij had een stel helden nodig,

en als hij die zelf moest creëren uit het geteisem dat toevallig langskwam, dan zou hij dat niet nalaten. Als ze stierven, schoot hij er niet
veel bij in. En als ze erin slaagden de draak te doden, des te beter. Dan
zouden de greppeldwergen iets krijgen wat voor hen veel kostbaarder
was dan alle mooie steentjes op Krynn bij elkaar: een terugkeer naar de
zoete, vredige vrijheid van weleer! Dus aan al die onzin over stiekem de
schuilplaats van de draak binnensluipen had hij geen boodschap.
Futs boog naar voren en fluisterde de wachter in: 'Ga naar draak. Breng
haar groeten van zijne majesteit Hoogbulp Futs en zeg tegen haar...'

20

De kaart van de Hoogbulp. Het spreukenboek van Fistandantilus.

'Ik vertrouw die kleine, stinkende klootzak voor geen cent,' grauwde Caramon.

'Ik ook niet,' zei Tanis zachtjes. 'Maar we hebben toch geen keus? We hebben hem beloofd dat we hem de schat zullen brengen. Hij heeft er niets bij te winnen en alles bij te verliezen als hij ons verraadt.'

Ze zaten op de grond in de Wachtplaats, een smerig voorvertrek dat grensde aan de troonzaal. De versieringen in deze kamer waren al net zo vulgair als die in het hof. De reisgenoten waren nerveus en gespannen. Ze zeiden weinig en moesten zichzelf dwingen om iets te eten.

Raistlin at niets. Met opgetrokken knieën ging hij een eindje bij de anderen vandaan op de grond zitten om het vreemde kruidenmengsel te bereiden en op te drinken dat zijn hoest verzachtte. Toen wikkelde hij zijn mantel om zich heen en strekte zich met zijn ogen gesloten uit op de grond. Boepoe zat vlak bij hem te kauwen op iets wat ze uit haar tas had gehaald. Caramon, die even bij zijn broer ging kijken, zag tot zijn ontzetting dat ze een lange staart naar binnen slurpte.

Waterwind had zich afgezonderd. Hij nam geen deel aan het gedempte gesprek waarin zijn metgezellen het plan nog eens doornamen. Somber staarde de Vlakteman naar de vloer. Toen hij een lichte aanraking op zijn arm voelde, keek hij niet eens op. Met een bleek gezicht knielde Goudmaan naast hem neer. Ze wilde iets zeggen, slaagde daar niet in en schraapte haar keel.

'We moeten praten,' zei ze ferm in hun eigen taal.

'Is dat een bevel?' vroeg hij verbitterd.

Ze slikte. 'Ja,' antwoordde ze nauwelijks verstaanbaar.

Waterwind stond op en ging voor een van de opzichtige tapijten staan. Hij keek Goudmaan niet aan en zei geen woord tegen haar. Zijn gezicht was vertrokken tot een streng masker, maar daarachter kon Goudmaan de snijdende pijn in zijn ziel ontwaren. Zachtjes legde ze haar hand op zijn arm.

'Vergeef me,' fluisterde ze.

Waterwind keek haar verbijsterd aan. Daar stond ze, met haar hoofd gebogen, een bijna kinderlijke schaamte op haar gezicht. Hij streelde het zilverachtig gouden haar van de vrouw die hij meer liefhad dan het leven zelf. Hij voelde Goudmaan beven onder zijn aanraking, en de liefde schrijnde in zijn hart. Hij verplaatste zijn hand van haar hoofd naar haar nek, trok heel zachtjes en teder haar geliefde hoofd tegen zijn borst en sloeg toen opeens zijn armen om haar heen.

'Die woorden heb ik je nog nooit horen uitspreken,' zei hij, heimelijk glimlachend omdat hij wist dat ze hem niet kon zien.

'Omdat ik nog nooit zoiets heb gezegd,' wist ze met haar gezicht tegen zijn leren vest gedrukt uit te brengen. 'O, mijn geliefde, het spijt me meer dan ik je kan zeggen dat je bij je thuiskomst niet Goudmaan, maar de stamhoofdsdochter aantrof. Maar ik ben zo bang geweest.'

'Nee,' fluisterde hij. 'Ik ben degene die om vergiffenis zou moeten vragen.' Hij veegde haar tranen weg. 'Ik besefte niet wat je allemaal had doorgemaakt. Het enige waaraan ik kon denken, was mezelf en de gevaren die ik had getrotseerd. Ik wou dat je het me had verteld, mijn liefste.'

'Ik wou dat jij ernaar had gevraagd,' antwoordde ze terwijl ze ernstig naar hem opkeek. 'Ik ben al zo lang stamhoofdsdochter dat ik niet meer beter weet. Het is mijn grote kracht. Ik put er moed uit als ik bang ben. Ik denk niet dat ik het kan loslaten.'

'Dat vraag ik ook niet van je.' Glimlachend streek hij de losse lokken uit haar gezicht. 'Ik werd op het eerste gezicht verliefd op de stamhoofdsdochter. Weet je nog? Tijdens de spelen die ter ere van jou werden gehouden.'

'Je weigerde te buigen om je door mij te laten zegenen,' zei ze. 'Je erkende het leiderschap van mijn vader, maar wilde mij niet als godin aanvaarden. Je zei dat een mens van een ander mens geen god kon maken.' Haar ogen leken ver in het verleden te kijken. 'Wat was je lang, trots en knap toen je sprak over de oude goden die toen nog niet eens bestonden voor mij.'

'En wat was jij woedend,' herinnerde hij zich, 'en wat was je mooi! Je schoonheid alleen was al een zegen voor me. De enige zegen die ik nodig had. Je wilde me uit de spelen laten zetten.'

Goudmaan glimlachte bedroefd. 'Je dacht dat ik boos was omdat je me voor het oog van mijn volk had beschaamd, maar dat was niet zo.'

'O nee? Wat was er dan, stamhoofdsdochter?'

Haar gezicht werd vuurrood, maar ze sloeg haar heldere blauwe ogen naar hem op. 'Zodra ik je daar zag staan, weigerend om voor me te knielen, wist ik dat ik een deel van mezelf was kwijtgeraakt en dat ik niet meer compleet zou zijn totdat jij het kwam opeisen. Daarom was ik boos.'

Als antwoord trok de Vlakteman haar tegen zich aan en drukte een tedere kus op haar kruin.

'Waterwind,' zei ze, moeizaam slikkend. 'De stamhoofdsdochter is er nog steeds. Ik denk niet dat ze ooit echt zal weggaan. Maar je moet weten dat Goudmaan er nog onder schuilgaat, en als er ooit een eind komt aan deze reis en we eindelijk rust vinden, zal Goudmaan voorgoed de jouwe zijn en zullen we de stamhoofdsdochter verbannen naar de wind.'

Een bons op de deur van de Hoogbulp deed iedereen opschrikken. Een greppeldwerg stommelde de kamer binnen. 'Kaart,' zei hij terwijl hij Tanis een verfrommeld stuk papier toestopte.

'Dank je,' zei de halfelf plechtig. 'En breng onze dank over aan de Hoogbulp.'

'Zijne májesteit de Hoogbulp,' verbeterde de wachter hem met een nerveuze blik op een muur die achter tapijten schuilging. Onhandig buigend trok hij zich terug in de zaal van de Hoogbulp.

Tanis streek de kaart glad. Iedereen kwam eromheen staan, zelfs Flint. Na één blik op de kaart snoof de dwerg echter minachtend en liep terug naar de bank waar hij op had gezeten.

Tanis lachte spijtig. 'We hadden het kunnen weten. Ik vraag me af of de grote Futs nog wel weet waar de "grote geheime kamer" is.'

'Natuurlijk niet.' Raistlin opende zijn vreemde gouden ogen tot spleetjes, ging rechtop zitten en keek hen aan. 'Daarom is hij de schat nooit gaan halen. Er is echter iemand onder ons die weet waar de schuilplaats van de draak zich bevindt.' Iedereen volgde de blik van de magiër.

Boepoe keek hen opstandig aan. 'Jij hebt gelijk. Ik weet het,' zei ze mokkend. 'Ik ken geheime plek. Ik ga erheen, vind mooie steentjes. Maar niet tegen Hoogbulp zeggen!'

'Wil je het ons vertellen?' vroeg Tanis. Boepoe keek Raistlin aan. Die knikte.

'Ik vertel,' mompelde ze. 'Geef kaart.'

Raistlin, die zag dat de anderen opgingen in het bestuderen van de kaart, wenkte zijn broer.

'Is het plan onveranderd?' fluisterde de magiër.

'Ja.' Caramon fronste zijn wenkbrauwen. 'En ik vind het maar niks. Ik kan beter met jou meegaan.'

'Onzin,' siste Raistlin. 'Je loopt me alleen maar in de weg!' Toen voegde hij er op vriendelijkere toon aan toe: 'Ik loop geen gevaar, dat verzeker ik je.' Hij legde zijn hand op de arm van zijn tweelingbroer en trok hem dichter naar zich toe. 'En trouwens,' – hij blikte om zich heen – 'ik wil dat je iets voor me doet, broer. Ik wil dat je iets voor me meeneemt uit de schuilplaats van de draak.'

Raistlins aanraking was ongewoon verhit en zijn ogen brandden. Slecht op zijn gemak wilde Caramon zich lostrekken. Hij zag iets in zijn broer wat hij al sinds de Torens van de Hoge Magie niet meer had gezien, maar Raistlins greep was ijzersterk.

'Wat dan?' vroeg Caramon schoorvoetend.

'Een spreukenboek,' fluisterde Raistlin.

'Daarom wilde je dus naar Xak Tsaroth!' zei Caramon. 'Je wist dat dat spreukenboek hier moest liggen.'

'Ik heb er jaren geleden iets over gelezen. Ik wist dat het vóór de Catastrofe in Xak Tsaroth was, dat wist iedereen in de orde, maar we gingen ervan uit dat het samen met de stad was vernietigd. Toen ik ontdekte dat Xak Tsaroth aan de ondergang was ontsnapt, besefte ik dat er een kans bestond dat ook het boek intact was gebleven.'

'Hoe weet je dat het in de schuilplaats van de draak ligt?'

'Dat weet ik niet zeker, maar ik ga er wel van uit. Voor gebruikers van magie is dat boek de grootste schat die in Xak Tsaroth te vinden is. Als de draak het heeft gevonden, kunnen we ervan uitgaan dat ze het gebruikt.'

'En jij wilt dat ik het voor je meeneem,' zei Caramon langzaam. 'Hoe ziet het eruit?'

'Net als mijn spreukenboek, natuurlijk, alleen is het van ivoorwit perkament gebonden in nachtblauw leer met zilveren runen op de voorkant. Het zal ijskoud aanvoelen.'

'Wat staat er als je de runen vertaalt?'

'Dat wil je niet weten…' fluisterde Raistlin.

'Van wie was dat boek?' vroeg Caramon achterdochtig.

Raistlin zweeg, en zijn gouden ogen hadden een afwezige blik, alsof hij in zijn binnenste ergens naar zocht, zich iets probeerde te herinneren wat hij was vergeten. 'Je hebt nooit van hem gehoord, broertje van me,' zei hij uiteindelijk zo zachtjes dat Caramon naar hem toe moest buigen om hem te kunnen verstaan. 'En toch was hij een van de groten van mijn orde. Zijn naam was Fistandantilus.'

'Zoals je dat spreukenboek beschrijft…' Caramon aarzelde, bang voor Raistlins antwoord. Hij slikte en begon opnieuw. 'Die Fistandantilus, droeg hij het zwarte gewaad?' Hij durfde de indringende blik van zijn broer niet te beantwoorden.

'Stel me geen vragen meer!' siste Raistlin. 'Je bent al net zo erg als de anderen. Hoe kunnen jullie me ook begrijpen?' Bij het zien van het gekwetste gezicht van zijn tweelingbroer zuchtte de magiër. 'Geloof me, Caramon. Het is geen bijzonder machtig spreukenboek, want het was een van de eerste boeken van de magiër. Een boek dat hij had toen hij nog heel, heel jong was,' prevelde Raistlin met niets ziende ogen. Toen knipperde hij met zijn wimpers en zei op kordatere toon: 'Maar desondanks zal het me uitstekend van pas komen. Je moet het meenemen! Je moet—' Hij begon te hoesten.

'Al goed, Raist,' beloofde Caramon op sussende toon. 'Wind je niet zo op. Ik vind het wel.'

'Mooi zo, Caramon. Uitstekend,' fluisterde Raistlin toen hij weer iets kon zeggen. Hij liet zich in zijn hoekje op de grond zakken en sloot zijn ogen. 'Laat me nu even rusten. Ik moet er klaar voor zijn.'

Caramon stond op, bleef even naar zijn broer staan kijken en draaide zich om. Daarbij struikelde hij bijna over Boepoe, die achter hem stond en hem met grote ogen wantrouwend stond aan te kijken.

'Wat was dat allemaal?' vroeg Sturm bars toen Caramon zich weer bij de groep voegde.

'O, niets,' mompelde de grote man met een schuldbewuste blos op zijn wangen. Sturm wierp Tanis een verschrikte blik toe.

'Wat is er, Caramon?' vroeg Tanis terwijl hij de opgerolde kaart achter zijn riem stak en zich naar de krijger omdraaide. 'Is er iets mis?'

'N-nee…' stotterde Caramon. 'Het is niets. Ik, eh… wilde Raistlin overhalen me mee te nemen, maar hij zei dat ik alleen maar in de weg zou lopen.'

Tanis nam Caramon schattend op. Hij wist dat de grote man de waarheid vertelde, maar ook dat het niet de hele waarheid was. Caramon zou met liefde zijn laatste druppel bloed vergieten voor ieder van zijn kameraden, maar Tanis vermoedde dat hij hen allemaal zou verraden als Raistlin het van hem verlangde.

De reus keek Tanis aan, vurig hopend dat die hem geen vragen meer zou stellen.

'Hij heeft gelijk, hoor, Caramon,' zei Tanis uiteindelijk terwijl hij de grote man een klopje op zijn arm gaf. 'Raistlin loopt geen enkel gevaar. Boepoe gaat met hem mee, en naderhand verstoppen ze zich hier. Hij hoeft alleen wat van zijn beste vuurwerk tevoorschijn te toveren om de draak af te leiden. Tegen de tijd dat ze uit haar schuilplaats gekropen is, is hij al lang weer weg.'

'Ja, dat weet ik wel,' zei Caramon met een geforceerd gegrinnik. 'En trouwens, jullie hebben me nodig.'

'Inderdaad,' zei Tanis ernstig. 'Goed, is iedereen er klaar voor?'

Zwijgend, grimmig, stonden ze op. Raistlin kwam naar hen toe met zijn kap over zijn gezicht en zijn handen gevouwen in de mouwen van zijn gewaad. Er hing een aura om de magiër heen, ondefinieerbaar maar angstaanjagend: een aura van macht die van binnenuit wordt gecreëerd en opgeroepen.

Tanis kuchte. 'We geven je een voorsprong van vijfhonderd tellen,' zei hij tegen Raistlin. 'Dan gaan we op pad. De "geheime plek" op de kaart is een valdeur in een gebouw hier vlakbij, volgens je kleine vriendinnetje. Het leidt naar een ondergrondse tunnel die uitkomt onder de schuilplaats van de draak, niet ver van de plek waar we haar vandaag hebben gezien. Lok haar vanaf het plein naar buiten en kom dan weer hier. We spreken hier af, geven de Hoogbulp zijn schat en houden ons tot het vallen van de avond gedeisd. Zodra het donker is, ontsnappen we.'

'Ik begrijp het,' zei Raistlin kalm.

Begreep ik het ook maar, dacht Tanis verbitterd. Begreep ik maar wat er in dat hoofd van jou omgaat, magiër. Maar de halfelf zei niets.

'Gaan we nu?' vroeg Boepoe ongeduldig aan Tanis.

'We gaan nu,' zei Tanis.

Raistlin sloop het donkere steegje uit en liep snel over straat in zuidelijke richting. Hij zag geen enkel teken van leven. Het was alsof alle greppeldwergen door de mist waren verzwolgen, een verontrustende gedachte. De frêle magiër bleef zoveel mogelijk in de schaduw. Als het moest, kon hij zich geruisloos voortbewegen. Hij hoopte alleen dat hij zijn hoest onder controle kon houden. De pijn en het beklemmende gevoel op zijn borst waren minder geworden toen hij het kruidenmengsel had gedronken waarvan het recept hem was geschonken door de grote tovenaar Par-Salian, als een soort verontschuldiging voor het feit dat de jonge magiër zo ernstig gewond was geraakt. Het effect van het mengsel zou echter snel minder worden.

Boepoe tuurde met haar zwarte kraaloogjes om zijn gewaad heen en speurde de straat af die in oostelijke richting naar het Grote Plein leidde. 'Niemand,' zei ze met een rukje aan het gewaad van de magiër. 'We gaan nu.'

Niemand, dacht Raistlin bezorgd. Dat was niet logisch. Waar waren de drommen greppeldwergen gebleven? Hij had het gevoel dat er iets verkeerd was gegaan, maar hij had geen tijd om terug te gaan. Tanis en de anderen waren al op weg naar de geheime ingang van de tunnel. De magiër glimlachte verbitterd. Wat een krankzinnige queeste bleek dit te zijn. Waarschijnlijk zouden ze allemaal de dood vinden in deze ellendige stad.

Boepoe trok weer aan zijn gewaad. Hij haalde zijn schouders op, trok de kap over zijn hoofd en schoot samen met de greppeldwerg de in mist gehulde straat op.

Twee in wapenrusting gehulde gestalten maakten zich los uit een donkere deuropening en slopen snel achter Raistlin en Boepoe aan.

'Hier is het,' zei Tanis zachtjes. Hij trok de half vergane deur open en tuurde naar binnen. 'Het is donker. We hebben licht nodig.'
Er klonk een geluid van vuursteen tegen tondeldoos toen Caramon een van de toortsen aanstak die ze van de Hoogbulp hadden geleend. Er laaide een vlam op. De krijger gaf een toorts aan Tanis en stak er toen een voor zichzelf en een voor Waterwind aan. Tanis liep het gebouw binnen en kwam in enkeldiep water terecht. Hij hief zijn toorts en zag dat het water gestaag langs de muren van het mistroostige vertrek naar beneden sijpelde. Het kolkte rond in het midden van de vloer en stroomde vervolgens weg door barsten aan de randen. Tanis plaste naar het midden van de kamer en hield zijn toorts vlak bij het water.
'Daar is hij. Ik kan hem zien,' zei hij terwijl de anderen het vertrek in waadden. Hij wees naar een valdeur in de vloer. In het midden was met enige moeite een ijzeren ring te onderscheiden.
'Caramon?' Tanis deed een stap achteruit.
'Bah!' snoof Flint. 'Als een greppeldwerg dat ding open kan krijgen, kan ik het ook. Opzij.' De dwerg duwde iedereen met zijn ellebogen opzij, stak zijn hand in het water en zette zich schrap. Even bleef het stil. Flint gromde en zijn gezicht liep rood aan. Hij hield op, rechtte hijgend zijn rug en bukte toen om het nogmaals te proberen. Er was geen beweging in te krijgen. De valdeur bleef stevig dicht.
Tanis legde zijn hand op de schouder van de dwerg. 'Flint, Boepoe zegt dat ze alleen in het droge seizoen naar beneden gaat. Je probeert de halve Nieuwezee op te tillen.'
'Ja, zeg,' zei de dwerg buiten adem. 'Waarom zeg je dat niet meteen? Laat die grote os dan maar eens een poging wagen.'
Caramon deed een stap naar voren, stak zijn handen in het water en trok aan de ring. Zijn schouderspieren bolden op en de adertjes in zijn hals puilden uit. Er klonk een zuigend geluid, waarna de zuigkracht zo plotseling wegviel dat de grote krijger bijna achteroverviel. Het water liep weg uit de kamer toen Caramon de houten valdeur voorzichtig opzijschoof. Tanis hield zijn toorts dicht bij de grond om te kunnen kijken. Er gaapte een gat van vier vierkante voet in de vloer. Een smalle ijzeren ladder stond in de schacht.
'Hoe ver zijn we?' vroeg Tanis met droge keel.
'Vierhonderddrie,' antwoordde Sturm met zijn diepe stem. 'Vierhonderdvier.'
De reisgenoten bleven om het gat heen staan, huiverend van de kou, luisterend naar het geluid van water dat in de schacht stroomde.

'Vierhonderdeenenvijftig,' zei de ridder kalm.

Tanis krabde aan zijn baard. Caramon kuchte twee keer, alsof hij hen allemaal aan zijn afwezige broer wilde helpen herinneren. Flint bewoog onrustig heen en weer en liet zijn bijl in het water vallen. Tas kauwde afwezig op een lange lok uit zijn knot. Goudmaan, bleek maar beheerst, ging dicht bij Waterwind staan met de onopvallende bruine staf in haar handen. Hij sloeg zijn arm om haar heen. Niets was zo erg als wachten.

'Vijfhonderd,' zei Sturm eindelijk.

'Dat werd tijd!' Tasselhof klom langs de ladder omlaag. Tanis kwam achter hem aan, met zijn toorts omhoog om Goudmaan bij te lichten, die achter hem aan kwam. Ook de anderen daalden langzaam af in de toegangsschacht van het stedelijk rioolsysteem. De schacht liep ongeveer twintig voet recht naar beneden en kwam daar uit in een vijf voet brede tunnel die van noord naar zuid liep.

'Kijk eerst hoe diep het water is,' zei Tanis waarschuwend tegen de kender op het moment dat die de ladder wilde loslaten. Met één hand hangend aan de onderste sport van de ladder liet Tas zijn hoopakstaf in het donkere, kolkende water zakken. De staf zakte er tot ongeveer halverwege in weg.

'Twee voet,' zei Tas vrolijk. Hij liet zich met een plons in het water vallen, dat om zijn bovenbenen spoelde. Vragend keek hij op naar Tanis.

'Die kant op,' zei Tanis wijzend. 'Naar het zuiden.'

Met zijn staf in de lucht liet Tasselhof zich door de stroming meevoeren.

'Waar blijft die afleidingsmanoeuvre?' vroeg Sturm. Zijn stem galmde door de tunnel.

Dat vroeg Tanis zich ook af. 'Waarschijnlijk kunnen we er hier gewoon niets van horen.' Dat hoopte hij althans.

'Het lukt Raist wel. Maak je geen zorgen,' zei Caramon grimmig.

'Tanis!' Tasselhof botste achteruit tegen de halfelf aan. 'Er zwemt hier iets rond! Ik voelde het langs mijn voeten strijken.'

'Gewoon doorlopen,' mompelde Tanis, 'en dan maar hopen dat hij geen honger heeft…'

Zwijgend waadden ze verder in het flakkerende licht van de toortsen, dat hun ogen voor de gek hield. Meer dan eens dacht Tanis dat iets naar hem reikte, maar dan bleek het de schaduw van Caramons helm of van Tas' hoopak te zijn.

De tunnel liep ongeveer tweehonderd voet pal naar het zuiden en maakte toen een bocht naar links. De kameraden bleven staan. Verderop in de oostelijke vertakking van het riool was een zwakke lichtbundel zichtbaar die vanboven kwam. Dat was volgens Boepoe de plek waar de schuilplaats van de draak zich bevond.

'Doof de toortsen!' siste Tanis terwijl hij de zijne in het water stak. Met zijn hand tegen de slijmerige muur liep Tanis achter Tas aan verder de tunnel in. De rode contouren van de kender waren voor zijn elfenogen duidelijk zichtbaar. Achter zich hoorde hij Flint klagen over het effect van het water op zijn reumatiek.

'Sst,' fluisterde Tanis toen ze het licht naderden. Zo stil als maar mogelijk was met het gerammel van wapenrustingen stonden ze al snel bij een smalle ladder die naar een ijzeren rooster leidde.

'Niemand neemt ooit de moeite om een slot op een vloerrooster aan te brengen,' zei Tas zachtjes tegen Tanis, die hij naar zich toe had getrokken zodat hij in zijn oor kon fluisteren. 'Maar als er toch een slot op zit, kan ik hem wel open krijgen.'

Tanis knikte. Hij wees Tas er niet op dat zelfs Boepoe erin was geslaagd het open te krijgen. De kender was net zo trots op zijn vermogen sloten open te peuteren als Sturm op zijn lange snor. Tot aan hun knieën in het water keken de anderen toe terwijl Tas de ladder opklom.

'Ik hoor nog steeds niets buiten,' mompelde Sturm.

'Sst!' deed Caramon fel.

Er zat wel degelijk een slot op het rooster, maar het was zo eenvoudig dat Tas het binnen een paar tellen open had. Toen tilde hij het rooster voorzichtig op en tuurde door het gat. Opeens daalde een duisternis op hem neer, zo diep en ondoordringbaar dat het hem als een mokerslag leek te raken. Bijna liet hij het rooster uit zijn handen vallen, dus legde hij het snel en geluidloos weer op zijn plaats en gleed van de ladder. Hij botste tegen Tanis op.

'Tas?' De halfelf pakte hem vast. 'Ben jij dat? Ik zie niets. Wat gebeurt er?'

'Weet ik niet. Het werd opeens aardedonker.'

'Hoezo kun je niets zien?' fluisterde Sturm tegen Tanis. 'En je elfenogen dan?'

'Nutteloos,' zei Tanis grimmig, 'net als in het Duisterwold, en buiten bij de put...'

Zwijgend bleven ze dicht bij elkaar in de tunnel staan. Het enige wat ze konden horen was hun eigen ademhaling en het gedrup van water langs de muren.

De draak was boven, en ze zat hen op te wachten.

21

Het offer.
De tweemaal dode stad.

Tanis werd verblind door een wanhoop zwarter dan de duisternis. Dit was mijn plan, de enige manier waarop we een kans hadden om hier levend uit te komen, dacht hij. Het was een goed doordacht plan, het had moeten werken. Wat is er verkeerd gegaan? Raistlin... Kan hij ons verraden hebben? Nee! Tanis balde zijn vuist. Nee, verdorie. De magiër was afstandelijk, onsympathiek en onmogelijk te doorgronden, dat wel, maar hij was loyaal aan hen, daar durfde Tanis zijn leven om te verwedden. Waar was Raistlin? Dood wellicht. Niet dat het ertoe deed. Nog even en ze waren allemaal dood.

'Tanis...' De halfelf voelde een stevige hand op zijn arm en herkende Sturms diepe stem. 'Ik weet wat je denkt. We hebben geen keus. En we hebben niet veel tijd meer. Dit is onze enige kans om de schijven te bemachtigen. Een tweede kans krijgen we niet.'

'Ik ga kijken,' zei Tanis. Hij klom de ladder op en tuurde door het rooster. Het was donker, een magische duisternis. Tanis liet zijn hoofd in zijn hand zakken en probeerde na te denken. Sturm had gelijk, ze hadden niet veel tijd meer. Maar hoe kon hij op het beoordelingsvermogen van de ridder vertrouwen? Sturm wilde de draak bevechten. Tanis daalde weer af. 'We gaan ervoor,' zei hij. Opeens wilde hij het alleen nog maar achter de rug hebben, zodat ze naar huis konden. Naar Soelaas. 'Nee, Tas.' Hij greep de kender vast en trok hem van de ladder af. 'De strijders gaan voorop, Sturm en Caramon. Dan pas de rest.'

De ridder drong zich al zo gretig langs hen heen dat zijn zwaard rinkelend tegen zijn bovenbeen sloeg.

'We mogen altijd pas als laatste!' mekkerde Tasselhof terwijl hij de dwerg voor zich uit duwde. Flint klom langzaam en met krakende knieën de ladder op. 'Schiet op!' zei Tas. 'Ik hoop dat er niets gebeurt voordat wij erbij zijn. Ik heb nog nooit met een draak gepraat.'

'Ik durf te wedden dat die draak ook nog nooit met een kender heeft gepraat.' De dwerg snoof. 'Je beseft toch zeker wel, domkop, dat we misschien wel allemaal doodgaan? Dat weet Tanis, ik kon het aan zijn stem horen.'

Tas hield halt, zich stevig vastklampend aan de ladder terwijl Sturm langzaam het rooster omhoogduwde. 'Weet je, Flint,' zei de kender ernstig, 'mijn volk vreest de dood niet. In zekere zin kijken we ernaar uit, omdat het het laatste grote avontuur is. Maar ik denk toch dat ik het jammer zou vinden om dit leven te moeten verlaten. Ik zou mijn spullen missen' – hij klopte op zijn buidels – 'en mijn kaarten, en jou en Tanis. Tenzij,' voegde hij er opgewekt aan toe, 'we na onze dood allemaal naar dezelfde plaats gaan.'

Opeens zag Flint in gedachten de zorgeloze kender dood en koud op de grond liggen. Dat beeld gaf hem een beklemmend gevoel op zijn borst, en hij was blij dat de duisternis zijn emoties verborg. Hij kuchte en zei toen schor: 'Als jij denkt dat ik het hiernamaals ga delen met een stel kenders, ben je nog gekker dan Raistlin. Schiet op!'

Sturm tilde voorzichtig het rooster op en schoof het opzij, tandenknarsend omdat het ding luid over de vloer schraapte. Hij trok zichzelf moeiteloos op, waarna hij zich omdraaide om Caramon te helpen, die moeite had om zichzelf en zijn rammelende arsenaal door het gat te persen.

'In de naam van Istar, wees toch stil!' siste Sturm.

'Ik doe mijn best,' mompelde Caramon, die eindelijk over de rand kon klimmen. Sturm bood Goudmaan zijn hand aan. Tas kwam als laatste, opgetogen omdat niemand in zijn afwezigheid iets spannends had gedaan.

'We hebben licht nodig,' zei Sturm.

'Licht?' antwoordde een stem zo duister en kil als een midwinternacht. 'Ja, laten we maar eens wat licht maken.'

Meteen verdween het donker. De reisgenoten zagen dat ze zich in een enorme, koepelvormige ruimte bevonden van vele honderden voeten hoog. Een koud, grijs licht kwam door een barst in het plafond binnen en viel op een altaar in het midden van de ronde zaal. Op de vloer rondom het altaar lagen massa's juwelen, munten en andere schatten van de dode stad. De juwelen glansden niet. Het goud glinsterde niet. Het schemerlicht verlichtte niets, behalve de zwarte draak die als een enorme roofvogel op het altaar zat.

'Voelen we ons een beetje verraden?' vroeg de draak nonchalant.

'De magiër heeft ons verraden! Waar is hij? Dient hij jou?' riep Sturm fel uit terwijl hij zijn zwaard trok en een stap naar voren deed.

'Terug, smerige ridder van Solamnië. Terug, of jullie magiegebruiker zal nooit meer magie gebruiken!' De draak boog haar slangachtige hals en staarde hen met glimmende rode ogen aan. Toen tilde ze langzaam en elegant haar geklauwde poot op. Daaronder, op het altaar, lag Raistlin.

'Raist!' brulde Caramon. Hij deed een uitval naar het altaar.

'Stop, dwaas!' siste de draak. Ze zette één klauw zachtjes op de buik van de magiër. Met een grote krachtsinspanning wist Raistlin zijn hoofd te draaien, zodat hij zijn broer met zijn vreemde gouden ogen kon aankijken. Hij maakte een zwak gebaar, en Caramon bleef staan. Op de vloer onder het altaar zag Tanis iets bewegen. Het was Boepoe, die op haar hurken tussen de rijkdommen zat, te bang om zelfs maar te jammeren. Naast haar lag de staf van Magius.

'Als je nog één stap dichterbij komt, steek ik dit scharminkel van een mens met mijn klauw vast aan het altaar.'

Caramons gezicht werd vuurrood van woede. 'Laat hem gaan!' schreeuwde hij. 'Vecht met mij.'

'Ik vecht met niemand van jullie,' zei de draak terwijl ze loom haar vleugels bewoog. Raistlin kromp ineen toen de poot van de draak plagerig een stukje bewoog, zodat haar klauw zich in zijn vlees boorde. De metaalachtige huid van de magiër glom van het zweet. Moeizaam en bevend ademde hij in. 'Verroer je niet, magiër,' sneerde de draak. 'We spreken dezelfde taal, weet je nog? Als ik één woord van een spreuk hoor, worden de karkassen van je vrienden voer voor de greppeldwergen.'

Raistlin sloot zijn ogen, alsof hij uitgeput was. Tanis zag hem echter zijn handen tot vuisten ballen, en hij wist dat de magiër zich voorbereidde op een laatste spreuk. Het zou zijn laatste zijn, want tegen de tijd dat hij hem had uitgesproken, zou de draak hem vermoorden. Toch zou het Waterwind misschien net genoeg tijd geven om de schijven te bereiken en zich samen met Goudmaan uit de voeten te maken. Tanis bewoog omzichtig in de richting van de Vlakteman.

'Zoals ik al zei,' ging de draak gladjes verder, 'heb ik geen zin om met iemand van jullie te vechten. Hoe jullie tot nu toe aan mijn toorn zijn ontsnapt, is me een raadsel. Maar goed, hier zijn jullie. En jullie komen me teruggeven wat van mij is gestolen. Ja, vrouwe van Que-shu, ik zie dat jij de blauw kristallen staf draagt. Breng hem naar mij toe.'

Tanis siste Goudmaan twee woorden toe: 'Tijd rekken!' Maar toen hij naar haar koele, verstarde gezicht keek, vroeg hij zich af of ze hem wel had gehoord, of ze de draak zelfs maar had gehoord. Ze leek te luisteren naar andere woorden, andere stemmen.

'Gehoorzaam me.' Dreigend liet de draak haar kop zakken. 'Gehoorzaam me, of de magiër is dood. En na hem de ridder. En daarna de halfelf. Enzovoorts, tot jij, vrouwe van Que-shu, de enige overlevende bent. Dan zul je me de staf komen brengen en me smeken om genade.'

Onderdanig boog Goudmaan haar hoofd. Zachtjes duwde ze Waterwind weg, waarna ze zich naar Tanis omdraaide en hem vol liefde in haar armen sloot. 'Vaarwel, mijn vriend,' zei ze hardop met haar wang tegen de zijne. Ze liet haar stem dalen tot een fluistering. 'Ik weet wat ik moet doen. Ik ga met de staf naar de draak toe, en dan—'

'Nee!' zei Tanis fel. 'Het doet er niet toe. De draak vermoordt ons toch allemaal.'

'Luister naar me.' Goudmaans nagels drukten in Tanis' arm. 'Blijf bij Waterwind, Tanis. Laat hem niet proberen me tegen te houden.'

'En als ik nou probeer je tegen te houden?' vroeg Tanis zachtjes terwijl hij Goudmaan dicht tegen zich aan hield.

'Dat doe je niet,' zei ze met een lieve, droeve glimlach. 'Jij weet dat ieder van ons een lotsbestemming heeft, zoals de Woldmeester al zei. Waterwind zal je nodig hebben. Vaarwel, mijn vriend.'

Goudmaan deed een stap achteruit, met haar heldere blauwe ogen op Waterwind gericht alsof ze zich elk detail wilde inprenten, om het tot in de eeuwigheid te onthouden. Zodra hij besefte dat ze afscheid aan het nemen was, wilde hij naar haar toe lopen.

'Waterwind,' zei Tanis zachtjes. 'Vertrouw haar. Zij heeft jou ook vertrouwd, al die jaren. Ze heeft gewacht terwijl jij strijd leverde. Nu ben jij degene die moet wachten. Dit is haar gevecht.'

Waterwind beefde, maar bleef staan. Tanis zag de aderen in zijn hals zwellen, zijn kaakspieren verstrakken. De halfelf omklemde de arm van de Vlakteman, maar die keek niet eens naar hem. Zijn blik was gericht op Goudmaan.

'Waarom duurt het allemaal zo lang?' vroeg de draak. 'Ik begin me te vervelen. Kom naar voren.'

Goudmaan wendde zich af van Waterwind. Ze passeerde Flint en Tasselhof. De dwerg boog zijn hoofd. Tas keek ernstig en met grote ogen toe. Dit was allemaal niet zo opwindend als hij zich had voorgesteld. Voor het eerst in zijn leven voelde de kender zich klein, hulpeloos en alleen. Het was een afschuwelijk, ongemakkelijk gevoel, en hij dacht dat de dood misschien nog beter was dan dit.

Goudmaan bleef bij Caramon even staan om haar hand op zijn arm te leggen. 'Maak je geen zorgen,' zei ze tegen de grote krijger, die gekweld naar zijn broer stond te kijken. 'Het komt wel goed met hem.' Caramon maakte een verstikt geluidje, maar knikte. Goudmaan liep op Sturm af. Opeens, alsof de verschrikking van de draak haar te veel werd, zakte ze in elkaar. De ridder ving haar op en hield haar vast.

'Kom met me mee, Sturm,' fluisterde Goudmaan toen hij zijn arm om haar heen sloeg. 'Je moet zweren dat je zult doen wat ik zeg, wat er ook gebeurt. Zweer het op je eer als ridder van Solamnië.'

Sturm aarzelde. Goudmaan keek hem kalm en met heldere ogen recht aan. 'Zweer het,' eiste ze, 'of ik ga alleen.'

'Ik zweer het, edele vrouwe,' zei hij eerbiedig. 'Ik zal gehoorzamen.'

Goudmaan zuchtte dankbaar. 'Loop met me mee. Maak geen dreigende bewegingen.'

Samen liepen de barbaarse vrouw van de Vlakte en de ridder op de draak af.

Raistlin lag zich met zijn ogen dicht onder de klauw van de draak mentaal voor te bereiden op de spreuk die zijn laatste zou zijn. De woorden van de spreuk weigerden zich echter te vormen in het tumult in zijn geest. Hij vocht om zelfbeheersing.

Ik vergooi mijn leven, en waarvoor, vroeg Raistlin zich verbitterd af. Om die dwazen te bevrijden uit een benarde situatie die ze zelf hebben opgezocht. Ze willen niet aanvallen uit angst mij te verwonden, en dat terwijl ze me vrezen en verachten. Het slaat nergens op, net als mijn opoffering. Waarom sterf ik voor hen terwijl ik het meer dan zij verdien om te leven?

Dit doe je niet voor hen, antwoordde een stem. Raistlin schrok op, probeerde zich te concentreren, de stem vast te houden. Het was een echte stem, een bekende stem, maar hij kon zich niet herinneren waar hij hem eerder had gehoord of aan wie hij toebehoorde. Het enige wat hij wist, was dat hij hem toesprak als hij onder grote druk stond. Hoe dichter hij bij de dood kwam, hoe luider de stem werd.

Dit offer breng je niet voor hen, zei de stem. Je doet het omdat je geen nederlaag kunt verdragen. Niets heeft jou ooit verslagen, zelfs de dood niet...

Raistlin ademde diep in en ontspande zich. Hij begreep de woorden niet helemaal, net zoals hij de stem niet helemaal kon plaatsen. Nu kwam de spreuk echter wel zomaar bij hem op. *'Astol arakhkh um...'* prevelde hij. Hij voelde de magie die door zijn lichaam begon te stromen. Toen verbrak een andere stem zijn concentratie, een levende stem die hem in zijn hoofd aansprak. Hij opende zijn ogen, draaide langzaam zijn hoofd en staarde de zaal in, naar zijn metgezellen.

De stem was afkomstig van de vrouw, de barbarenprinses van een uitgeroeide stam. Raistlin keek naar Goudmaan terwijl ze, leunend op Sturms arm, op hem afkwam. De woorden in haar hoofd waren doorgedrongen in Raistlins geest. Hij bestudeerde de vrouw koeltjes, afstandelijk. Zijn verstoorde waarneming van de wereld had voorgoed elke vonk van fysieke begeerte gedoofd die hij anders zou hebben gevoeld bij de aanblik van een vrouwenlichaam. Hij zag de schoonheid niet die Tanis en zijn broer zo had betoverd. Met zijn zandlopervormige ogen zag hij haar verschrompelen en sterven. Hij voelde geen verbondenheid, geen medeleven voor haar. Hij wist dat ze medelijden met hem had – en daar haatte hij haar om – maar ook dat ze hem vreesde. Waarom sprak ze dan tot hem?

Ze droeg hem op te wachten.

Raistlin begreep het. Ze wist wat hij van plan was en ze wilde hem duidelijk maken dat het niet nodig was. Zij was uitverkoren. Zij was degene die het offer zou brengen.

Hij hield Goudmaan met zijn vreemde gouden ogen in de gaten terwijl ze steeds dichterbij kwam, haar blik strak op de draak gericht. Hij zag Sturm plechtig naast haar meelopen, oud en nobel als Huma zelf. Sturm was het volmaakte werktuig, de ideale aangever voor Goudmaans offer. Maar waarom liet Waterwind haar gaan? Zag hij dit dan niet aankomen? Raistlin wierp een snelle blik op Waterwind. Ach, natuurlijk. De halfelf stond met een gekweld, verdrietig gezicht naast hem. Ongetwijfeld kwamen de wijze woorden als bloeddruppels over zijn lippen. De barbaar begon al net zo goedgelovig te worden als Caramon. Raistlin richtte zijn blik weer op Goudmaan.

Die stond nu voor de draak, met een bleek, vastberaden gezicht. Naast haar stond Sturm, ernstig en gekweld, verteerd door een innerlijke tweestrijd. Waarschijnlijk had Goudmaan hem een eed van gehoorzaamheid ontlokt waarvan de ridder vond dat hij hem niet kon verbreken. Raistlins lip krulde minachtend op.

De draak sprak en de magiër spande zich, klaar voor wat er komen ging. 'Leg de staf bij de andere overblijfselen van 's mensen dwaasheid,' beval de draak met een knikje van haar glanzende, geschubde kop naar de schat die om haar altaar was opgestapeld.

Goudmaan, overmand door drakenvrees, verroerde zich niet. Ze kon niets anders doen dan bevend naar het monsterlijke wezen staren. Naast haar zocht Sturm met zijn ogen de berg kostbaarheden af, op zoek naar de schijven van Mishakal, terwijl hij zijn uiterste best deed om zijn angst voor de draak in te tomen. Sturm had niet geweten dat hij ergens zo bang voor kon zijn. Keer op keer herhaalde hij in gedachten zijn erecode, 'eer is leven', en hij wist dat alleen zijn trots hem ervan weerhield de benen te nemen.

Goudmaan zag Sturms hand beven, zag het angstzweet op zijn gezicht. Lieve godin, kreet ze in gedachten, schenk me moed. Sturm gaf haar een por die haar deed beseffen dat ze iets moest zeggen. Ze zweeg al te lang.

'Wat wil je ons geven in ruil voor de wonderstaf?' vroeg Goudmaan, die zichzelf dwong op kalme toon te spreken, ook al was haar keel gort-droog en voelde haar tong dik aan.

Het monster lachte een schrille, lelijke lach. 'Wat ik je wil geven?' De draak boog haar slangachtige hals zodat ze Goudmaan recht kon aankijken. 'Niets. Helemaal niets. Ik onderhandel niet met dieven. Maar goed…' De draak kneep haar ogen tot spleetjes en tilde haar kop op. Speels drukte ze haar klauw in Raistlins buik. De magiër kromp ineen, maar verdroeg de pijn zonder een kik te geven. De draak hief haar klauw, net hoog genoeg zodat iedereen het bloed eraf kon zien druppen. 'Het is niet ondenkbaar dat heer Canaillaard – de heer van de Draken – het feit zal laten meewegen dat je de staf vrijwillig hebt afgestaan. Misschien zal hij zich zelfs tot genade laten verleiden, want hij is een priester, en die houden er vreemde normen en waarden op na. Maar weet dit, vrouwe van Que-shu. Heer Canaillaard heeft je vrienden niet nodig. Geef me nu de staf en ze zullen misschien gespaard blijven. Dwing me hem van je af te pakken en ze zullen sterven. Te beginnen met de magiër.'

Op het oog verslagen liet Goudmaan haar schouders hangen. Sturm boog naar haar toe, alsof hij haar wilde troosten.

'Ik heb de schijven gevonden,' fluisterde hij schor. Hij pakte haar arm vast, voelde haar beven van angst. 'Weet je heel zeker dat je dit wilt doen, edele vrouwe?' vroeg hij zachtjes.

Goudmaan boog haar hoofd. Ze was lijkbleek, maar kalm en beheerst. Lokken van haar zilverachtig gouden haar waren ontsnapt uit haar vlecht en vielen voor haar gezicht, zodat de draak het niet kon zien. Ze wekte de indruk verslagen te zijn, maar keek glimlachend op naar Sturm. Haar glimlach was droevig en vredig tegelijk, net als die van het marmeren standbeeld van de godin. Ze zei niets, maar Sturm had zijn antwoord. Hij maakte een nederige buiging.

'Moge mijn moed gelijk zijn aan die van jou, edele vrouwe,' zei hij. 'Ik zal je niet teleurstellen.'

'Vaarwel, heer ridder. Zeg tegen Waterwind…' Goudmaans stem brak, en ze knipperde tranen weg. Vrezend dat haar vastberadenheid haar alsnog in de steek zou laten, slikte ze haar woorden in en draaide zich om naar de draak. De stem van Mishakal vulde haar hele wezen, in antwoord op haar gebed. 'Hanteer de staf dapper!' Gevuld met innerlijke kracht hief Goudmaan de blauw kristallen staf.

'We verkiezen ons niet over te geven!' riep Goudmaan met een stem die door de zaal galmde. Met een snelle beweging, voordat de geschrokken draak kon reageren, zwaaide de stamhoofdsdochter voor de laatste keer met haar staf. Ze raakte de geklauwde poot die boven Raistlin hing.

De staf zong zachtjes toen hij de draak raakte, om vervolgens doormidden te breken. Een zuivere, stralend blauwe lichtstraal schoot uit de kapotte staf. Het licht werd feller, verspreidde zich in concentrische golven en omhulde de draak.

Khisanth schreeuwde het uit van razernij. De draak was gewond, vreselijk, dodelijk gewond. Ze sloeg met haar staart om zich heen, zwaaide met haar kop en worstelde om aan de brandende blauwe vlam te ontkomen. Ze wilde niets liever dan degenen doden die haar zulke afschuwelijke pijn bezorgden, maar de intense blauwe vlam verteerde haar meedogenloos, en Goudmaan met haar.

De stamhoofdsdochter had de staf niet laten vallen toen die brak. Ze hield het afgeknapte stuk in haar handen, keek toe terwijl het licht sterker werd en hield hem zo dicht mogelijk bij de draak. Toen het blauwe licht haar handen bereikte, voelde ze een vreselijke, brandende pijn. Wankel liet ze zich op haar knieën vallen, nog steeds met de staf in haar handen. Ze hoorde de draak boven zich krijsen en brullen, maar toen hoorde ze niets meer, behalve het zingen van de staf. De pijn werd zo afschuwelijk dat hij geen deel meer van haar leek uit te maken, waarop ze werd overvallen door een diepe vermoeidheid. Ik ga slapen, dacht ze. Ik ga slapen, en als ik wakker word, zal ik zijn waar ik werkelijk thuishoor...

Sturm zag hoe het blauwe licht langzaam de draak verteerde en zich vervolgens via de staf uitbreidde naar Goudmaan. Hij hoorde het gezang van de staf steeds luider worden, tot het zelfs de doodskreten van de draak overstemde. Sturm deed een stap in Goudmaans richting met de bedoeling de staf uit haar handen te wrikken en haar weg te sleuren bij de dodelijke blauwe vlam... maar nog voordat hij op haar afliep, wist hij al dat hij haar niet kon redden.

Half verblind door het licht en half doof door het kabaal besefte hij dat hij al zijn kracht nodig zou hebben om zijn eed te vervullen en de schijven te pakken. Hij rukte zijn blik los van Goudmaan, wier gelaat was vertrokken van pijn en wier lichaam verschrompelde in het vuur. Met zijn kaken opeengeklemd vanwege de pijn in zijn hoofd wankelde hij naar de stapel met kostbaarheden, waar hij de schijven had zien liggen: honderden dunne plakken van platina, aan de bovenkant bijeengehouden door een ring. Hij bukte om ze op te tillen, zich verbazend hoe licht ze waren. Toen bleef zijn hart bijna stilstaan, want hij zag een bebloede hand die uit de stapel omhoogkwam en zich om zijn pols klemde.

'Help me!'

Het was niet zozeer dat hij de stem hoorde, als wel dat hij de gedachte opving. Hij greep Raistlins hand en trok hem overeind. Door de rode stof van Raistlins gewaad heen was bloed zichtbaar, maar hij leek niet ernstig gewond te zijn. In elk geval kon hij staan. Maar kon hij ook lopen? Sturm had hulp nodig. Hij vroeg zich af waar de anderen waren, want door dat felle licht kon hij hen niet zien. Opeens dook Caramon naast hem op. Zijn wapenrusting schitterde in het licht van de blauwe vlam.

Raistlin klemde zich aan hem vast. 'Help me het spreukenboek te vinden!' siste hij.

'Wat kan jou dat ding nou schelen?' brulde Caramon terwijl hij zijn broer vastgreep. 'Ik haal je hier weg!'

Raistlins mond vertrok zo erg van woede en frustratie dat hij geen woord kon uitbrengen. Hij liet zich op zijn knieën vallen en begon verwoed de stapel kostbaarheden te doorzoeken. Caramon probeerde hem weg te trekken, maar Raistlin duwde hem met zijn frêle hand van zich af.

Nog steeds schalde het zingen van de staf in hun oren. Sturm voelde tranen van pijn over zijn wangen stromen. Opeens viel er vlak voor de voeten van de ridder iets met een harde klap op de grond. Het plafond van de zaal dreigde in te storten. Het hele gebouw beefde, want het gezang deed de zuilen trillen en de muren scheuren.

Toen stierf het gezang weg, en nam de draak met zich mee. Khisanth was verdwenen. Het enige wat er nog van haar over was, was een berg smeulende as.

Sturm hapte opgelucht naar adem, maar dat duurde niet lang. Zodra het gezang wegstierf, hoorde hij de geluiden van het instortende paleis: het gekraak van het plafond, en de harde bonzen waarmee grote stukken steen op de grond smakten. Uit het stof en de herrie doemde opeens Tanis voor hem op. Bloed sijpelde uit een snee op zijn wang. Sturm greep zijn vriend vast en trok hem uit het pad van een nieuw stuk plafond dat vlak bij hen naar beneden stortte.

'De hele stad stort in!' riep Sturm. 'Hoe komen we eruit?'

Tanis schudde zijn hoofd. 'De enige manier die ik kan bedenken, is door via dezelfde weg terug te gaan, door de tunnel,' riep hij. Hij dook ineen toen een stuk van het plafond op het altaar terechtkwam.

'Dat wordt onze dood! Er moet een andere manier zijn!'

'We bedenken wel iets,' zei Tanis ferm. Hij tuurde door de stofwolken. 'Waar zijn de anderen?' vroeg hij. Hij draaide zich om en zag Raistlin en Caramon. Vol afschuw en afkeer keek de halfelf naar de magiër, die als een dief de kostbaarheden doorzocht. Toen zag hij een kleine gestalte aan Raistlins mouw trekken. Boepoe! Tanis sprong op haar af, zo plotseling dat de greppeldwerg zich een ongeluk schrok. Met een verschrikte kreet drukte ze zich tegen Raistlin aan.

'We moeten hier weg!' brulde Tanis. Hij greep Raistlin bij zijn gewaad en sleurde hem overeind. 'Hou op met scharrelen en vraag die greppeldwerg van je ons de weg naar buiten te wijzen, of ik zweer je dat ik je eigenhandig vermoord!'

Raistlins dunne lippen weken in een akelige glimlach vaneen toen Tanis hem ruggelings tegen het altaar smeet. Boepoe gilde: 'Kom! We gaan! Ik weet weg!'

'Raist,' zei Caramon smekend, 'je kunt het toch niet vinden! Als we niet weggaan, wordt dat onze dood!'

'Goed dan,' grauwde de magiër. Hij raapte de staf van Magius op en stond op, met een arm uitgestoken naar zijn broer, zodat die hem kon ondersteunen. 'Boepoe, wijs ons de weg,' beval hij.

'Raistlin, ontsteek het kristal op je staf zodat we je kunnen volgen,' beval Tanis. 'Ik ga de anderen zoeken.'

'Daar,' zei Caramon grimmig. 'Je zult wat hulp nodig hebben met de Vlakteman.'

Tanis hield zijn arm voor zijn gezicht, want er vielen nog meer stenen naar beneden, en sprong over het puin heen. Hij trof Waterwind languit op de grond aan, op de plek waar Goudmaan had gestaan. Flint en Tasselhof deden vergeefse pogingen om hem overeind te sleuren. Er was niets meer, behalve een groot stuk zwartgeblakerde stenen vloer. Goudmaan was volledig verteerd door de vlammen.

'Leeft hij nog?' riep Tanis.

'Ja!' antwoordde Tas met een schrille stem die dwars door het kabaal heen sneed. 'Maar hij wil zich niet verroeren!'

'Ik praat wel met hem,' zei Tanis. 'Ga achter de anderen aan. We komen er zo aan. Wegwezen!'

Tasselhof aarzelde, maar Flint wierp één blik op Tanis' gezicht en legde zijn hand op de arm van de kender. Snuffend draaide Tas zich om en rende achter de dwerg aan tussen het puin door.

Tanis knielde naast Waterwind neer en keek vluchtig op toen Sturm uit het stof opdoemde. 'Loop door,' zei Tanis. 'Jij hebt nu de leiding.'

Sturm aarzelde. Vlakbij viel een zuil om, waardoor een nieuwe wolk stof op hen neerdaalde. Tanis wierp zich boven op Waterwind. 'Wegwezen!' schreeuwde hij tegen Sturm. 'Ik houd jou verantwoordelijk!'

Sturm ademde diep in, legde zijn hand op Tanis' schouder en rende achter het licht van Raistlins staf aan.

De ridder trof de anderen op een kluitje in een smalle gang aan. Het gewelfde plafond boven hun hoofden leek het te houden, maar ergens erboven hoorde Sturm gebons. De grond beefde onder hun voeten en kleine stroompjes water sijpelden door nieuwe scheuren in de muur.

'Waar is Tanis?' vroeg Caramon.

'Hij komt er zo aan,' zei Sturm bars. 'We wachten op hem… in elk geval eventjes.' Hij zei er niet bij dat hij zou blijven wachten tot de dood hem kwam halen.

Er klonk een oorverdovend gekraak. Nu gutste het water door de muur naar binnen en kwam de vloer blank te staan. Sturm wilde net de anderen bevelen door te lopen, toen er een gestalte door de half ingestorte doorgang op hen afkwam. Het was Waterwind, met Tanis' bewegingloze lichaam in zijn armen.

Sturm rende op hem af. 'Wat is er gebeurd?' vroeg hij met verstikte stem. 'Hij is toch niet—'

'Hij bleef bij me,' zei Waterwind zachtjes. 'Ik zei dat hij me met rust moest laten. Ik wilde sterven, daar, bij haar. En toen… een stuk steen. Hij zag het niet eens aankomen…'

'Ik draag hem wel,' zei Caramon.

'Nee.' Waterwind keek de grote krijger boos aan. Hij klemde Tanis dichter tegen zich aan. 'Ik draag hem. We moeten gaan.'

'Ja! Deze kant. Wij gaan nu,' zei de greppeldwerg dringend. Ze leidde hen de stad uit, die voor de tweede keer op de rand van vernietiging balanceerde. Vanuit de schuilplaats van de draak kwamen ze uit op het plein, dat snel onderliep nu de Nieuwezee de afbrokkelende grot instroomde. De metgezellen staken het wadend over, waarbij ze elkaar moesten vasthouden om te voorkomen dat ze door de wrede stroming werden meegesleurd. Overal zwermden schreeuwende greppeldwergen rond, wild alle kanten op vluchtend. Sommigen wisten niet aan de stroming te ontsnappen, anderen klommen naar de hoogste verdieping van de schuddende gebouwen, en nog weer anderen renden de straten in.

Sturm kon maar één uitweg bedenken. 'Naar het oosten!' riep hij met een gebaar naar de brede straat die naar de waterval leidde. Bezorgd keek hij naar Waterwind. De verdwaasde Vlakteman leek niets te merken van de chaos om zich heen. Tanis was bewusteloos, misschien zelfs dood. De angst verkilde Sturm, maar met een grote krachtsinspanning onderdrukte hij zijn gevoelens. De ridder rende vooruit om de tweeling in te halen.

'De lift is onze enige kans!' riep hij.

Caramon knikte langzaam. 'Dan wordt het wel vechten.'

'Ja, verdorie,' zei Sturm geërgerd, denkend aan al die draconen die ongetwijfeld probeerden de bedreigde stad te ontvluchten. 'Dan wordt het inderdaad vechten. Heb jij een beter idee?'

Caramon schudde zijn hoofd.

Op de hoek bleef Sturm staan om zijn hinkende, uitgeputte metgezellen in de goede richting te sturen. Turend door de mist en het stof kon hij voor hen uit de lift zien. Die was, zoals hij al had verwacht, omringd door een donkere, kronkelende massa dracoen. Gelukkig waren ze allemaal vooral bezig met ontsnappen. Ze moesten snel toeslaan, wist Sturm, zodat ze de monsters konden verrassen. De timing was cruciaal. Hij pakte Tas beet toen die langs hem heen kwam rennen.

'Tas!' riep hij. 'We gaan met de lift naar boven!'

Tasselhof knikte ten teken dat hij het had begrepen, waarna hij een gezicht trok om een dracoon te imiteren en een hakbeweging ter hoogte van zijn keel maakte.

'Als we vlakbij zijn,' riep Sturm, 'moet jij om de dracoen heen sluipen, zodat je de ketel naar beneden kunt zien komen. Als je hem ziet afdalen, geef je me een teken. We vallen aan zodra hij de grond heeft bereikt.'

Tasselhofs knotje wiebelde op en neer.

'Zeg het tegen Flint!' voegde Sturm er nog aan toe met een stem die al hees was van het schreeuwen. Tas knikte nogmaals en ging er op een draf vandoor om de dwerg te zoeken. Met een zucht rechtte Sturm zijn pijnlijke rug en liep verder de straat in. Hij zag een stuk of twintig, vijfentwintig dracoen bij elkaar op de binnenplaats staan, wachtend tot de ketel die hen in veiligheid zou brengen naar beneden kwam. Sturm stelde zich de chaos boven voor: dracoen die de doodsbange greppeldwergen met scheldwoorden en zweepslagen dwongen in de lift te springen. Hij hoopte dat die chaos nog even zou voortduren.

In de schaduw aan de rand van de binnenplaats zag Sturm de broers staan. Hij voegde zich bij hen, nerveus omhoogblikkend toen een groot stuk steen achter hem op de grond viel. Toen Waterwind uit de mist en het stof opdoemde, wilde Sturm hem helpen, maar de Vlakteman keek de ridder aan alsof hij hem nog nooit van zijn leven had gezien.

'Breng Tanis hiernaartoe,' zei Sturm. 'Leg hem neer, dan kun je even uitrusten. We gaan met de lift naar boven, maar we zullen ervoor moeten vechten. Wacht hier. Als we een teken geven—'

'Doe wat je moet doen,' viel Waterwind hem kil in de rede. Hij legde Tanis voorzichtig neer en liet zich toen naast hem op de grond zakken, met zijn gezicht in zijn handen.

Sturm aarzelde. Hij wilde net naast Tanis neerknielen toen Flint naast hem kwam staan.

'Ga maar. Ik kijk wel hoe het met hem gaat,' bood de dwerg aan.

Sturm knikte dankbaar. Hij zag Tasselhof over de binnenplaats naar een doorgang rennen. Toen hij naar de lift keek, zag hij de dracoen schreeuwen en schelden naar de mist boven hun hoofden, alsof ze zo de ketel sneller naar beneden konden krijgen.

Flint gaf Sturm een por in zijn ribben. 'Hoe moeten we al die monsters bevechten?' riep hij.

'Niks "wij". Jij blijft hier, bij Waterwind en Tanis,' zei Sturm. 'Caramon en ik kunnen het samen wel af,' voegde hij eraan toe, wensend dat hij het zelf ook geloofde.

'En ik,' fluisterde de magiër. 'Ik heb mijn spreuken nog.' De ridder gaf geen antwoord. Hij had geen vertrouwen in magie en hij had geen vertrouwen in Raistlin. Toch had hij geen keus, want Caramon zou zich niet zonder zijn broer aan zijn zijde in het strijdgewoel begeven. Trekkend aan zijn snor maakte Sturm rusteloos zijn zwaard los in de schede. Caramon balde zijn enorme vuisten en spande de spieren in zijn armen. Raistlin had zijn ogen gesloten om zich te concentreren. Boepoe, die zich achter hem in een nis in de muur had verstopt, zag alles met grote ogen van angst aan.

De ketel kwam in zicht. Aan de rand hingen greppeldwergen. Zoals Sturm al had gehoopt, begonnen de draconen op de grond onderling te vechten, niet bereid achter te blijven. Hun paniek werd alleen maar groter toen grote scheuren dwars door het plaveisel op hen afkwamen. Uit die scheuren welde water op. Nog even en de stad Xak Tsaroth lag op de bodem van de zee.

Toen de ketel de grond bereikte, klommen de greppeldwergen eruit en vluchtten weg. De draconen klommen erin, duwend en trekkend.

'Nu!' schreeuwde de ridder.

'Uit de weg!' siste de magiër. Hij haalde een handvol zand uit een van zijn buidels, strooide het op de grond en fluisterde: *'Ast tasark sirunalan krynaw,'* terwijl hij met zijn hand een boog beschreef in de richting van de draconen. Eerst was het er maar een die slaperig met zijn ogen knipperde en in een diepe sluimer op de grond viel, maar al snel volgden er meer. Anderen bleven echter staan, verschrikt om zich heen kijkend. De magiër trok zich terug in de gang, en toen ze niets zagen, draaiden de draconen zich weer om naar de lift, waarbij ze in hun wanhopige ontsnappingsdrang over hun slapende kameraden heen liepen. Raistlin leunde tegen de muur en sloot vermoeid zijn ogen.

'Hoeveel?' vroeg hij.

'Een stuk of zes maar.' Caramon trok zijn zwaard uit de schede.

'Zorg dat je in die ketel komt!' riep Sturm. 'Als het gevecht voorbij is, gaan we Tanis wel halen.'

Verborgen door de mist overbrugden de twee krijgers met het zwaard in de hand de afstand tot aan de draconen in een mum van tijd. Raistlin strompelde achter hen aan. Sturm schreeuwde zijn strijdkreet. Toen ze die hoorden, draaiden de draconen zich geschrokken om.

En Waterwind hief zijn hoofd.

De geluiden van de strijd drongen door de verblindende mist van wanhoop heen die de Vlakteman omringde. Hij zag Goudmaan voor zich, stervend in de blauwe vlam. De doodse uitdrukking gleed van zijn gezicht, en er kwam zo'n beestachtige, afschrikwekkende woestheid voor in de plaats dat Boepoe, nog steeds verstopt in haar nis, het uitgilde van angst. Waterwind sprong overeind. Hij trok niet eens zijn zwaard, maar rende met lege handen achter de strijders en de magiër aan. Als een hongerige panter drong hij in de gelederen van de verraste draconen door en begon te moorden. Met zijn blote handen wurgde, verstikte en klauwde hij. Draconen staken op hem in met hun zwaarden en al snel was zijn tuniek doorweekt met bloed, maar dat weerhield hem niet, hij hield geen moment op met moorden. Zijn gezicht was dat van een krankzinnige. De draconen op Waterwinds pad zagen de dood in zijn ogen, en ze zagen bovendien dat hun wapens geen enkel effect hadden. Eén van hen maakte zich los uit de groep en rende ervandoor, al snel gevolgd door een tweede.

Sturm rekende af met zijn tegenstander en keek grimmig op, in de verwachting dat er nog zes op hem af zouden komen. In plaats daarvan zag hij vijanden rennend voor hun leven in de mist verdwijnen. Waterwind, bedekt met bloed, zakte ineen.

'De lift!' Raistlin wees. De ketel hing ongeveer twee voet boven de grond en bewoog langzaam weer omhoog. Greppeldwergen kwamen in de bovenste ketel naar beneden.

'Houd hem tegen!' riep Sturm. Tasselhof rende uit zijn schuilplaats en sprong naar de rand. Hij klampte zich eraan vast in een wanhopige poging de lege ketel tegen te houden, maar zijn voeten bungelden al boven de grond. 'Caramon! Houd hem tegen!' beval Sturm. 'Ik ga Tanis halen.'

'Ik kan hem tegenhouden, maar niet lang.' De grote man gromde, greep de rand vast en begroef zijn voeten in de grond. Hij slaagde erin de lift tot stilstand te brengen. Tasselhof klom erin in de hoop dat zijn kleine lichaam voor meer ballast zou zorgen.

Sturm rende snel terug naar Tanis. Flint stond met zijn bijl in zijn handen naast hem.

'Hij leeft nog!' riep de dwerg toen hij de ridder op zich af zag komen.

Sturm hield even in om een naamloze, onbekende god te danken. Toen tilde hij samen met de dwerg de bewusteloze halfelf op en droeg hem naar de ketel. Ze legden hem erin en gingen toen terug om Waterwind te halen. Met z'n vieren moesten ze zijn bebloede lichaam in de lift tillen. Tas probeerde zonder veel succes het bloeden te stelpen met een zakdoek.

'Schiet op!' hijgde Caramon. Ondanks al zijn inspanningen bewoog de ketel langzaam omhoog.

'Erin!' beval Sturm Raistlin.

De magiër wierp hem een kille blik toe voordat hij weer de mist inrende. Binnen een paar tellen was hij terug, met Boepoe in zijn armen. De ridder pakte de bevende greppeldwerg aan en wierp haar de lift in. Jammerend dook Boepoe op de bodem ineen, met haar tas dicht tegen zich aan geklemd. Raistlin klom over de rand. De ketel bewoog nog steeds, waardoor Caramons armen bijna uit de kom werden getrokken.

'Ga maar,' zei Sturm tegen Caramon, want zoals gewoonlijk wilde de ridder als laatste het strijdperk verlaten. Caramon maakte geen tegenwerpingen; hij wist wel beter. Hij hees zichzelf aan de rand omhoog, waardoor de ketel bijna omsloeg. Flint en Raistlin sleurden hem naar binnen. Nu Caramon hem niet meer tegenhield, schoot de ketel met een ruk omhoog. Sturm klemde zich met beide handen aan de rand vast. Na twee of drie pogingen slaagde hij erin zijn been over de rand te slingeren, zodat hij met Caramons hulp in de ketel kon klimmen.

De ridder knielde naast Tanis neer en was ongelooflijk opgelucht toen hij de halfelf kreunend in beweging zag komen. Sturm sloeg zijn armen om hem heen. 'Je hebt geen idee hoe blij ik ben dat je er weer bij bent!' zei de ridder hees.

'Waterwind...' mompelde Tanis verdwaasd.

'Die is hier. Hij heeft je het leven gered. Hij heeft ons allemaal het leven gered.' Sturm praatte snel, bijna onsamenhangend. 'We zitten in de lift naar boven. De stad is vernietigd. Waar ben je gewond?'

'Ik heb een paar ribben gebroken, zo te voelen.' Ineenkrimpend van pijn keek Tanis naar Waterwind, die ondanks zijn verwondingen nog altijd bij kennis was. 'Arme man,' zei Tanis zachtjes. 'Goudmaan. Ik zag haar sterven, Sturm. Ik kon er niets aan doen.'

Sturm hielp de halfelf overeind. 'We hebben de schijven,' zei de ridder bruusk. 'Die wilde ze, daar vocht ze voor. Ze zitten in mijn reistas. Weet je zeker dat je kunt staan?'

'Ja,' zei Tanis. Hij haalde moeizaam en pijnlijk adem. 'We hebben de schijven, al weet ik niet wat we ermee moeten.'

Ze werden onderbroken door schril gekrijs toen de tweede ketel, waar greppeldwergen als vaandels aan hingen, voorbij kwam stuiven. De greppeldwergen schudden met hun vuisten en vervloekten de reisgenoten. Boepoe lachte en stond op, bezorgd naar Raistlin kijkend. De magiër leunde vermoeid tegen de rand van de ketel. Zijn lippen bewogen geluidloos terwijl hij zich een spreuk probeerde te herinneren.

Sturm tuurde door de mist. 'Ik vraag me af hoeveel er boven zullen zijn,' zei hij.

Ook Tanis keek omhoog. 'De meesten zijn gevlucht, hoop ik,' zei hij. Hij hapte naar adem en drukte een hand tegen zijn ribben.

Opeens ging er een schok door de ketel, die ongeveer een voet naar beneden viel, met een ruk stopte en toen langzaam weer omhoogging. De metgezellen keken elkaar verschrikt aan.

'Het mechanisme…'

'Of het dreigt in te storten, óf de draconen hebben ons herkend en proberen het te vernietigen,' zei Tanis.

'We kunnen niets doen,' zei Sturm verbitterd en gefrustreerd. Hij staarde naar de reistas met de schijven erin, die aan zijn voeten lag. 'Behalve bidden tot die goden…'

Weer ging er een schok door de ketel en viel hij een stukje omlaag. Even bleef hij hangen, wiegend in de mistige lucht. Toen ging hij weer omhoog, langzaam, schokkend. Boven zich konden de reisgenoten het gat en de rand ervan ontwaren. Duim voor duim bewoog de ketel omhoog, aangespoord door degenen die erin zaten en die in gedachten elke schakel steunden van de ketting die hen bracht naar…

'Draconen!' riep Tas schril. Hij wees naar boven.

Twee draconen keken op hen neer. Toen de ketel vlakbij was, zag Tanis hen door de knieën zakken, klaar om te springen.

'Ze gaan erin springen. Dat houdt de ketel nooit,' bromde Flint. 'Dan storten we neer!'

'Misschien is dat ook de bedoeling,' zei Tanis. 'Zij hebben vleugels.'

'Achteruit,' zei Raistlin, die wankel overeind kwam.

'Raist, niet doen!' Zijn broer greep hem vast. 'Je bent te zwak.'

'Voor één spreuk heb ik nog kracht genoeg,' fluisterde de magiër. 'Maar misschien werkt het niet. Als ze zien dat ik een magiegebruiker ben, kunnen ze zich er misschien tegen wapenen.'

'Verberg je achter Caramons schild,' zei Tanis snel. De grote man schermde zijn broer af met zijn schild en zijn lichaam.

De mist die om hen heen kolkte, onttrok hen aan de blik van de draconen, maar maakte het hun ook onmogelijk om de draconen in de gaten te houden. Duim voor duim ging de ketel omhoog aan de krakende, zwaaiende ketting. Raistlin stond achter Caramons schild klaar voor de aanval, zijn vreemde ogen naar boven gericht, wachtend tot de mist uiteen zou wijken.

Koele lucht streek langs Tanis' gezicht. Een briesje sloeg de mist uiteen, in elk geval voor even. De draconen waren zo dichtbij dat ze hen bijna konden aanraken. De draconen zagen hen op exact hetzelfde moment, en één van hen vloog met zijn vleugels gespreid en zijn zwaard in de aanslag omlaag naar de ketel, triomfantelijk krijsend.

Raistlin sprak. Caramon haalde zijn schild weg en de magiër spreidde zijn magere vingers. Een witte bol schoot uit zijn hand en raakte de dracoon midden op de borst. De bal ontplofte en hulde het wezen in een kleverig web. Zijn triomfantelijke kreet veranderde in een afschuwelijk gegil toen zijn vleugels in het web verstrikt raakten. Hij stortte door de mist omlaag en raakte in het voorbijgaan de rand van de ketel. Die zwaaide wild heen en weer.

'Er is er nog een!' hijgde Raistlin. Hij zakte op zijn knieën. 'Houd me overeind, Caramon, zorg dat ik niet val.' De magiër begon hevig te hoesten. Bloed sijpelde uit zijn mond.

'Raist!' zei Caramon smekend. Hij liet zijn schild op de grond vallen, zodat hij zijn zwakke tweelingbroer kon opvangen. 'Hou op! Je kunt toch niets meer doen. Dit wordt nog je dood!'

Een bevelende blik was voldoende. De krijger ondersteunde zijn broer terwijl die opnieuw begon te spreken in de griezelige klanken van de taal van de magie.

De overgebleven dracoon aarzelde. Hij kon de kreten van zijn gevallen metgezel nog steeds horen. Hij wist dat de mens een magiegebruiker was. Hij wist ook dat hij waarschijnlijk wel weerstand kon bieden aan de magie. Maar deze mens tegenover hem was anders dan de andere menselijke magiegebruikers met wie de dracoon te maken had gehad. Zijn lichaam leek zwak en hij leek op het randje van de dood te balanceren, maar hij werd omringd door een krachtige aura van macht.

De magiër hief zijn hand en wees naar de dracoon. Het monster wierp nog een laatste, valse blik op de reisgenoten voordat hij zich omdraaide en wegrende. Bewusteloos zakte Raistlin in de armen van zijn broer, op het moment dat de ketel zijn reis naar de oppervlakte voltooide.

22

Boepoes geschenk.
Een onheilspellende aanblik.

Op het moment dat ze Waterwind uit de lift tilden, deed een hevige beving de vloer van de Hal van de Voorvaderen schudden. Waterwind met zich meesleurend deinsden de reisgenoten haastig achteruit, weg bij de scheur in de grond. Hele stukken begaven het en vielen, samen met het grote wiel en de ijzeren ketels, in de mistige diepte.

'Deze hele grot staat op instorten!' riep Caramon geschrokken, met zijn broer in zijn armen.

'Rennen! Terug naar de tempel van Mishakal!' zei Tanis, naar adem happend van de pijn.

'Dus we vertrouwen maar weer op de goden?' vroeg Flint. Tanis moest het antwoord schuldig blijven.

Sturm pakte Waterwind bij zijn armen en wilde hem optillen, maar de Vlakteman schudde zijn hoofd en duwde hem van zich af. 'Mijn verwondingen zijn niet ernstig. Ik red me wel. Laat me met rust.' Hij bleef met hangende schouders op de gebarsten vloer zitten. Tanis wierp Sturm een vragende blik toe. De ridder haalde zijn schouders op. De Solamnische ridders beschouwden zelfmoord als een nobele, eervolle daad. De elfen beschouwden het als godslastering.

De halfelf greep de Vlakteman bij zijn lange, donkere haar en rukte zijn hoofd naar achteren, zodat de geschrokken man gedwongen was hem recht aan te kijken. 'Ga je gang maar. Geef het op, sterf!' zei Tanis met opeengeklemde kaken. 'Maak je stamhoofd te schande. Zij had tenminste de moed om te vechten!'

Waterwinds ogen smeulden. Hij pakte Tanis bij zijn pols en duwde hem zo fel van zich af dat de halfelf wankelend tegen de muur botste, kreunend van pijn. De Vlakteman stond op en wierp Tanis een blik vol haat toe. Vervolgens draaide hij zich om en strompelde met gebogen hoofd de bevende gang in.

Sturm hielp Tanis overeind, die duizelig was van de pijn. Zo snel als ze konden gingen ze achter de anderen aan. De vloer was half verzakt, met als gevolg dat ze tegen een muur botsten toen Sturm uitgleed. Een sarcofaag schoof de gang in, en de lugubere inhoud viel eruit. Een schedel rolde vlak voor Tanis' voeten, die geschrokken op zijn knieën viel. Hij dacht dat hij zou flauwvallen van de pijn.

'Ga maar,' wilde hij tegen Sturm zeggen, maar hij kon geen woord uitbrengen. De ridder tilde hem op, en samen strompelden ze verder door de gang vol stof. Aan de voet van de trap die de Paden van de Doden werd genoemd, zagen ze dat Tasselhof op hen wachtte.

'De anderen,' perste Sturm eruit, hoestend van het stof.

'Ze zijn al naar boven gegaan, naar de tempel,' zei Tasselhof. 'Caramon zei dat ik hier op jullie moest wachten. Flint zegt dat de tempel veilig is, gebouwd door dwergen, snap je. Raistlin is bij kennis. Ook hij zei dat het veilig was, dat de tempel in de koesterende handen van de godin rustte of zoiets. Waterwind is er ook. Hij keek heel boos naar me. Volgens mij kon hij me wel vermoorden! Maar hij is de trap opgekomen—'

'Al goed!' zei Tanis om een eind te maken aan het gebabbel. 'Genoeg! Sturm, laat me los. Ik moet even rusten, anders ga ik van mijn stokje. Ga met Tas mee, dan zie ik jullie boven wel. Schiet op, verdorie!'

Sturm greep Tasselhof in zijn kraag en sleurde hem mee naar boven. Tanis liet zich achteroverzakken. Zijn huid voelde klam aan van het zweet en elke ademtocht was een kwelling. Opeens stortte de rest van de vloer in de Zaal van de Voorvaderen met een luid gekraak in. De tempel van Mishakal schudde en beefde. Tanis krabbelde overeind, maar bleef nog even staan. Achter zich hoorde hij vaag het donderende geraas van kolkend water. De Nieuwezee had Xak Tsaroth opgeëist. De dode stad was nu ook begraven.

Langzaam liep Tanis het laatste stukje van de trap naar de ronde kamer op. De klim was een nachtmerrie geweest en elke nieuwe stap een wonder. Het was heerlijk stil in de kamer. Het enige geluid was het gehijg van zijn vrienden, die tot hier waren gekomen en niet verder. Ook hij kon geen stap meer zetten.

De halfelf keek om zich heen om te controleren of iedereen het goed maakte. Sturm had de tas met de schijven neergezet en zat met zijn rug tegen de muur. Raistlin lag met zijn ogen dicht op een bankje. Zijn ademhaling was gejaagd en oppervlakkig. Natuurlijk zat Caramon naast hem, met een diep bezorgd gezicht. Tasselhof zat op de voet van de sokkel naar boven te staren. Flint leunde tegen de dubbele deur, te moe om te mopperen.

'Waar is Waterwind?' vroeg Tanis. Hij zag Caramon en Sturm een blik wisselen en vervolgens hun ogen neerslaan. Wankel kwam Tanis overeind, zijn woede groter dan zijn pijn. Ook Sturm stond op, om hem de weg te versperren.

'Het is zijn eigen beslissing, Tanis. Het is een traditie bij zijn volk, net als bij het mijne.'

Tanis duwde de ridder opzij en liep naar de dubbele deur. Flint verroerde zich niet.

'Uit de weg,' zei de halfelf met bevende stem. Flint keek op. De rimpels van leed en verdriet die in de loop van honderd jaar in het gelaat van de dwerg waren gegroefd, verzachtten zijn boze blik. In Flints ogen zag Tanis de vergaarde wijsheid die ertoe had geleid dat een ongelukkige jongen, half mens, half elf, een merkwaardige, maar bestendige vriendschap met een dwerg was aangegaan.

'Ga zitten, knul,' zei Flint vriendelijk, alsof ook hij moest denken aan hun verleden. 'Als je het met je elfenverstand niet kunt begrijpen, luister dan voor de verandering eens naar je mensenhart.'

Tanis sloot zijn ogen. De tranen prikten achter zijn oogleden. Toen hoorde hij een luide kreet uit de tempel. Waterwind. Tanis duwde de dwerg opzij en gooide de enorme gouden deuren open. Zonder acht te slaan op zijn pijn liep hij met grote, snelle passen op de tweede dubbele deur af, gooide ook die open en betrad de zaal van Mishakal. Ook nu voelde hij rust en vrede door zijn lichaam stromen, maar deze keer wakkerde dat gevoel slechts zijn woede aan over wat er was gebeurd.

'Ik kan niet in jullie geloven!' riep Tanis. 'Wat voor goden zijn jullie, dat jullie een mensenoffer verlangen? Jullie zijn de goden die de Catastrofe over ons hebben afgeroepen. Goed, dus jullie zijn machtig! Laat ons nu met rust! We hebben jullie niet nodig!' De halfelf weende. Door zijn tranen heen zag hij dat Waterwind met zijn zwaard in zijn handen voor het standbeeld geknield zat. Tanis liep met wankele passen op hem af, in de hoop de daad van zelfvernietiging een halt toe te roepen. Hij liep om de voet van het standbeeld heen en bleef als door de bliksem getroffen staan. Even kon hij zijn ogen niet geloven. Misschien zag hij door zijn pijn en verdriet dingen die er niet waren. Hij sloeg zijn blik op naar het beeldschone, serene gelaat van het standbeeld om zijn verwarde zintuigen tot rust te laten komen. Toen keek hij nog een keer.

Daar lag Goudmaan, diep in slaap. Haar borst rees en daalde op het ritme van haar rustige ademhaling. Haar vlecht was losgeraakt, en haar zilverachtig gouden haren golfden zachtjes om haar gezicht in het briesje dat de zaal vulde met de geur van de lente. De staf maakte weer deel uit van het standbeeld, maar Tanis zag dat Goudmaan om haar hals het medaillon droeg dat voorheen het standbeeld had gesierd.

'Nu ben ik een ware priesteres,' zei Goudmaan zachtjes. 'Ik ben een discipel van Mishakal, en hoewel ik nog veel moet leren, heb ik de kracht van mijn geloof. Bovenal ben ik genezeres. Ik breng de helende gave terug naar het land.'

Goudmaan legde haar hand op Tanis' voorhoofd en zegde fluisterend een gebed aan Mishakal op. De halfelf voelde een rust en een kracht door zijn lichaam stromen die zijn ziel reinigden en zijn wonden genazen.

'Dus nu hebben we een priesteres bij ons,' zei Flint. 'Dat kan nog van pas komen. Maar afgaand op wat we hebben gehoord, is die heer Canaillaard ook een priester, en nog een machtige ook. Wij mogen de oude goden van het goede dan hebben gevonden, maar hij heeft de oude goden van het kwaad een stuk eerder gevonden. Ik zie niet in hoe die schijven ons zullen helpen in de strijd tegen hordes draken.'

'Je hebt gelijk,' zei Goudmaan zachtjes. 'Ik ben geen krijger. Ik ben een genezeres. Ik heb de macht niet om de volkeren van onze wereld te verenigen en het evenwicht te herstellen. Het is mijn plicht om degene te vinden die wél de kracht en de wijsheid heeft om die taak te vervullen. Het is de bedoeling dat ik die persoon de schijven van Mishakal geef.'

Een hele tijd zei niemand iets. Toen...

'We moeten hier weg, Tanis,' siste Raistlin vanuit de schaduw in de tempel, waar hij door de deur naar de binnenplaats stond te turen. 'Luister.'

Hoorns. Ze hoorden het schelle geschal van vele, vele hoorns, meegevoerd door de noordenwind.

'Het leger,' zei Tanis zachtjes. 'De oorlog is begonnen.'

De reisgenoten vluchtten Xak Tsaroth uit, de schemering in. Ze reisden in westelijke richting, naar de bergen. In de lucht was de eerste scherpe kou van de winter voelbaar. Dode bladeren, opgezweept door de koude wind, scheerden langs hun gezicht. Ze besloten naar Soelaas te gaan om voorraden in te slaan en zoveel mogelijk informatie te vergaren voordat ze besloten waar ze naartoe moesten op zoek naar een leider. Tanis voorzag meningsverschillen over die kwestie. Sturm had het nu al over Solamnië. Goudmaan had iets gezegd over Haven, terwijl Tanis zelf vond dat de schijven van Mishakal in het elfenrijk het veiligst zouden zijn.

Pratend over vage plannen reisden ze tot diep in de avond door. Draconen zagen ze niet, dus gingen ze ervan uit dat degenen die Xak Tsaroth waren ontvlucht naar het noorden waren gereisd om zich bij het leger van heer Canaillaard, de heer van de Draken, te voegen. De zilveren maan kwam op, gevolgd door de rode. De reisgenoten bleven klimmen, steeds weer de grenzen van hun vermoeidheid verleggend, aangespoord door het hoorngeschal. Op de top van de berg sloegen ze hun kamp op. Na een vreugdeloos maal waarvoor ze geen vuur durfden te maken verdeelden ze de wachttaken en gingen slapen.

In het kille, grijze uur voor de dageraad ontwaakte Raistlin. Hij had iets gehoord. Was het een droom geweest? Nee, daar was het weer. Er huilde iemand. Goudmaan, dacht de magiër geïrriteerd, en hij wilde alweer gaan liggen. Toen zag hij dat het Boepoe was, die zichzelf had opgerold tot een balletje van ellende en in een deken lag te snikken.
Raistlin keek om zich heen. De anderen sliepen, behalve Flint, die aan de andere kant van het kamp op wacht stond. De dwerg had kennelijk niets gehoord, en hij keek niet in Raistlins richting. De magiër stond op en liep op zijn tenen naar de greppeldwerg toe. Naast haar knielde hij neer, met zijn hand op haar schouder.
'Wat is er dan, kleintje?'
Boepoe draaide zich naar hem om. Haar ogen waren rood en haar neus was dik. Sporen van tranen liepen over haar groezelige wangen. Snuffend wreef ze met haar hand langs haar neus. 'Ik wil je niet alleen laten. Ik wil mee,' zei ze mismoedig, 'maar o, wat zal ik mijn volk missen!' Snikkend begroef ze haar gezicht in haar handen.
Een oneindig tedere blik verscheen in Raistlins ogen, een blik die niemand in zijn wereld ooit zou zien. Hij streelde Boepoes stugge haar, wetend hoe het voelde om zwak en ongelukkig te zijn, het mikpunt van spot en medelijden.
'Boepoe,' zei hij, 'je bent een goede, trouwe vriendin voor me geweest. Je hebt mijn leven gered, en dat van degenen om wie ik geef. Nu wil ik dat je nog één ding voor me doet, kleintje. Ga terug. Ik moet duistere, gevaarlijke wegen bewandelen om het eind van mijn reis te bereiken. Ik kan je niet vragen met me mee te gaan.'
Met een hoopvolle schittering in haar ogen keek Boepoe op. Toen trok er een schaduw over haar gezicht. 'Maar je zult ongelukkig zijn zonder mij.'
'Nee,' zei Raistlin glimlachend. 'Ik zal mijn geluk putten uit de wetenschap dat jij weer bij je volk bent.'
'Zeker weten?' vroeg Boepoe bezorgd.
'Zeker weten,' antwoordde Raistlin.
'Dan ga ik.' Boepoe stond op. 'Maar eerst krijg jij geschenk.' Ze begon in haar tas te rommelen.
'Nee, kleintje,' begon Raistlin, denkend aan de dode hagedis. 'Dat is niet nodig—' De woorden bleven steken in zijn keel toen hij zag wat Boepoe uit haar tas haalde: een boek. Verwonderd staarde hij naar de

zilveren runen die in het bleke licht van de koude ochtend glansden op het nachtblauwe leren omslag.

Bevend stak Raistlin zijn hand uit. 'Het spreukenboek van Fistandanti-lus!' fluisterde hij.

'Mooi?' vroeg Boepoe verlegen.

'Nou en of, kleintje.' Raistlin pakte het kostbare boek voorzichtig aan en streek liefdevol over het leer. 'Waar—'

'Ik pak van draak af,' zei Boepoe, 'toen blauwe licht schijnt. Blij dat je mooi vindt. Nu ga ik. Hoogbulp Futs de grote zoeken.' Ze hing haar tas over haar schouder. Toen bedacht ze zich en draaide zich weer om. 'Die hoest, jij zeker weten dat je hagedis niet wilt?'

'Nee, dank je, kleintje,' zei Raistlin. Hij stond op.

Boepoe keek hem bedroefd aan, waarna ze, heel dapper, zijn hand vast-pakte en er een snelle kus op drukte. Met haar hoofd gebogen en bitter snikkend wendde ze zich af.

Raistlin deed een stap naar voren en legde zijn hand op haar hoofd. Als ik ook maar enige macht heb, Grootste der groten, zei hij bij zichzelf, macht die me nog niet is onthuld, maak dan dat dit kleintje veilig en ge-lukkig door het leven zal gaan.

'Vaarwel, Boepoe,' zei hij zachtjes.

Met grote, liefdevolle ogen keek ze hem aan, waarna ze zich omdraaide en zo snel als haar klepperende schoenen het toelieten wegrende.

'Wat was dat allemaal?' vroeg Flint, die vanaf de andere kant van het kamp aan kwam klossen. 'O,' voegde hij eraan toe toen hij Boepoe zag wegrennen. 'Dus je hebt je eindelijk van je huisgreppeldwerg ont-daan.'

Raistlin antwoordde niet, maar keek Flint aan met een kwaadaardige blik die de dwerg huiverend deed omdraaien en haastig deed weglopen. Vol verwondering keek de magiër naar het spreukenboek in zijn han-den. Hij hunkerde ernaar om het open te slaan en te genieten van de schatten die erin besloten lagen, maar hij wist dat hem lange weken vol studie wachtten voordat hij de nieuwe spreuken zelfs maar zou kunnen lezen, laat staan ze zich eigen maken. En wat een extra macht zouden die spreuken hem opleveren! Met een zucht van extase drukte hij het boek tegen zijn magere borst. Toen stopte hij het snel bij zijn eigen spreukenboek in zijn reistas. De anderen zouden snel wakker worden. Ze moesten zelf maar bedenken hoe hij aan het boek was gekomen.

Raistlin stond op en keek naar het westen, zijn geboorteland, waar de lucht snel lichter werd door de opkomende zon. Opeens verstijfde hij. Toen liet hij zijn tas op de grond vallen en rende dwars door het kamp naar de halfelf toe. Naast hem knielde hij neer.

'Tanis!' siste Raistlin. 'Word wakker!'

Tanis schrok wakker en greep naar zijn dolk. 'Wat—'

Raistlin wees naar het westen.

Tanis knipperde met zijn ogen in een poging de slaap eruit te krijgen. Het uitzicht vanaf de bergtop waar ze hun kamp hadden opgeslagen was schitterend. Hij zag waar de bomen ophielden en overgingen in de grazige Vlakten. En voorbij de vlakten, aan de hemel...

'Nee!' zei Tanis verstikt. Hij greep de magiër vast. 'Nee, dat kan niet waar zijn!'

'Jawel,' fluisterde Raistlin. 'Soelaas staat in brand.'

Boek twee

I
Nacht van de draken.

Tika wrong de doek uit in de emmer en keek met doffe ogen naar het zwart kleurende water. Ze gooide de doek op de bar en wilde al met de emmer teruglopen naar de keuken om schoon water te pakken, maar toen dacht ze: waarom zou ik? Ze pakte de doek en ging verder met de tafels afvegen. Toen ze dacht dat Otik niet keek, veegde ze haar ogen droog met haar schort.

Maar Otik keek wel degelijk. Hij pakte Tika's schouders vast met zijn mollige handen en draaide haar teder naar zich toe. Met een verstikte snik legde Tika haar hoofd tegen zijn schouder.

'Het spijt me,' snikte ze, 'maar ik krijg het gewoon niet schoon!'

Otik wist natuurlijk best dat dat niet de echte reden was voor de tranen van het meisje, maar dat het er wel dicht bij lag. Hij klopte zachtjes op haar rug. 'Ik weet het, ik weet het, kindje. Huil maar niet. Ik begrijp het wel.'

'Het komt door dat verrekte roet!' jammerde Tika. 'Overal ligt een zwart laagje op, en elke dag schrob ik het weg en de volgende dag is het gewoon weer terug. Ze blijven maar dingen in brand steken!'

'Maak je maar geen zorgen, Tika,' zei Otik. Hij streelde haar haren. 'Wees blij dat de herberg nog intact is—'

'Blij!' Met een rood gezicht van woede duwde Tika hem van zich af. 'Nee! Ik wou dat hij was afgebrand, net als de rest van Soelaas, want dan zouden zíj hier niet meer komen. Ik wou dat hij was afgebrand! Ik wou dat hij was afgebrand!' Onbeheerst snikkend liet Tika zich aan een tafel zakken. Otik boog zich bezorgd over haar heen.

'Ik weet het, liefje, ik weet het,' herhaalde hij, terwijl hij de pofmouwtjes gladstreek van de bloes die Tika altijd zo keurig schoon en wit had gehouden. Nu was hij smoezelig, bedekt met roet, net als de rest van het verwoeste dorp.

De aanval op Soelaas was zonder waarschuwing gekomen. Zelfs toen de eerste meelijwekkende vluchtelingen vanuit het noorden het dorp binnen begonnen te druppelen, vol met afschuwelijke verhalen over grote, gevleugelde monsters, verzekerde Hederick de Hogetheocraat de inwoners van Soelaas dat ze veilig waren, dat hun dorp gespaard zou blijven. En ze geloofden hem, want ze wilden hem graag geloven.

Toen brak de nacht van de draken aan.

Het was die avond druk in de herberg, want het was een van de weinige plaatsen waar de mensen naartoe konden zonder doorlopend te worden herinnerd aan de onweerswolken die laag aan de noordelijke hemel hingen. Het vuur brandde fel, het bier was uitstekend en de gekruide aardappeltjes waren heerlijk. Toch drong zelfs hier de buitenwereld binnen. Iedereen praatte luid en angstig over oorlog.

Hedericks woorden susten de angst in hun hart.

'Wij zijn niet zoals die roekeloze dwazen in het noorden die de fout hebben gemaakt om tegen de macht van de Drakenheren in opstand te komen,' riep hij, staand op een stoel zodat iedereen hem kon horen. 'Heer Canaillaard heeft de Raad van Hogezoekers in Haven hoogstpersoonlijk verzekerd dat hij slechts uit is op vrede. Hij wil graag toestemming met zijn leger door ons dorp te trekken, zodat hij de elfengebieden in het zuiden kan veroveren. En dan zeg ik: hoe meer macht hij heeft, hoe beter!'

Hederick zweeg even tot het verspreide gejuich en geklap was weggestorven.

'We hebben de elfen in Qualinesti te lang getolereerd. Ik zeg: laat die heer Canaillaard hen maar terugdrijven naar Silvanost of waar ze ook vandaan zijn gekomen. Sterker nog,' – Hederick begon nu echt op stoom te komen – 'misschien moeten de jongemannen hier maar eens overwegen om zich bij het leger van deze heer aan te sluiten. En hij is een machtige heer! Ik heb hem ontmoet. Hij is een ware priester. Ik heb de wonderen gezien die hij heeft verricht. Onder zijn leiding zullen we een nieuw tijdperk betreden. We zullen de elfen, de dwergen en alle andere vreemdelingen uit ons land verdrijven en—'

Er klonk een diep, dof geraas, alsof de wateren van een machtige oceaan zich verzamelden. Abrupt viel er een stilte. Iedereen luisterde verwonderd en vroeg zich af wat een dergelijk kabaal kon veroorzaken. Zich bewust van het feit dat hij zijn toehoorders kwijt was, keek Hederick verstoord om zich heen. Het gebrul werd steeds luider en kwam steeds dichterbij. Opeens werd de herberg in een diepe, verstikkende duisternis gehuld. Een enkeling gilde. De meesten renden naar de ramen om door de paar kleurloze ruitjes tussen het gekleurde glas naar buiten te turen.

'Ga eens naar beneden om te zien wat er gaande is,' zei iemand.

'Het is zo verrekte donker dat ik de trap niet eens kan zien,' mompelde een ander.

Toen was het opeens niet meer donker.

Buiten de herberg laaiden vlammen op. Een hete schokgolf sloeg zo hard tegen het gebouw dat de ramen versplinterden en een regen van glas neerdaalde op de gasten. De machtige vallènboom, die voor geen enkele storm op Krynn had gebogen, begon heen en weer te zwaaien door de kracht van de ontploffing. De herberg kwam scheef te hangen. Tika sprong snel uit de weg, want de banken schoven over de vloer en botsten tegen de muur. Hederick verloor zijn evenwicht en viel van zijn stoel. Hete kolen vlogen uit de open haard, olielampen vielen van het plafond en kaarsen van de tafels. Her en der ontstonden brandjes.

Boven het kabaal en de chaos uit verhief zich een hoge, schrille kreet, de kreet van een levend wezen, vervuld van haat en wreedheid. Het luide geraas trok over de herberg heen. Er stak een windvlaag op, waarna de duisternis werd verdreven door een muur van vuur in het zuiden.

Tika liet een dienblad vol kroezen op de grond vallen om zich wanhopig aan de bar te kunnen vastklampen. Overal om haar heen waren mensen aan het schreeuwen en gillen, sommigen van pijn, anderen van angst. Soelaas stond in brand.

Een lugubere oranje gloed verlichtte de gelagkamer. Zwarte rookwolken kwamen door de kapotte ramen naar binnen. De geur van brandend hout drong in Tika's neusgaten, en ook een afschuwelijkere stank, die van verbrand vlees. Kokhalzend keek Tika op. Ze zag kleine vlammetjes likken aan de grote takken van de vallènboom die het plafond ondersteunde. Het geluid van vernis dat borrelde en spatte in de hitte vermengde zich met de kreten van de gewonden.

'Doof dat vuur!' riep Otik wild.

'De keuken!' gilde de kokkin, die met smeulende kleren door de klapdeuren naar binnen kwam stormen. Achter haar was een ondoordringbare muur van vlammen. Tika pakte een kan vol bier van de bar, greep de kokkin vast en goot de kan leeg over haar jurk om de vlammen te doven. Hysterisch huilend liet Rhea zich op een stoel zakken.

'Weg hier! De hele herberg gaat in vlammen op!' riep iemand.

Hederick drong zich langs de gewonden heen en was een van de eersten die de deur bereikten. Hij rende het balkon vóór de herberg op en bleef toen verbijsterd staan. Hij moest zich met beide handen aan de balustrade vasthouden. In het noorden zag hij het woud branden, en bij het spookachtige licht van de vlammen zag hij honderden marcherende wezens. De lugubere gloed scheen op hun leerachtige vleugels. Dracoonse grondtroepen. Vol afschuw keek hij toe terwijl de voorste gelederen Soelaas binnentraden, wetend dat er nog duizenden achteraan zouden komen. En boven hen vlogen monsters uit sprookjes voor kinderen.

Draken.

Vijf rode draken cirkelden boven zijn hoofd door de rood opgloeiende lucht. Een voor een maakten ze een duikvlucht om delen van het dorp met hun vurige adem te vernietigen, voorafgegaan door de diepe, magische duisternis. Het was onmogelijk om ze te bevechten, want de krijgers konden niet eens genoeg zien om hun pijlen te richten of met hun zwaarden toe te slaan.

De rest van de nacht was in Tika's herinnering één groot waas. Ze bleef tegen zichzelf zeggen dat ze weg moest uit de brandende herberg, maar de herberg was haar thuis, ze voelde zich er veilig, dus bleef ze, ook al werd de hitte vanuit de keuken zo verzengend dat het pijn deed adem te halen. Precies op het moment dat de vlammen oversloegen naar de gelagkamer, stortte de keuken in de diepte. Otik en de barmeisjes wierpen emmers vol bier op de vlammen in de gelagkamer en slaagden er uiteindelijk in het vuur te blussen.

Zodra het vuur gedoofd was, richtte Tika haar aandacht op de gewonden. Otik liet zich bevend en snikkend in een hoek op de grond zakken. Tika stuurde een van de andere barmeisjes naar hem toe, terwijl ze zelf de gewonden begon te behandelen. Uren achtereen werkte ze door, resoluut weigerend door de ramen naar buiten te kijken. De afschuwelijke geluiden van dood en vernietiging die buiten klonken, verdrong ze. Opeens besefte Tika dat er maar geen eind kwam aan de stroom gewonden, dat er nu meer mensen op de grond lagen dan er in de herberg aanwezig waren geweest toen die werd aangevallen. Verdwaasd keek ze op naar de mensen die naar binnen kwamen strompelen. Vrouwen ondersteunden hun mannen. Mannen droegen hun vrouwen. Moeders droegen stervende kinderen.

'Wat gebeurt er toch?' vroeg Tika aan een Zoekerwacht die binnen kwam strompelen met zijn hand om zijn arm, die was doorboord door een pijl. Achter hem verdrongen zich nog meer mensen. 'Wat is er allemaal loos? Waarom komen al deze mensen hiernaartoe?'

De wacht keek haar met doffe ogen vol pijn aan. 'Dit is het enige gebouw,' mompelde hij. 'Alles staat in brand. Alles…'

'Nee!' Tika's knieën knikten van ontzetting. Op dat moment viel de wacht flauw in haar armen, waardoor ze gedwongen werd zich te beheersen. Het laatste wat ze zag toen ze hem mee naar binnen sleurde, was Hederick die op het balkon met glazige ogen naar het brandende dorp stond te staren. De tranen stroomden over zijn wangen, maar hij besteedde er geen aandacht aan.

'Dit is een vergissing,' jammerde hij handenwringend. 'Er is ergens een fout gemaakt.'

Dat was nu een week geleden. Uiteindelijk bleek de herberg niet het enige gebouw te zijn dat nog overeind stond. De draconen wisten welke gebouwen ze voor hun eigen behoeften nodig hadden, en de rest hadden ze vernietigd. De herberg, de smidse van Theros IJzerfeld en de winkel waren gespaard gebleven. De smidse had altijd al op de grond gestaan – omdat het niet verstandig was om een hete smidsoven in een boom te plaatsen – maar ook de andere gebouwen moesten op de grond worden gezet, want de draconen hadden grote moeite om in de bomen te klimmen.

Heer Canaillaard beval de draken om de gebouwen op de grond te zetten. Ze creëerden een open plek door alles weg te branden wat in de weg stond, waarna een van de enorme rode monsters zijn klauwen in de herberg sloeg en hem optilde. Onder luid gejuich van de draconen liet de draak hem onzacht op het verschroeide gras vallen. Schaarsmeester Padh, die de leiding had over het dorp, beval Otik om de herberg onmiddellijk te repareren. De draconen hadden één groot zwak: een voorliefde voor sterkedrank. Drie dagen nadat het dorp was veroverd, ging de herberg weer open.

'Het gaat wel weer,' zei Tika tegen Otik. Ze ging rechtop zitten, droogde haar ogen en veegde haar neus af met haar schort. 'Ik heb sinds die nacht niet één keer gehuild,' zei ze, meer tegen zichzelf dan tegen hem. Ze klemde haar lippen opeen tot een strakke, witte lijn. 'En ik zal ook nooit meer huilen,' bezwoer ze terwijl ze opstond.

Otik, die er niets van begreep maar blij was dat Tika haar zelfbeheersing had hervonden voordat de eerste gasten arriveerden, liep bedrijvig terug naar de bar. 'Bijna openingstijd,' zei hij geforceerd opgewekt. 'Misschien krijgen we goede klandizie vandaag.'

'Hoe kun je hun geld aannemen?' viel Tika uit.

Bang voor een nieuwe uitbarsting keek Otik haar smekend aan. 'We hebben het hard nodig. Zeker nu de meeste mensen hun geld in hun zak houden,' zei hij.

'Hmpf!' snoof Tika. Haar dikke rode krullen dansten terwijl ze boos op hem afliep. Otik, die wist hoe boos ze kon worden, deinsde achteruit, maar dat hielp niet. Ze had hem in de tang. Ze porde met haar vinger in zijn dikke buik. 'Hoe kun je lachen om hun wrede grappen en aan hun grilligste verzoeken voldoen?' vroeg ze op hoge toon. 'Ik haat hun stank! Ik haat hun verlekkerde blikken en hun koude, geschubde handen op de mijne! Er komt een dag—'

'Tika, toe!' smeekte Otik. 'Heb een beetje medelijden met me. Ik ben te oud om naar de slavenmijnen te worden afgevoerd. En wat jou betreft, jou zouden ze morgen nog meenemen als je hier niet werkte. Gedraag je alsjeblieft. Brave meid.'

Boos en gefrustreerd beet Tika op haar lip. Ze wist dat Otik gelijk had. Ze liep het risico iets ergers over zichzelf af te roepen dan een enkele reis met de slavenkaravanen die bijna elke dag door het dorp trokken, want een boze dracoon doodde snel en meedogenloos. Precies op het moment dat ze dat dacht, klapte de deur open en kwamen er zes arrogante draconenwachters binnen. Een van hen rukte het bordje GESLOTEN van de deur en smeet het in een hoek.

'Jullie zijn open,' zei het monster terwijl hij zich in een stoel liet vallen.

'Ja, uiteraard.' Otik grijnsde zwakjes. 'Tika...'

'Ik had ze al gezien,' antwoordde Tika dof.

2

De vreemdeling.
Gevangen.

Die avond was er maar weinig volk in de herberg. De vaste gasten waren nu draconen, hoewel er af en toe een inwoner van Soelaas iets kwam drinken. Gewoonlijk bleven ze niet lang, omdat ze het gezelschap onaangenaam vonden en de herinneringen aan voorbije tijden pijnlijk.

Vanavond was er een groep kobolden die de draconen met argusogen in de gaten hielden, en drie primitief geklede mensen uit het noorden. Oorspronkelijk waren ze onder dwang toegevoegd aan de gelederen van heer Canaillaard, maar nu vochten ze uitsluitend voor hun plezier, genietend van het moorden en plunderen. In een hoek zaten een paar inwoners van Soelaas op een kluitje bij elkaar. Hederick de theocraat zat niet op zijn vaste plaats. Heer Canaillaard had de Hogetheocraat voor zijn diensten beloond door hem als een van de eersten naar de slavenmijnen te sturen.

Tegen het vallen van de avond kwam een vreemdeling de herberg binnen, die een tafeltje koos in een donker hoekje bij de deur. Tika kon hem niet goed beoordelen, want hij droeg een dikke mantel en een kap die hij ver over zijn hoofd naar voren had getrokken. Hij leek vermoeid, want hij liet zich op zijn stoel zakken alsof zijn benen hem niet langer konden dragen.

'Wat kan ik voor u halen?' vroeg Tika.

De man liet zijn hoofd zakken en trok met zijn slanke hand zijn kap nog wat verder naar voren. 'Niets, dank u,' zei hij met zachte stem en een licht accent. 'Is het toegestaan om hier even te rusten? Ik heb met iemand afgesproken.'

'Wat dacht u van een kroes bier terwijl u wacht?' vroeg Tika glimlachend.

De man keek op, en even zag ze de glans van zijn bruine ogen in de schaduw van zijn kap. 'Goed dan,' zei de vreemdeling. 'Ik heb wel dorst. Breng me een kroes bier.'

Tika liep naar de bar. Terwijl ze het bier tapte, hoorde ze nog meer gasten binnenkomen.

'Een klein momentje,' riep ze zonder zich om te draaien. 'Ga maar gewoon ergens zitten. Ik kom zo snel mogelijk bij u.' Ze wierp een blik over haar schouder op de nieuwkomers en liet bijna de kroes uit haar handen vallen. Ze hapte naar adem, maar beheerste zich toen. Je mag ze niet verraden, dacht ze.

'Ga maar gewoon ergens zitten, vreemdelingen,' zei ze luid en nadrukkelijk.

Een van de mannen, een grote kerel, leek op het punt te staan iets te zeggen. Tika wierp hem fronsend een felle blik toe en schudde haar hoofd. Haar blik gleed naar de draconen die in het midden van de gelagkamer zaten. Een man met een baard leidde de groep langs de draconen, die de vreemdelingen met veel belangstelling opnamen.

Ze zagen vijf mannen, een vrouw, een dwerg en een kender. De mannen droegen bemodderde mantels en laarzen. Een van hen was ongewoon lang, een ander ongewoon fors. De vrouw was in bont gekleed en liep gearmd met de lange man. Allemaal leken ze terneergeslagen en vermoeid. Een van de mannen hoestte en leunde zwaar op een merkwaardig uitziende staf. Ze liepen naar de andere kant van de zaal en gingen aan een tafeltje in de uiterste hoek zitten.

'Nog meer van die ellendige vluchtelingen,' sneerde een dracoon. 'Maar die mensen zien er gezond uit, en iedereen weet dat dwergen harde werkers zijn. Waarom zijn ze nog niet afgevoerd?'

'Dat komt nog wel, zodra de Schaarsmeester ze ziet.'

'Misschien moeten we het zelf even regelen,' zei een derde met een boze blik op de acht vreemdelingen.

'Neuh, ik heb geen dienst. Ze komen toch niet ver.'

De anderen lachten en richtten hun aandacht weer op hun bier. Allemaal hadden ze al een aantal lege kroezen voor zich op tafel staan.

Tika bracht het bier naar de vreemdeling met de bruine ogen, zette het snel voor hem neer en liep toen bedrijvig op de nieuwkomers af.

'Wat kan ik voor jullie doen?' vroeg ze koeltjes.

De lange man met de baard gaf met zachte, hese stem antwoord. 'Bier en iets te eten,' zei hij. 'En wijn voor hem,' voegde hij eraan toe met een knikje naar de man die bijna onafgebroken zat te hoesten.

De frêle man schudde zijn hoofd. 'Heet water,' fluisterde hij.

Tika knikte en liep weg. Uit gewoonte wilde ze naar de plek gaan waar de oude keuken was geweest. Toen ze zich herinnerde dat die er niet meer was, draaide ze zich met een ruk om en liep naar de geïmproviseerde keuken die onder supervisie van draconen door kobolden was gebouwd. Daar verraste ze de kokkin door de hele koekenpan met gekruide aardappeltjes te pakken en ermee naar de gelagkamer te lopen.

'Bier voor de hele tafel en een beker heet water!' riep ze tegen Dezra, die achter de bar stond. Tika dankte de sterren dat Otik vandaag vroeg naar huis was gegaan. 'Itrum, neem jij die tafel maar.' Ze gebaarde naar de kobolden terwijl ze zich terug naar de nieuwkomers haastte. Met een steelse blik op de draconen zette ze de koekenpan met een klap op tafel. Zodra ze zag dat ze in beslag genomen werden door hun bier, sloeg ze haar armen om de grote man heen en gaf hem een kus waar hij rode konen van kreeg.

'O Caramon,' fluisterde ze snel. 'Ik wist wel dat je me zou komen halen. Neem me mee! Toe, alsjeblieft!'

'Rustig maar, rustig maar,' zei Caramon terwijl hij haar onhandig klopjes op haar rug gaf en smekend naar Tanis keek. De halfelf kwam snel tussenbeide, zijn blik gericht op de draconen.

'Tika, doe eens rustig,' zei hij. 'We hebben publiek.'

'Natuurlijk,' zei ze kordaat. Ze rechtte haar rug en streek haar schort glad. Snel deelde ze borden uit, waarna ze de gekruide aardappels begon te verdelen terwijl Dezra het bier en het hete water kwam brengen.

'Vertel ons eens wat er in Soelaas is gebeurd,' vroeg Tanis met verstikte stem.

Snel en op fluistertoon deed Tika haar relaas, terwijl ze de borden vol schepte en Caramon een dubbele portie gaf. De reisgenoten hoorden het in grimmig stilzwijgen aan.

'Dus nu,' besloot Tika, 'vertrekt er elke week een slavenkaravaan naar Pax Tharkas, alleen hebben ze bijna iedereen al meegenomen. Alleen de ambachtslieden, zoals Theros IJzerfeld, hebben ze achtergelaten. Ik vrees voor hem.' Ze liet haar stem nog verder dalen. 'Hij heeft me gisteravond bezworen dat hij niet meer voor hen zal werken. Het begon allemaal met die groep gevangengenomen elfen—'

'Elfen? Wat doen elfen hier?' vroeg Tanis. In zijn verbijstering sprak hij te luid. De draconen draaiden zich om en staarden hem aan; de gemantelde vreemdeling in de hoek keek op. Tanis dook ineen en wachtte tot de draconen hun aandacht weer op hun bier richtten. Hij wilde Tika iets vragen over de elfen, maar precies op dat moment riepen de draconen om meer bier.

Tika zuchtte. 'Ik kan maar beter gaan.' Ze zette de koekenpan op tafel. 'Deze laat ik hier staan. Maak hem maar leeg.'

De reisgenoten aten lusteloos. Het eten lag als as op hun tong. Raistlin maakte zijn vreemde kruidenmengsel klaar en dronk het op. Bijna meteen werd het hoesten minder. Onder het eten keek Caramon peinzend naar Tika. Hij kon nog steeds de warmte voelen van haar lichaam toen ze hem had omhelsd, en haar zachte lippen. Dat riep allerlei plezierige gevoelens bij hem op, en hij vroeg zich af of de verhalen die hij over Tika had gehoord soms waar waren. Die gedachte maakte hem boos en verdrietig tegelijk.

Een van de draconen verhief zijn stem. 'We zijn misschien niet het soort mannen dat je gewend bent, liefje,' zei hij lallend terwijl hij zijn geschubde arm om Tika's middel sloeg. 'Maar dat betekent niet dat we geen manieren kunnen bedenken om jou blij te maken.'

Caramon gromde diep in zijn borst. Sturm, die het ook had opgevangen, legde met een dreigend gezicht zijn hand op zijn zwaard. Met zijn hand op de arm van de ridder zei Tanis dringend: 'Hou op, allebei! We bevinden ons in een bezet dorp. Wees verstandig. Dit is niet het moment voor hoffelijkheid. Dat geldt ook voor jou, Caramon! Tika kan het alleen wel af.'

En inderdaad, Tika had zich al behendig losgemaakt uit de greep van de dracoon en beende boos naar de keuken.

'Nou, wat doen we nu?' bromde Flint. 'We komen terug naar Soelaas om voorraden in te slaan en het enige wat we vinden, zijn draconen. Mijn huis is een hoopje as. Tanis heeft niet eens een vallènboom meer, laat staan een woning. Het enige wat we hebben zijn de platina schijven van een of andere oude godin en een zieke magiër met een paar nieuwe spreuken.' Hij sloeg geen acht op Raistlins boze blik. 'We kunnen de schijven niet opeten en de magiër heeft nog niet geleerd voedsel tevoorschijn te toveren, dus al wisten we waar we naartoe moesten, dan nog zouden we van de honger omkomen voordat we er waren.'

'Moeten we nog wel naar Haven gaan?' vroeg Goudmaan aan Tanis. 'Stel dat het daar net zo erg is als hier? Hoe weten we dat de Raad van Hogezoekers zelfs nog maar bestaat?'

'Daar heb ik allemaal geen antwoord op,' zei Tanis met een zucht. Hij wreef in zijn ogen. 'Maar ik denk dat we moeten proberen in Qualinesti te komen.'

Verveeld door het gesprek gaapte Tasselhof. Hij leunde achterover in zijn stoel. Hem maakte het niet uit waar ze naartoe gingen. Hij bestudeerde de herberg met grote belangstelling, en het liefst wilde hij opstaan om de plek te bekijken waar de afgebrande, oude keuken had gezeten, maar Tanis had hem voordat ze binnenkwamen gewaarschuwd dat hij zich gedeisd moest houden. Daarom stelde de kender zich ermee tevreden om de andere gasten op te nemen.

Meteen viel hem de vreemdeling met de mantel en de kap op die voorin de herberg belangstellend naar hen zat te kijken nu de discussie verhit raakte. Tanis verhief zijn stem, en opnieuw klonk luid de naam 'Qualinesti'. Met een bons zette de vreemdeling zijn kroes bier neer. Tas wilde net Tanis' aandacht daarop vestigen toen Tika de keuken uit kwam en eten voor de draconen op tafel smeet, waarbij ze hun geklauwde handen handig vermeed. Toen liep ze weer op de groep af.

'Mag ik nog wat aardappels?' vroeg Caramon.

'Natuurlijk.' Tika glimlachte naar hem en liep met de koekenpan terug naar de keuken. Caramon voelde dat Raistlin naar hem keek. Blozend begon hij met zijn vork te spelen.

'In Qualinesti—' begon Tanis weer in reactie op iets wat Sturm had gezegd, die naar het noorden wilde.

Tas zag de vreemdeling in de hoek overeind komen en op hen aflopen. 'Tanis, gezelschap,' zei hij zachtjes.

Het gesprek werd afgekapt. Allemaal hielden ze hun blik op hun kroes gericht, maar ze konden voelen en horen dat de vreemdeling naderbij kwam. Tanis vervloekte zichzelf omdat hij hem niet eerder had opgemerkt.

De draconen daarentegen hadden de vreemdeling wél opgemerkt. Op het moment dat hij de tafel van de monsters bereikte, stak er één zijn voet uit. De vreemdeling struikelde erover en viel tegen een naburige tafel. De draconen schaterden het uit. Toen ving een van hen een glimp op van het gezicht van de vreemdeling.

'Elf!' siste de dracoon terwijl hij de kap wegtrok, zodat de amandelvormige ogen, scheefstaande oren en fijne, mannelijke trekken van een elfenheer zichtbaar werden.

'Laat me erlangs,' zei de elf terwijl hij met zijn handen geheven achteruitdeinsde. 'Ik wilde alleen even deze vreemdelingen begroeten.'

'De enige die jij gaat begroeten, is de schaarsmeester, elf,' grauwde de dracoon. Hij sprong overeind, greep de vreemdeling bij de kraag van zijn mantel en drukte hem met zijn rug tegen de bar. De twee andere draconen lachten luid.

Tika, die met haar koekenpan onderweg was naar de keuken, liep met grote passen op de draconen af. 'Hou daarmee op!' riep ze uit terwijl ze een van de draconen bij zijn arm pakte. 'Laat hem met rust. Hij is een betalende gast, net als jullie.'

'Bemoei je met je eigen zaken, kind!' De dracoon duwde Tika uit de weg, waarna hij de elf met zijn ene hand vastpakte en hem vervolgens twee klappen in het gezicht gaf. Zijn klauwen veroorzaakten bloedende wonden. Toen de dracoon de elf losliet, wankelde die en schudde versuft zijn hoofd.

'Ja, vermoord hem!' riep een van de mensen uit het noorden. 'Laat hem krijsen, net als de anderen!'

'Ik snijd hem zijn scheve ogen uit de kop, dat ga ik doen!' De dracoon trok zijn zwaard.

'Zo is het genoeg geweest!' Sturm rende erop af, met de anderen in zijn kielzog, al vreesden ze allemaal dat ze de elf niet zouden kunnen redden. Daarvoor waren ze nog te ver bij hem vandaan. Dichterbij schoot echter ook iemand te hulp. Met een schrille kreet van woede liet Tika Walyan haar koekenpan op het hoofd van de dracoon neerkomen.

Er klonk een luide bons. De dracoon staarde Tika even verbijsterd aan, waarna hij in elkaar zakte. De elf sprong met getrokken dolk naar voren toen de andere twee draconen zich op Tika stortten. Sturm wist haar op tijd te bereiken en sloeg een van de draconen met zijn zwaard tegen de grond. Caramon tilde de andere met zijn machtige armen op en smeet hem over de bar heen.

'Waterwind! Laat ze niet de deur uit gaan!' riep Tanis, die zag dat de kobolden overeind waren gesprongen. De Vlakteman pakte een van de kobolden op het moment dat die zijn hand op de deurklink legde, maar een tweede wist hem te ontlopen. Ze hoorden hem schreeuwen om de wachters.

Nog steeds gewapend met haar koekenpan mepte Tika een kobold op het hoofd. Maar een andere zag Caramon op zich afkomen en sprong uit het raam.

Goudmaan kwam overeind. 'Gebruik je magie!' zei ze tegen Raistlin, wiens arm ze vastgreep. 'Doe iets!'

De magiër keek haar met kille blik aan. 'Het is hopeloos,' fluisterde hij. 'Ik ga mijn energie niet verkwisten.'

Goudmaan keek hem woedend aan, maar hij had zijn aandacht alweer op zijn drankje gericht. Bijtend op haar lip rende ze op Waterwind af, de buidel met daarin de kostbare schijven van Mishakal in haar armen. Op straat hoorde ze wild hoorngeschal.

'We moeten hier weg!' zei Tanis, maar op dat moment sloeg een van de menselijke krijgers zijn armen om Tanis' nek en trok hem op de grond. Met een wilde kreet sprong Tasselhof op de bar, van waaruit hij kroezen naar de belager van de halfelf begon te smijten. Een paar keer miste hij Tanis op een haartje.

Flint stond te midden van de chaos naar de elf te kijken. 'Ik ken jou!' riep hij opeens. 'Tanis, is dat niet—'

De dwerg zakte ineen toen een kroes hem vol op het hoofd raakte.

'Oeps,' zei Tas.

Tanis had zijn handen om de keel van zijn belager geklemd en liet hem bewusteloos onder een tafel achter. Hij tilde Tas van de bar, zette hem op de grond en knielde naast Flint neer, die kreunend probeerde overeind te komen.

'Tanis, die elf...' Flint knipperde verdwaasd met zijn ogen, en vroeg toen: 'Wat kreeg ik nou tegen mijn hoofd?'

'Die grote kerel onder de tafel gaf je een klap!' zei Tas wijzend.

Tanis stond op en keek naar de elf. 'Gilthanas?'

De elf staarde hem aan. 'Tanthalas,' zei hij koeltjes. 'Ik herkende je bijna niet. Die baard—'

Weer klonk er hoorngeschal, dichterbij deze keer.

'Goede Reorx!' kreunde de dwerg, die wankel overeind kwam. 'We moeten hier weg! Kom mee! De achterdeur!'

'Er is geen achterdeur meer!' riep Tika wild, nog steeds met de koekenpan in haar handen.

'Nee,' zei iemand bij de deur. 'Er is geen achterdeur meer. Jullie zijn mijn gevangenen.'

Een fel brandende toorts werd de gelagkamer binnengedragen. De reisgenoten schermden hun ogen af, en konden in de deuropening nog net een gedrongen gestalte onderscheiden, met daarachter kobolden. Buiten hoorden ze kletsende voetstappen, waarna wel zo'n honderd kobolden door de ramen en de deur naar binnen tuurden. De kobolden in de gelagkamer die nog leefden en bij bewustzijn waren, stonden op en trokken hun wapens, hun hongerige ogen op de reisgenoten gericht.

'Sturm, doe niet zo dwaas,' zei Tanis terwijl hij de arm vastpakte van de ridder, die zich gereedmaakte om recht op de massa kobolden af te stormen die hen inmiddels als een ring van staal omsingelden. 'We geven ons over!' riep hij.

Sturm keek Tanis boos aan, en even dacht de halfelf dat hij hem niet zou gehoorzamen.

'Toe, Sturm,' zei Tanis zachtjes. 'Geloof me. Dit is voor ons niet het moment om te sterven.'

Sturm aarzelde en keek naar de massa kobolden in de herberg. Ze bleven op een afstandje, bang voor zijn zwaard en zijn vaardigheid, maar hij wist dat ze als één man op hem af zouden stormen als hij ook maar een spier vertrok. 'Dit is voor ons niet het moment om te sterven.' Wat een merkwaardige opmerking. Waarom had Tanis dat gezegd? Was er voor een man wel een moment om te sterven? Als dat zo was, besefte Sturm, dan was dit het inderdaad niet, niet als hij er iets over te zeggen had. Het zou een weinig roemvol einde zijn, sterven in een herberg, vertrapt door stinkende, klepperende koboldenvoeten.

Zodra hij zag dat de ridder zijn wapen wegdeed, besloot de gestalte bij de deur dat het veilig was om binnen te komen, omringd als hij was door een slordige honderd trouwe soldaten. De reisgenoten zagen de grauwe, vlekkerige huid en kleine, rode varkensoogjes van Schaarsmeester Padh. Tasselhof slikte moeizaam en ging snel naast Tanis staan. 'Hij zal ons toch niet herkennen?' fluisterde hij. 'Het begon al donker te worden toen ze ons staande hielden en naar de staf vroegen.'

Het leek erop dat Padh hen inderdaad niet herkende. Er was veel gebeurd in een week tijd, en de schaarsmeester had belangrijke dingen aan zijn toch al overvolle hoofd. Zijn rode ogen vestigden zich op de ridderemblemen onder Sturms mantel. 'Nog meer smerige zwervers die uit Solamnië zijn gevlucht,' merkte Padh op.

'Ja,' loog Tanis snel. Hij betwijfelde of Padh op de hoogte was van de vernietiging van Xak Tsaroth. Hij achtte het zeer onwaarschijnlijk dat deze schaarsmeester iets wist over de schijven van Mishakal. Maar heer Canaillaard wist van de schijven en zou snel te horen krijgen dat de draak dood was. Zelfs een greppeldwerg kon een en een bij elkaar optellen. Niemand mocht weten dat ze uit het oosten waren gekomen. 'We hebben een lange reis van vele dagen vanuit het noorden achter de rug. Het was niet onze bedoeling om problemen te veroorzaken. Deze draconen zijn begonnen—'

'Ja, ja,' zei Padh ongeduldig. 'Dit heb ik al zo vaak gehoord.' Opeens kneep hij zijn kleine oogjes samen. 'Hé, jij daar!' riep hij, wijzend op Raistlin. 'Wat zit jij daar stiekem achterin? Ga hem halen, jongens!' De schaarsmeester stapte nerveus een stukje achter de deur, van waaruit hij Raistlin behoedzaam in de gaten hield. Een aantal kobolden rende naar het achterste deel van de gelagkamer, stoelen en tafels omvergooiend om bij de frêle jongeman te komen. Caramon gromde diep in zijn borst. Tanis gebaarde naar de krijger dat hij kalm moest blijven.

'Overeind!' snauwde een van de kobolden. Hij prikte Raistlin met zijn speer.

Raistlin stond langzaam op en verzamelde zorgvuldig zijn buidels. Toen hij zijn staf wilde pakken, pakte de kobold hem bij zijn magere schouder.

'Raak me niet aan!' siste Raistlin. Hij rukte zich los. 'Ik ben magiër!'

De kobold wierp een weifelende blik achterom op Padh.

'Pak hem!' riep de schaarsmeester terwijl hij achter een bijzonder grote kobold ging staan. 'Zet hem bij de anderen. Als iedereen met een rood gewaad een goochelaar was, zou het hier stikken van de konijnen! Als hij niet vrijwillig meegaat, steek je hem maar.'

'Misschien steek ik hem sowieso,' kraste de kobold. Met een gorgelende lach hield het wezen zijn speerpunt bij de keel van de magiër.

Opnieuw hield Tanis Caramon tegen. 'Je broer kan zichzelf wel redden,' fluisterde hij snel.

Raistlin hief zijn handen, met zijn vingers gespreid, alsof hij zich wilde overgeven. Opeens sprak hij echter de woorden: *Kalith karan, tobaniskar!'* en wees hij met al zijn vingers naar de kobold. Kleine, fel gloeiende pijltjes van zuiver wit licht schoten uit de vingertoppen van de magiër, scheerden door de lucht en boorden zich diep in de borst van de kobold. Met een schelle kreet liet het wezen zich kronkelend op de grond vallen.

De stank van brandend vlees en haar vulde de gelagkamer. Andere kobolden sprongen brullend van woede naar voren.

'Dood hem niet, stelletje dwazen!' riep Padh. De schaarsmeester was inmiddels zo ver achteruitgedeinsd dat hij weer buiten stond. De grote kobold die vóór hem stond gebruikte hij nog steeds als dekking. 'Heer Canaillaard betaalt gul voor magiegebruikers. Maar' – opeens kreeg Padh een briljante inval – 'de heer betaalt niets voor levende kenders, alleen voor hun tong! Als je dat nog een keer doet, magiër, is de kender dood!'

'Wat kan mij de kender schelen?' snauwde Raistlin.

Er viel een lange stilte. Het koude zweet brak Tanis uit. En of Raistlin zichzelf kon redden. Die vervloekte magiër!

Het was duidelijk ook niet het antwoord dat Padh had verwacht, en nu wist hij niet precies wat hij moest doen, zeker gezien het feit dat die grote krijgers nog steeds hun wapens hadden. Hij keek Raistlin bijna smekend aan. De magiër leek zijn schouders op te halen.

'Ik ga rustig mee,' fluisterde Raistlin met een schittering in zijn gouden ogen. 'Zolang je me maar niet aanraakt.'

'Nee, natuurlijk niet,' mompelde Padh. 'Neem hem mee.'

Met ongeruste blikken op de schaarsmeester lieten de kobolden toe dat Raistlin naast zijn broer ging staan.

'Hebben we nu iedereen?' vroeg Padh geïrriteerd. 'Pak dan hun wapens en hun tassen af.'

In de hoop verdere problemen te vermijden haalde Tanis zijn boog van zijn schouder en legde die samen met zijn pijlenkoker op de roetzwarte vloer van de herberg. Tasselhof legde snel zijn hoopak neer. Mopperend voegde de dwerg er zijn strijdbijl aan toe. Ook de anderen volgden Tanis' voorbeeld, met uitzondering van Sturm, die met zijn armen over elkaar bleef staan, en…

'Toe, laat me mijn reistas houden,' zei Goudmaan. 'Er zitten geen wapens in, niets wat voor u van belang zou kunnen zijn. Dat zweer ik.'

De reisgenoten draaiden zich naar haar om, allen denkend aan de kostbare schijven die ze bij zich droeg. Er viel een gespannen stilte. Waterwind ging vóór Goudmaan staan. Hij had zijn boog afgelegd, maar had zijn zwaard nog om, net als de ridder.

Opeens kwam Raistlin tussenbeide. De magiër had zijn staf, zijn buidels met spreukbenodigdheden en de kostbare tas met zijn spreukenboeken op de grond gelegd. Hij maakte zich geen zorgen. De boeken waren beschermd met spreuken, zodat iedereen behalve de eigenaar die ze probeerde te lezen krankzinnig zou worden, en de staf van Magius kon prima voor zichzelf zorgen. Raistlin stak zijn handen uit naar Goudmaan.

'Geef hun de tas,' zei hij vriendelijk. 'Anders doden ze ons.'

'Luister naar hem, lieve kind,' riep Padh haastig. 'Hij is een intelligent man.'

'Hij is een verrader!' riep Goudmaan. Ze drukte haar tas tegen zich aan.

'Geef hun de tas,' herhaalde Raistlin zangerig, hypnotiserend.

Goudmaan voelde zichzelf verzwakken, voelde hoe zijn vreemde macht haar dreigde te breken. 'Nee!' zei ze verstikt. 'Dit is onze enige hoop—'

'Het komt wel goed,' fluisterde Raistlin terwijl hij ingespannen in haar heldere blauwe ogen keek. 'Weet je nog wat er gebeurde toen ik de staf aanraakte?'

Goudmaan knipperde met haar ogen. 'Ja,' prevelde ze. 'Je kreeg er een schok van—'

'Sst,' waarschuwde Raistlin snel. 'Geef hun de buidel. Maak je geen zorgen. Het komt wel goed. De goden beschermen wat van hen is.'

Goudmaan staarde de magiër aan en knikte toen met tegenzin. Raistlin stak zijn magere handen uit om de buidel van haar aan te nemen. Schaarsmeester Padh keek er hebberig naar. Hij vroeg zich af wat erin zat. Straks zou hij even kijken, maar niet met al die kobolden erbij.

Uiteindelijk was er nog maar één persoon die niet aan het bevel had gehoorzaamd. Sturm was roerloos blijven staan, met een bleek gezicht en een koortsachtige schittering in zijn ogen. Het oude slagzwaard van zijn vader hield hij met beide handen stevig vast. Opeens draaide Sturm zich om, geschrokken van de brandende aanraking van Raistlin op zijn arm.

'Ik zorg ervoor dat er niets mee gebeurt,' fluisterde de magiër.

'Hoe dan?' vroeg de ridder, terwijl hij zich losmaakte uit de greep van Raistlin, alsof die een gifslang was.

'Ik hoef jou niets uit te leggen,' siste Raistlin. 'Je kunt me vertrouwen of niet, dat is aan jou.'

Sturm aarzelde.

'Dit is belachelijk!' krijste Padh. 'Dood de ridder! Dood ze allemaal als ze nog meer problemen veroorzaken. Ik slaap al slecht genoeg!'

'Al goed!' zei Sturm met verstikte stem. Hij liep naar de stapel wapens en legde er eerbiedig zijn zwaard bovenop. De antieke zilveren schede, versierd met de ijsvogel en de roos, glansde in het licht.

'Ah, een waarlijk prachtig wapen,' zei Padh. Opeens zag hij voor zich hoe hij op audiëntie zou gaan bij heer Canaillaard, met het zwaard van de Solamnische ridder om zijn middel gegord. 'Misschien moet ik dat zelf maar in bewaring nemen. Breng het—'

Voordat hij zijn zin kon afmaken, kwam Raistlin snel naar voren en knielde bij de stapel wapens. Een felle lichtflits schoot uit de hand van de magiër. Hij sloot zijn ogen en begon vreemde woorden te mompelen met zijn uitgestrekte handen boven de wapens en reistassen.

'Houd hem tegen!' riep Padh. Maar niemand durfde het.

Uiteindelijk hield Raistlin op met spreken en liet hij zijn hoofd zakken. Zijn broer schoot hem te hulp.

Raistlin stond op. 'Weet dit!' zei de magiër terwijl hij met zijn gouden ogen langzaam om zich heen keek. 'Ik heb een spreuk over onze bezittingen uitgesproken. Iedereen die ze aanraakt, zal langzaam worden verslonden door de grote worm Catyrpelius, die uit de Afgrond zal oprijzen om het bloed uit je aderen te zuigen tot er niet meer van je over is dan een leeg omhulsel.'

'De grote worm Catyrpelius!' fluisterde Tasselhof met glanzende ogen. 'Dat slaat nergens op. Ik heb nog nooit gehoord van—'

Tanis sloeg zijn hand voor de mond van de kender.

De kobolden deinsden weg voor de stapel wapens, die bijna een groene gloed leken uit te stralen.

'Pak die wapens!' beval Padh razend.

'Pak ze zelf maar,' mompelde een kobold.

Niemand verroerde zich. Padh wist niet meer wat hij moest doen. Veel fantasie had hij niet, maar voor zijn geestesoog doemde een levendig beeld op van de grote worm Catyrpelius. 'Goed dan,' mompelde hij, 'breng de gevangenen weg. Laad ze in de kooien. En jullie nemen die wapens ook mee, anders zullen jullie nog wensen dat dinges de worm jullie het bloed uit het lijf had gezogen!' Boos liep Padh weg.

De kobolden prikten hun gevangenen met hun zwaarden in de rug om hen naar de deur te drijven. Niemand waagde het echter Raistlin aan te raken.

'Dat is een geweldige spreuk, Raist,' zei Caramon zachtjes. 'Hoe effectief is hij? Zou je—'

'Ongeveer net zo effectief als jouw brein!' fluisterde Raistlin. Hij hief zijn rechterhand. Toen Caramon de karakteristieke zwarte vlekken van flitspoeder zag, begreep hij het. Hij grimlachte.

Tanis was de laatste die de herberg verliet. Nog één keer keek hij om zich heen. Er hing één lamp aan het plafond. Tafels lagen op hun kant en stoelen waren kapot. De plafondbalken waren zwartgeblakerd door het vuur en in sommige gevallen zelfs helemaal weggebrand. Op de ramen zat een dikke laag vettig, zwart roet.

'Ik zou bijna wensen dat ik was gestorven voordat ik dit kon zien.'
Het laatste wat hij hoorde toen hij de herberg verliet, was het geruzie van twee koboldenkapiteins die probeerden uit te maken wie de betoverde wapens zou gaan verplaatsen.

3
De slavenkaravaan.
Een vreemde, oude tovenaar.

De reisgenoten brachten een koude, slapeloze nacht door, opgesloten in een kooi met ijzeren tralies op het dorpsplein van Soelaas. Drie kooien waren met kettingen vastgelegd aan een van de palen die om de open plek heen in de grond waren geslagen. De houten palen waren zwart van de vlammen en de hitte, en aan de onderkant verschroeid en versplinterd. Op de open plek groeide niets. Zelfs de stenen waren zwart en gesmolten.

Toen de dag aanbrak, zagen ze dat er in de andere kooien ook gevangenen zaten. Deze slavenkaravaan, de laatste die van Soelaas naar Pax Tharkas zou trekken, zou persoonlijk worden begeleid door de schaarsmeester zelf, want Padh had besloten van deze gelegenheid gebruik te maken om indruk te maken op heer Canaillaard, die in Pax Tharkas zetelde.

In de verhullende duisternis had Caramon één keer geprobeerd de tralies van de kooi te buigen, maar tevergeefs.

Vroeg in de ochtend ontstond er een kille mist, die het verwoeste dorp aan het zicht van de reisgenoten onttrok. Tanis wierp een vluchtige blik op Goudmaan en Waterwind. Nu begrijp ik hen, dacht hij. Nu ken ook ik die koude leegte vanbinnen die erger is dan welke zwaardwond dan ook. Mijn thuis is er niet meer.

Hij keek naar Gilthanas, die ineengedoken in een hoek zat. Die nacht had de elf tegen niemand een woord gesproken, zich verontschuldigend door te zeggen dat hij hoofdpijn had en moe was. Maar Tanis, die de hele nacht de wacht had gehouden, had gezien dat Gilthanas niet had geslapen en zelfs niet had gedaan alsof. Hij had op zijn onderlip zitten bijten en in de duisternis zitten staren. Zijn aanwezigheid deed Tanis eraan denken dat hij – als hij verkoos het op te eisen – nog een plek had die hij zijn thuis kon noemen: Qualinesti.

Nee, dacht Tanis, leunend tegen de tralies. Qualinesti was nooit zijn thuis geweest. Het was gewoon een plek waar hij een tijdje had gewoond... Schaarsmeester Padh dook, wrijvend in zijn mollige handen, op uit de mist. Met een brede grijns van trots nam hij zijn slavenkaravaan op. Misschien zat er wel een promotie voor hem in. Een prima vangst, als je naging dat het aanbod bijzonder mager begon te worden in dit uitgebrande omhulsel van een dorp. Heer Canaillaard zou erg in zijn nopjes zijn, met name met die laatste vracht. In het bijzonder met die grote krijger, een uitstekend exemplaar. Waarschijnlijk kon hij in de mijnen het werk van drie man doen. Die lange barbaar zou ook prima voldoen. De ridder zouden ze waarschijnlijk moeten doden, want de Solamniërs stonden erom bekend dat ze niet wilden meewerken. Maar heer Canaillaard zou zeker van de twee vrouwen genieten. Ze waren heel verschillend, maar allebei beeldschoon. Zelf had Padh zich van het begin af aan aangetrokken gevoeld tot het roodharige barmeisje, met haar verlokkelijke groene ogen en de laag uitgesneden witte bloes, die precies genoeg met sproetjes bestrooide huid toonde om een man te kwellen met gedachten aan wat eronder schuilging.

De mijmeringen van de schaarsmeester werden onderbroken door het geluid van rammelend staal en hees geschreeuw dat op spookachtige wijze uit de mist opsteeg. Het geschreeuw werd steeds luider. Al snel waren alle slaven in de karavaan wakker en stonden ze naar de mist te turen in een poging te zien wat er gaande was.

Padh wierp een ongeruste blik op de gevangenen en wenste dat hij een paar extra wachters had meegenomen. De kobolden, die de gevangenen in beweging zagen komen, sprongen overeind en richtten hun pijl en boog op de wagens.

'Wat is dit allemaal?' mopperde Padh. 'Kunnen die dwazen niet eens één man gevangennemen zonder kabaal te maken?'

Opeens klonk er gebrul boven het lawaai uit. Het was de kreet van een man die martelende pijn leed, maar die bovenal razend was.

Met een bleek gelaat stond Gilthanas op.

'Die stem ken ik,' zei hij. 'Theros IJzerfeld. Hier was ik al bang voor. Al sinds de slachting helpt hij elfen ontsnappen. Heer Canaillaard heeft gezworen dat hij alle elfen zal uitroeien...' Gilthanas zag Tanis' reactie. 'Wist je dat nog niet?'

'Nee!' zei Tanis geschrokken. 'Hoe kon ik dat weten?'

Gilthanas zweeg en nam Tanis aandachtig op. 'Vergeef me,' zei hij uiteindelijk. 'Kennelijk heb ik me in je vergist. Ik dacht dat dat misschien de reden was dat je je baard had laten staan.'

'Natuurlijk niet!' Tanis sprong op. 'Hoe durf je me ervan te beschuldigen—'

'Tanis,' zei Sturm waarschuwend.

De halfelf draaide zich om en zag dat de koboldenwachters op hem afkwamen, met hun pijlen op zijn hart gericht. Met geheven handen liep hij achteruit terug naar zijn plek, precies op het moment dat een eskader kobolden uit de mist opdoemde. Ze sleurden een lange, krachtig gebouwde man met zich mee.

'Ik had vernomen dat Theros was verraden,' zei Gilthanas zachtjes. 'Ik ben teruggekomen om hem te waarschuwen. Als hij er niet was geweest, was ik nooit levend uit Soelaas weggekomen. Ik had gisteren met hem afgesproken in de herberg. Toen hij niet kwam opdagen, vreesde ik al—'

Schaarsmeester Padh gooide de deur van de kooi open waar de reisgenoten in zaten en riep en gebaarde naar de kobolden dat ze hun gevangene moesten komen brengen. De wachters hielden de andere gevangenen onder schot terwijl Theros in de kooi werd gesmeten.

Snel deed schaarsmeester Padh de deur weer dicht. 'Dat was het!' riep hij. 'Span de beesten voor. We vertrekken.'

Groepen kobolden dreven enorme elanden de open plek op en begonnen ze voor de wagens te spannen. Hun geschreeuw en de verwarring drongen slechts vaag tot Tanis door. Op het moment was al zijn verbijsterde aandacht op de smid gericht.

Theros IJzerfeld lag bewusteloos op het stro dat de bodem van de kooi bedekte. Waar zijn sterke rechterarm hoorde te zitten, zat nu alleen nog een bloederige stomp. Zijn arm was, kennelijk met een bot wapen, vlak onder de schouder afgehouwen. Bloed stroomde uit de verschrikkelijke wond en vormde een plas op de vloer van de kooi.

'Laat dat een les zijn voor iedereen die elfen helpt!' De schaarsmeester tuurde naar de kooi. Zijn rode varkensoogjes priemden boven de dikke wallen onder zijn ogen uit. 'Die smeedt nooit meer wat, of het moet een nieuwe arm zijn! Ik, eh...' Een reusachtige eland botste tegen de schaarsmeester aan, waardoor die gedwongen was zich haastig uit de voeten te maken.

Padh keerde zich tegen het wezen dat de eland begeleidde. 'Sestun! Stom rund!' Padh sloeg het kleinere wezen tegen de grond.

Tasselhof keek naar het wezentje, ervan uitgaand dat het gewoon een heel kleine kobold was. Toen zag hij dat het een greppeldwerg in de wapenrusting van een kobold was. De greppeldwerg krabbelde overeind, duwde zijn veel te grote helm naar achteren en keek de schaarsmeester, die naar de kop van de karavaan waggelde, boos na. Met een lelijk gezicht schopte de greppeldwerg wat modder in zijn richting. Kennelijk luchtte dat op, want hij hield er al snel mee op en probeerde de trage eland met veel gepor op zijn plaats te krijgen.

'Mijn trouwe vriend,' mompelde Gilthanas terwijl hij zich over Theros heen boog en diens sterke, zwarte hand vastpakte. 'Je moet met je leven boeten voor je loyaliteit.'

Theros keek hem met niets ziende ogen aan en hoorde de stem van de elf duidelijk niet. Gilthanas probeerde het bloeden te stelpen, maar het bleef maar uit de verminkte stomp op de vloer van de wagen stromen. De smid bloedde voor hun ogen dood.

'Nee,' zei Goudmaan, die naast de smid neerknielde. 'Hij hoeft niet te sterven. Ik ben genezeres.'

'Dame,' zei Gilthanas ongeduldig, 'op heel Krynn is er niet één heler die deze man nog kan helpen. Hij heeft meer bloed verloren dan die dwerg in zijn hele lichaam heeft! Zijn hartslag is zo zwak dat ik hem nauwelijks kan voelen. Het barmhartigste wat we kunnen doen is hem rustig laten sterven, zonder te worden blootgesteld aan jouw barbaarse rituelen.'

Goudmaan deed alsof ze hem niet had gehoord. Ze legde haar hand op Theros' voorhoofd en sloot haar ogen.

'Mishakal,' bad ze, 'geliefde godin van de genezing, schenk deze man uw zegen. Indien zijn lotsbestemming nog niet is vervuld, heel hem, opdat hij zijn leven in dienst kan stellen van de waarheid.'

Gilthanas begon opnieuw tegenwerpingen te maken en wilde Goudmaan wegtrekken. Toen verstijfde hij en keek vol verwondering toe. De stroom bloed uit de schouder van de smid werd ingedamd, en voor de ogen van de elf begon de wond zich te sluiten. De donkere huid van de smid werd weer warm, zijn ademhaling werd rustig en vredig, en hij leek weg te glijden in een gezonde, ontspannen slaap. De andere gevangenen in de naburige kooien mompelden en zuchtten verbijsterd. Tanis keek angstig om zich heen om te zien of de kobolden of draconen er iets van hadden gemerkt, maar kennelijk waren ze allemaal te druk bezig met het voorspannen van de weerbarstige elanden. Gilthanas trok zich met een bedachtzaam gezicht terug in zijn hoek, zijn blik gericht op Goudmaan.

'Tasselhof, stapel eens wat stro op,' beval Tanis. 'Caramon, Sturm, help me hem in de hoek te leggen.'

'Hier.' Waterwind bood zijn mantel aan. 'Leg dit maar over hem heen, tegen de kou.'

Goudmaan controleerde of Theros er comfortabel bij lag, waarna ze weer naast Waterwind ging zitten. Haar gelaat straalde een rust en sereniteit uit waardoor het leek of de reptielachtige wezens buiten de kooi de echte gevangenen waren.

Het middaguur naderde al toen de karavaan eindelijk op weg ging. Er kwamen kobolden langs die wat eten de kooi in smeten, stukken vlees en brood. Niemand, zelfs Caramon niet, kon het bedorven, stinkende vlees eten, dus smeten ze dat weer naar buiten. Het brood verorberden ze echter hongerig, want ze hadden sinds de vorige avond niets meer gegeten. Al snel had Padh alles geregeld, en gezeten op zijn ruige pony reed hij voorbij om het bevel tot vertrek te geven. De greppeldwerg, Sestun, draafde achter Padh aan. Toen hij een stuk vlees in de modder en het stof bij de kooi zag liggen, bleef hij staan, griste het gretig van de grond en propte het in zijn mond.

Elke kooiwagen werd door vier elanden getrokken. Twee kobolden zaten op een hoge, snel in elkaar getimmerde houten bok, een met de teugels van de elanden in zijn handen en een met een zweep en een zwaard. Padh nam zijn plaats aan de kop van de karavaan in, gevolgd door een stuk of vijftig draconen, zwaarbewapend en gehuld in wapenrusting. Een tweede groep, bestaande uit ongeveer twee keer zoveel kobolden, stelde zich achter de kooien op.

Na een boel verwarring en gescheld kwam de karavaan eindelijk met een schok in beweging. Een paar overgebleven inwoners van Soelaas keken hem na. Als ze al iemand kenden onder de gevangenen, namen ze geen afscheid, in woord noch gebaar. De gezichten in en buiten de kooien waren die van mensen die geen pijn meer konden voelen. Net als Tika hadden ze gezworen nooit meer te huilen.

De karavaan trok vanuit Soelaas in zuidelijke richting over de oude weg door de Poortpas. De kobolden en draconen mopperden omdat ze moesten reizen in de hitte van de dag, maar ze vrolijkten op en kwamen sneller vooruit zodra ze de schaduw van de hoge wanden van de pas betraden. Hoewel de gevangenen het koud kregen in die kloof, hadden ze zo hun eigen redenen om dankbaar te zijn, want nu hoefden ze niet langer naar hun verwoeste thuisland te kijken.

Het was al avond tegen de tijd dat ze de kronkelwegen van de kloof verlieten en Poort bereikten. De gevangenen verdrongen zich bij de tralies om een glimp op te vangen van het bloeiende marktstadje, maar alleen twee lage, gesmolten en zwartgeblakerde stenen muurtjes gaven nog aan waar het ooit had gestaan. Er was geen teken van leven. Ontmoedigd trokken de gevangenen zich terug.

Zodra ze weer tussen de open velden waren, gaven de draconen aan dat ze het liefst in het donker wilden reizen, als de zon niet scheen. Als gevolg daarvan hield de karavaan tot de dageraad slechts een paar keer kortstondig halt. Slapen was onmogelijk in de smerige kooien, die hotsend en botsend door de kuilen in de weg reden. De gevangenen waren hongerig en dorstig. De enkelingen die er kokhalzend in slaagden het eten naar binnen te werken dat hun door de draconen werd toegeworpen, braakten het al snel weer uit. Slechts twee of drie keer per dag kregen ze een klein bekertje water.

Goudmaan bleef bij de gewonde smid in de buurt. Hoewel Theros IJzerfeld niet langer in levensgevaar verkeerde, was hij nog altijd erg ziek. Hij had hoge koorts, en in zijn delirium ijlde hij over de verwoesting van Soelaas. Theros sprak over draconen wier dode lichamen veranderden in poelen van bijtend zuur dat hun slachtoffers verteerde, of wier botten ontploften, waardoor alles in een wijde kring om hen heen vernietigd werd. Tanis luisterde naar de gruwelverhalen van de smid tot hij er misselijk van werd. Voor het eerst besefte hij hoe uitzichtloos de situatie was. Hoe konden ze het opnemen tegen draken die met hun adem konden doden en die qua magie slechts onder hoefden te doen voor enkelen van de machtigste magiegebruikers uit de geschiedenis? Hoe konden ze een reusachtig leger van draconen verslaan, als ze zelfs na hun overlijden nog dood en verderf konden zaaien?

Het enige wat wij hebben, dacht Tanis verbitterd, zijn de schijven van Mishakal, en wat hebben we daaraan? Hij had de schijven bestudeerd tijdens hun reis van Xak Tsaroth naar Soelaas. Hij had maar heel kleine stukjes van de teksten kunnen lezen. Goudmaan begreep wel de woorden die met de geneeskunst te maken hadden, maar verder kon ze weinig ontcijferen.

'Aan de leider der volkeren zal alles duidelijk worden gemaakt,' zei ze met onwankelbare overtuiging. 'Mijn roeping is nu om hem te vinden.'

Tanis zou willen dat hij haar geloof kon delen, maar nu ze door het verwoeste landschap reisden, begon hij zich af te vragen of er wel een leider bestond die het van de machtige heer Canaillaard kon winnen.

Die twijfels verergerden de overige problemen waarmee de halfelf worstelde. Raistlin, beroofd van zijn medicijnen, hoestte en hoestte, tot hij er bijna net zo slecht aan toe was als Theros. Nu had Goudmaan twee patiënten onder haar hoede. Gelukkig hielp Tika de Vlaktevrouw met de verzorging van de magiër. Tika, wier vader zelf goochelaar was geweest, had een heilig ontzag voor iedereen die magie kon aanwenden.

Sterker nog, het was Tika's vader geweest die Raistlin onbedoeld had geholpen zijn roeping te vinden. Raistlins vader had zijn twee zoons en zijn stiefdochter Kitiara meegenomen naar het plaatselijke Zomereindefestival, waar de kinderen naar de goochelkunsten van Walyan de Geweldige hadden staan kijken. De acht jaar oude Caramon raakte al snel verveeld en stemde gretig in toen zijn oudere halfzus hem wilde meenemen naar iets wat haar meer interesseerde: het zwaardvechten. Raistlin, die zelfs toen al een schriel mannetje was geweest, had niets op met dergelijke sporten. De hele dag bleef hij kijken naar Walyan de illusionist. Toen het gezin die avond thuiskwam, verraste Raistlin hen door elk trucje feilloos na te doen. De volgende dag bracht zijn vader hem naar een van de grootmeesters van de toverkunst om bij hem in de leer te gaan.

Tika had altijd bewondering gehad voor Raistlin, en ze was onder de indruk van de verhalen die ze had gehoord over zijn mysterieuze reis naar de befaamde Torens van de Hoge Magie. Nu hielp ze, uit respect voor de magiër en een aangeboren behoefte om hen die zwakker waren dan zijzelf te helpen, bij zijn verzorging. Een andere reden dat ze hem verzorgde (zo gaf ze voor zichzelf toe) was dat het haar een glimlach van dankbaarheid en goedkeuring opleverde van Raistlins knappe tweelingbroer.

Tanis wist niet goed waarover hij zich het meest zorgen moest maken: de verslechterde toestand van de magiër of de ontluikende romance tussen de oudere, ervaren soldaat en het jonge en – zo geloofde Tanis, ondanks alle roddels over het tegendeel – onervaren, kwetsbare barmeisje. Daarnaast had hij nog een probleem. Sturm, die zich vernederd voelde nu hij gevangen was genomen en over het platteland werd afgevoerd als een beest naar de slacht, zakte weg in een diepe depressie, en Tanis was bang dat hij er niet meer uit zou komen. De hele dag zat Sturm óf tussen de tralies door naar buiten te staren, óf – wat nog erger was – hij viel in een diepe slaap waaruit hij niet wakker kon worden gemaakt.

Ten slotte moest Tanis ook nog zijn eigen innerlijke tumult het hoofd bieden, veroorzaakt door de elf die in een hoek van de kooi zat. Telkens als hij naar Gilthanas keek, werd Tanis gekweld door herinneringen aan zijn tijd in Qualinesti. Hoe dichter ze bij zijn vaderland kwamen, hoe meer herinneringen waarvan hij dacht dat ze al lang begraven en vergeten waren, weer bij hem opkwamen. Ze verkilden hem tot op het bot, als de aanraking van de ondoden in het Duisterwold.

Gilthanas, zijn jeugdvriend – meer, dan een vriend, een broer. Ze waren ongeveer van dezelfde leeftijd en waren in hetzelfde huis opgegroeid. Ze hadden samen gespeeld, geruzied en gelachen. Toen Gilthanas' kleine zusje groot genoeg was, lieten ze het betoverende blonde kind ook meespelen. Een van de favoriete bezigheden van het drietal was streken uithalen met de oudste broer, Porthios, een sterke, ernstige jongeman die al vroeg de verantwoordelijkheden en droefenis van zijn volk op zijn schouders nam. Gilthanas, Laurana en Porthios waren de kinderen van de Zonnenspreker, de elfenleider van Qualinesti, een titel die Porthios na de dood van zijn vader zou erven.

Sommigen in het elfenrijk vonden het maar raar dat de Spreker de bastaardzoon van de vrouw van zijn dode broer in huis nam, nadat zij door een mensenkrijger was verkracht. Zelf was ze slechts een paar maanden na de geboorte van haar half menselijke zoon van verdriet gestorven. Maar de Spreker, die uitgesproken opvattingen had over verantwoordelijkheid, nam het kind zonder enige aarzeling bij zich in huis. Pas jaren later, toen hij met groeiende ongerustheid de relatie gadesloeg die zich ontwikkelde tussen zijn geliefde dochter en de halfelfbastaard, begon hij spijt te krijgen van zijn beslissing. De situatie was voor Tanis ook verwarrend. Omdat hij half mens was, bereikte de jongeman een staat van volwassenheid waar de elfenmaagd, die zich langzamer ontwikkelde, niets van begreep. Tanis begreep hoeveel verdriet een verbintenis tussen hen beiden zou veroorzaken binnen het gezin waarvan hij hield. Bovendien werd hij gekweld door de innerlijke tweestrijd die hem ook in latere jaren zou achtervolgen: de onophoudelijke strijd tussen de elf en de mens in hem. Op de leeftijd van tachtig jaar – vergelijkbaar met een leeftijd van twintig jaar bij een mens – verliet hij Qualinost. Het speet de Spreker niet hem te zien vertrekken. Hij probeerde zijn gevoelens voor de jonge halfelf te verbergen, maar ze wisten het allebei.

Gilthanas was minder tactvol geweest. Hij en Tanis hadden bittere woorden gewisseld over Laurana. Het duurde jaren voor de pijn van de woorden wegtrok, en Tanis vroeg zich af of het wat hem betrof ooit vergeven en vergeten was. Wat Gilthanas betrof duidelijk niet.

Voor die twee duurde de reis erg lang. Tanis deed een paar pogingen om een gesprek aan te knopen, maar besefte bijna meteen dat Gilthanas was veranderd. De jonge elfenheer was altijd open en eerlijk geweest, goedlachs en luchthartig. Hij beneed zijn oudere broer niet om de verantwoordelijkheden die hij als troonopvolger had. Gilthanas was een student die wat liefhebberde in de toverkunst, al had hij het nooit zo serieus genomen als Raistlin. Hij was een uitstekend krijger, ook al had hij zoals alle elfen een hekel aan vechten. Bovendien was hij volkomen toegewijd aan zijn familie, en met name aan zijn zusje. Nu zat hij er echter zwijgend en somber bij, wat voor een elf erg ongewoon was. De enige keer dat hij ergens belangstelling voor toonde, was toen Caramon plannen begon te smeden voor een ontsnapping. Gilthanas beet hem toe dat hij het moest vergeten, omdat hij anders alles zou verpesten. Toen hem werd gevraagd wat hij daarmee bedoelde, deed de elf er het zwijgen toe. Hij mompelde alleen iets over vechten tegen de bierkaai.

Toen op de derde dag de zon bijna opkwam, was het draconenleger vermoeid na de lange nachtmars en zag het verlangend uit naar een rustpauze. De reisgenoten hadden opnieuw een doorwaakte nacht achter de rug en konden slechts uitzien naar alweer een kille, sombere dag. Opeens bleven de kooien echter stilstaan. Verrast door deze afwijking van het patroon keek Tanis op. Ook de andere gevangenen kwamen in beweging en tuurden tussen de tralies naar buiten. Ze zagen een oude man, gekleed in een lang gewaad dat ooit wit moest zijn geweest en met een verfomfaaide punthoed op zijn hoofd. Hij leek tegen een boom te praten.

'Verdrie, heb je me gehoord?' De oude man schudde dreigend met een versleten wandelstok naar de boom. 'Opzij, zei ik, en ik meen het! Ik zat lekker op die steen' – hij wees naar een kei – 'te genieten van de eerste zonnestralen op mijn oude botten toen jij het opeens in je hoofd haalde om een schaduw over mij te werpen, zodat ik het koud kreeg. Ga opzij, en wel nu, verdrie!'

De boom gaf geen antwoord. Hij verroerde zich ook niet.

'Ik accepteer je brutaliteit niet langer!' De oude man begon met zijn wandelstok tegen de boom te slaan. 'Opzij, of ik... ik...'

'Laat iemand die gek in een kooi stoppen!' bulderde schaarsmeester Padh, die vanaf de kop van de karavaan aan kwam galopperen.

'Blijf met je poten van me af!' krijste de oude man tegen de draconen die op hem afrenden en hem vastgrepen. Hij sloeg zwakjes met zijn staf naar hen, tot ze die van hem afpakten. 'Arresteer die boom!' eiste hij. 'Het hinderen van het zonlicht, dat is de aanklacht!'

De draconen smeten de oude man ruw in de kooi van de reisgenoten. Struikelend over zijn gewaad viel hij op de grond.

'Gaat het wel, oude man?' vroeg Waterwind terwijl hij de man naar een zitplaats leidde.

Goudmaan liep bij Theros weg. 'Ja, oude man,' zei ze zachtjes. 'Ben je gewond? Ik ben een priesteres van—'

'Mishakal!' zei hij terwijl hij naar het medaillon om haar hals staarde. 'Dat is nog eens interessant. Wel heb ik ooit.' Hij staarde haar verbijsterd aan. 'Je ziet er niet uit alsof je driehonderd bent.'

Goudmaan knipperde met haar ogen, niet goed wetend wat ze moest zeggen. 'Hoe weet u dat? Herkende u... Ik ben geen driehonderd...' Ze raakte in de war.

'Natuurlijk niet. Neem me niet kwalijk, lieve kind.' De oude man gaf haar een klopje op haar hand. 'Nooit in gezelschap over de leeftijd van een dame beginnen. Vergeef me. Het zal niet meer gebeuren. Het is ons geheimpje,' zei hij op doordringende fluistertoon. Tas en Tika begonnen te giechelen. De oude man keek om zich heen. 'Vriendelijk van jullie om even te stoppen en me een lift aan te bieden. De weg naar Qualinost is lang.'

'We gaan niet naar Qualinost,' zei Gilthanas scherp. 'We zijn gevangenen, op weg naar de slavenmijnen van Pax Tharkas.'

'O ja?' De oude man blikte vaag om zich heen. 'Komt er dan binnenkort nog een groep voorbij? Ik had kunnen zweren dat dit de juiste was.'

'Hoe heet je, oude man?' vroeg Tika.

'Hoe ik heet?' De oude man fronste en aarzelde even. 'Fizban? Ja, dat is het. Fizban.'

'Fizban!' herhaalde Tas terwijl de kooi met een schok weer in beweging kwam. 'Dat is toch geen naam?'

'O nee?' vroeg de oude man weemoedig. 'Jammer. Ik was er erg op gesteld.'

'Ik vind het een schitterende naam,' zei Tika met een boze blik op Tas. De kender trok zich in een hoek terug, met zijn blik gericht op de buidels die de oude man over zijn schouder had hangen.

Opeens begon Raistlin weer te hoesten, en iedereen richtte zijn aandacht op hem. Zijn hoestbuien werden steeds erger. Hij was uitgeput en leed duidelijk pijn. Zijn huid voelde warm aan. Goudmaan kon niets voor hem doen. Wat de magiër ook verteerde, de priesteres kon het niet verdrijven. Caramon zat op zijn knieën naast hem en veegde het bloederige speeksel weg dat de lippen van zijn broer bevlekte.

'Hij moet dat spul hebben dat hij altijd drinkt!' Caramon keek gekweld op. 'Ik heb hem nog nooit zo zwak meegemaakt. Als ze niet willen luisteren' – de grote man trok een dreigend gezicht – 'dan splijt ik hun koppen in tweeën! Het kan me niet schelen hoeveel het er zijn!'

'We gaan wel met ze praten als we halt houden,' beloofde Tanis, al kon hij wel raden wat de schaarsmeester zou antwoorden.

'Neem me niet kwalijk,' zei de oude man. 'Mag ik?' Fizban ging naast Raistlin zitten. Hij legde zijn hand op het hoofd van de magiër en sprak streng enkele woorden.

Caramon, die aandachtig luisterde, hoorde: 'Fistandan…' en: 'Niet het moment…' Het was duidelijk geen helend gebed zoals Goudmaan had uitgesproken, maar de grote man zag wel dat zijn broer reageerde. De reactie was echter verbijsterend. Raistlins ogen gingen knipperend open. Hij keek met een wilde, angstige blik naar Fizban op en greep met zijn magere, benige hand diens pols vast. Even leek het of Raistlin de oude man herkende, maar toen streek Fizban met zijn hand over de ogen van de magiër. De angstige blik maakte plaats voor verwarring.

'Hallo,' zei Fizban stralend. 'Mijn naam is… eh… Fizban.' Hij wierp Tas een strenge blik toe, alsof hij hem uitdaagde te lachen.

'Je bent… een magiër!' fluisterde Raistlin. Het hoesten was opgehouden.

'Ja, dat ben ik inderdaad, geloof ik.'

'Ik ook!' zei Raistlin, die moeizaam overeind kwam.

'Dat meen je niet!' Fizban leek enorm geamuseerd. 'Wat is Krynn toch een kleine wereld. Ik zal je een paar spreuken leren. Ik ken er

een… voor een vuurbal… Kom, hoe ging die ook alweer?'
Lang nadat de karavaan bij zonsopgang was gestopt, babbelde de oude
man nog door.

4
Gered.
Fizbans magie.

Raistlin leed lichamelijk, Sturm leed geestelijk, maar degene die het het zwaarst had tijdens de vier dagen durende opsluiting van de reisgenoten, was misschien wel Tas.

De ergste marteling die je een kender kunt laten ondergaan, is hem opsluiten. Natuurlijk werd er ook vaak beweerd dat de ergste marteling die je iemand van een ander ras kunt laten ondergaan, is hem op te sluiten met een kender. Na drie dagen waarin Tasselhof aan één stuk door kletste en streken uithaalde, zouden de reisgenoten de kender graag hebben ingeruild voor een vredig uurtje op de pijnbank. Dat zei Flint tenminste. Uiteindelijk, toen zelfs Goudmaan haar geduld verloor en hem bijna een klap gaf, stuurde Tanis Tasselhof naar het andere uiteinde van de wagen. Met zijn benen over de rand drukte de kender zijn gezicht tegen de ijzeren tralies. Hij dacht dat hij zou doodgaan van ellende. Hij had zich nog nooit van zijn leven zo verveeld.

De komst van Fizban was interessant, maar de amusementswaarde van de oude man daalde aanzienlijk toen Tanis Tas dwong de oude tovenaar zijn buidels terug te geven. Gedreven door wanhoop richtte Tasselhof zich daarom op een nieuw tijdverdrijf.

Sestun, de greppeldwerg.

Over het algemeen bekeken de reisgenoten Sestun met een geamuseerd soort medelijden. De greppeldwerg was het mikpunt van Padhs spot en wreedheid. De hele nacht lang deed hij klusjes voor de schaarsmeester. Hij gaf berichten door van Padh, die vooropreed, naar de kapitein van de kobolden, die achteraan reed. Hij bracht eten uit de voorraadwagen naar de schaarsmeester toe. Hij gaf Padhs pony voer en water. En dat waren nog maar een paar van de rotklusjes die de schaarsmeester verzon. Minstens drie keer per dag werd hij door Padh tegen de grond geslagen, de draconen pestten hem en de kobolden stalen zijn eten. Zelfs de elanden schopten naar hem als hij langsliep. De greppeldwerg verdroeg het allemaal met zo'n grimmige opstandigheid dat hij er de sympathie van de reisgenoten mee won.

Sestun begon het gezelschap van de reisgenoten op te zoeken als hij niets te doen had. Tanis, die graag meer wilde weten over Pax Tharkas, vroeg hem naar zijn vaderland en hoe hij in dienst van de schaarsmeester was gekomen. Het kostte Sestun een dag om het verhaal te vertellen, waarna de reisgenoten er nóg een dag voor nodig hadden om alles op een rijtje te zitten, want de greppeldwerg was ergens in het midden begonnen en vertelde van daaruit terug naar het begin.

Toen ze er eindelijk een samenhangend verhaal van hadden weten te maken, bleken ze er niet veel aan te hebben. Sestun was er een uit een grote groep greppeldwergen die in de heuvels rond Pax Tharkas woonden toen heer Canaillaard en zijn draconen de ijzermijnen bezetten die hij nodig had om wapens voor zijn leger te smeden.

'Groot vuur. Hele dag, hele nacht. Stank.' Sestun trok zijn neus op. 'Steen hakken. Hele dag, hele nacht. Ik krijg goed baantje in keuken,' – zijn gezicht lichtte even op – 'hete soep maken. Heel heet.' Zijn gezicht betrok. 'Soep geknoeid. Hete soep maakt harnas heel snel heet. Heer Canaillaard slaapt week op rug.' Hij zuchtte. 'Ik ga mee met schaarsmeester. Ik vrijwilliger.'

'Misschien kunnen we de productie in de mijnen stilleggen,' stelde Caramon voor.

'Dat is inderdaad een idee,' zei Tanis bedachtzaam. 'Hoeveel draconen bewaken de mijnen voor heer Canaillaard?'

'Twee!' zei Sestun, die tien groezelige vingers opstak.

Tanis zuchtte. Dit kwam hem bekend voor.

Sestun keek hoopvol naar hem op. 'Er zijn ook maar twee draken.'

'Twee draken!' zei Tanis ongelovig.

'Niet meer dan twee.'

Kreunend leunde Caramon weer achterover. Sinds Xak Tsaroth had de krijger serieus nagedacht over vechten tegen draken. Samen met Sturm had hij elk verhaal doorgenomen over Huma, de enige drakenvechter die de ridder kon bedenken. Helaas was er nog nooit iemand geweest die de verhalen over Huma serieus had genomen (behalve de Solamnische ridders, en die werden erom uitgelachen), waardoor grote delen van de legende van Huma in de loop van de tijd waren veranderd of vergeten.

'Een ridder waarachtig en machtig, die de goden zelf ontbood. Hij smeedde de machtige Drakenlans,' prevelde Caramon nu, met een blik op Sturm, die diep in slaap in het stro op de vloer van hun gevangenis lag.

Fizban schrok snuivend wakker. 'Drakenlans?' mompelde hij. 'Draken-lans? Wie zei er iets over de drakenlans?'

'Mijn broer,' fluisterde Raistlin met een verbitterde glimlach. 'Hij ci-teerde uit het Hooglied. Kennelijk hebben hij en de ridder opeens een voorliefde voor kinderverhaaltjes ontwikkeld. Het laat hen niet meer los.'

'Mooi verhaal, van Huma en de drakenlans,' zei de oude man, strelend over zijn baard.

'Een verhaal, ja. Meer is het niet.' Caramon gaapte en krabde aan zijn borst. 'We zullen nooit weten wat ervan waar is, of de drakenlans wel echt heeft bestaan en of zelfs Huma wel echt heeft geleefd.'

'We weten dat er echt draken bestaan,' prevelde Raistlin.

'Huma heeft echt geleefd,' zei Fizban zachtjes. 'En de drakenlans heeft ook echt bestaan.' Het gelaat van de oude man stond bedroefd.

'O ja?' Caramon ging rechtop zitten. 'Kun je de lans beschrijven?'

'Natuurlijk.' Fizban snoof minachtend.

Iedereen luisterde nu. Sterker nog, Fizban schrok een beetje van het aandachtige publiek dat hij voor zijn verhaal had getrokken.

'Het was een wapen dat leek op… Nee, dat was het niet. Het was… Nee, dat was het ook niet. Het leek op… het was bijna een… Nou ja, feitelijk was het een soort… lans, dat is het! Een lans!' Hij knikte ernstig. 'En hij was erg handig als je het tegen een draak moest opnemen.'

'Ik ga een dutje doen,' bromde Caramon.

Glimlachend schudde Tanis zijn hoofd. Met zijn rug tegen de tralies sloot hij zijn ogen. Algauw viel iedereen, met uitzondering van Raistlin en Tasselhof, in een onrustige slaap. De kender, die klaarwakker was en zich dood verveelde, keek hoopvol naar Raistlin. Soms, als hij in een goed humeur was, vertelde hij verhalen over magiegebruikers uit het verleden. Maar de magiër zat, met zijn gewaad om zich heen gewik-keld, nieuwsgierig naar Fizban te kijken. De oude man zat zachtjes snur-kend op een bankje. Zijn hoofd wiebelde op en neer op het ritme van de hotsende en botsende wagen. Raistlin kneep zijn goudkleurige ogen tot spleetjes alsof hij werd getroffen door een nieuwe, verontrustende gedachte. Na een tijdje trok hij zijn kap over zijn hoofd en leunde ach-terover, zodat zijn gezicht werd verhuld door de schaduw.

Tasselhof zuchtte en keek om zich heen. Zijn blik viel op Sestun, die vlak bij de wagen liep. De kender klaarde meteen op. De greppeldwerg, zo wist hij, was dol op zijn verhalen.

Hij riep Sestun bij zich en begon een van zijn favoriete verhalen te ver-tellen. De twee manen gingen onder. De gevangenen sliepen. De kobol-den kwamen slaperig achter hen aan en gaven te kennen dat ze binnen afzienbare tijd het kamp wilden opslaan. Voorop reed schaarsmeester

Padh, dromend over promotie. Achter de schaarsmeester spraken de draconen mompelend met elkaar in hun bars klinkende taal, en als hij even niet keek, wierpen ze hem onheilspellende blikken toe.

Tasselhof zat met zijn benen over de rand van de kooi tegen Sestun te praten. Zonder er iets van te laten blijken, merkte de kender op dat Gilthanas alleen maar deed alsof hij sliep. Hij zag de elf zijn ogen openen en snel om zich heen blikken als hij dacht dat niemand naar hem keek. Dat intrigeerde Tas mateloos. Het leek bijna of Gilthanas ergens op wachtte of naar uitkeek. De kender raakte de draad van zijn verhaal kwijt.

'Dus toen... eh... haalde ik een steen uit mijn zak en gooide hem naar de tovenaar – bonk! – zo op zijn hoofd,' maakte Tas het verhaal snel af. 'De demon greep de tovenaar bij zijn voet en sleurde hem met zich mee naar de diepte van de Afgrond.'

'Maar eerst zei demon dankjewel,' zei Sestun, die het verhaal al twee keer eerder had gehoord, zij het in een iets andere versie. 'Jij vergeten.'

'O ja?' vroeg Tas, met zijn blik gericht op Gilthanas. 'Ja, dat klopt, de demon bedankte me en pakte de magische ring af die hij me had gegeven. Als het niet zo donker was, zou je het litteken kunnen zien van de brandwond die de ring op mijn vinger heeft achtergelaten.'

'Zon komt op. Ochtend. Dan kan ik zien,' zei de greppeldwerg gretig.

Het was nog donker, maar een zacht licht in het oosten gaf aan dat de vierde dag van hun reis weldra zou aanbreken.

Opeens hoorde Tas vogelgekwetter in het bos. Her en der klonk een antwoord. Wat een vreemd geluid, dacht Tas. Zulke vogels heb ik nog nooit gehoord. Maar goed, hij was ook nog nooit zo diep in het zuiden geweest. Alleen dankzij een van zijn vele kaarten wist hij waar ze waren. Ze waren de enige brug over de Schuimkoprivier overgestoken en trokken nu in zuidelijke richting naar Pax Tharkas, waar op de kaart bij vermeld stond dat zich daar de befaamde Thardakaanse ijzermijnen bevonden. Het land werd heuvelachtig, en in het westen lag een dicht bos van espen. De draconen en kobolden hielden het bos met argusogen in de gaten en verhoogden hun tempo. Verborgen in dat woud lag Qualinesti, het oeroude thuisland van de elfen.

Weer een kwetterende vogel, veel dichterbij deze keer. Het haar in Tasselhofs nek ging recht overeind staan toen hij vlak achter zich zo'n zelfde geluid hoorde. Hij draaide zich om en zag dat Gilthanas overeind was gekomen en met zijn vingers tussen zijn lippen een griezelige, doordringende fluittoon produceerde.

'Tanis!' riep Tas, maar de halfelf was al wakker, net als alle anderen in de wagen.

Fizban ging rechtop zitten, gaapte en keek om zich heen. 'O, mooi,' zei hij op milde toon. 'De elfen zijn er.'

'Welke elfen? Waar?' Tanis kwam overeind.

Opeens klonk er gezoem, als van een vlucht kwartels die opvliegt. Voor hen, bij de voorraadwagen, klonk een kreet, gevolgd door het gekraak van hout toen de wagen, die zijn menner kwijt was, in een spoor terechtkwam en kantelde. De menner van hun kooiwagen trok fel aan de teugels om de elanden tot stilstaan te dwingen voordat ze op de omgevallen voorraadwagen inreden. De kooi dook gevaarlijk ver naar voren, waardoor de gevangenen languit op de grond vielen. De menner spoorde de elanden weer aan en reed om de voorraadwagen heen.

Opeens greep de menner met een kreet naar zijn hals, waar de reisgenoten de gevederde schacht van een pijl zagen uitsteken, een silhouet tegen de schemerig verlichte ochtendhemel. Morsdood tuimelde de menner van de bok. Zijn metgezel stond met zijn zwaard geheven op, maar vervolgens viel ook hij voorover, met een pijl in zijn borst. De elanden, die de teugels slap voelden worden, vertraagden hun pas tot de kooi tot stilstand was gekomen. Overal in de karavaan klonken kreten van woede en pijn. De ene pijl na de andere zoefde door de lucht.

De reisgenoten zochten zo snel mogelijk dekking op de vloer van de wagen.

'Wat is er? Wat gebeurt er?' vroeg Tanis aan Gilthanas.

Maar de elf besteedde geen aandacht aan hem. Hij tuurde door de ochtendschemering naar het bos. 'Portios!' riep hij.

'Tanis, wat gebeurt er?' Sturm was rechtop gaan zitten, en dat was het eerste wat hij in vier dagen zei.

'Porthios is de broer van Gilthanas. Ik denk dat dit een reddingsactie is,' zei Tanis. Een pijl scheerde vlak langs de ridder heen en bleef steken in de houten zijkant van de wagen.

'Aan een reddingsactie zullen we niet veel hebben als we het niet overleven!' Sturm liet zich op de grond vallen. 'Ik dacht dat elfen zo goed konden schieten!'

'Blijf laag bij de grond,' beval Gilthanas. 'De pijlen zijn slechts bedoeld als dekking voor onze ontsnapping. Het is slechts een afleidingsmanoeuvre. Mijn volk kan niet rechtstreeks de confrontatie aangaan met zo'n grote groep. We moeten klaar zijn om het bos in te vluchten.'

'En hoe komen we uit deze kooi?' vroeg Sturm.

'We kunnen niet alles voor jullie opknappen!' antwoordde Gilthanas kil. 'Er zijn magiegebruikers—'

'Ik kan niets zonder mijn spreukbenodigdheden!' siste Raistlin van onder een bank. 'Blijf liggen, oude man,' zei hij tegen Fizban, die geïnteresseerd om zich heen keek.

'Misschien kan ik iets doen,' zei de oude tovenaar met een schittering in zijn ogen. 'Eens even denken...'

'Wat gebeurt er, in de naam van de Afgrond?' brulde iemand in het donker. Daar kwam schaarsmeester Padh aan gegaloppeerd. 'Waarom staan we stil?'

'Wij aangevallen!' kreet Sestun, terwijl hij onder de wagen vandaan kroop, waar hij dekking had gezocht.

'Een aanval? *Blyxtshok!* Rijden met die wagen!' riep Padh. Er boorde zich een pijl in zijn zadel. De rode ogen van de schaarsmeester vlogen open, en hij keek angstig naar het bos. 'We worden aangevallen! Elfen! Ze willen de gevangenen bevrijden!'

'Menner en wachter dood!' riep Sestun. Hij drukte zich met zijn rug tegen de kooi toen een pijl hem op een haartje miste. 'Wat ik doen?'

Er zoefde een pijl over Padhs hoofd. Hij moest bukken en zich stevig aan de hals van zijn pony vastklampen om te voorkomen dat hij uit het zadel viel. 'Ik haal wel een nieuwe menner,' zei hij haastig. 'Blijf hier en bewaak deze gevangenen met je leven! Als ze ontsnappen, houd ik jou verantwoordelijk.'

De schaarsmeester drukte zijn sporen in de flanken van de pony, en het angstige dier sprong wild naar voren. 'Mijn wachters! Kobolden! Kom hier!' riep de schaarsmeester terwijl hij naar de achterkant van de karavaan galoppeerde. Er klonk geschreeuw ten antwoord. 'Honderden elfen! We zijn omsingeld. Organiseer een charge naar het noorden! Ik moet dit melden aan heer Canaillaard.' Padh hield zijn pony in toen hij een draconenkapitein zag. 'De draconen bewaken de gevangenen!' Nog steeds schreeuwend spoorde hij zijn pony aan, en honderd kobolden renden achter hun dappere leider aan, weg van het strijdperk. Al snel waren ze uit het zicht verdwenen.

'Nou, van de kobolden hebben we geen last meer,' zei Sturm met een glimlach op zijn grimmige gezicht. 'Nu hoeven we ons alleen nog druk te maken om een stuk of vijftig draconen. Overigens, het zullen wel geen honderden elfen zijn, of wel?'

Gilthanas schudde zijn hoofd. 'Hooguit een stuk of twintig.'

Tika, die plat op haar buik op de vloer lag, tilde voorzichtig haar hoofd op om naar het zuiden te kijken. In het bleke licht van de ochtend zag ze ongeveer een mijl verderop de logge silhouetten van de draconen, die aan weerszijden van de weg dekking zochten voor de elfenboogschutters, die achter hen aan kwamen om hen met pijlen te bestoken. Ze legde haar hand op Tanis' arm en wees naar hen.

Tanis keek achterom. 'We moeten uit deze kooi zien te komen,' zei hij.

'De draconen zullen niet de moeite nemen ons naar Pax Tharkas te brengen nu de schaarsmeester er niet meer is. Ze slachten ons gewoon in onze kooi af. Caramon?'

'Ik zal mijn best doen,' bromde de krijger. Hij stond op en klemde zijn enorme handen om de tralies. Hij sloot zijn ogen, ademde diep in en probeerde ze uit elkaar te trekken. Zijn gezicht liep rood aan, de spieren in zijn armen bolden op, de knokkels van zijn handen werden wit. Het had geen zin. Hijgend liet Caramon zich op de grond vallen.

'Sestun!' riep Tasselhof. 'Je bijl! Sla het slot stuk!'

De greppeldwerg sperde zijn ogen open. Hij staarde naar de reisgenoten en keek toen nerveus om in de richting waarin de schaarsmeester was verdwenen. Zijn innerlijke tweestrijd was duidelijk zichtbaar op zijn vertrokken gezicht.

'Sestun...' begon Tasselhof. Een pijl zoefde langs de kender heen. De draconen achter hen rukten op en vuurden pijlen af op de kooien. Tas liet zich plat op de grond vallen. 'Sestun,' begon hij opnieuw. 'Als je ons helpt hieruit te komen, mag je met ons mee!'

Een ferme, vastbesloten blik verhardde Sestuns gezicht. Hij reikte naar zijn bijl, die hij op zijn rug droeg. Nagelbijtend van frustratie keken de reisgenoten toe terwijl de greppeldwerg ter hoogte van zijn schouders naar de bijl tastte, die midden op zijn rug hing. Eindelijk wist hij de greep te vinden. Het blad van de bijl glansde in het grauwe licht van de dageraad.

Toen Flint de bijl zag, kreunde hij. 'Die bijl is nog ouder dan ik! Waarschijnlijk dateert hij nog van voor de Catastrofe. Daar kan hij nog geen deuk mee in een kenderbrein slaan, laat staan dat hij dat slot ermee kapot krijgt.'

'Sst!' zei Tanis, al zonk ook hem de moed in de schoenen toen hij het wapen van de greppeldwerg zag. Het was niet eens een strijdbijl, maar gewoon een kleine, gebutste en gedeukte, verroeste houtbijl die de greppeldwerg kennelijk ergens had gevonden, in de veronderstelling dat het een wapen was. Sestun stopte de bijl tussen zijn knieën, zodat hij in zijn handen kon spuwen.

De ene na de andere pijl kletterde tegen de tralies van de kooi of begroef zich in het hout. Een ervan sloeg tegen Caramons schild. Een andere schampte langs Tika's arm en pinde haar bloes vast aan de wand van de kooi. Ze kon zich niet herinneren dat ze ooit zo bang was geweest, zelfs niet in de nacht van de drakenaanval op Soelaas. Ze wilde gillen, ze wilde dat Caramon zijn arm om haar heen zou slaan. Maar Caramon durfde zich niet te verroeren.

Toen ving Tika een glimp op van Goudmaan, die de gewonde Theros met haar lichaam beschermde. Haar gezicht was bleek maar kalm. Tika klemde haar kiezen op elkaar en ademde diep in. Grimmig rukte ze de pijl uit het hout en wierp die op de grond, zonder acht te slaan op de stekende pijn in haar arm. Toen ze in zuidelijke richting keek, zag ze dat de draconen waren bekomen van hun aanvankelijke verwarring na de plotselinge aanval en de verdwijning van Padh, en een georganiseerde aanval inzetten op de kooien. Hun pijlen zoefden in groten getale door de lucht. Hun borstkurassen glansden in het vroege ochtendlicht terwijl ze op de gevangenen afrenden, en hetzelfde gold voor het staal van hun zwaarden, die ze tussen hun tanden geklemd hielden.

'Draconen, en ze komen dichterbij,' zei ze tegen Tanis. Ze probeerde haar stem zo min mogelijk te laten trillen.

'Schiet op, Sestun!' riep Tanis.

De greppeldwerg pakte de bijl stevig vast, zwaaide er uit alle macht mee en miste het slot. In plaats daarvan ketste de bijl zo hard tegen de ijzeren tralies dat hij bijna uit zijn handen vloog. Met een verontschuldigend schouderophalen deed hij nog een poging. Deze keer raakte hij het slot wel.

'Er zit niet eens een deukje in,' zei Sturm.

'Tanis,' zei Tika, wijzend met een bevende vinger. Een aantal draconen was nog maar een voet of tien van hen verwijderd. Hun opmars was tijdelijk gestuit door de elfenboogschutters, maar alle hoop op redding leek verloren.

Sestun sloeg opnieuw tegen het slot.

'Er is een schilfertje af,' zei Sturm geërgerd. 'Als hij zo doorgaat, zijn we er over een dag of drie wel uit. Wat voeren die elfen eigenlijk uit? Waarom houden ze niet op met dat stiekeme gedoe? Aanvallen moeten ze!'

'We hebben niet genoeg manschappen om het tegen een dergelijke troepenmacht op te nemen,' antwoordde Gilthanas, die naast de ridder op zijn hurken zat, boos. 'Als ze kunnen, komen ze wel naar ons toe. We staan helemaal vooraan. Kijk, de anderen ontsnappen ook.'

De elf wees naar de twee wagens achter hen. De elfen hadden de sloten kapotgeslagen en de gevangenen renden wild het bos in, gedekt door de elfen, die af en toe tussen de bomen vandaan kwamen om een dodelijke pijlenregen af te vuren. Zodra de gevangenen veilig waren, trokken de elfen zich echter weer terug in het bos.

De draconen waren geenszins van plan achter hen aan het elfenwoud in te rennen. Hun ogen waren gericht op de laatste kooi en op de wagen met de bezittingen van de gevangenen. De reisgenoten konden het geschreeuw van de draconenkapiteins luid en duidelijk verstaan: 'Dood de gevangenen. Verdeel de buit.'

Iedereen zag in dat de draconen hen veel eerder zouden bereiken dan de elfen. Tanis vloekte gefrustreerd. Het leek allemaal volkomen zinloos.

Naast zich voelde hij iets bewegen. De oude tovenaar Fizban wilde overeind komen.

'Nee, oude man!' Raistlin greep Fizbans gewaad vast. 'Blijf laag!'

Zoevend boorde zich een pijl in de kromme, verfomfaaide hoed van de oude man. Fizban, die in zichzelf lag te mompelen, leek er niets van te merken. In het grijze licht was hij een volmaakt doelwit. Draconenpijlen vlogen als wespen om hem heen, maar ze leken weinig effect te hebben, al reageerde hij licht geërgerd toen er een bleef steken in een buidel die hij op dat moment in zijn hand had.

'Ga liggen!' brulde Caramon. 'Je moedigt ze alleen maar aan!'

Fizban liet zich inderdaad even op zijn knieën zakken, maar alleen om iets tegen Raistlin te zeggen. 'Blijf liggen, m'n jongen,' zei hij terwijl er een pijl voorbij scheerde op de plek waar hij net nog had gestaan. 'Je hebt niet toevallig vleermuisguano op zak? Ik heb niets meer.'

'Nee, oude man,' fluisterde Raistlin dringend. 'Ga liggen!'

'Nee? Jammer. Tja, dan zal ik moeten roeien met de riemen die ik heb.' De oude tovenaar stond op, zette zijn voeten stevig op de grond en rolde de mouwen van zijn gewaad op. Toen sloot hij zijn ogen, wees naar de deur van de kooi en begon vreemde woorden te mompelen.

'Wat voor spreuk spreekt hij uit?' vroeg Tanis aan Raistlin. 'Kun je hem verstaan?'

De jonge magiër luisterde aandachtig, met een diepe frons op zijn voorhoofd. Opeens sperde hij zijn ogen open. 'Nee!' krijste hij, en hij trok aan het gewaad van de tovenaar in een poging diens concentratie te verbreken. Maar het was al te laat. Fizban sprak het laatste woord en wees met zijn vingers naar het slot op de achterste deur van de kooi.

'Zoek dekking!' Raistlin dook weg onder een bankje. Sestun, die zag dat de oude tovenaar naar de deur wees – en naar hem, want hij stond er vlak achter – liet zich plat op zijn gezicht vallen. De draconen die op de deur van de kooi af kwamen stormen terwijl het speeksel van hun zwaarden droop, kwamen glibberend en glijdend tot stilstand en keken ontzet op.

'Wat is er?' riep Tanis.

'Vuurbal!' bracht Raistlin uit, en op dat moment schoot een gigantische bal van amberkleurig vuur uit de vingertoppen van de tovenaar en sloeg met een oorverdovende knal tegen de deur van de kooi. Tanis begroef zijn gezicht in zijn handen terwijl brullende vlammen om hem heen kolkten. Een golf van hitte spoelde over hem heen en brandde in zijn longen. Hij hoorde de draconen gillen van pijn, en hij rook brandend reptielenvlees. Toen drong de rook in zijn keel.

'De vloer staat in brand!' brulde Caramon.

Tanis opende zijn ogen en krabbelde overeind. Hij verwachtte dat er van de oude tovenaar niets meer over was dan een hoopje zwarte as, net als van de draconen die achter de wagen hadden gestaan. Fizban stond echter verontrust strijkend over zijn verschroeide baard naar de deur te kijken. Die was nog steeds dicht.

'Dat had eigenlijk gewoon moeten werken,' zei hij.

'En het slot?' riep Tanis, die probeerde door de rook heen te turen. De ijzeren tralies van de kooi waren roodgloeiend.

'Dat heeft geen krimp gegeven!' antwoordde Sturm. Hij wilde naar de deur toe lopen om die open te trappen, maar de hitte die van de tralies af straalde maakte dat onmogelijk. 'Misschien is het slot heet genoeg om het stuk te kunnen slaan!'

'Sestun!' riep Tasselhof schril boven het knisperen van de vlammen uit. 'Probeer het nog een keer! Schiet op!'

De greppeldwerg kwam wankel overeind. Hij zwaaide met zijn bijl, miste, probeerde het nog een keer en raakte nu wel het slot. Het gloeiend hete metaal spatte uiteen, het slot brak en de deur zwaaide open.

'Tanis, help ons!' riep Goudmaan, die samen met Waterwind probeerde de gewonde Theros van zijn rokende bed te tillen.

'Sturm, de anderen!' riep Tanis. De rook maakte hem aan het hoesten. Op onvaste benen liep hij naar het voorste deel van de wagen terwijl de anderen naar buiten sprongen. Sturm pakte Fizban, die nog steeds bedroefd naar de deur stond te kijken, bij zijn arm.

'Kom mee, oude man!' riep hij, met een barse stem die in tegenspraak was met de vriendelijke manier waarop hij Fizban met zich meetrok. Caramon, Raistlin en Tika vingen Fizban op toen die uit het brandende wrak sprong. Tanis en Waterwind tilden Theros bij zijn schouders op en sleepten hem naar buiten. Goudmaan strompelde achter hen aan. Zij en Sturm sprongen uit de wagen, precies op het moment dat het dak het begaf.

'Caramon! Haal onze wapens uit de voorraadwagen!' schreeuwde Tanis. 'Sturm, ga met hem mee. Flint en Tasselhof, pak de reistassen. Raistlin—'

'Ja, ik ga mijn eigen tas wel halen,' zei de magiër, hoestend van de rook. 'En mijn staf. Niemand anders mag die aanraken.'

'Goed,' zei Tanis. Hij dacht razendsnel na. 'Gilthanas—'

'Mij kun je niet commanderen, Tanthalas,' snauwde de elf. Zonder om te kijken rende hij het bos in.

Voordat Tanis daarop kon reageren, kwamen Sturm en Caramon teruggerend. Caramons knokkels waren tot bloedens toe geschaafd. Er waren twee draconen bezig geweest de voorraadwagen te plunderen.

'Weg hier!' riep Sturm. 'Er komen er nog meer! Waar is je elfenvriend?' vroeg hij wantrouwig aan Tanis.

'Hij is alvast het bos in,' zei Tanis. 'Vergeet niet dat hij en zijn volk ons hebben gered.'

'Is dat zo?' vroeg Sturm met samengeknepen ogen. 'Ik had de indruk dat we door die elfen en de oude man sneller de dood in werden gejaagd dan door wat dan ook, met uitzondering van een draak.'

Op dat moment doken zes draconen op uit de rook. Toen ze de krijgers zagen, hielden ze abrupt halt.

'Naar het bos! Rennen!' riep Tanis terwijl hij bukte om Waterwind te helpen met Theros. Samen droegen ze de smid naar het bos, terwijl Caramon en Sturm zij aan zij bleven staan om hun dekking te geven. Beiden zagen ze meteen dat deze draconen anders waren dan de andere waartegen ze het hadden opgenomen. Ze droegen een andere wapenrusting en andere kleuren, en ze hadden bogen en zwaarden, met een blad waarvan een of ander afschuwelijk vocht drupte. Allebei moesten ze denken aan de verhalen over draconen die in zuur veranderden of waarvan de botten ontploften.

Brullend als een woeste stier stormde Caramon erop af, zwaaiend met zijn zwaard. Twee draconen sneuvelden voordat ze in de gaten hadden wat er gebeurde. Sturm groette de overige vier met zijn zwaard en hakte vrijwel in dezelfde beweging een van hen de kop af. Hij sprong op de overgebleven drie af, maar die bleven vlak buiten zijn bereik grijnzend staan, alsof ze ergens op wachtten.

Sturm en Caramon keken ongerust toe, zich afvragend wat er aan de hand was. Toen wisten ze het. De lijken van de dode draconen begonnen te smelten. Het vlees borrelde en droop weg als reuzel in een koekenpan. Er steeg een gelige damp op die zich vermengde met de rook van de smeulende kooi. De mannen kokhalsden toen de gele damp hen bereikte. Ze werden duizelig en beseften dat ze vergiftigd raakten.

'Kom op! Deze kant op!' riep Tanis vanuit het bos.

De twee gingen er op onvaste benen vandoor, dwars door een regen van pijlen, afgeschoten door een groep van veertig of vijftig draconen die krijsend van woede om de kooi heen kwamen rennen. De draconen maakten aanstalten om hen achterna te gaan, maar trokken zich terug toen een heldere stem riep: *'Hai! Uslain!'* Tien elfen, onder leiding van Gilthanas, kwamen uit het bos gerend.

'Quen talas uvenelei!' riep Gilthanas. Caramon en Sturm wankelden langs hem heen, onder dekking van de elfen, die zich terugtrokken zodra de mannen in veiligheid waren.

Gilthanas schakelde over op Hoog-Gemeenschaps. 'Volg mij,' zei hij tegen de reisgenoten. Op zijn teken tilden vier elfenkrijgers Theros op en droegen hem het bos in.

Tanis keek achterom naar de kooi. De draconen waren blijven staan en hielden behoedzaam de bomen in de gaten.

'Schiet op!' riep Gilthanas. 'Mijn mannen zorgen wel voor dekking.' Spottende elfenstemmen rezen op uit het bos in een poging de draconen binnen schootsafstand te lokken. De reisgenoten keken elkaar aarzelend aan.

'Ik wil niet binnentreden in het elfenwoud,' zei Waterwind bruusk.

'Het is veilig,' zei Tanis met zijn hand op Waterwinds arm. 'Dat zweer ik je.' Waterwind keek hem even strak aan en rende toen het bos in, met de anderen aan zijn zijde. Als laatsten kwamen Caramon en Raistlin, die Fizban hielpen. De oude man keek achterom naar de kooi, waar inmiddels niet meer van over was dan een hoopje as en gebogen ijzer.

'Geweldige spreuk. Maar er kan niet eens een bedankje af,' zei hij weemoedig.

De elfen leidden hen snel door de wildernis. Zonder hun hulp zou het gezelschap hopeloos zijn verdwaald. Achter hen klonken slechts nog wat halfslachtige strijdgeluiden.

'De draconen zullen niet achter ons aan komen. Ze weten wel beter,' zei Gilthanas met een grimmig lachje. Tanis, die overal tussen de bladeren van de bomen gewapende elfen zag zitten, was niet bang voor een achtervolging. Al snel stierven de laatste strijdgeluiden weg.

De grond was bedekt met een dik tapijt van dode bladeren. Kale boomtakken kraakten in de kille wind van de vroege ochtend. Na al die dagen stilzitten in een krappe kooi bewogen de reisgenoten zich langzaam en stijf voort, blij met de lichaamsbeweging die hun bloed verwarmde. Gilthanas leidde hen naar een grote open plek, juist op het moment dat de zon zijn eerste bleke stralen op het bos richtte.

Op de open plek wemelde het van de ontsnapte gevangenen. Tasselhof keek gretig om zich heen, maar schudde toen bedroefd het hoofd.

'Ik vraag me af wat er van Sestun geworden is,' zei hij tegen Tanis. 'Ik dacht dat ik hem zag wegrennen.'

'Maak je geen zorgen.' De halfelf gaf hem een klopje op zijn schouder. 'Hij redt zich wel. De elfen hebben het niet zo op greppeldwergen, maar ze zullen hem niet zomaar doden.'

Tasselhof schudde zijn hoofd. Over de elfen maakte hij zich ook geen zorgen.

Toen ze de open plek betraden, zagen de reisgenoten een ongewoon lange, krachtig gebouwde elf de groep vluchtelingen toespreken. Zijn stem was kil en zijn houding streng en gewichtig.

'Jullie zijn vrij om te gaan, als er in dit land nog zoiets als vrijheid bestaat.

We hebben geruchten gehoord dat het land ten zuiden van Pax Tharkas niet in handen is van de heer van de Draken. Ik stel dan ook voor dat jullie naar het zuidoosten trekken. Reis vandaag zo ver en zo snel als je kunt. We kunnen je voedsel en andere voorraden meegeven voor je reis, alles wat we kunnen missen. Verder kunnen we weinig voor je doen.'

De vluchtelingen uit Soelaas, niet voorbereid op hun plotselinge vrijheid, keken somber en hulpeloos om zich heen. Het waren boeren uit de buurt van Soelaas die hadden moeten toekijken terwijl hun huizen afbrandden en hun gewassen werden gestolen om het leger van de heer van de Draken te voeden. De meesten waren nooit ver van huis geweest, hooguit een keer naar Haven. Draken en elfen waren wezens die thuishoorden in legenden, maar nu waren de oude verhaaltjes voor het slapengaan voor hun ogen werkelijkheid geworden.

Goudmaans helderblauwe ogen spoten vuur. Ze wist hoe de vluchtelingen zich voelden. 'Hoe kun je zo wreed zijn?' riep ze boos tegen de lange elf. 'Kijk nou eens naar die mensen. Ze zijn hun hele leven Soelaas niet uit geweest, en nu zeg je doodkalm tegen ze dat ze dwars door een land heen moeten trekken dat is overspoeld door vijandelijke troepen—'

'Wat moet ik dan doen, mens?' viel de elf haar in de rede. 'Hen eigenhandig naar het zuiden brengen? We hebben hen bevrijd, dat zou al genoeg moeten zijn. Ons volk heeft zelf problemen genoeg. Ik kan me niet ook nog eens met die van mensen bezighouden.' Hij richtte zijn blik weer op de groep vluchtelingen. 'Ik waarschuw je. De tijd verstrijkt. Vertrek!'

Goudmaan draaide zich om naar Tanis, zoekend naar steun, maar hij schudde slechts zijn hoofd. Zijn gezicht stond duister.

Een van de mannen wierp de elfen een laatste, gekwelde blik toe en liep moeizaam het pad op dat kronkelend door de wildernis naar het zuiden leidde. De andere mannen legden hun geïmproviseerde wapens over hun schouders, de vrouwen tilden hun kinderen op en de gezinnen gingen op pad.

Goudmaan liep met grote passen op de elf af. 'Hoe kun je zo onverschillig doen tegen—'

'Tegen mensen?' De elf keek haar kil aan. 'De mensen hebben de Catastrofe veroorzaakt. Zij waren degenen die de goden opzochten en in hun overmoed de macht opeisten die Huma in alle nederigheid als geschenk had ontvangen. De mensen waren er de oorzaak van dat de goden zich van ons afwendden—'

'De goden hebben zich niet van ons afgewend!' riep Goudmaan. 'Ze zijn onder ons!'

Woede laaide op in de ogen van Porthios. Hij wilde zich afwenden, maar toen liep Gilthanas op hem af en zei snel iets tegen hem in de taal van de elfen.

'Wat zeggen ze?' vroeg Waterwind achterdochtig aan Tanis.

'Gilthanas vertelt dat Goudmaan Theros heeft genezen,' zei Tanis langzaam. Het was vele, vele jaren geleden dat hij meer dan een paar woorden in de elfentaal had gehoord of gesproken. Hij was vergeten wat een mooie taal het was, zo mooi dat het door zijn ziel sneed en daar diepe, bloedende wonden achterliet. Hij zag dat Porthios vol ongeloof zijn ogen opensperde.

Toen wees Gilthanas naar Tanis. Beide broers draaiden zich naar hem om, met een harde trek om hun expressieve elfenmond. Waterwind wierp een vluchtige blik op Tanis en zag dat de halfelf bleek maar beheerst bleef onder die onderzoekende blikken.

'Je keert terug naar je geboorteland, nietwaar?' vroeg Waterwind. 'Zo te zien ben je niet welkom.'

'Dat klopt,' antwoordde Tanis grimmig. Hij wist wat de Vlakteman dacht. Hij wist dat Waterwind dergelijke persoonlijke vragen niet uit nieuwsgierigheid stelde. In veel opzichten verkeerden ze nu in groter gevaar dan toen ze nog onder de hoede van de schaarsmeester waren.

'Ze nemen ons mee naar Qualinost,' zei Tanis langzaam. Het deed hem kennelijk vreselijk pijn om dit te zeggen. 'Daar ben ik al jaren niet meer geweest. Flint kan bevestigen dat ik niet ben gedwongen om te vertrekken, maar er waren er slechts weinig die het jammer vonden dat ik wegging. Zoals je zelf ooit tegen me hebt gezegd, Waterwind: voor de mensen ben ik een halve elf. Voor de elfen was ik een halve mens.'

'Laten we dan samen met de anderen naar het zuiden reizen,' zei Waterwind.

'Je zou hier nooit levend vandaan komen,' mompelde Flint.

Tanis knikte. 'Kijk maar eens om je heen,' zei hij.

Waterwind blikte om zich heen en zag de elfenkrijgers als schaduwen tussen de bomen bewegen, gehuld in bruine kleding die bijna volmaakt opging in de wildernis waarin ze thuis waren. Inmiddels waren de twee elfen uitgepraat en richtte Porthios zijn blik weer op Goudmaan.

'Van mijn broer heb ik vreemde verhalen gehoord die dienen te worden onderzocht. Ik bied jullie daarom iets aan wat de elfen al jaren niet meer aan mensen hebben aangeboden: onze gastvrijheid. Jullie zullen onze eregasten zijn. Volg mij.'

Porthios maakte een gebaar. Ruim twintig elfenkrijgers doken op uit het bos en omsingelden de reisgenoten.

'Eregasten... Eregevangenen zal hij bedoelen. Dit zal niet makkelijk voor jou worden, jongen,' zei Flint op zachte, vriendelijke toon tegen Tanis.

'Dat weet ik, oude vriend.' Tanis liet zijn hand op de schouder van de dwerg rusten. 'Dat weet ik.'

5

De Zonnenspreker.

'Nooit heb ik van een dergelijke schoonheid durven dromen,' zei Goudmaan zachtjes. Het was een zware dagmars geweest, maar de beloning die hun aan het eind wachtte, overtrof hun stoutste verwachtingen. De reisgenoten stonden op een hoge klif en keken uit op de legendarische stad Qualinost.

Op de vier hoeken van de stad verrezen slanke spitsen als glinsterende spindels, gemaakt van helwitte steen doorspekt met glanzend zilver. Sierlijke bogen die in de lucht leken te zweven verbonden de spitsen met elkaar. Ze waren vervaardigd door dwergensmeden uit de oudheid en sterk genoeg om het gewicht van een leger te torsen. Tegelijkertijd zagen ze er echter zo breekbaar uit dat je zou denken dat één vogel die op de balustrade ging zitten het evenwicht zou verstoren. Die glinsterende bogen waren de enige grenzen die de stad kende, want er stond geen muur om Qualinost heen. De elfenstad spreidde liefdevol zijn armen voor de wildernis.

De gebouwen van Qualinost vulden de natuur aan in plaats van haar te verbergen. De huizen en winkels waren van roze kwarts vervaardigd. Smal en hoog als espenbomen verrezen ze in schijnbaar onmogelijke spiralen op met kwarts afgezette lanen. In het midden stond een indrukwekkende toren van glanzend goud die het zonlicht reflecteerde in kolkende, sprankelende patronen, waardoor het bouwsel leek te leven. Als je op de stad neerkeek, kreeg je de indruk dat als er ergens op Krynn oeroude, onveranderlijke rust en schoonheid heersten, het daar in Qualinost moest zijn.

'Rust hier wat uit,' zei Gilthanas voordat hij hen achterliet bij een groepje espenbomen. 'Het is een lange reis geweest, waarvoor mijn excuses. Ik besef dat jullie moe en hongerig zijn...'

Caramon keek hoopvol op.

'Maar ik moet jullie vragen nog even geduld te hebben. Neem me niet kwalijk.' Gilthanas maakte een buiging en ging toen naast zijn broer staan. Met een zucht doorzocht Caramon voor de vijfde keer zijn reistas in de hoop dat hij misschien een hapje eten over het hoofd had gezien. Raistlin las in zijn spreukenboek. Keer op keer herhaalde hij geluidloos de moeilijke woorden, pogend de betekenis ervan te begrijpen, de juiste uitspraak en klemtonen te ontdekken die het bloed in zijn aderen zou doen branden, een teken dat de spreuk eindelijk aan hem toebehoorde.

Anderen keken naar de stad en verwonderden zich over de schoonheid ervan, en over de aura van rust en ouderdom die eroverheen lag. Zelfs Waterwind leek erdoor geraakt, want zijn trekken verzachtten zich en hij hield Goudmaan dicht tegen zich aan. Heel even vielen hun zorgen en verdriet van hen af en vonden ze troost in elkaars nabijheid. Tika zat een eindje verderop weemoedig naar hen te kijken. Tasselhof probeerde een kaart te tekenen van hun route van Poort naar Qualinost, ook al had Tanis al vier keer tegen hem gezegd dat het een geheime weg was en dat de elfen hem nooit zouden toestaan de kaart te houden. De oude tovenaar, Fizban, sliep. Sturm en Flint hielden Tanis bezorgd in de gaten, Flint omdat alleen hij enig idee had van wat de halfelf moest doorstaan, en Sturm omdat hij wist hoe het voelde om terug te keren naar je vaderland als je daar niet gewenst was.

De ridder legde zijn hand op Tanis' arm. 'Thuiskomen valt niet mee, hè?' vroeg hij.

'Nee,' antwoordde Tanis zachtjes. 'Ik dacht dat ik dit alles al lang achter me had gelaten, maar nu weet ik dat ik nooit echt weg ben geweest. Qualinesti maakt deel van me uit, of ik het nu wil of niet.'

'Sst. Gilthanas,' waarschuwde Flint.

De elf liep op Tanis af. 'Er zijn boodschappers vooruitgestuurd, die nu zijn teruggekeerd,' zei hij in de elfentaal. 'Mijn vader verzoekt jullie allemaal om rechtstreeks naar hem toe te komen in de Zonnetoren. Dat betekent dat we geen tijd hebben voor een versnapering. Dat zal misschien bot en onbeleefd lijken—'

'Gilthanas,' viel Tanis hem in het Gemeenschaps in de rede. 'Mijn vrienden en ik hebben onvoorstelbare gevaren getrotseerd. We zijn over wegen gereisd waar de doden ons letterlijk volgden. We zullen niet omkomen van de honger.' Hij wierp een vluchtige blik op Caramon. 'Niet allemaal, althans.'

De krijger hoorde wat Tanis zei en trok met een zucht zijn broekriem aan.

'Dank je,' zei Gilthanas stijfjes. 'Ik ben blij dat je het begrijpt. Als jullie dan nu zo snel mogelijk met me mee willen komen.'

De reisgenoten raapten haastig hun spullen bij elkaar en maakten Fizban wakker. Die stond op en struikelde prompt over een boomwortel. 'Lomperik!' snauwde hij terwijl hij er met zijn stok een klap tegenaan gaf. 'Zag je dat? Hij wilde me laten struikelen!' zei hij tegen Raistlin. De magiër liet zijn kostbare boek weer in zijn buidel glijden. 'Ja, oude man.' Glimlachend hielp Raistlin Fizban overeind. De oude tovenaar leunde op de schouder van de jongeman terwijl ze samen achter de anderen aan liepen. Tanis keek hen met gemengde gevoelens na. De oude tovenaar was duidelijk aan het verkindsen. Maar toch kon Tanis de doodsbange blik van Raistlin niet vergeten toen die was bijgekomen en Fizban over zich heen gebogen had zien staan. Wat had de magiër gezien? Wat wist hij over die oude man? Tanis nam zich voor het hem binnenkort eens te vragen. Nu had hij echter belangrijker zaken aan zijn hoofd. Hij versnelde zijn pas en ging naast de elf lopen.

'Vertel eens, Gilthanas,' zei Tanis in het Elfs, haperend omdat hij na al die tijd maar moeilijk uit zijn woorden kon komen. 'Wat is er gaande? Ik heb er recht op het te weten.'

'Is dat zo?' vroeg Gilthanas stuurs terwijl hij Tanis vanuit de hoeken van zijn amandelvormige ogen aankeek. 'Kan het je nog wel schelen wat er met de elfen gebeurt? Je spreekt onze taal niet eens meer vloeiend!'

'Natuurlijk kan het me iets schelen,' zei Tanis boos. 'Jullie zijn ook mijn volk!'

'Waarom pronk je dan met je menselijke afkomst?' Gilthanas gebaarde naar Tanis' baard. 'Je zou je moeten schamen...' Hij brak zijn zin af, blozend en bijtend op zijn lip.

Tanis knikte grimmig. 'Ik schaamde me ook, daarom ben ik weggegaan. Maar door wie kwam het dat ik me zo schaamde?'

'Vergeef me, Tanthalas,' zei Gilthanas hoofdschuddend. 'Wat ik toen heb gezegd was wreed, en waarlijk, ik meende het niet. Alleen... Begreep je maar in wat voor gevaar we verkeren!'

'Zeg het me dan!' In zijn frustratie begon Tanis bijna te schreeuwen. 'Ik wil het begrijpen!'

'We gaan weg uit Qualinesti,' zei Gilthanas.

Tanis bleef staan en staarde de elf aan. 'Weg uit Qualinesti?' herhaalde hij, zo geschrokken dat hij overschakelde op het Gemeenschaps. De reisgenoten hoorden hem en wierpen elkaar vlugge blikken toe. Het gezicht van de oude tovenaar betrok, en hij trok aan zijn baard.

'Dat kun je niet menen!' zei Tanis zachtjes. 'Weg uit Qualinesti! Waarom? Zo erg kan het toch niet zijn—'

'Erger nog,' zei Gilthanas verdrietig. 'Kijk om je heen, Tanthalas. Je aanschouwt Qualinost in haar laatste dagen.'

Ze betraden de straten van de stad. Op het eerste gezicht zag alles er nog precies zo uit als vijftig jaar geleden, toen hij was weggegaan. De straten van vermalen, glinsterende steen noch de espenbomen waar ze tussendoor hadden gerend waren verdwenen. De schone straten sprankelden in het zonlicht. Misschien waren de espen iets gegroeid, maar misschien ook niet. Hun blaadjes glansden in het licht van de late ochtend, de met goud en zilver doorspekte takken ruisten en zongen. De huizen aan weerszijden van de straten waren ook nog hetzelfde. Versierd met kwarts schitterden ze in het zonlicht, dat brak en aan alle kanten kleine, kleurige regenbogen vormde. Alles leek precies zo te zijn als de elfen het graag hadden: mooi, ordelijk, onveranderlijk...

Nee, dat klopte niet, besefte Tanis. Het lied van de bomen was nu droevig en klaaglijk, niet vredig en vreugdevol, zoals hij zich herinnerde. Qualinost was inderdaad veranderd, en die verandering was door verandering veroorzaakt. Hij probeerde het te vatten, het te begrijpen, maar ondertussen verschrompelde zijn ziel al van verdriet. De verandering zat 'm niet in de gebouwen, niet in de bomen of in de zon die tussen de blaadjes door scheen. De verandering hing in de lucht. Er hing een geladen spanning, alsof het elk moment kon gaan onweren. En nu Tanis door de straten van Qualinost liep, zag hij dingen die hij in zijn vaderland nog nooit had gezien. Hij zag haast. Jachtigheid. Hij zag besluiteloosheid. Hij zag paniek, wanhoop en hopeloosheid.

Vrouwen die vriendinnen tegenkwamen omhelsden elkaar huilend, om vervolgens snel ieder hun eigen weg te gaan. Kinderen zaten er verloren en niet-begrijpend bij. Ze wisten alleen dat spelen in deze situatie niet gepast was. Mannen stonden in groepjes bij elkaar met de hand op het zwaard en hielden zorgvuldig hun gezinnen in het oog. Hier en daar brandden vuren waar de elfen alles vernietigden wat ze liefhadden maar niet konden meenemen, om te voorkomen dat het door de oprukkende duisternis zou worden verslonden.

Tanis had gerouwd om de vernietiging van Soelaas, maar de aanblik van wat er in Qualinost gebeurde sneed als het lemmet van een bot mes door zijn ziel. Hij had nooit beseft hoeveel de stad voor hem betekende. Diep in zijn hart had hij geweten dat Qualinesti er altijd zou zijn, ook al zou hij er nooit terugkeren. Maar nu raakte hij zelfs die zekerheid kwijt. Qualinesti zou ten onder gaan.

Tanis hoorde een merkwaardig geluid, en toen hij zich omdraaide, zag hij de oude tovenaar wenen.

'Hebben jullie plannen gemaakt? Waar gaan jullie naartoe? Kunnen jullie ontsnappen?' vroeg Tanis als verdoofd aan Gilthanas.

'Het antwoord op die vragen, en meer, zul je snel genoeg krijgen, té snel,' prevelde Gilthanas.

De Zonnetoren torende hoog boven de andere gebouwen in Qualinost uit. Het zonlicht dat op het gouden oppervlak weerkaatste wekte de indruk dat het gebouw rondtolde. De reisgenoten betraden de toren zwijgend, met stomheid geslagen door de schoonheid en luister van het oeroude gebouw. Alleen Raistlin keek ongeïnteresseerd om zich heen. In zijn ogen bestond er geen schoonheid, alleen dood en verval.

Gilthanas ging de reisgenoten voor naar een kleine alkoof. 'Dit vertrek grenst aan de hoofdzaal,' zei hij. 'Mijn vader spreekt met de hoofden van het huishouden de evacuatie door. Mijn broer is hem gaan vertellen dat we zijn gearriveerd. Zodra de zaken zijn afgehandeld, zullen we worden ontboden.' Op zijn teken kwamen enkele elfen binnen met kannen en kommen vol koel water. 'Fris jezelf op indien je wilt, zolang je nog tijd hebt.'

De reisgenoten dronken en wasten het stof van de reis van hun gezicht en handen. Sturm deed zijn mantel af en poetste zo goed en zo kwaad als het ging met een zakdoek van Tasselhof zorgvuldig zijn harnas op. Goudmaan borstelde haar glanzende haar, maar hield haar mantel om. Samen hadden zij en Tanis besloten dat het medaillon dat ze droeg verborgen diende te blijven totdat ze vonden dat het moment was aangebroken om het te onthullen; sommigen zouden het herkennen. Fizban probeerde zonder al te veel succes zijn kromme, vormeloze hoed recht te trekken. Caramon keek om zich heen, op zoek naar eten. Gilthanas hield zich afzijdig. Zijn gezicht was bleek en afgetobd.

Al snel verscheen Porthios in de gewelfde deuropening. 'Jullie worden ontboden,' zei hij streng.

De reisgenoten betraden de zaal van de Zonnenspreker. Al honderden jaren had geen mens dat gebouw vanbinnen gezien. Nog nooit was het door een kender aanschouwd. De laatste dwergen die het hadden gezien, waren degenen die bij de bouw ervan aanwezig waren geweest, honderden jaren geleden.

'Dit is nog eens vakmanschap,' zei Flint zachtjes en met tranen in zijn ogen.

De zaal was rond en leek veel te groot voor zo'n slanke toren. Hij was helemaal van marmer en er waren geen steunbalken of zuilen. Het vertrek was honderden voeten hoog en eindigde helemaal boven in de toren in een koepel, die was ingelegd met een prachtig mozaïek van glinsterende tegeltjes met aan de ene kant de blauwe hemel en de zon en aan de andere kant de zilveren maan, de rode maan en de sterren. De twee helften waren van elkaar gescheiden door een regenboog.

Er waren geen lampen. Met inzicht aangebrachte ramen en spiegels concentreerden het zonlicht in de zaal, waar aan de hemel de zon ook stond. De zonnestralen kwamen in het midden bijeen, waar ze een verhoging verlichtten.

Stoelen stonden er ook niet. De elfen waren blijven staan, zowel mannen als vrouwen. Alleen degenen die de titel 'hoofd van het huishouden' droegen hadden het recht bij deze vergadering aanwezig te zijn. Er waren meer vrouwen aanwezig dan Tanis voor zover hij zich kon herinneren ooit had meegemaakt, en vele van hen waren gekleed in donkerpaars, de kleur van de rouw. Elfen gaan een levenslange verbintenis aan, en als de partner sterft, zullen ze nooit hertrouwen. Een weduwe voert de titel 'hoofd van het huishouden' dan ook tot aan haar dood.

De reisgenoten werden naar het voorste deel van de zaal geleid. De elfen lieten hen respectvol zwijgend door, maar ze wierpen hun bevreemde, grimmige blikken toe, met name de dwerg, de kender en de twee barbaren, die er grotesk uitzagen in hun zonderlinge bonten kleding. Er klonk verbijsterd gefluister bij de aanblik van de trotse, nobele ridder van Solamnië. En er werd hier en daar gemopperd om Raistlin in zijn rode gewaad. Elfse magiegebruikers droegen het witte gewaad van het goede, niet het rode gewaad dat duidde op neutraliteit. Dat, zo geloofden de elfen, was maar één stap verwijderd van het dragen van het zwarte gewaad. Toen de rust was weergekeerd, betrad de Spreker de verhoging.

Het was vele jaren geleden dat Tanis de Spreker, in feite zijn adoptievader, voor het laatst had gezien. Ook in hem zag hij een verandering. De man was nog steeds lang, langer zelfs dan zijn zoon Porthios. Hij droeg het glanzende gele gewaad dat bij zijn functie hoorde. Zijn gelaat was streng en onverzettelijk, net als zijn houding. Hij was de Zonnenspreker, kortweg de Spreker, en zo werd hij al meer dan een eeuw genoemd. Degenen die zijn echte naam kenden, spraken hem nooit uit, zelfs zijn kinderen niet. In zijn haar zag Tanis zilvergrijze strepen die er eerder niet waren geweest, en het gelaat dat de tand des tijds voorheen nooit leek te kunnen aantasten, vertoonde rimpels van bezorgdheid en droefenis.

Porthios voegde zich bij zijn broer, die de reisgenoten naar binnen leidde. De Spreker strekte zijn armen naar hen uit en noemde hun namen. Ze liepen op hun vader af en omhelsden hem.

'Mijn zoons,' zei de Spreker met overslaande stem. Tanis schrok van die openlijk tentoongespreide emotie. 'Ik had niet verwacht dat ik jullie in dit leven nog zou weerzien. Vertel me over de aanval,' zei hij tegen Gilthanas.

'Dat zal ik straks doen, Spreker,' antwoordde die. 'Eerst wil ik u verzoeken onze gasten te begroeten.'

'Ja, natuurlijk, neem me niet kwalijk.' De Spreker streek met een bevende hand over zijn gezicht, en Tanis had het gevoel dat hij ter plekke ouder werd. 'Vergeef me, gasten. Ik heet jullie welkom, die zijn binnengetreden in ons koninkrijk waar al jaren geen vreemdeling meer is geweest.'

Gilthanas sprak enkele woorden, en de Spreker wierp een sluwe blik op Tanis, waarna hij de halfelf gebaarde naar voren te komen. Zijn stem klonk koel, maar hij bleef beleefd, zij het met moeite. 'Ben jij dat echt, Tanthalas, zoon van de vrouw van mijn broer? Lange jaren zijn verstreken, en iedereen heeft zich afgevraagd wat er van je was geworden. We verwelkomen je terug in je vaderland, al vrees ik dat je slechts op tijd bent gekomen om de laatste dagen ervan te aanschouwen. Met name mijn dochter zal verheugd zijn je te zien. Ze heeft haar speelkameraad uit haar jeugd gemist.'

Gilthanas verstijfde en zijn gezicht betrok toen hij naar Tanis keek. De halfelf voelde zijn eigen gezicht rood worden. Hij maakte een diepe buiging voor de Spreker, niet in staat een woord uit te brengen.

'Ook de anderen heet ik welkom. Ik hoop dat ik later meer over jullie zal horen. We zullen jullie niet lang ophouden, maar het is niet meer dan gepast dat jullie in dit vertrek vernemen wat er in de rest van de wereld gaande is. Daarna kunnen jullie rusten en je opfrissen. Nu dan, mijn zoon...' De Spreker wendde zich tot Gilthanas, zichtbaar blij dat de formaliteiten achter de rug waren. 'De aanval op Pax Tharkas?'

Met gebogen hoofd stapte Gilthanas naar voren. 'Ik heb gefaald, Zonnenspreker.'

Er klonk geroezemoes onder de elfen, als de wind door de espen. Het gelaat van de Spreker verried niets. Hij zuchtte slechts en staarde met niets ziende ogen uit een hoog raam. 'Vertel je verhaal,' zei hij zachtjes. Gilthanas slikte moeizaam en begon te praten, zo zachtjes dat velen die achter in de zaal stonden zich naar voren bogen om hem te kunnen verstaan.

'Ik ben met mijn krijgers in het geheim naar het zuiden getrokken, zoals afgesproken. Alles ging goed. We kwamen een groep menselijke verzetsstrijders tegen, vluchtelingen uit Poort, die zich bij ons voegden en ons aantal versterkten. Toen stuitten we door een wrede speling van het lot op een vooruitgeschoven patrouille van het drakenleger. We hebben dapper gestreden, zowel de elfen als de mensen, maar het mocht niet baten. Ik kreeg een klap op mijn hoofd en herinner me vanaf dat moment niets meer. Toen ik bijkwam, lag ik in een ravijn, omringd door de lichamen van mijn kameraden. Kennelijk hadden de verfoeilijke drakenmannen de gewonden over de rand van de klif geduwd en voor dood achtergelaten.' Gilthanas zweeg even en schraapte zijn keel. 'Druïden uit het woud verzorgden mijn wonden. Van hen vernam ik dat veel van mijn krijgers nog in leven waren en gevangen waren genomen. Ik liet het aan de druïden over om de doden te begraven. Zelf volgde ik het spoor van het drakenleger, dat me uiteindelijk naar Soelaas leidde.'

Gilthanas zweeg. Zijn gezicht glansde van het zweet en zijn handen bewogen nerveus. Opnieuw schraapte hij zijn keel, en hij probeerde iets te zeggen, maar slaagde daar niet in. Zijn vader hield hem met toenemende bezorgdheid in het oog.

Gilthanas zei: 'Soelaas is vernietigd.'

Er klonk een zucht van ontsteltenis uit het publiek.

'De machtige vallènbomen zijn omgekapt en verbrand. Er staan er nog maar een paar overeind.'

De elfen jammerden en slaakten kreten van ontzetting en woede. De Spreker hief zijn handen om de orde te herstellen. 'Dat is afschuwelijk nieuws,' zei hij bars. 'We rouwen om de dood van bomen die zelfs in onze ogen oud waren. Maar ga verder. Wat is er van onze krijgers geworden?'

'Ik trof mijn mannen vastgebonden aan staken in het midden van het dorp aan, samen met de mensen die ons hadden geholpen,' vertelde Gilthanas met overslaande stem. 'Ze werden omringd door draconenwachters. Ik hoopte hen die nacht te kunnen bevrijden. Maar toen...' Zijn stem begaf het volledig en hij boog het hoofd. Zijn oudere broer liep op hem af en legde een hand op zijn schouder, waarop hij zijn rug rechtte. 'Er verscheen een rode draak aan de hemel...'

De verzamelde elfen slaakten kreten van schrik en ontzetting. De Spreker schudde bedroefd zijn hoofd.

'Ja, Spreker,' zei Gilthanas, en zijn stem klonk hard, onnatuurlijk luid en bars. 'Het is waar. De monsters zijn teruggekeerd op Krynn. De rode draak cirkelde rond boven Soelaas, en eenieder die hem aanschouwde, sloeg op de vlucht. Hij vloog steeds lager, om uiteindelijk op het dorpsplein te landen. Zijn enorme, glanzende, rode reptielenlijf vulde de gehele open plek, zijn vleugels richtten verwoestingen aan, met zijn staart sloeg hij bomen omver. Zijn gele slagtanden glinsterden, groen speeksel drupte tussen zijn machtige kaken vandaan, zijn reusachtige klauwen verscheurden de grond... en op zijn rug zat een mensenman.

Hij was krachtig gebouwd en ging gekleed in het zwarte gewaad van een priester van de Koningin van de Duisternis. Een zwart met gouden mantel klapperde om zijn lichaam. Zijn gezicht ging schuil achter een afschuwelijk gehoornd masker, vervaardigd van zwart en goud, in de vorm van een drakenkop. De drakenmannen lieten zich in aanbidding op hun knieën vallen toen de draak landde. De kobolden en de verderfelijke mensen die aan de zijde van de drakenmensen vechten doken angstig ineen, en velen renden weg. Alleen het voorbeeld van mijn krijgers gaf me de moed om te blijven staan.'

Nu hij er eenmaal mee was begonnen, leek Gilthanas blij te zijn dat hij zijn verhaal kon vertellen. 'Een paar mensen aan de staken werden gek van angst en slaakten meelijwekkende kreten, maar mijn krijgers bleven kalm en met trots geheven hoofd staan, al waren ze allemaal getroffen door de drakenangst die het monster opriep. Dat leek de drakenrijder niet aan te staan. Hij keek hen boos aan en sprak toen, met een stem die uit de diepste krochten van de Afgrond leek te komen. Zijn woorden staan in mijn geheugen gegrift.

"Ik ben Canaillaard, Drakenheer van het Noorden. Ik heb gestreden om dit land en het volk te bevrijden van het valse geloof dat wordt verspreid door degenen die zichzelf Zoekers noemen. Velen zijn bij mij in dienst getreden, blij iets te kunnen bijdragen aan het doel van de Drakenheren. Ik heb hun genade getoond en hen vereerd met de zegeningen die mijn godin me heeft geschonken. Over helende spreuken beschik ik, als enige in dit land, en daaraan kunnen jullie zien dat ik de vertegenwoordiger van de ware goden ben. Maar jullie, de mensen die nu voor mij staan, hebben het gewaagd mij te trotseren. Julie hebben verkozen de wapenen tegen mij op te nemen, en daarom zal jullie straf dienen als voorbeeld voor anderen die dwaasheid verkiezen boven wijsheid."

Toen wendde hij zich tot de elfen en zei: "Laat hierbij duidelijk zijn dat ik, heer Canaillaard, jullie ras volledig zal uitroeien, zoals verordonneerd door mijn godin. Mensen kun je nog hun dwalingen laten inzien, maar elfen... nooit!" De man verhief zijn stem tot die luider raasde dan de wind. "Laat dit jullie laatste waarschuwing zijn, iedereen die toekijkt! Sintel, vernietig ze!"

Daarop spuwde de enorme draak vuur naar allen die aan de staken waren vastgebonden. Hulpeloos kronkelend door de helse pijnen verbrandden ze levend...'

In de hele zaal was het doodstil. De afschuw en ontzetting waren te groot voor woorden.

'Ik werd bevangen door krankzinnigheid,' ging Gilthanas met koortsachtig schitterende ogen verder, alsof hij alles wat hij had gezien opnieuw beleefde. 'Ik wilde op mijn mensen afrennen om samen met hen te sterven, toen een grote hand me vastpakte en tegenhield. Het was Theros IJzerfeld. "Dit is niet het moment om te sterven, elf," zei hij tegen me. "Dit is het moment om wraak te nemen." Toen... stortte ik in, en nam hij me mee naar zijn huis, met gevaar voor eigen leven. En hij zou inderdaad zijn vriendelijkheid jegens de elfen met de dood hebben moeten bekopen, als deze vrouw hem niet had genezen.'

313

Gilthanas wees naar Goudmaan, die met haar gezicht gehuld in de schaduw van haar bonten kap achteraan in de groep stond. De Spreker wendde zich tot haar en staarde haar aan, net als de andere elfen in de kamer. Er klonk een duister, onheilspellend gemompel.

'Theros is de man die hier vandaag is aangekomen, Spreker,' zei Porthios. 'De man met één arm. Onze genezers zeggen dat hij het zal halen, maar ze zeggen dat het een wonder is dat zijn leven gespaard is gebleven, zo afschuwelijk waren zijn verwondingen.'

'Treed naar voren, vrouw van de Vlakten,' beval de Spreker streng. Goudmaan deed een stap in de richting van de verhoging, met Waterwind aan haar zijde. Twee elfenwachters kwamen snel naar voren om hem de weg te versperren. Hij keek hen boos aan, maar bleef staan waar hij stond.

De stamhoofdsdochter liep met trots geheven hoofd verder. Toen ze haar kap afdeed, viel het zonlicht op het zilverachtig gouden haar dat in golven op haar rug hing. De elfen verwonderden zich over haar schoonheid.

'Jij beweert deze man, Theros IJzerfeld, te hebben genezen?' vroeg de Spreker minachtend.

'Ik beweer helemaal niets,' antwoordde Goudmaan koeltjes. 'Uw eigen zoon heeft gezien dat ik hem genas. Twijfelt u aan zijn woorden?'

'Nee, maar hij was geagiteerd, ziek en verward. Wellicht heeft hij hekserij aangezien voor genezing.'

'Aanschouw dit,' zei Goudmaan vriendelijk. Ze knoopte haar mantel los, zodat haar hals bloot kwam te liggen. Het medaillon glansde in het zonlicht.

De Spreker verliet de verhoging en kwam met grote ogen van ongeloof op haar af. Toen vertrok zijn gelaat van razernij. 'Heiligschennis!' schreeuwde hij. Hij stak zijn hand uit met de bedoeling het medaillon van Goudmaans hals te rukken.

Er was een blauwe lichtflits. De Spreker zakte met een kreet van pijn op de grond. Onder het slaken van verschrikte kreten trokken de elfen hun zwaarden. De reisgenoten deden hetzelfde. Elfenkrijgers renden op hen af om hen te omsingelen.

'Hou op met die onzin!' zei de oude tovenaar met krachtige, strenge stem. Fizban drentelde naar de verhoging, waarbij hij kalm zwaarden uit de weg duwde alsof het de slanke takken van een espenboom waren. De elfen staarden hem verbijsterd aan, kennelijk niet in staat hem tegen te houden. In zichzelf mompelend liep Fizban naar de Spreker toe, die versuft op de grond lag. De oude man hielp de elf overeind.

'Tja, daar heb je zelf om gevraagd, hoor,' zei Fizban verwijtend terwijl hij het gewaad van de Spreker afklopte. De elf gaapte hem aan.

'Wie ben je?' vroeg de Spreker ontsteld.

'Hmm. Wat had ik ook alweer gezegd?' De oude man wierp een blik op Tasselhof.

'Fizban,' antwoordde de kender behulpzaam.

'Inderdaad, Fizban. Zo heet ik.' De tovenaar streek over zijn witte baard. 'Welnu, Solastaran, ik stel voor dat je je wachters tot de orde roept en iedereen opdraagt te bedaren. Ik zou het verhaal over de avonturen van deze jonge vrouw wel eens willen horen, en jij zou er eens goed naar moeten luisteren. Een verontschuldiging zou overigens ook wel op zijn plaats zijn.'

Fizban schudde met zijn vinger tegen de Spreker, waardoor zijn verfomfaaide hoed over zijn ogen naar voren schoof. 'Help! Ik ben blind geworden!'

Met een wantrouwige blik op de elfenwachters haastte Raistlin zich naar hem toe. Hij pakte de oude man bij zijn arm en zette zijn hoed recht.

'Ah, de ware goden zij dank,' verzuchtte de tovenaar, knipperend met zijn ogen. Hij schuifelde terug naar zijn plaats, vol verwondering nagekeken door de Spreker. Als in een droom richtte deze zich tot Goudmaan.

'Mijn excuses, vrouwe van de Vlakte,' zei hij zachtjes. 'Het is al meer dan driehonderd jaar geleden dat de elfenpriesters verdwenen en dat het teken van Mishakal in dit land te zien was. Mijn hart bloedde toen ik dacht te zien dat het medaillon werd bezoedeld. Vergeef me. We leven al zo lang in wanhoop dat ik de hoop die u brengt over het hoofd zag. Als u niet te moe bent, vertelt u ons dan alstublieft uw verhaal.'

Goudmaan vertelde het verhaal van het medaillon: Waterwind en de steniging, de ontmoeting met de reisgenoten in de herberg en de reis naar Xak Tsaroth. Ze vertelde over de vernietiging van de draak en hoe ze het medaillon van Mishakal had gekregen. Maar ze zei niets over de schijven.

De stralen van de zon werden langer terwijl ze sprak en veranderden van kleur nu de avond naderde. Toen haar verhaal ten einde was, zweeg de Spreker een hele tijd.

'Ik moet nadenken over dit alles, en wat het voor ons betekent,' zei hij uiteindelijk. Hij wendde zich tot de reisgenoten. 'Jullie zijn uitgeput. Ik kan zien dat sommigen slechts door hun trots overeind worden gehouden. Sterker nog,' – glimlachend keek hij naar Fizban, die geleund tegen de muur zachtjes stond te snurken – 'sommigen van jullie vallen staand in slaap. Mijn dochter Laurana zal jullie naar een plek brengen waar jullie je angsten kunnen vergeten. Vanavond zullen we ter ere van jullie een banket organiseren, want jullie geven ons weer hoop. Moge de vrede van de ware goden met jullie zijn.'

De elfen weken uiteen, en in hun midden verscheen een elfenmaagd, die naast de Spreker ging staan. Toen Caramon haar zag, viel zijn mond open. Waterwinds ogen werden groot. Zelfs Raistlin staarde haar aan met ogen die eindelijk schoonheid aanschouwden, want de jonge elfenmaagd werd niet bezoedeld door verval. Haar haar was als honing die uit een kan wordt gegoten; het viel over haar rug en armen tot aan haar polsen, die ze ontspannen langs haar zij liet hangen. Haar huid was glad en bruin als het woud. Ze had de verfijnde, breekbare gelaatstrekken van een elf, maar daarnaast ook een gulle, volle mond en grote, glanzende ogen die van kleur veranderden als boomblaadjes in het zonlicht.

'Op mijn eer als ridder,' zei Sturm met verstikte stem, 'nooit van mijn leven heb ik een mooiere vrouw gezien.'

'En dat zal op deze wereld ook niet gebeuren,' prevelde Tanis.

Zijn metgezellen wierpen Tanis een scherpe blik toe toen hij dat zei, maar de halfelf merkte het niet. Zijn blik was gericht op de elfenmaagd. Sturm trok zijn wenkbrauwen op en wisselde een blik met Caramon, die zijn broer aanstootte. Flint schudde zijn hoofd en slaakte een zucht die uit zijn tenen leek te komen.

'Nu wordt me veel duidelijk,' zei Goudmaan tegen Waterwind.

'Mij niet,' zei Tasselhof. 'Weet jij wat er gaande is, Tika?'

Het enige wat Tika wist, was dat ze zich klein, dik, veel te bloot, sproeterig en roodharig voelde als ze naar Laurana keek. Ze trok haar bloes omhoog over haar volle boezem en wenste dat hij niet zo onthullend was, of dat er minder te onthullen viel.

'Vertel me nou wat er gaande is,' fluisterde Tasselhof, die zag dat de anderen veelbetekenende blikken wisselden.

'Dat weet ik niet!' snauwde Tika. 'Het enige wat ik weet, is dat Caramon zichzelf voor gek zet. Kijk nou eens naar die stomme os. Je zou denken dat hij nog nooit een vrouw had gezien.'

'Ze is wel mooi,' zei Tas. 'Anders dan jij, Tika. Ze is slank, en ze loopt als een boom die wiegt in de wind, en—'

'Ach, hou toch je mond!' snauwde Tika woest. Ze gaf de kender zo'n harde duw dat hij bijna omviel.

Tasselhof schonk haar een gekwetste blik en ging toen maar naast Tanis staan, vastbesloten bij de halfelf in de buurt te blijven tot hij erachter kon komen wat er aan de hand was.

'Ik heet jullie welkom in Qualinost, geëerde gasten,' zei Laurana verlegen, met een stem die klonk als een helder beekje dat tussen de bomen door stroomt. 'Kom met me mee, als je wilt. Het is niet ver, en er wacht jullie eten, drinken en rust.'

Met kinderlijke gratie liep ze tussen de reisgenoten door, die uiteenweken zoals de elfen hadden gedaan. Allemaal keken ze haar bewonderend na. Laurana sloeg bedeesd haar ogen neer en haar wangen kleurden. Eén keer slechts keek ze op, toen ze langs Tanis heen liep. Het was een vluchtige blik die alleen Tanis zag. Zijn gezicht betrok en zijn ogen werden donker.

De reisgenoten maakten Fizban wakker en verlieten de Zonnetoren.

6

Tanis en Laurana.

Laurana ging hen voor naar een zonbevlekt grasveld omringd door espen, pal in het hart van de stad. Hoewel ze werden omringd door straten en gebouwen, hadden ze het gevoel dat ze zich midden in het bos bevonden. Alleen het gemurmel van een nabij beekje verbrak de stilte. Laurana gebaarde naar de fruitbomen die tussen de espen stonden en nodigde hen uit om zoveel fruit te plukken als ze zelf wilden. Elfenmaagden kwamen manden vol vers, geurig brood brengen. De reisgenoten wasten zich in het beekje en strekten zich toen uit op een bed van mos om te genieten van de rust en stilte die hen omringde.

Allemaal, behalve Tanis. De halfelf wilde niets eten, maar dwaalde, in gedachten verzonken, tussen de bomen. Tasselhof hield hem nauwlettend in de gaten, verteerd door nieuwsgierigheid.

Laurana ontpopte zich tot een volmaakte, charmante gastvrouw. Ze verzekerde zich ervan dat iedereen lekker zat en voerde met ieder van hen een kort gesprek.

'Flint Smidsvuur, nietwaar?' vroeg ze. De dwerg kleurde van genoegen. 'Ik heb nog steeds een aantal van de prachtige stukken speelgoed die je voor me hebt gemaakt. We hebben je gemist de afgelopen jaren.'

Zo van zijn à propos gebracht dat hij geen woord kon uitbrengen liet Flint zich op het gras vallen en sloeg een enorme beker water achterover.

'Jij heet toch Tika?' vroeg Laurana toen ze bij het barmeisje bleef staan.

'Tika Walyan,' antwoordde het meisje verlegen.

'Tika, wat een prachtige naam. En wat heb je schitterend haar,' zei Laurana terwijl ze bewonderend Tika's dansende rode krullen aanraakte.

'Vind je?' vroeg Tika, blozend toen ze zag dat Caramon naar haar keek.

'Natuurlijk! Het heeft de kleur van vlammen. Je hebt vast het bijbehorende temperament. Ik heb gehoord hoe je in de herberg mijn broer het leven hebt gered, Tika. Ik ben je zeer veel dank verschuldigd.'

'Dank je,' antwoordde Tika zachtjes. 'Ik vind jouw haar ook heel mooi.'

Met een glimlach liep Laurana verder. Het viel Tasselhof echter op dat haar blik keer op keer afdwaalde naar Tanis. Toen de halfelf opeens een appel op de grond gooide en tussen de bomen verdween, verontschuldigde Laurana zich gehaast en ging achter hem aan.

'Ha, nu zal ik erachter komen wat er gaande is!' zei Tas bij zichzelf. Hij blikte om zich heen en glipte achter Tanis aan.

Over het kronkelpad liep de kender tussen de bomen door, tot hij op de halfelf stuitte, die alleen naast het schuimende beekje stond en dode bladeren in het water gooide. Toen hij links van zich iets zag bewegen, ging hij snel op zijn hurken tussen de struiken zitten. Het was Laurana, die via een ander pad was gekomen.

'Tanthalas Quisif nan-Pah!' riep ze.

Bij het horen van zijn elfennaam draaide Tanis zich om, en meteen sloeg ze haar armen om zijn nek en kuste hem. 'Jakkes,' zei ze plagend terwijl ze zich terugtrok. 'Scheer die afschuwelijke baard af. Hij kriebelt! En je ziet er helemaal niet meer uit als Tanthalas.'

Tanis legde zijn handen om haar middel en duwde haar zachtjes van zich af. 'Laurana—' begon hij.

'Nee, niet boos worden vanwege de baard. Ik wen er wel aan, als het echt moet,' zei Laurana smekend, pruilend. 'Kus me. Nee? Dan zal ik jou kussen tot je je niet meer kunt beheersen.' Opnieuw kuste ze hem, tot Tanis zich uiteindelijk van haar losmaakte.

'Hou daarmee op, Laurana,' zei hij bars. Hij wendde zich af.

'Hoezo? Wat is er dan?' vroeg ze. Ze pakte zijn hand vast. 'Je bent jarenlang weg geweest. Maar nu ben je er weer. Doe niet zo kil en somber. Je bent mijn verloofde, weet je nog? Het is een meisje toegestaan haar verloofde te kussen.'

'Dat was vroeger,' zei Tanis. 'We waren nog maar kinderen die een spelletje speelden, meer niet. Het was romantisch, een geheim dat we konden delen. Je weet wat er zou zijn gebeurd als je vader erachter was gekomen. Gilthanas wist het, nietwaar?'

'Natuurlijk! Ik heb het hem zelf verteld,' zei Laurana. Ze boog haar hoofd en keek Tanis van onder haar lange wimpers aan. 'Ik vertel Gilthanas alles, dat weet je toch? Ik had alleen niet verwacht dat hij zo zou reageren. Ik weet wat hij tegen je heeft gezegd. Dat heeft hij me later verteld. Hij had er spijt van.'

'Vast wel.' Tanis greep haar bij de polsen, zodat ze haar handen niet meer kon bewegen. 'Wat hij zei was waar, Laurana! Ik ben een bastaard, een halfbroed. Je vader zou me doden, en hij zou volledig in zijn recht staan. Hoe kon ik hem te schande maken na alles wat hij voor mij en mijn moeder had gedaan? Dat was een van de redenen dat ik ben weggegaan, en om erachter te komen wie ik ben en waar ik thuishoor.'

'Jij bent Tanthalas, mijn geliefde, en je hoort hier thuis!' riep Laurana uit. Ze maakte zich los uit zijn greep en pakte zijn handen vast. 'Kijk! Je draagt nog steeds mijn ring. Ik weet waarom je bent weggegaan. Dat was omdat je bang was om me lief te hebben, maar dat hoeft niet, nu niet meer. Alles is anders. Vader heeft zo veel aan zijn hoofd dat hij het niet eens erg zou vinden. En trouwens, nu ben je een held. Toe, laten we trouwen. Dat is toch de reden dat je bent teruggekomen?'

'Laurana,' zei Tanis vriendelijk maar ferm, 'mijn terugkeer was toeval—'

Ze duwde hem van zich af. 'Nee!' riep ze. 'Ik geloof je niet.'

'Je moet Gilthanas' verhaal hebben gehoord. Als Porthios ons niet had gered, zouden we nu in Pax Tharkas zijn.'

'Hij heeft het verzonnen omdat hij me niet de waarheid wilde vertellen. Je bent teruggekomen omdat je van me houdt. Iets anders wil ik niet horen.'

'Ik wilde je dit niet vertellen, maar ik zie dat ik geen keus heb,' zei Tanis geërgerd. 'Laurana, ik ben verliefd op een ander, op een mensenvrouw. Haar naam is Kitiara. Dat betekent niet dat ik niet ook van jou hou. Dat is wel zo...' Tanis wist niet hoe hij verder moest gaan.

Laurana staarde hem aan met een gezicht waaruit alle kleur was weggetrokken.

'Ik hou echt van je, Laurana. Maar ik kan niet met je trouwen, want ik hou ook van haar. Mijn hart is verdeeld, net als mijn bloed.' Hij haalde de ring van gouden klimopblaadjes van zijn vinger en gaf hem aan haar. 'Ik ontsla je van de beloften die je me hebt gedaan, Laurana. En ik vraag jou mij vrij te laten.'

Niet in staat iets te zeggen pakte Laurana de ring aan. Ze keek Tanis smekend aan, maar toen ze op zijn gezicht niets dan medelijden zag, smeet ze krijsend de ring van zich af. Hij kwam vlak voor Tas' voeten terecht. Die raapte hem op en stopte hem in een buidel.

'Laurana,' zei Tanis bedroefd terwijl hij het hevig snikkende meisje in zijn armen nam. 'Het spijt me zo. Het is nooit mijn bedoeling geweest...'

Op dat moment glipte Tasselhof de bosjes uit en liep terug over het pad. 'Zo,' zei de kender met een zucht van tevredenheid bij zichzelf. 'Nu weet ik tenminste wat er gaande is.'

Tanis werd plotseling wakker en zag dat Gilthanas over hem heen gebogen stond.

'Laurana?' vroeg hij terwijl hij overeind kwam.

'Ze maakt het redelijk,' zei Gilthanas zachtjes. 'Haar dienstmaagden hebben haar naar huis gebracht. Ze heeft me verteld wat je hebt gezegd. Ik wilde alleen even zeggen dat ik het begrijp. Dit is precies waar ik altijd bang voor ben geweest. Je menselijke helft hunkert naar andere mensen. Ik heb geprobeerd haar dat uit te leggen, in de hoop te voorkomen dat ze zich gekwetst zou voelen. Nu zal ze wel naar me luisteren. Dank je, Tanthalas. Ik weet dat het niet gemakkelijk kan zijn geweest.'

'Dat was het ook niet,' zei Tanis, moeizaam slikkend. 'Ik zal eerlijk tegen je zijn, Gilthanas. Ik hou van haar, werkelijk. Alleen—'

'Toe, zeg verder niets meer. Laten we het hierbij laten, en misschien kunnen we, als we geen vrienden kunnen zijn, elkaar in elk geval respecteren.' Gilthanas' gezicht was bleek en afgetobd in het licht van de ondergaande zon. 'Jij en je vrienden kunnen je maar beter gaan voorbereiden. Zodra de zilveren maan opkomt, begint het banket, en daarna komt de Hoge Raad bij elkaar. Dit is het moment waarop er beslissingen moeten worden genomen.'

Hij ging weg. Tanis staarde hem even na, maar draaide zich toen zuchtend om om de anderen wakker te maken.

7
Vaarwel.
De beslissing van de reisgenoten.

Het feest dat in Qualinost werd gehouden deed Goudmaan denken aan het grafbanket van haar moeder. Net als dit feest heette de begrafenis een vreugdevolle gebeurtenis te zijn, want Tranenzang was immers een godin geworden. Het volk had er echter moeite mee de dood van die prachtige vrouw te aanvaarden. Daarom rouwden de Que-shu's om haar verscheiden met een verdriet dat grensde aan godslastering.

Het grafbanket van Tranenzang was het meest overdadige dat in de geschiedenis van de Que-shu's ooit was gehouden. Haar rouwende man had kosten noch moeite gespaard. Net als bij het banket in Qualinost die avond was er veel eten dat bijna niemand door zijn keel kon krijgen. Er werden halfslachtige pogingen gedaan om gesprekken aan te knopen, terwijl niemand eigenlijk zin had om te praten. Nu en dan was iemand, overmand door verdriet, gedwongen de tafel te verlaten.

Zo levendig was die herinnering dat Goudmaan nauwelijks een hap kon eten, want het eten smaakte als as in haar mond. Waterwind hield haar bezorgd in de gaten. Zijn hand vond de hare onder de tafel, en ze kneep er stevig in, glimlachend, moed puttend uit zijn kracht.

Het elfenbanket werd gehouden op het plein ten zuiden van de hoge gouden toren. Er stonden geen muren om het platform van kristal en marmer dat zich boven op de hoogste heuvel van Qualinost bevond en een onbelemmerd uitzicht bood op de glinsterende stad in de diepte, het donkere woud daarachter en zelfs de diep paarse rand van het Tharkadangebergte ver in het zuiden. Die schoonheid was echter niet besteed aan de gasten, of het moest het pijnlijke besef zijn dat het binnenkort allemaal weg zou zijn. Goudmaan zat aan de rechterhand van de Spreker. Hij probeerde een beleefd gesprek te voeren, maar uiteindelijk werd hij overweldigd door zijn zorgen en verviel hij tot stilzwijgen.

Links van de Spreker zat zijn dochter Laurana. Ze deed niet eens alsof ze at. Ze zat met het hoofd gebogen aan tafel, zodat haar lange haar voor haar gezicht viel. Als ze opkeek, deed ze dat alleen om Tanis met gevoelvolle blik aan te kijken.

De halfelf, die zich pijnlijk bewust was van die verdrietige blik, en van de kille blik van Gilthanas, at zonder ervan te genieten, met zijn ogen op zijn bord gericht. Naast hem zat Sturm in gedachten plannen te smeden voor de verdediging van Qualinesti.

Flint voelde zich vreemd, alsof hij hier niet thuishoorde, zoals alle dwergen die zich te midden van de elfen begeven. Hij hield niet eens van elfengerechten en weigerde dan ook iets te eten. Raistlin knabbelde afwezig van zijn eten, terwijl hij met zijn gouden ogen Fizban aandachtig observeerde. Tika, die zich lomp en slecht op haar gemak voelde tussen de gracieuze elfenvrouwen, kreeg geen hap door haar keel. Caramon besloot dat hij begreep waarom de elfen zo slank waren. Het eten bestond namelijk uit vruchten en groenten met verfijnde sausjes, geserveerd met brood en kaas en een heel lichte, kruidige wijn. Na vier dagen honger lijden in een kooi kon dit eten de grote krijger bij lange na niet verzadigen.

De enige twee in de hele stad Qualinost die van het banket genoten, waren Tasselhof en Fizban. De oude tovenaar hield een eenzijdige discussie met een esp, terwijl Tasselhof simpelweg van alles genoot, om later – tot zijn eigen verrassing – tot de ontdekking te komen dat twee gouden lepels, een zilveren mes en een botervlootje gemaakt van een zeeschelp zomaar in een van zijn buidels terecht waren gekomen.

De rode maan was niet te zien. Solinari, een smalle zilveren sikkel aan de hemel, begon af te nemen. Toen de eerste sterren verschenen, knikte de Spreker bedroefd naar zijn zoon. Gilthanas stond op en ging naast de stoel van zijn vader staan.

Gilthanas begon te zingen. De elfenwoorden vormden zich naar een verfijnde, prachtige melodie. Onder het zingen hield Gilthanas een kristallen lampje in beide handen, zodat het licht van het kaarsvlammetje zijn marmeren gelaatstrekken verlichtte. Luisterend naar het lied sloot Tanis zijn ogen en liet zijn hoofd in zijn handen zakken.

'Wat is er? Wat betekent de tekst?' vroeg Sturm zachtjes.

Tanis hief zijn hoofd. Met haperende stem fluisterde hij:

De Zon
Het schitterende oog
Van al onze hemelen
Duikt onder uit de dag,

> *En dompelt*
> *De sluimerende hemel,*
> *Verlicht door vuurvliegjes,*
> *In immer dieper grijs.*

De elfen die aan tafel zaten stonden nu geruisloos op met hun eigen lampjes in hun handen, en vielen in. Hun stemmen vermengden zich tot een hartverscheurend lied van grenzeloze droefheid.

> *Nu neuriet Slaap,*
> *Onze oudste vriend,*
> *In de kruinen van de bomen*
> *En roept ons*
> *Binnen.*

> *De Bladeren*
> *Met hun koude vuur*
> *Vergaan smeulend tot as*
> *Aan 't eind van het jaar*

> *En de vogels*
> *Zweven op de wind*
> *En wieken naar 't noorden*
> *Als de Herfst besluit.*

> *De dag wordt duister*
> *Het seizoen verglijdt,*
> *Maar wij wachten*
> *Op 't groene vuur van de zon*
> *In de bomen.*

Flakkerende lichtpuntjes verspreidden zich vanaf het plein als rimpeltjes in het roerloze oppervlak van een vijver, door de straten, tot in het bos en daarachter. Met elke lamp die werd aangestoken, verhief zich een nieuwe stem, tot zelfs het omringende bos zijn wanhoop leek te bezingen.

> *De wind*
> *Scheert door de dagen*
> *Elk seizoen, elke maan*
> *Verrijzen koninkrijken.*

De adem
Van de vuurvlieg, de vogel,
Van de bomen, de mens
Vervliegt in één woord.

Nu neuriet Slaap,
Onze oudste vriend,
In de kruinen van de bomen
En roept ons
Binnen.

De Era,
De duizend levens
Van mensen en hun verhalen
Gaan naar hun graf.

Maar Wij,
Het volk van glorie
En poëzie,
Raken van het lied
In vergetelheid.

Gilthanas' stem stierf weg. Zachtjes blies hij het vlammetje van zijn lamp uit. Een voor een, zoals ze begonnen waren, beëindigden de anderen om de tafel hun lied en bliezen ze hun kaarsje uit. Overal in Qualinost zwegen de stemmen en doofden de vlammetjes, zodat het leek of de stilte en duisternis zich over het land verbreidden. Aan het eind klonk alleen vanuit de bergen in de verte nog de laatste strofe van het lied, als het gemurmel van vallende blaadjes.

De Spreker stond op.

'En nu,' zei hij moeizaam, 'is het tijd voor de bijeenkomst van de Hoge Raad. Die zal worden gehouden in de Hemelzaal. Tanthalas, als jij je reisgenoten zou willen voorgaan.'

De Hemelzaal, zo ontdekten ze, was een enorm plein, verlicht door toortsen. De reusachtige hemelkoepel vol glinsterende sterren welfde zich erboven. In het noorden, waar de bliksem langs de horizon flitste, was het echter donker. De Spreker gebaarde naar Tanis dat hij zijn metgezellen om zich heen moest verzamelen, waarna alle bewoners van Qualinost zich om hen heen schaarden. Het was niet nodig om om stilte te verzoeken. Zelfs de wind ging liggen toen de Spreker begon.

'Hier zien jullie hoe het ervoor staat.' Hij gebaarde naar iets op de grond. Onder hun voeten zagen de reisgenoten een gigantische kaart.

Tasselhof, die midden op de Vlakten van Abanasinië stond, hapte naar adem. Hij kon zich niet herinneren dat hij ooit zoiets moois had gezien. 'Daar ligt Soelaas!' riep hij wijzend.

'Ja, kenderbroeder,' antwoordde de Spreker. 'En daar verzamelt zich het drakenleger. In Soelaas' – hij raakte de juiste plek op de kaart met zijn staf aan – 'en in Haven. Heer Canaillaard heeft geen geheim gemaakt van zijn plannen Qualinesti binnen te vallen. De enige reden dat hij wacht, is dat hij zijn troepenmacht wil verzamelen en zijn bevoorradingsroutes wil veiligstellen. Tegen een dergelijke horde kunnen wij het niet opnemen.'

'Maar Qualinost is toch uitstekend verdedigbaar?' vroeg Sturm. 'Er is geen rechtstreekse route die hier over land naartoe leidt. We zijn hier gekomen over ravijnen die geen enkel leger zou kunnen oversteken als de bruggen zouden worden doorgesneden. Waarom verzetten jullie je niet?'

'Als het alleen om een leger ging, zouden we Qualinesti wel kunnen verdedigen,' antwoordde de Spreker. 'Maar wat kunnen we beginnen tegen draken?' Hulpeloos spreidde hij zijn handen. 'Niets! Volgens de legende kon zelfs de machtige Huma de draken slechts verslaan dankzij de Drakenlans. Nu is er echter niemand meer – voor zover wij weten althans – die zich het geheim van dat wapen nog herinnert.'

Fizban wilde iets zeggen, maar Raistlin legde hem het zwijgen op.

'Nee,' ging de Spreker verder, 'we moeten deze stad en dit woud verlaten. We willen naar het westen trekken, naar onbekende gebieden, in de hoop daar een nieuw thuis voor ons volk te vinden, of misschien zelfs terug te keren naar Silvanesti, de oudste thuishaven van de elfen. Tot een week geleden liepen onze plannen gesmeerd. De Drakenheer zal er drie geforceerde dagmarsen voor nodig hebben om zijn leger in aanvalspositie te brengen, en we hebben spionnen die ons op de hoogte zullen stellen zodra het leger wegtrekt uit Soelaas. Dan hebben we voldoende tijd om naar het westen te vluchten. Toen vernamen we echter dat er in Pax Tharkas, minder dan een dagreis bij ons vandaan, nog een leger was. Tenzij dat leger wordt tegengehouden, zijn wij verdoemd.'

'En u weet een manier om dat leger tegen te houden?' vroeg Tanis.

'Ja.' De Spreker keek naar zijn jongste zoon. 'Zoals je weet worden mannen uit Poort, Soelaas en de omliggende dorpen in het fort van Pax Tharkas gevangengehouden, waar ze slavenarbeid verrichten voor de Drakenheer. Canaillaard is slim. Om te voorkomen dat zijn slaven in opstand komen, houdt hij hun vrouwen en kinderen in gijzeling, als onderpand om de mannen te dwingen hem te gehoorzamen. Wij geloven dat de mannen, indien die gevangenen zouden worden bevrijd, tegen hun onderdrukkers in opstand zouden komen en hen zouden doden. Het was Gilthanas' missie om de gijzelaars te bevrijden en de opstand te leiden. Hij zou de mensen meenemen naar de bergen in het zuiden, zodat dit derde leger in de achtervolging zou gaan en wij genoeg tijd zouden hebben om te ontsnappen.'

'En de mensen dan?' vroeg Waterwind bars. 'Ik heb de indruk dat u ze voor het drakenleger werpt zoals een wanhopig man vlees voor de wolven gooit om aan ze te ontkomen.'

'Heer Canaillaard zal hen hoe dan ook niet lang meer in leven laten, vrezen we. Het erts is bijna op. Hij verzamelt nog de laatste beetjes, maar daarna zullen de slaven voor hem geen nut meer hebben. Er zijn valleien in de bergen, grotten waar mensen kunnen wonen en het drakenleger op afstand kunnen houden. De bergpassen kunnen ze gemakkelijk tegen hen verdedigen, zeker nu het bijna winter wordt. Toegegeven, er zullen doden vallen, maar dat is een offer dat zal moeten worden gebracht. Als jij de keuze had, man van de Vlakten, zou je dan liever sterven als slaaf of strijdend ten onder gaan?'

Zonder antwoord te geven staarde Waterwind met duistere blik naar de kaart.

'Gilthanas heeft gefaald in zijn missie,' zei Tanis, 'en nu wilt u dat wij proberen die opstand te leiden. Klopt dat?'

'Ja, Tanthalas,' antwoordde de Spreker. 'Gilthanas weet een weg naar Pax Tharkas, de Sla-Mori. Hij kan jullie het fort binnen brengen. Jullie hebben niet alleen de kans om jullie eigen volk te bevrijden, maar ook om de elfen een kans te geven te ontsnappen,' – de stem van de Spreker werd feller – 'een kans om te overleven die veel elfen niet kregen toen de mensen de Catastrofe over ons afriepen.'

Boos keek Waterwind op. Zelfs Sturms gezicht betrok. De Spreker haalde diep adem en slaakte een zucht. 'Neem me niet kwalijk,' zei hij. 'Het was niet mijn bedoeling jullie te geselen met de zweep van het verleden. Wij staan niet onverschillig tegenover de hachelijke situatie van de mensen. Ik stuur vrijwillig mijn zoon Gilthanas met jullie mee, in de wetenschap dat we elkaar wellicht nooit meer zullen zien als onze wegen zich nu scheiden. Dat offer breng ik opdat mijn volk, en dat van jullie, kan overleven.'

'We hebben tijd nodig om te beraadslagen,' zei Tanis, hoewel zijn beslissing voor hemzelf al duidelijk was. De Spreker knikte, en de elfenkrijgers maakten een pad vrij tussen de menigte door en gingen de reisgenoten voor naar een groepje bomen. Daar werden ze achtergelaten.

Tanis' vrienden stonden vóór hem. In het schijnsel van de sterren leken hun gezichten wel maskers van licht en schaduw. Al die tijd, dacht hij, heb ik mijn uiterste best gedaan om ons bijeen te houden. Nu zie ik dat we uit elkaar moeten gaan. We kunnen de schijven niet meenemen naar

Pax Tharkas, dat is veel te riskant. En Goudmaan zal ze niet willen achterlaten.

'Ik ga naar Pax Tharkas,' zei Tanis zachtjes. 'Maar ik geloof dat nu de tijd is aangebroken dat we ieder onze eigen weg moeten gaan, mijn vrienden. Voordat jullie reageren, wil ik nog iets zeggen. Ik zou graag willen dat Tika, Goudmaan, Waterwind, Caramon, Raistlin, en jij, Fizban, met de elfen meegingen, in de hoop dat jullie de schijven in veiligheid kunnen brengen. Ze zijn te kostbaar om ze op het spel te zetten bij een aanval op Pax Tharkas.'

'Dat mag wel zo zijn, halfelf,' fluisterde Raistlin vanuit de schaduw van zijn kap, 'maar onder de elfen van Qualinesti zal Goudmaan niet degene vinden die ze zoekt.'

'Hoe weet je dat?' vroeg Tanis verschrikt.

'Hij weet helemaal niets, Tanis,' mengde Sturm zich verbitterd in het gesprek. 'Hij kletst maar wat—'

'Raistlin?' vroeg Tanis zonder acht te slaan op Sturm.

'Je hebt de ridder gehoord,' siste de magiër. 'Ik weet helemaal niets!'

Met een zucht liet Tanis het erbij zitten. Hij keek om zich heen. 'Jullie hebben mij benoemd tot jullie leider—'

'Jazeker, knul,' zei Flint opeens. 'Maar deze beslissing komt uit je hoofd, niet uit je hart. Diep vanbinnen geloof je niet werkelijk dat we ieder ons weegs moeten gaan.'

'Nou, ik ben niet van plan om bij de elfen te blijven,' zei Tika met haar armen over elkaar. 'Ik ga met je mee, Tanis. Ik wil zwaardvechtster worden, net als Kitiara.'

Tanis kromp ineen. Het horen van Kitiara's naam was als een klap in het gezicht.

'Ik ga me niet bij de elfen verstoppen,' sprak Waterwind, 'zeker als dat betekent dat ik anderen van mijn ras voor me moet laten vechten.'

'Hij en ik zijn één,' zei Goudmaan met haar hand op zijn arm. 'En trouwens,' zei ze iets zachter, 'op de een of andere manier weet ik dat de magiër gelijk heeft. Onder de elfen zal ik de leider niet vinden. Zij willen niet vechten voor de wereld, ze willen hem ontvluchten.'

'We gaan allemaal mee, Tanis,' zei Flint vastberaden.

De halfelf keek hulpeloos om zich heen, waarna hij glimlachend zijn hoofd schudde. 'Je hebt gelijk. In mijn hart geloofde ik niet werkelijk dat we uit elkaar moesten gaan. Dat zou de verstandigste, meest logische beslissing zijn, dus natuurlijk doen we dat niet.'

'Misschien kunnen we nu eindelijk eens gaan slapen,' zei Fizban gapend.

'Wacht eens even, oude man,' zei Tanis streng. 'Jij bent niet een van ons. Jij gaat in elk geval met de elfen mee.'

De vage, troebele blik verdween uit de ogen van de oude tovenaar toen hij Tanis met zo'n indringende, welhaast dreigende blik aankeek dat de halfelf onwillekeurig een stap naar achteren deed. Opeens leek de oude man te worden omringd door een bijna tastbare aura van macht. 'O ja?' vroeg hij met zachte, maar intense stem. 'Ik ga waar ik wil in deze wereld, en ik verkies met jou mee te gaan, Tanis Halfelf.'

Raistlin wierp Tanis een blik toe alsof hij wilde zeggen: begrijp je het nu? Weifelend beantwoordde Tanis die blik. Hij had er spijt van dat hij het gesprek met Raistlin voor zich uit had geschoven, maar vroeg zich af hoe ze nu nog konden overleggen, wetend dat de oude man niet wilde weggaan.

'Ik spreek jou dit, Raistlin,' zei Tanis opeens, gebruikmakend van Kampspraak, een verbasterde vorm van het Gemeenschaps die was ontwikkeld door de huurlingen van Krynn, een mengeling van allerlei rassen. De tweeling had zich wel eens als huurling verhuurd om brood op de plank te krijgen, zoals de meesten in het gezelschap. Tanis wist dat Raistlin hem zou verstaan. Hij was er vrij zeker van dat dat niet voor de oude man gold.

'Als jij wil, wij praat,' antwoordde Raistlin in dezelfde taal, 'maar weet weinig.'

'Jij bang. Waarom?'

Raistlin kreeg een afwezige blik in zijn vreemde ogen toen hij langzaam antwoordde: 'Ik niet weet, Tanis. Maar jij gelijk. Macht is er, in oude man. Ik voel grote macht. Ik bang.' Zijn ogen glansden. 'En ik honger!' De magiër zuchtte en leek weer tot zichzelf te komen. 'Maar hij gelijk. Hem tegenhou? Veel groot gevaar.'

Tanis schakelde weer over op het Gemeenschaps. 'Alsof we daar nog niet genoeg van hebben,' zei hij verbitterd. 'We nemen nog wat extra met ons mee in de vorm van een kindse oude tovenaar.'

'Anderen is er, misschien even gevaarlijk,' zei Raistlin met een veelbetekenende blik naar zijn broer. Ook de magiër schakelde weer over op het Gemeenschaps. 'Ik ben moe. Ik moet slapen. Blijf jij hier, broer?'

'Ja,' antwoordde Caramon, die een blik wisselde met Sturm. 'We willen met Tanis praten.'

Raistlin knikte en bood Fizban zijn arm. De oude en de jonge magiër vertrokken. Onderweg haalde de oude man met zijn staf uit naar een boom, die hij ervan beschuldigde hem te willen besluipen.

'Alsof één gekke magiër nog niet genoeg was,' mompelde Flint. 'Ik ga naar bed.'

Een voor een vertrokken de anderen, tot alleen Tanis, Caramon en Sturm nog over waren. Vermoeid draaide Tanis zich naar hen om. Hij had het vermoeden dat hij al wist waar dit over ging. Caramon stond met een rood gezicht naar zijn voeten te kijken. Sturm streek over zijn lange snor en keek Tanis bedachtzaam aan.

'Ja?' vroeg Tanis.

'Gilthanas,' antwoordde Sturm.

Fronsend krabde Tanis aan zijn baard. 'Dat zijn mijn zaken, niet die van jullie,' zei hij kortaf.

'Het zijn wel degelijk onze zaken, Tanis,' hield Sturm vol, 'als hij ons naar Pax Tharkas gaat brengen. We willen niet onze neus steken in zaken die ons niet aangaan, maar het is wel duidelijk dat jullie nog een appeltje met elkaar te schillen hebben. Ik heb gezien hoe hij naar je kijkt, Tanis, en als ik jou was zou ik zorgen dat ik te allen tijde een vriend aan mijn zijde had om me te beschermen.'

Caramon keek Tanis ernstig aan, met een diepe frons in zijn voorhoofd. 'Ik weet wel dat hij een elf is en zo,' zei de grote man langzaam, 'maar zoals Sturm al zei, soms krijgt hij een merkwaardige blik in zijn ogen. Ken jij de weg naar dat Sla-Mori niet? Kunnen we het niet zelf vinden? Ik vertrouw hem niet. En Sturm en Raist ook niet.'

'Luister, Tanis,' zei Sturm toen hij het gezicht van de halfelf zag vertrekken van woede. 'Als Gilthanas in Soelaas inderdaad in zulk groot gevaar verkeerde, waarom zat hij dan zomaar in de herberg? En dan dat verhaal van hem over zijn krijgers die "per ongeluk" op een compleet leger stuitten! Tanis, schud niet zo snel je hoofd. Ik zeg niet dat hij kwaadaardig is, hooguit in de war. Stel dat Canaillaard hem op de een of andere manier in zijn macht heeft? Misschien heeft de Drakenheer hem wel aangepraat dat hij de elfen zal sparen als hij in ruil daarvoor ons verraadt. Misschien zat hij daarom in Soelaas op ons te wachten.'

'Dat slaat nergens op!' snauwde Tanis. 'Hoe kon hij weten dat we eraan kwamen?'

'We hebben onze reis van Xak Tsaroth naar Soelaas niet bepaald geheimgehouden,' antwoordde Sturm kil. 'Overal hebben we draconen gezien, en degenen die zijn weggevlucht uit Xak Tsaroth moeten hebben beseft dat we voor de schijven waren gekomen. Waarschijnlijk kan Canaillaard ons inmiddels beter beschrijven dan zijn eigen moeder.'

'Nee! Ik geloof er niets van,' zei Tanis met een boze blik op Sturm en Caramon. 'Jullie hebben het mis! Ik durf mijn leven erom te verwedden. Ik ben met Gilthanas opgegroeid, ik ken hem! Ja, we hebben inderdaad nog een appeltje met elkaar te schillen, maar we hebben het erover gehad en de kwestie is afgehandeld. Ik geloof net zomin dat hij zijn eigen volk zou verraden als dat jij of Caramon ons zouden verraden. En nee, ik weet de weg naar Pax Tharkas niet. En dan nog iets!' brulde Tanis, die nu echt woedend was. 'Als er iemand in deze groep is die ik niet vertrouw, dan zijn het jouw broer en die oude man!' Beschuldigend keek hij naar Caramon.

De grote man werd bleek en sloeg zijn ogen neer. Hij wilde zich al afwenden. Tanis kwam tot bezinning en besefte opeens wat hij had gezegd. 'Het spijt me, Caramon.' Hij legde zijn hand op de arm van de krijger. 'Dat meende ik niet. Raistlin heeft ons tijdens deze krankzinnige reis meer dan eens het leven gered. Het wil er bij mij gewoon niet in dat Gilthanas een verrader zou zijn.'

'Dat weten we, Tanis,' zei Sturm zachtjes. 'En we vertrouwen op jouw oordeel. Maar het is een te donkere nacht om met je ogen dicht rond te lopen, zoals ze in mijn vaderland zouden zeggen.'

Zuchtend knikte Tanis. Hij legde zijn andere hand op Sturms arm. De ridder legde zijn hand eroverheen. Even bleven de drie mannen zwijgend staan, waarna ze het groepje bomen verlieten en terugliepen naar de Hemelzaal. Ze konden de Spreker nog steeds met zijn krijgers horen praten.

'Wat betekent Sla-Mori eigenlijk?' vroeg Caramon.

'Geheime Weg,' antwoordde Tanis.

Tanis schrok wakker, met zijn hand al bij de dolk aan zijn riem. In het donker stond een donkere gestalte over hem heen gebogen, een silhouet tegen de sterrenhemel. Snel greep hij de persoon vast en trok die over zich heen, met zijn dolk tegen de hals.

'Tanthalas!' Er klonk een zacht kreetje bij de aanblik van het staal dat glansde in het sterrenlicht.

'Laurana!' zei Tanis verbijsterd.

Haar lichaam drukte tegen het zijne. Hij voelde haar beven, en nu hij helemaal wakker was, zag hij het loshangende haar dat om haar schouders golfde. Ze droeg alleen een dun nachthemd. Haar mantel was tijdens de korte worsteling van haar schouders gegleden.

In een opwelling was Laurana opgestaan en naar buiten geglipt, met alleen een mantel om zich tegen de kou te beschermen. Nu lag ze op Tanis' borst, te bang om zich te verroeren. Van deze harde kant had ze het bestaan bij Tanis nooit vermoed. Als ze een vijand was geweest, besefte ze opeens, zou ze nu met een doorgesneden keel dood op de grond liggen.

'Laurana...' zei Tanis opnieuw terwijl hij zijn dolk met bevende hand terug in de schede stak. Hij duwde haar van zich af en ging rechtop zitten, boos op zichzelf omdat hij haar aan het schrikken had gemaakt en boos op haar omdat ze diep in zijn binnenste iets had doen ontwaken. Toen ze boven op hem had gelegen, was hij zich heel even pijnlijk bewust geweest van de geur van haar haren, de warmte van haar slanke lichaam, de beweging van de spieren in haar bovenbenen en de zachtheid van haar kleine borsten. Toen hij wegging, was Laurana nog maar een meisje geweest. Nu was ze echter een vrouw, een beeldschone, begeerlijke vrouw.

'Wat doe je hier in de naam van de Afgrond op dit tijdstip?'

'Tanthalas,' zei ze verstikt terwijl ze haar mantel stevig om zich heen sloeg. 'Ik kom je vragen of je niet van gedachten wilt veranderen. Laat je vrienden de mensen in Pax Tharkas maar bevrijden. Jij moet met ons meekomen! Vergooi je leven niet. Mijn vader is wanhopig. Hij gelooft niet echt dat dit zal werken, dat weet ik gewoon. Maar hij heeft geen keus. Hij rouwt om Gilthanas alsof die al dood is. Ik zal mijn broer kwijtraken. Ik wil jou niet ook nog eens kwijtraken.' Ze begon te snikken. Tanis keek haastig om zich heen. Er waren vrijwel zeker elfenwachters in de buurt. Als de elfen hem in deze compromitterende situatie betrapten...

'Laurana,' zei hij terwijl hij haar bij de schouders greep en heen en weer schudde. 'Je bent geen kind meer. Het wordt tijd dat je volwassen wordt, en snel ook. Ik ben niet van plan mijn vrienden zonder mij het gevaar tegemoet te laten treden. Ik weet wat voor risico we nemen, ik ben niet blind. Maar als we de mensen kunnen bevrijden uit de klauwen van Canaillaard en jou en je volk genoeg tijd kunnen geven om te ontsnappen, dan nemen we dat risico gewoon. Er komt een moment in je leven, Laurana, dat je je leven op het spel moet zetten voor iets waarin je gelooft, iets wat meer voor je betekent dan het leven zelf. Begrijp je dat?'

Vanachter een gordijn van goudblond haar keek ze hem aan. Haar gesnik en het beven hielden op. Ingespannen keek ze hem aan.

'Begrijp je dat, Laurana?' vroeg hij nogmaals.

'Ja, Tanthalas,' antwoordde ze zachtjes. 'Dat begrijp ik.'

'Mooi!' Hij slaakte een zucht. 'En nu weer naar bed. Snel. Je hebt me in gevaar gebracht. Als Gilthanas ons zo zou zien...'

Laurana stond op en liep snel tussen de bomen vandaan. Als de wind in de espen schoot ze van gebouw naar gebouw over straat. Langs de wachters sluipen om weer in het huis van haar vader te komen was simpel, dat deden zij en Gilthanas al sinds hun jeugd. Stilletjes sloop ze terug naar haar kamer, waarbij ze onderweg even bleef staan luisteren aan de deur van haar vader en moeder. Binnen brandde licht. Ze hoorde perkament ritselen en rook een indringende geur. Haar vader was documenten aan het verbranden. Ze hoorde de zachte stem van haar moeder, die haar vader naar bed riep. Even sloot Laurana haar ogen, in de greep van stil verdriet. Toen klemde ze vastberaden haar lippen op elkaar en rende door de donkere, koude gang naar haar slaapkamer.

8
Twijfels. Een hinderlaag.
Een nieuwe vriend.

De elfen kwamen de reisgenoten nog voor het aanbreken van de dag wakker maken. Onweerswolken pakten zich samen aan de noordelijke horizon en reikten als graaiende vingers naar Qualinesti. Gilthanas arriveerde na het ontbijt, gekleed in een tuniek van blauwe stof en een maliënkolder.

'We hebben mondvoorraad,' zei hij met een gebaar naar de krijgers, die tassen in hun handen hadden. 'We kunnen ook voor wapens en wapenrusting zorgen, als daar behoefte aan is.'

'Tika heeft wapenrusting, een schild en een zwaard nodig,' zei Caramon.

'We zullen ons best doen,' zei Gilthanas, 'al vraag ik me af of we een volledige wapenrusting in zo'n kleine maat hebben.'

'Hoe is het met Theros IJzerfeld?' vroeg Goudmaan.

'Hij ligt rustig te slapen, priesteres van Mishakal.' Gilthanas maakte een respectvolle buiging voor Goudmaan. 'Mijn volk zal hem uiteraard meenemen als ze weggaan. U mag afscheid van hem nemen als u wilt.'

Al snel kwamen enkele elfen terug met wapenrusting in alle soorten en maten voor Tika en een kort, licht zwaard van het soort dat gewild was onder de elfenvrouwen. Tika's ogen glansden toen ze de helm en het schild zag. Die waren beide door elfen vervaardigd, bewerkt en ingelegd met edelstenen.

Gilthanas nam de helm en het schild van de elf aan. 'Ik heb je nog niet bedankt voor het feit dat je in de herberg mijn leven hebt gered,' zei hij tegen Tika. 'Deze zijn voor jou. Het is de ceremoniële wapenrusting van mijn moeder en dateert nog uit de tijd van de Bloedmoordoorlog. Ze zouden zijn overgegaan op mijn zusje, maar Laurana en ik zijn van mening dat jij de rechtmatige eigenaresse bent.'

'Wat mooi,' mompelde Tika blozend. Ze pakte de helm aan, maar keek weifelend naar de rest van de wapenrusting. 'Ik weet niet wat waar hoort,' biechtte ze op.

'Ik help je wel!' bood Caramon gretig aan.

'Dit handel ik wel af,' zei Goudmaan vastberaden. Ze raapte de wapenrusting bij elkaar en leidde Tika naar een groepje bomen.

'Wat weet zij nou over wapenrusting?' mopperde Caramon.

Waterwind keek de krijger aan en lachte die zeldzame glimlach die zijn strenge gelaat verzachtte. 'Je vergeet iets,' zei hij. 'Ze is stamhoofdsdochter. In de afwezigheid van haar vader was het haar taak om de stam voor te gaan in de strijd. Ze weet heel veel over wapenrusting, krijger, en nog meer over het hart dat eronder klopt.'

Caramon bloosde. Nerveus pakte hij een tas met mondvoorraad op en keek erin. 'Wat is dit voor rommel?' vroeg hij.

'*Quith-pa*,' zei Gilthanas. 'Noodrantsoenen, zouden jullie zeggen. Daar kunnen we weken mee doen als het nodig is.'

'Het ziet eruit als gedroogd fruit!' zei Caramon vol afschuw.

'Dat is het ook,' antwoordde Tanis grijnzend.

Caramon kreunde.

De dageraad wierp juist een eerste, bleke, kille gloed op de kringelende onweerswolken, toen Gilthanas het gezelschap Qualinesti uit leidde. Tanis hield zijn blik strak op de weg gericht en weigerde om te kijken. Was zijn laatste bezoek aan dit land maar plezieriger geweest. Hij had Laurana de hele ochtend niet gezien, en hoewel hij opgelucht was dat hij aan een emotioneel afscheid was ontsnapt, vroeg hij zich stiekem af waarom ze geen afscheid van hem was komen nemen.

Het pad leidde naar het zuiden en liep geleidelijk, maar constant af. Het was overwoekerd geweest door dichte struiken, maar de groep krijgers met wie Gilthanas eerder op pad was gegaan, had het onder het lopen vrijgemaakt, zodat het een relatief makkelijke wandeling was. Caramon liep naast Tika, die er schitterend uitzag in haar bij elkaar geraapte wapenrusting, en probeerde haar bij te brengen hoe ze een zwaard moest hanteren. Helaas kon de leraar zelf maar moeilijk bij de les blijven.

Goudmaan had in Tika's rode werkrok splitten gesneden tot aan haar dijen, zodat ze zich gemakkelijker kon bewegen. Stukjes van Tika's met bont afgezette witte ondergoed piepten verlokkelijk door de splitten heen. Onder het lopen waren haar benen duidelijk zichtbaar, en ze zagen er precies zo uit als Caramon zich altijd had voorgesteld: rond en welgevormd. Daardoor viel het Caramon zwaar om zich op de les te concentreren. Hij ging zo in zijn leerling op dat het hem niet eens opviel dat zijn broer was verdwenen.

'Waar is de jonge magiër?' vroeg Gilthanas bars.

'Misschien is hem iets overkomen,' zei Caramon bezorgd, zichzelf vervloekend omdat hij niet aan zijn broer had gedacht. De krijger trok zijn zwaard en keerde op zijn schreden om.

'Onzin!' Gilthanas hield hem tegen. 'Wat kan hem gebeuren? Er is in de verre omtrek geen vijand te bekennen. Hij is kennelijk op eigen houtje weggegaan, met wat voor doel dan ook.'

'Wat wil je daarmee zeggen?' vroeg Caramon dreigend.

'Misschien is hij weggegaan om—'

'Om grondstoffen te verzamelen die ik voor mijn spreuken nodig heb, elf,' fluisterde Raistlin, die op dat moment uit de struiken kwam. 'En om de kruiden aan te vullen voor het brouwsel tegen mijn hoest.'

'Raist!' Het scheelde niet veel of Caramon knuffelde zijn broer van opluchting. 'Je moet er niet zomaar in je eentje tussenuit knijpen. Dat is gevaarlijk.'

'Mijn spreukbenodigdheden zijn geheim,' fluisterde Raistlin gepikeerd. Hij duwde zijn broer weg. Leunend op de staf van Magius voegde hij zich weer bij Fizban in de rij.

Gilthanas wierp Tanis een scherpe blik toe. De halfelf haalde zijn schouders op en schudde zijn hoofd. De groep liep verder, en al snel werd het pad steeds steiler. Het espenbos ging over in het dennenbos van het laagland. Het pad voegde zich bij een helder beekje, dat verderop naar het zuiden veranderde in een woest kolkende rivier.

Toen ze stilhielden voor een snel middagmaal, kwam Fizban op zijn hurken naast Tanis zitten. 'Iemand achtervolgt ons,' zei hij op doordringende fluistertoon.

'Hè?' Tanis hief met een ruk zijn hoofd en keek de oude tovenaar ongelovig aan.

'Jazeker,' zei de oude man, ernstig knikkend. 'Ik heb het zelf gezien. Iemand rent tussen de bomen door.'

Sturm zag Tanis' bezorgde blik. 'Wat is er?'

'De oude man zegt dat we worden achtervolgd.'

'Ach wat!' Vol afschuw wierp Gilthanas zijn laatste stukje quith-pa op de grond en stond op. 'Dat slaat nergens op. We moeten gaan. Het is nog vele mijlen naar de Sla-Mori en we moeten er vóór zonsondergang zijn.'

'Ik houd het achter ons in de gaten,' zei Sturm zachtjes tegen Tanis.

Urenlang liepen ze tussen de kartelige dennenbomen door. De zon zakte al aan de hemel en de schaduwen op het pad werden langer, toen de groep opeens op een open plek stuitte.

'Sst!' deed Tanis waarschuwend terwijl hij zich geschrokken terugtrok. Caramon, die meteen alert was, trok zijn zwaard en gebaarde met zijn vrije hand naar Sturm en zijn broer.

'Wat is er?' vroeg Tasselhof schel. 'Ik zie niks.'

'Sst!' Tanis keek de kender boos aan, en Tas sloeg maar vast zelf een hand voor zijn mond, om de halfelf de moeite te besparen.

Op de open plek was pas nog gevochten. De lichamen van mannen en kobolden lagen her en der in groteske houdingen verspreid, bruut vermoord. De reisgenoten keken angstig om zich heen en bleven een hele tijd ingespannen staan luisteren, maar ze konden niets horen boven het geraas van het water uit.

'In de verre omtrek geen vijand te bekennen!' Sturm keek Gilthanas boos aan en wilde de open plek betreden.

'Wacht!' zei Tanis. 'Volgens mij zag ik iets bewegen.'

'Misschien leeft er nog een,' zei Sturm koeltjes. Hij liep door. De anderen kwamen langzaam achter hem aan. Onder twee koboldenlichamen klonk een zacht gekreun. De krijgers liepen met getrokken zwaarden op het bloedbad af.

'Caramon...' Tanis gebaarde.

De grote krijger duwde de lijken opzij. Eronder lag iemand te kreunen.

'Een mens,' meldde Caramon. 'Onder het bloed. Bewusteloos, geloof ik.'

De anderen kwamen ook naar de man op de grond kijken. Goudmaan wilde al neerknielen, maar Caramon hield haar tegen.

'Nee, edele vrouwe,' zei hij vriendelijk. 'Het zou zinloos zijn om hem te genezen als we hem vervolgens gewoon weer moeten vermoorden. Vergeet niet dat er in Soelaas mensen waren die voor de Drakenheer vochten.'

Iedereen verdrong zich om de man te onderzoeken. Hij droeg een maliënkolder van goede kwaliteit, al was hij een beetje roestig. Zijn kleren waren duur, maar er zaten her en der slijtplekken op. Hij leek achter in de dertig te zijn. Zijn dikke haar was zwart, zijn kin stevig en zijn gelaatstrekken regelmatig. De vreemdeling opende zijn ogen en keek de reisgenoten verdwaasd aan.

'De Zoekergoden zij dank!' zei hij schor. 'Mijn vrienden, zijn ze allemaal dood?'

'Maak je eerst maar eens zorgen over jezelf,' zei Sturm streng. 'Vertel ons eerst maar eens wie je vrienden waren, de mensen of de kobolden.'

'De mensen, strijders tegen de drakenmannen.' De man zweeg en zijn ogen werden groot. 'Gilthanas?'

'Eben,' zei Gilthanas zachtjes, maar verrast. 'Hoe heb jij de slag bij het ravijn overleefd?'

'Hoe heb jíj het overleefd?' De man, Eben, probeerde overeind te krabbelen. Caramon stak juist zijn hand uit om hem te helpen, toen Eben opeens wees naar iets achter hem. 'Pas op! Dra—'

Caramon draaide zich met een ruk om en liet Eben met een kreun terug op de grond vallen. Ook de anderen draaiden zich om naar de twaalf draconen die met getrokken wapens aan de rand van de open plek stonden.

'Alle vreemdelingen in dit land dienen naar de Drakenheer te worden gebracht voor ondervraging,' riep er een. 'We bevelen jullie om rustig met ons mee te gaan.'

'Niemand hoort op de hoogte te zijn van dit pad naar Sla-Mori,' fluisterde Sturm tegen Tanis met een veelbetekenende blik op Gilthanas. 'Dat beweert die elf tenminste.'

'We nemen geen bevelen aan van heer Canaillaard,' riep Tanis, die deed alsof hij Sturm niet had gehoord.

'Nóg niet,' zei de dracoon. Hij maakte een gebaar met zijn arm, en de monsters vielen aan.

Fizban, die vlak bij de bomen stond, haalde iets uit zijn buidel en begon vreemde woorden te mompelen.

'Geen vuurbal!' siste Raistlin terwijl hij de oude tovenaar bij de arm pakte. 'Dan verbrand je iedereen die daar rondloopt!'

'O ja? Tja, je zult wel gelijk hebben.' De oude tovenaar slaakte een teleurgestelde zucht, maar klaarde toen weer op. 'Wacht, ik bedenk wel iets anders.'

'Blijf hier, waar het veilig is,' beval Raistlin. 'Ik ga mijn broer helpen.'

'Hm, hoe ging die webspreuk ook alweer?' vroeg de oude man peinzend.

Tika, die haar nieuwe zwaard getrokken en in de aanslag had, beefde van angst en opwinding. Een van de draconen stormde op haar af, en ze zwaaide met al haar kracht met het zwaard. De kling miste de dracoon ruim, maar raakte op een haartje na Caramons hoofd. Hij trok Tika achter zich en sloeg de dracoon met de platte kant van zijn zwaard tegen de grond. Voordat het wezen kon opstaan, zette Caramon zijn voet op zijn keel en brak zijn nek.

'Blijf achter me,' zei hij tegen Tika, waarna hij een blik wierp op het zwaard waar ze nog steeds wild mee zwaaide. 'Of liever,' verbeterde Caramon zichzelf nerveus, 'ren maar naar die bomen toe, waar Goudmaan en de oude man staan. Brave meid.'

'Mooi niet!' zei Tika verontwaardigd. 'Ik zal hem eens wat laten zien,' mompelde ze. Het zwaard glipte bijna uit haar bezwete handen. Twee nieuwe draconen stormden op Caramon af, maar nu had die zijn broer aan zijn zijde, en samen combineerden ze staal en magie om hun vijanden te doden. Tika wist dat ze hen alleen maar in de weg zou lopen, en ze was banger voor Raistlins toorn dan voor de draconen. Ze keek om zich heen om te zien of iemand anders haar hulp nodig had. Sturm en

Tanis vochten zij aan zij. Gilthanas vormde een onwaarschijnlijk team met Flint, terwijl Tasselhof, die zijn hoopak stevig in de grond had gestoken, een dodelijke regen van stenen op de open plek losliet. Goudmaan stond onder de bomen met Waterwind vlak bij zich. De oude tovenaar had een spreukenboek tevoorschijn gehaald waar hij in stond te bladeren.

'Web... web... Hoe ging dat ook alweer?' prevelde hij.

'Aaah!' Achter Tika klonk een kreet die haar bijna haar tong deed inslikken. Ze draaide zich met een ruk om en liet van schrik haar zwaard uit haar handen vallen toen een afschuwelijk kakelende dracoon met een sprong recht op haar afkwam. In paniek pakte Tika met beide handen haar schild vast en sloeg de dracoon ermee in zijn afzichtelijke reptielengezicht. Door de klap vloog het schild bijna uit haar handen, maar het wezen viel bewusteloos op zijn rug. Tika raapte haar zwaard op en stak het met een grimas in de borst van het wezen. Meteen veranderde het lichaam in steen, zodat haar zwaard muurvast kwam te zitten. Tika trok eraan, maar het gaf geen duim mee.

'Tika, links!' riep Tasselhof schril.

Half struikelend draaide Tika zich om naar de volgende dracoon. Met haar schild weerde ze zijn zwaard af. Met een kracht geboren uit doodsangst sloeg ze het wezen keer op keer met haar schild. Het enige wat ze wist was dat ze dat monster moest doden. Ze bleef meppen, tot ze een hand op haar arm voelde. Met haar met bloed bevlekte schild in de aanslag draaide ze zich om. Het was Caramon.

'Het is al goed,' zei de grote krijger sussend. 'Het is al voorbij, Tika. Ze zijn allemaal dood. Je hebt het prima gedaan, echt prima.'

Tika knipperde met haar ogen. Het duurde even voor ze de krijger herkende. Toen liet ze huiverend haar schild zakken.

'Ik was niet zo handig met het zwaard,' zei ze. Ze begon te beven van verlate angst en de herinnering aan de dracoon die haar besprong.

Caramon zag het. Hij nam haar in zijn armen en streelde haar rode krullen, die vochtig waren van het zweet.

'Je was dapperder dan menige man die ik heb gezien, en dan heb ik het over ervaren krijgers,' zei de grote man met zijn diepe stem.

Tika keek diep in Caramons ogen. Haar angst smolt weg en maakte plaats voor verrukking. Ze drukte zich tegen hem aan. Haar opwinding nam nog toe toen ze zijn harde spieren voelde en zijn geur opving, zweet vermengd met leer. Ze sloeg haar armen om zijn nek en kuste hem zo woest dat ze hem in zijn lip beet. Ze proefde bloed in haar mond.

De verbijsterde Caramon voelde de tintelende pijn, die een merkwaardig contrast vormde met haar zachte lippen, en werd overweldigd door verlangen. Hij hunkerde naar deze vrouw zoals hij nog nooit naar een vrouw had gehunkerd, en er waren er al vele geweest in zijn leven. Hij vergat waar hij was, wie er om hem heen stonden. Hij stond in vuur en vlam, en zijn hele lijf schrijnde van verlangen. Hij drukte Tika stevig tegen zich aan en kuste haar woest terug.

De pijn van de omhelzing was een genot voor Tika. Ze wilde niets liever dan dat die pijn haar zou overspoelen, maar tegelijk werd ze opeens kil van angst. Denkend aan de verhalen van de andere barmeisjes over de vreselijke, prachtige dingen die tussen een man en een vrouw konden voorvallen, raakte ze in paniek.

Caramon was alle realiteitszin kwijt. Hij tilde Tika op met het wilde idee om haar naar het bos te dragen, toen hij een koude, bekende hand op zijn schouder voelde.

Starend naar zijn broer kwam de grote man happend naar adem weer bij zinnen. Voorzichtig zette hij Tika op de grond. Duizelig en gedesoriënteerd opende ze haar ogen, en zag Raistlin naast zijn broer staan. Hij keek haar recht aan met zijn vreemde, glinsterende ogen.

Tika's gezicht werd vuurrood. Ze liep achteruit weg, struikelde over de gevallen dracoon, raapte haar schild op en ging ervandoor.

Caramon slikte, kuchte en wilde iets zeggen, maar Raistlin wierp hem slechts een blik vol afkeer toe en liep terug naar Fizban. Bevend als een pasgeboren veulen slaakte Caramon een zucht, waarna hij op onvaste voeten naar Sturm, Tanis en Gilthanas toe liep, die met Eben stonden te praten.

'Nee, het gaat wel,' verzekerde de man hen. 'Ik werd alleen een beetje licht in mijn hoofd toen ik die monsters zag, dat is alles. Hebben jullie echt een priesteres bij je? Dat is geweldig, maar verspil haar genezende gave niet aan mij. Het is maar een schrammetje. Het overgrote deel van het bloed is niet eens van mij. Mijn mannen en ik volgden het spoor van die draconen door het bos toen we werden aangevallen door zeker veertig kobolden.'

'En jij bent de enige die het nog kan navertellen,' zei Gilthanas.

'Ja,' zei Eben terwijl hij de achterdochtige blik van de elf beantwoordde. 'Ik ben een uitstekend zwaardvechter, zoals je weet. Ik heb deze allemaal gedood' – hij gebaarde naar de zes dode kobolden die om hem heen lagen – 'waarna ik door de overmacht werd overweldigd. Kennelijk hebben ze me voor dood achtergelaten. Maar genoeg over mijn heldendaden. Jullie zijn zelf ook behoorlijk goed met een zwaard. Waar zijn jullie naar op weg?'

'Weet ik niet precies, maar het heet de Sla—' begon Caramon, maar Gilthanas viel hem in de rede.

'Onze reis is geheim,' zei hij. Toen voegde hij er weifelend aan toe:

'Maar we kunnen wel een goede zwaardvechter gebruiken.'
'Zolang jullie tegen draconen vechten, strijden we voor hetzelfde goed,' zei Eben opgewekt. Hij haalde zijn reistas onder het lijk van een kobold tevoorschijn en hing die om zijn schouder.
'Mijn naam is Eben Steenslag. Ik kom uit Poort. Waarschijnlijk hebben jullie wel van mijn familie gehoord,' zei hij. 'We hadden een van de indrukwekkendste huizen ten westen van—'
'Dat is het!' riep Fizban uit. 'Nu weet ik het weer!'
Opeens vlogen overal kleverige strengen spinrag rond.

De zon ging onder op het moment dat het gezelschap een open vlakte omringd door hoge bergtoppen bereikte. Strijdend om aandacht met de bergen was daar het reusachtige fort dat bekendstond onder de naam Pax Tharkas, dat de pas tussen de bergen bewaakte. Met stilzwijgend ontzag staarden de reisgenoten ernaar.
Tika sperde haar ogen open bij de aanblik van de twee enorme, identieke torens die naar de hemel reikten. 'Zoiets groots heb ik nog nooit gezien! Wie heeft dat gebouwd? Dat moeten wel machtige mensen zijn geweest.'
'Het waren geen mensen,' zei Flint bedroefd. De baard van de dwerg trilde terwijl hij weemoedig naar Pax Tharkas staarde. 'Het was een samenwerkingsverband van elfen en dwergen. Ooit, lang geleden, in vredige tijden.'
'De dwerg spreekt de waarheid,' zei Gilthanas. 'Lang geleden brak Kith-Kanan het hart van zijn vader door de oude thuishaven Silvanesti te verlaten. Hij en zijn metgezellen trokken naar het prachtige woud dat hun na de ondertekening van het Zwaardschedeperkament, waarmee een eind kwam aan de Bloedmoordoorlog, door de keizer van Ergoth was geschonken. Sinds de dood van Kith-Kanan hebben er eeuwenlang elfen in Qualinesti gewoond. Zijn grootste wapenfeit was echter de bouw van Pax Tharkas. Het staat tussen het elfenrijk en het dwergenrijk in, en is ontstaan uit een vriendschappelijke samenwerking die sindsdien zijn gelijke niet meer heeft gekend op Krynn. Nu doet het me verdriet het te moeten aanschouwen als het bastion van een machtige oorlogsmachine.'
Terwijl Gilthanas sprak, zagen de reisgenoten de enorme poort die voor Pax Tharkas stond opengaan. Een leger, bestaande uit lange rijen draconen en kobolden, marcheerde de vlakte op. Het geschal van hoorns weerkaatste tussen de bergtoppen. Vanuit de hoogte werd het leger gadegeslagen door een rode draak. De reisgenoten zochten haastig beschutting tussen de bomen en struiken. Hoewel de draak te ver weg was om hen te kunnen zien, kreeg de drakenangst hen zelfs op deze grote afstand in zijn greep.

'Ze rukken op naar Qualinesti,' zei Gilthanas. Zijn stem sloeg over. 'We moeten naar binnen om de gevangenen te bevrijden. Dan zal Canaillaard gedwongen zijn zijn leger terug te trekken.'

'Jullie willen binnendringen in Pax Tharkas!' zei Eben verbouwereerd.

'Ja,' antwoordde Gilthanas schoorvoetend. Kennelijk betreurde hij het dat hij zijn mond voorbij had gepraat.

'Wauw!' Eben pufte bewonderend. 'Jullie hebben lef, dat moet ik je nageven. Maar hoe komen we binnen? Wachten we tot het leger weg is? Waarschijnlijk blijven er maar een paar wachters bij de poort staan. Die kunnen we makkelijk aan, nietwaar, ouwe reus?' Hij gaf Caramon een por.

'Nou en of,' zei Caramon grijnzend.

'Dat is niet de bedoeling,' zei Gilthanas kil. De elf wees naar een smalle vallei die naar de bergen leidde en die in het snel wegstervende licht nog net zichtbaar was. 'Dat is de route die we zullen nemen. We steken over zodra het donker is.'

Hij stond op en liep weg. Tanis haastte zich om hem in te halen. 'Wat weet je over die Eben?' vroeg hij in het Elfs terwijl hij achteromkeek naar de man zelf, die met Tika liep te babbelen.

Gilthanas haalde zijn schouders op. 'Hij hoorde bij de groep mensen die samen met ons hebben gevochten bij het ravijn. Degenen die het overleefden, werden naar Soelaas gebracht en daar terechtgesteld. Het is natuurlijk altijd mogelijk dat hij is ontsnapt. Het is mij immers ook gelukt.' Gilthanas wierp een zijdelingse blik op Tanis. 'Hij komt uit Poort, waar zijn vader en diens vader rijke kooplieden waren. De anderen hebben me, toen hij even buiten gehoorsafstand was, verteld dat zijn familie al het geld is kwijtgeraakt en dat hij sindsdien met zijn zwaard de kost moet verdienen.'

'Zoiets vermoedde ik al,' zei Tanis. 'Zijn kleren zijn duur, maar ze hebben betere tijden gekend. Het was een goede beslissing om hem mee te nemen.'

'Ik durfde hem niet achter te laten,' antwoordde Gilthanas grimmig. 'Een van ons moet een oogje op hem houden.'

'Ja.' Tanis zweeg.

'En op mij, denk je zeker,' zei Gilthanas op gespannen toon. 'Ik weet wat de anderen zeggen, met name de ridder. Maar ik zweer je, Tanis, ik ben geen verrader. Ik wil maar één ding.' In het wegstervende licht hadden de ogen van de elf een koortsachtige glans. 'Ik wil die Canaillaard verpulveren. Je had hem moeten zien toen de draak mijn krijgers doodde! Daarvoor zou ik graag mijn leven opofferen...' Gilthanas brak zijn zin abrupt af.

'En dat van ons?' vroeg Tanis.

Gilthanas draaide zich naar hem om en nam hem met zijn amandelvormige ogen emotieloos op. 'Als je het dan echt wilt weten, Tanthalas: jouw leven heeft niets te betekenen.' Hij knipte met zijn vingers. 'Maar het leven van mijn volk betekent alles voor me. Dat is het enige waar ik nu nog om geef.' Hij liep weg toen Sturm zich bij hen wilde voegen. 'Tanis,' zei de ridder. 'De oude man had gelijk. We worden gevolgd.'

9
Groeiend wantrouwen.
De Sla-Mori.

Het smalle pad liep vanaf de vlakten steil omhoog naar een beboste vallei tussen de heuvels aan de voet van de bergen. De schaduw van de avond pakte zich om hen heen samen terwijl ze langs het beekje omhoogklommen. Ze hadden echter nog maar een klein eindje afgelegd toen Gilthanas het pad verliet en in de struiken verdween. De reisgenoten bleven staan en keken elkaar weifelend aan.

'Dit is gekkenwerk,' fluisterde Eben tegen Tanis. 'Er wonen trollen in deze vallei. Wie denk je dat dat pad heeft gebaand?' De donkerharige man pakte met een onderkoeld soort vrijpostigheid die Tanis verontrustend vond zijn arm vast. 'Natuurlijk ben ik het groentje in het team, zogezegd, en de goden weten dat jullie geen enkele reden hebben om me te vertrouwen, maar hoeveel weten jullie eigenlijk over die Gilthanas?'

'Ik ken—' begon Tanis, maar Eben deed alsof hij hem niet had gehoord. 'Sommigen van ons geloofden niet dat het draconenleger bij toeval op ons is gestuit, als je begrijpt wat ik bedoel. Mijn jongens en ik hielden ons al sinds de aanval op Poort in de heuvels verborgen om te vechten tegen het drakenleger. Vorige week doken opeens die elfen uit het niets op. Ze zeiden dat ze een van de forten van de Drakenheer gingen aanvallen en vroegen of wij zin hadden om te helpen. Dus wij zeiden: natuurlijk, waarom niet? Alles om die Drakenkerel een hak te zetten.

Tijdens de tocht werden we steeds zenuwachtiger, want overal waren sporen van draconen. Maar de elfen maakten zich er niet druk over. Gilthanas zei dat het oude sporen waren. Die nacht sloegen we ons kamp op en zetten we een wacht uit. Niet dat we er veel aan hadden. Nog geen twintig tellen voordat de draconen toesloegen, werden we gewaarschuwd. En...' – Eben blikte om zich heen en kwam nog dichterbij – 'terwijl wij wakker probeerden te worden en naar de wapens grepen om tegen die smerige monsters te vechten, hoorde ik de elfen

roepen, alsof er iemand was verdwenen. En wie denk je dat ze riepen?'
Eben keek Tanis gespannen aan. De halfelf fronste en schudde zijn
hoofd. Hij ergerde zich aan al dat theatrale gedoe.

'Gilthanas!' siste Eben. 'Die was verdwenen! Ze bleven maar om hem
roepen, om hun leider.' De man haalde zijn schouders op. 'Of hij ooit
nog is komen opdagen, weet ik niet. Ik ben gevangengenomen. We
werden meegenomen naar Soelaas, waar ik wist te ontsnappen. Hoe dan
ook zou ik me eens flink achter de oren krabben voordat ik die elf volgde. Misschien had hij een heel goede reden om elders te zijn toen de
draconen aanvielen, maar—'

'Ik ken Gilthanas al heel lang,' viel Tanis hem bars in de rede, maar het
verhaal had hem erger van zijn stuk gebracht dan hij wilde toegeven.

'Prima. Ik vond gewoon dat je het moest weten,' zei Eben met een be-
grijpende glimlach. Hij gaf Tanis een klopje op zijn rug en ging naast
Tika staan.

Tanis hoefde niet eens te kijken om te weten dat Caramon en Sturm elk
woord hadden gehoord. Geen van beiden zeiden ze echter iets, en
voordat Tanis met hen kon praten, dook Gilthanas weer op tussen de
bomen.

'Het is niet ver meer,' zei de elf. 'Verderop wordt het struikgewas dunner en wordt het lopen ook gemakkelijker.'

'Ik vind dat we gewoon door de voordeur naar binnen moeten gaan,'
zei Eben.

'Ik ook,' zei Caramon. De grote man wierp een vluchtige blik op zijn
broer, die slapjes onder een boom zat. Goudmaan was bleek van vermoeidheid. Zelfs Tasselhof liet vermoeid het hoofd hangen.

'We zouden hier vannacht ons kamp kunnen opslaan en dan bij de dageraad door de poort naar binnen kunnen gaan,' opperde Sturm.

'We houden ons aan het oorspronkelijke plan,' zei Tanis scherp. 'We
slaan het kamp op zodra we de Sla-Mori hebben bereikt.'

Toen sprak Flint zich uit. 'Ga jij maar aanbellen aan de poort om heer
Canaillaard te vragen of hij je wil binnenlaten, als je dat zo nodig wilt,
Sturm Zwaardglans. Dat doet hij vast wel. Kom, Tanis.' De dwerg klos-
te naar de struiken toe.

'Met een beetje geluk,' zei Tanis zachtjes tegen Sturm, 'raakt in elk geval onze achtervolger het spoor bijster.'

'Wie of wat het ook is,' antwoordde Sturm, 'hij voelt zich thuis in het
bos. Dat moet ik hem nageven. Telkens als ik een glimp van hem opving en een kijkje wilde gaan nemen, verdween hij. Ik heb overwogen
hem in een hinderlaag te laten lopen, maar daar was geen tijd voor.'

Dankbaar liet de groep de struiken achter zich, om uit te komen aan de
voet van een torenhoge granieten klif. Gilthanas liep een paar honderd

voet door, met zijn hand op de rots, alsof hij ergens naar zocht. Opeens bleef hij staan.

'Hier is het,' fluisterde hij. Uit zijn tuniek haalde hij een kleine edelsteen die met een zacht, geel licht begon te gloeien. Op de tast vond hij wat hij zocht in de rotswand: een inkeping in het graniet. Daar legde hij de edelsteen in, waarna hij zangerig een eeuwenoude tekst opzegde en met zijn vingers ongeziene symbolen in de duisternis beschreef.

'Heel indrukwekkend,' fluisterde Fizban. 'Ik wist niet dat hij een van ons was,' voegde hij er tegen Raistlin aan toe.

'Een amateur, meer niet,' antwoordde de magiër, die vermoeid op zijn staf leunde. Hij hield Gilthanas echter scherp in de gaten.

Opeens maakte zich geruisloos een groot steenblok los uit de rotswand. Langzaam schoof het blok opzij. De reisgenoten deinsden terug toen een kille, muffe luchtstroom uit het gapende gat in de rots naar buiten kwam.

'Wat is dit voor iets?' vroeg Caramon argwanend.

'Ik weet niet wat het tegenwoordig voor iets is,' antwoordde Gilthanas. 'Ik ben nog nooit naar binnen geweest. De enige reden dat ik van het bestaan ervan weet, is dat mijn volk er verhalen over vertelt.'

'Goed,' bromde Caramon. 'Wat was dit vroeger dan voor iets?'

Gilthanas zweeg even voor hij zei: 'Dit was de graftombe van Kith-Kanan.'

'Nog meer spoken,' mopperde Flint, die in de duisternis stond te turen. 'Stuur de magiër maar als eerste naar binnen, dan kan hij ze waarschuwen dat we eraan komen.'

'Smijt de dwerg maar naar binnen,' kaatste Raistlin terug. 'Dwergen zijn eraan gewend om in een donkere, klamme grot te wonen.'

'Je zult de bergdwergen bedoelen,' zei Flint met zijn baard uitdagend naar voren. 'Het is vele jaren geleden dat de heuveldwergen in het koninkrijk van Thorbadin onder de grond hebben gewoond.'

'Ja, omdat jullie eruit zijn gegooid,' siste Raistlin.

'Ophouden jullie!' zei Tanis geërgerd. 'Raistlin, wat zegt jouw gevoel hierover?'

'Dat hier kwaad huist. Een groot kwaad,' antwoordde de magiër.

'Maar ik voel ook een groot goed,' zei Fizban onverwacht. 'Binnen zijn de elfen nog niet helemaal vergeten, al is de macht inmiddels overgenomen door kwaadaardiger wezens.'

'Dit is gekkenwerk!' zei Eben, bijna schreeuwend. Zijn stemgeluid echode griezelig tussen de rotsen heen en weer, en de anderen draaiden zich geschrokken naar hem om. 'Neem me niet kwalijk,' zei hij, zachter nu. 'Maar ik kan niet geloven dat jullie echt van plan zijn daar naar binnen te gaan. Je hoeft geen tovenaar te zijn om te weten dat er kwaad in dat hol huist. Zelfs ik kan dat voelen. Laten we teruggaan naar de poort,' drong hij aan. 'Natuurlijk zullen er wel een paar wachters zijn, maar dat stelt niets voor vergeleken bij wat zich in die duisternis schuilhoudt!'

'Ergens heeft hij gelijk, Tanis,' zei Caramon. 'Je kunt niet vechten tegen de doden. Dat hebben we in het Duisterwold wel gemerkt.'

'Dit is de enige manier!' zei Gilthanas boos. 'Als jullie te laf zijn om—'

'Er is een groot verschil tussen lafheid en voorzichtigheid, Gilthanas,' zei Tanis rustig. De halfelf dacht even na. 'Misschien lukt het ons om de wachters bij de poort uit te schakelen, maar niet voordat ze anderen kunnen waarschuwen. Ik stel voor dat we in elk geval deze route gaan verkennen. Flint, ga jij maar voorop. Raistlin, we zullen je licht nodig hebben.'

'Shirak,' sprak de magiër zachtjes, en het kristal op zijn staf gloeide op. Hij en Flint gingen de grot binnen, op de voet gevolgd door de anderen. De tunnel die ze betraden was duidelijk eeuwenoud, maar of hij natuurlijk of kunstmatig was, was onmogelijk vast te stellen.

'En onze achtervolger?' vroeg Sturm zachtjes. 'Laten we de ingang open?'

'Als valstrik,' zei Tanis instemmend. 'Laat hem op een kiertje open, Gilthanas, net zo ver dat degene die ons achtervolgt weet dat we hier naar binnen zijn gegaan en ons achterna kan komen, maar niet zo ver dat het eruitziet als een valstrik.'

Gilthanas haalde de edelsteen tevoorschijn, zette die in een inkeping aan de binnenkant van de tunnel en sprak een paar woorden. Geruisloos schoof de steen weer op zijn plek. Op het laatste moment, toen hij nog een duim of zeven, acht openstond, haalde Gilthanas snel de edelsteen van zijn plek. De steen kwam trillend tot stilstand, waarna de ridder, de elf en de halfelf zich bij de anderen voegden, bij de ingang naar de Sla-Mori.

'Er is veel stof,' meldde Raistlin hoestend, 'maar geen sporen, niet in dit deel van de grot althans.'

'Ongeveer honderdtwintig voet verderop is er een splitsing,' voegde Flint eraan toe. 'Daar hebben we voetstappen gevonden, maar we konden ze niet thuisbrengen. Zo te zien zijn ze niet van draconen of kobolden, en ze lopen niet deze kant op. Volgens de magiër is het kwaad afkomstig van het pad aan de rechterkant.'

'We slaan hier ons kamp op,' zei Tanis, 'bij de ingang. We stellen een dubbele wacht in: één bij de deur en één verderop in de gang. Sturm, jij en Caramon als eerste. Gilthanas en ik, Eben en Waterwind, Flint en Tasselhof.'

'En ik,' zei Tika stoer, hoewel ze zich niet kon herinneren dat ze ooit van haar leven zo moe was geweest. 'Ik help ook mee.'

Tanis was blij dat de duisternis zijn glimlach verhulde. 'Goed dan,' zei hij. 'Jij houdt samen met Flint en Tasselhof de wacht.'

'Mooi!' antwoordde Tika. Ze maakte haar reistas open, haalde er een deken uit die ze op de grond legde, en ging erop liggen. Al die tijd was ze zich bewust van Caramons blik. Het viel haar op dat Eben ook naar haar keek. Dat vond ze niet erg. Ze was het gewend dat mannen haar bewonderend bekeken, en Eben was nog knapper dan Caramon. Hij was in elk geval gevatter en charmanter dan de grote krijger. Maar toch, alleen al bij de herinnering aan Caramons armen om haar heen huiverde ze van angstig genot. Ferm zette ze die gedachte van zich af en probeerde het zich gemakkelijk te maken. Het maliënhemd was koud en drukte door haar bloes heen in haar huid. Het was haar echter opgevallen dat niemand zijn wapenrusting afdeed. Trouwens, ze was zo moe dat ze zelfs in een volledig harnas nog had kunnen slapen. De laatste gedachte die door haar hoofd speelde voordat ze in slaap viel, was dat ze blij was dat ze niet alleen was met Caramon.

Goudmaan zag dat de blik van de krijger op Tika bleef rusten. Ze fluisterde iets tegen Waterwind, die glimlachend knikte, en liep op Caramon af. Met haar hand op zijn arm nam ze hem mee naar de schaduw van de gang, een eindje bij de anderen vandaan.

'Tanis zegt dat je een oudere zus hebt,' begon ze.

'Ja,' antwoordde Caramon verschrikt. 'Kitiara. Maar ze is mijn halfzus.'

Glimlachend legde Goudmaan haar hand op zijn arm. 'Ik ga je toespreken alsof ik je oudere zus ben.'

Caramon grijnsde. 'Maar niet zoals Kitiara, vrouwe van Que-shu. Kit heeft me de betekenis geleerd van elk scheldwoord dat ik ooit heb gehoord, en van een paar die ik nog nooit had gehoord bovendien. Ze heeft me geleerd met een zwaard om te gaan en eervol te vechten tijdens een toernooi, maar ze heeft me ook bijgebracht hoe je je tegenstander in zijn kruis kunt trappen als de jury even niet kijkt. Nee, edele vrouwe, je lijkt niet erg op mijn grote zus.'

Goudmaan sperde haar ogen open, geschrokken van dat portret van de vrouw van wie Tanis leek te houden. 'Maar ik dacht dat zij en Tanis, ik bedoel, dat ze...'

Caramon knikte. 'Nou en of!' zei hij.

Goudmaan haalde diep adem. Het was niet haar bedoeling geweest om het gesprek zo te laten afdwalen, maar het bracht haar wel op het onderwerp dat ze had willen aansnijden. 'Daar wilde ik het eigenlijk met je over hebben. Alleen heeft het met Tika te maken.'

'Tika?' Caramon liep rood aan. 'Ze is een grote meid. Neem me niet kwalijk, maar ik zie niet in wat jij daarmee te maken hebt.'

'Ze is nog maar een méisje, Caramon,' zei Goudmaan vriendelijk. 'Begrijp je het dan niet?'

Caramon keek niet-begrijpend. Natuurlijk wist hij dat Tika een meisje was. Waar had Goudmaan het over? Toen ging hem een licht op. Hij knipperde met zijn ogen en kreunde. 'Nee, ze is geen—'

'Jawel.' Goudmaan zuchtte. 'Dat is ze wel. Ze is nog nooit met een man samen geweest. Dat heeft ze me verteld toen we bezig waren met haar wapenrusting. Ze is bang, Caramon. Ze heeft allerlei verhalen gehoord. Doe rustig aan met haar. Ze is wanhopig op zoek naar jouw goedkeuring, en ze is wellicht tot alles bereid om die te krijgen. Maar laat haar dat niet als reden gebruiken om iets te doen waar ze later spijt van zal krijgen. Als je echt van haar houdt, zal de tijd dat bewijzen. Het zal het moment des te zoeter maken als het eindelijk aanbreekt.'

'Dat weet je zeker uit eigen ervaring, hè?' vroeg Caramon.

'Ja,' zei ze zachtjes. Haar blik dwaalde af naar Waterwind. 'We wachten al heel lang, en soms is de pijn ondraaglijk. Maar de wetten van mijn volk zijn streng. Al maakt het eigenlijk niet meer uit,' fluisterde ze, meer tegen zichzelf dan tegen Caramon, 'nu alleen wij tweeën nog over zijn. Maar in zekere zin maakt dat het alleen maar belangrijker. Als we onze geloften hebben afgelegd, zullen we als man en vrouw het bed delen. Eerder niet.'

'Ik begrijp het. Bedankt dat je het me hebt verteld van Tika,' zei Caramon. Hij gaf Goudmaan een onhandig schouderklopje en keerde terug naar zijn post.

De nacht verstreek rustig, zonder enig teken van hun achtervolger. Bij het wisselen van de wacht besprak Tanis Ebens verhaal met Gilthanas, maar hij kreeg geen bevredigend antwoord. Ja, wat de man zei was waar. Gilthanas was er niet bij geweest toen de draconen aanvielen. Hij was bij de druïden, die hij wilde overhalen hen te helpen. Zodra hij het krijgsgewoel had gehoord, was hij teruggegaan, en toen had hij een klap op zijn hoofd gekregen. Dat alles vertelde hij Tanis met zachte, verbitterde stem.

De reisgenoten werden wakker toen het bleke licht van de ochtend door de kier van de deur naar binnen scheen. Na een snel ontbijt raapten ze hun spullen bij elkaar, waarna ze door de gang de Sla-Mori betraden.

Bij de splitsing bestudeerden ze beide gangen, links en rechts. Waterwind liet zich op zijn knieën zakken om de sporen te bestuderen. Met een bezorgd gezicht stond hij op.

'De sporen zijn door mensen gemaakt,' zei hij, 'maar ze zijn niet menselijk. Er zijn ook sporen van dieren, waarschijnlijk ratten. De dwerg had gelijk. Ik zie niets wat op draconen of kobolden wijst. Het vreemde is dat de dierlijke sporen hier op de splitsing ophouden. Ze lopen niet door tot in de rechtergang. Die andere sporen, de vreemde, gaan juist niet naar links.'

'Maar welke kant moeten wij dan op?' vroeg Tanis.

'Ik vind dat we geen van beide kanten op moeten,' zei Eben. 'De ingang is nog open. Laten we teruggaan.'

'Teruggaan is geen optie meer,' zei Tanis kil. 'Ik zou je zó toestemming geven om alleen te gaan, ware het niet—'

'Dat je me niet vertrouwt,' maakte Eben de zin af. 'Dat neem ik je niet kwalijk, Tanis Halfelf. Goed, ik heb gezegd dat ik wilde helpen, en ik meende het. Dus welke kant gaan we op, links of rechts?'

'Het kwaad komt van rechts,' fluisterde Raistlin.

'Gilthanas?' vroeg Tanis. 'Heb jij enig idee waar we zijn?'

'Nee, Tanthalas,' antwoordde de elf. 'Volgens de legende waren er vele gangen, alle geheim, die van de Sla-Mori naar Pax Tharkas leidden. Alleen de elfenpriesters mochten hier komen om de doden te eren. De ene weg is net zo goed als de andere.'

'Of net zo slecht,' fluisterde Tasselhof tegen Tika. Die slikte moeizaam en ging wat dichter bij Caramon staan.

'We gaan naar links,' zei Tanis, 'aangezien Raistlin bij rechts een slecht gevoel heeft.'

Bij het licht van de staf van de magiër liepen de reisgenoten de lange, stoffige, met stenen bezaaide tunnel door, tot ze een oeroude stenen wand tegenkwamen met daarin een groot gat dat niets dan duisternis leek te bevatten. Het zwakke licht van Raistlins staf onthulde slechts de verre muren van een grote zaal.

De krijgers gingen als eerste naar binnen met in hun midden de magiër, die zijn staf hoog in de lucht hield. De reusachtige zaal moest ooit schitterend zijn geweest, maar nu was hij zo vervallen dat al die vergane glorie een trieste, afschuwelijke indruk achterliet. Over de lengte van de zaal waren er twee rijen van zeven zuilen, waarvan er enkele waren stukgevallen op de grond. Een deel van de achterwand was ingestort, als bewijs van de vernietigende kracht van de Catastrofe. Helemaal achter in de zaal bevond zich een dubbele bronzen deur.

Raistlin liep verder naar binnen, terwijl de anderen zich met getrokken zwaard verspreidden. Opeens slaakte Caramon, die voor in de zaal stond, een verstikte kreet. De magiër liep haastig op hem af, zodat hij zijn licht kon laten schijnen op datgene waar Caramon met bevende hand naar wees.

Voor hen stond een enorme troon van rijk bewerkt graniet. Aan weerszijden ervan stonden twee grote marmeren beelden, met hun niets ziende ogen op de duisternis gericht. De troon die ze bewaakten was niet leeg. Erop zat het skelet van wat ooit een man was geweest. Van welk ras was niet duidelijk, want de dood maakt iedereen gelijk. Het geraamte was gehuld in een koninklijk gewaad dat weliswaar verbleekt en verweerd was, maar duidelijk bijzonder kostbaar. Een mantel hing om de benige schouders. Op de ontvleesde schedel glansde een kroon. De handen met de zelfs in de dood nog sierlijke vingers rustten op een zwaard in een schede.

Gilthanas liet zich op zijn knieën vallen. 'Kith-Kanan,' fluisterde hij. 'We bevinden ons in de Zaal van de Ouden, zijn graftombe. Al sinds de verdwijning van de elfenpriesters tijdens de Catastrofe heeft niemand dit mogen aanschouwen.'

Tanis staarde naar de troon tot ook hij, overweldigd door gevoelens waar hij niets van begreep, zich op zijn knieën liet zakken. *'Fealan thalos, Im murquanethi. Sai Kith-Kananoth Murtari Larion,'* prevelde hij als eerbetoon aan de machtigste van alle elfenkoningen.

Tasselhof verbrak de eerbiedige stilte met zijn schrille stem. 'Wat een prachtig zwaard,' zei hij. Tanis keek hem streng aan. 'Ik wilde het helemaal niet pakken!' protesteerde de kender. 'Ik zeg het alleen maar, uit interesse.'

Tanis kwam overeind. 'Blijf ervan af,' zei hij streng tegen de kender, waarna hij de rest van de zaal ging onderzoeken.

Tas liep op het zwaard af om het te bestuderen, met Raistlin aan zijn zijde. De magiër begon te prevelen: *'Tsaran korilath ith hakon,'* waarna hij met zijn magere hand snel het voorgeschreven patroon beschreef boven het zwaard. Het begon een zachte rode gloed af te geven. Raistlin glimlachte en zei zachtjes: 'Het is betoverd.'

Tas zuchtte. 'Goede betovering of slechte?'

'Dat kan ik niet vaststellen,' fluisterde de magiër. 'Maar aangezien het al zo lang onaangeroerd is gebleven, zou ik het maar niet aanraken als ik jou was.'

Hij wendde zich af. Tas bleef achter, zich afvragend of hij het aandurfde Tanis' bevel te negeren en het risico te nemen dat hij in iets smerigs zou veranderen.

Terwijl de kender worstelde met de verleiding, zochten de anderen de muren af naar geheime doorgangen. Flint hielp daarbij door hun een lange, vakkundige beschrijving te geven van verborgen doorgangen vervaardigd door dwergen. Gilthanas liep naar de hoge dubbele deur van brons, die zich op het verste punt van de troon bevond. Een van de deuren, met een reliëfkaart van Pax Tharkas erop, stond op een kier. Hij riep om licht, en samen met Raistlin bestudeerde hij de kaart.

Caramon keek nog één keer om naar het skelet van de dode koning en voegde zich toen bij Sturm en Flint op hun zoektocht naar een verborgen doorgang. Uiteindelijk riep Flint: 'Tasselhof, waardeloze kender die je bent, dit is jouw specialiteit. Tenminste, je loopt altijd op te scheppen dat je de deur wist te vinden die al honderd jaar verborgen was gebleven, en die leidde naar het grote juweel van weet-ik-veel.'

'Dat was in een zaal net zoals deze,' zei Tas, die het zwaard meteen vergeten was. Hij huppelde naar de dwerg toe om hem te helpen, maar bleef opeens staan.

'Wat is dat?' vroeg hij met zijn hoofd een beetje scheef.

'Wat is wat?' vroeg Flint afwezig terwijl hij met zijn vlakke hand tegen de muur bleef slaan.

'Dat geschraap,' zei de kender bezorgd. 'Daar bij die deuren.'

Tanis keek op, want hij had al lang geleerd op het gehoor van Tasselhof te vertrouwen. Hij liep naar de deuren, waar Gilthanas en Raistlin in de kaart verdiept waren. Opeens deed Raistlin een stap achteruit. Door de open deur kwam een vreselijke stank de zaal binnen. Nu hoorde iedereen het geschraap, en een zacht, zuigend geluid.

'Doe de deur dicht!' fluisterde Raistlin dringend.

'Caramon!' riep Tanis. 'Sturm!' Die twee renden echter al op de deur af, samen met Eben. Met z'n allen zetten ze hun gewicht ertegenaan, maar ze werden achterovergesmeten toen de bronzen deuren zo hard openvlogen dat ze met een holle dreun tegen de wanden sloegen. Er glibberde een monster de zaal in.

'Mishakal, sta ons bij!' verzuchtte Goudmaan terwijl ze zich met haar rug tegen de muur drukte. Het monster kwam, ondanks zijn grote omvang, snel de zaal binnen. Het geschraap dat ze hadden gehoord, was het geluid dat zijn gigantische, opgezwollen lijf maakte terwijl het over de vloer schuurde.

'Een naaktslak!' zei Tas, die er vol belangstelling op afrende om hem beter te kunnen bestuderen. 'Maar moet je zien hoe reusachtig hij is! Hoe is hij zo groot geworden, denk je? Ik vraag me af wat hij eet...'

'Ons natuurlijk, sufferd!' riep Flint, die de kender vastgreep en tegen de grond smeet, precies op het moment dat de enorme slak een golf speeksel uitspuugde. Zijn ogen, die boven op dunne, roterende steeltjes boven op zijn hoofd stonden, waren zo goed als nutteloos. Hij had ze echter ook niet nodig, want hij kon puur op zijn reukzin ratten vinden en verslinden in de duisternis. Nu bespeurde hij een veel grotere prooi en vuurde hij zijn verlammende speeksel af in de richting van het levende vlees waarnaar hij hunkerde.

De dodelijke vloeistof miste zijn doel, want de kender en de dwerg rolden net op tijd uit de weg. Sturm en Caramon vielen aan en bewerkten het monster met hun zwaard. Caramon kwam niet eens door de dikke, rubberachtige huid heen. Sturm wist de slak met zijn slagzwaard te verwonden, waarop het monster ineendook van de pijn. Tanis viel aan op het moment dat de slak zijn kop omdraaide naar de ridder.

'Tanthalas!'

De gil verbrak Tanis' concentratie. Hij bleef staan en draaide zich om, verbijsterd toen hij zag wie er bij de ingang naar de zaal stond.

'Laurana!'

Op dat moment spuugde de slak, die de aanwezigheid van de halfelf had opgemerkt, een nieuwe golf bijtend speeksel uit. Het spul kwam op Tanis' zwaard terecht, waarop het metaal sissend begon te roken en vervolgens in zijn handen wegsmolt. De brandende vloeistof stroomde over zijn arm en verteerde de huid. Schreeuwend van pijn liet hij zich op zijn knieën vallen.

'Tanthalas!' riep Laurana weer. Ze rende op hem af.

'Hou haar tegen!' hijgde Tanis, die voorovergebogen van de pijn zijn zwaardarm tegen zich aan klemde, die opeens zwartgeblakerd en onbruikbaar was.

De slak rook succes en glibberde verder door de deur naar binnen, zijn kloppende grijze lijf met zich meeslepend. Goudmaan wierp een angstige blik op het enorme monster, maar rende desondanks op Tanis af. Waterwind stelde zich beschermend voor hen op.

'Ga weg!' zei Tanis met opeengeklemde kaken.

Goudmaan pakte zijn gewonde hand vast en bad tot de godin. Waterwind zette een pijl op zijn boog en schoot die af op de slak. De pijl raakte het wezen in de nek. Hij veroorzaakte weinig schade, maar leidde wel zijn aandacht af van Tanis.

De halfelf zag dat Goudmaan zijn hand vastpakte, maar voelde niets dan pijn. Toen trok de pijn weg en kreeg hij weer gevoel in zijn hand. Glimlachend naar Goudmaan verwonderde hij zich over haar genezende krachten. Toen keek hij snel op om te zien wat er gebeurde.

De anderen vielen het monster met hernieuwde energie aan in een poging zijn aandacht van Tanis af te leiden, maar het was alsof ze hun wapens in een dikke rubberen muur probeerden te steken.

Wankel kwam Tanis overeind. Zijn hand was genezen, maar zijn zwaard lag als een rokend hoopje gesmolten metaal op de grond. Omdat hij afgezien van zijn boog geen wapen meer had, trok hij zich terug en trok Goudmaan met zich mee toen de slak de zaal binnenglibberde.

Raistlin rende op Fizban af. 'Dit is het moment voor een vuurbal, oude man,' hijgde hij.

'O ja?' Fizban keek hem verrukt aan. 'Geweldig! Hoe gaat die spreuk ook alweer?'

'Weet je dat niet meer?' krijste Raistlin zowat. Hij trok de tovenaar achter een zuil toen de slak opnieuw een klodder brandend speeksel op de grond spuugde.

'Ik heb het wel geweten… Eens even denken.' Fizban trok een frons van concentratie. 'Kun jij het niet doen?'

'Over die macht beschik ik nog niet, oude man! Die spreuk gaat mijn vermogen nog te boven!' Raistlin sloot zijn ogen om zich te concentreren op de spreuken die hij wél beheerste.

'Terugtrekken! Weg hier!' riep Tanis terwijl hij zo goed en zo kwaad als het ging Goudmaan en Laurana afschermde en naar zijn pijl en boog tastte.

'Dan komt hij gewoon achter ons aan!' riep Sturm, die nogmaals toestak. Het enige wat hij en Caramon echter bereikten, was dat ze het monster nog woester maakten.

Opeens hief Raistlin zijn handen. *'Kalith karan, tobaniskar!'* kreet hij. Vuurpijltjes schoten uit zijn vingers en boorden zich in de kop van het wezen. Geluidloos steigerde de slak van de pijn, schuddend met zijn kop, maar hij gaf de achtervolging niet op. Opeens schoot hij naar voren. Achter in de zaal, waar Tanis Goudmaan en Laurana probeerde te beschermen, bespeurde hij slachtoffers. Gek van de pijn en wild van de geur van bloed viel de slak met ongelooflijke snelheid aan. Tanis' pijl ketste af op de leerachtige huid, en het monster stortte zich met wijd open muil op hem. De halfelf liet zijn nutteloze boog vallen en wankelde achteruit, bijna struikelend over de trap naar de troon van Kith-Kanan.

'Achter de troon!' riep hij, klaar om de aandacht van het monster vast te houden terwijl Goudmaan en Laurana dekking zochten. Hij stak zijn hand uit, zoekend naar een grote steen, iets om naar het wezen toe te smijten, toen zijn vingers zich sloten om het metalen gevest van een zwaard.

Van schrik liet Tanis het wapen bijna vallen. Het metaal was zo koud dat het brandde tegen zijn huid. Het blad glansde fel in het onzekere licht van Raistlins staf. Hij had echter geen tijd om na te denken. Hij dreef de punt van het zwaard in de gapende muil van de slak, op het moment dat die de halfelf wilde doden.

'Rennen!' riep Tanis. Hij pakte Laurana's hand en sleepte haar mee naar de doorgang. Hij duwde haar naar buiten en draaide zich om, klaar om de slak op een afstand te houden terwijl de anderen zich terugtrokken. De slak had echter geen trek meer. Kronkelend van ellende draaide hij zich langzaam om en glibberde terug naar zijn hol. Uit zijn wonden stroomde een heldere, kleverige vloeistof.

De reisgenoten verzamelden zich in de tunnel, waar ze even bleven staan om op adem te komen. Raistlin leunde moeizaam ademend op zijn broer. Tanis keek om zich heen. 'Waar is Tasselhof?' vroeg hij gefrustreerd. Hij draaide zich om om terug te gaan naar de zaal, en struikelde bijna over de kender.

'Ik ben de schede gaan halen,' zei Tas. Hij hield hem omhoog. 'Voor het zwaard.'

'Terug door de tunnel,' zei Tanis ferm om de vragen van de anderen voor te zijn.

Toen ze de splitsing hadden bereikt en zich op de stoffige vloer lieten zakken om uit te rusten, wendde Tanis zich naar de elfenmaagd. 'Wat doe jij hier in de naam van de Afgrond, Laurana? Is er iets gebeurd in Qualinost?'

'Nee, er is niets gebeurd,' zei Laurana, die nog beefde van angst na de confrontatie met de slak. 'Ik... ik ben gewoon achter jullie aan gegaan.'

'Dan ga je nu meteen weer terug!' riep Gilthanas boos. Hij greep Laurana bij haar arm, maar die rukte zich los.

'Ik ga helemaal niet terug,' zei ze pruilend. 'Ik wil mee met jou en Tanthalas en... de anderen.'

'Laurana, hou op met die onzin,' snauwde Tanis. 'We zijn geen uitstapje aan het maken. Dit is geen spelletje. Je hebt zelf gezien wat er net is gebeurd. We waren bijna dood geweest.'

'Dat weet ik wel, Tanthalas,' zei Laurana smekend. Haar trillende stem sloeg over. 'Je hebt zelf tegen me gezegd dat er een moment aanbreekt dat je je leven op het spel moet zetten voor iets waarin je gelooft. Daarom ben ik achter jullie aan gekomen.'

'Je had wel dood kunnen zijn—' begon Gilthanas.

'Maar ik leef nog!' riep Laurana opstandig uit. 'Ik ben opgeleid in de vechtkunst, zoals alle elfenvrouwen ter nagedachtenis aan de tijd waarin we zij aan zij met de mannen vochten om het behoud van ons vaderland.'

'Dat is geen serieuze training—' begon Tanis boos.

'Ik ben jullie toch gevolgd?' vroeg Laurana met een blik op Sturm. 'Vakkundig?' vroeg ze aan de ridder.

'Ja,' gaf hij toe. 'Maar dat wil nog niet zeggen—'

Raistlin viel hem in de rede. 'We verspillen tijd,' fluisterde hij. 'En persoonlijk heb ik geen zin langer in deze muffe, stinkende tunnel te blijven dan strikt noodzakelijk is.' Hij haalde piepend en moeizaam adem. 'Het meisje heeft haar besluit genomen. We kunnen niemand missen om haar terug te brengen, en we kunnen haar niet alleen laten weggaan. Mogelijk wordt ze gevangengenomen en gedwongen onze plannen te onthullen. We zullen haar moeten meenemen.'

Tanis keek de magiër boos aan. Hij haatte hem om zijn kille, emotieloze redenering en om het feit dat hij gelijk had. De halfelf stond op en sleurde Laurana overeind. Wat hij voor haar voelde, grensde inmiddels ook aan haat, al wist hij niet precies waarom. Het enige wat hij wist, was dat ze een toch al moeilijke taak nog lastiger maakte.

'Je zult jezelf moeten redden,' zei hij zachtjes terwijl de anderen opstonden en hun spullen bij elkaar raapten. 'Ik kan je niet beschermen. En

Gilthanas ook niet. Je gedraagt je als een verwend nest. Ik heb het je al eerder gezegd: je kunt maar beter snel volwassen worden. Zo niet, dan jaag je jezelf en waarschijnlijk ook de rest van ons de dood in.'

'Het spijt me, Tanthalas,' zei Laurana, zijn boze blik ontwijkend. 'Maar ik kon je niet nog eens kwijtraken. Ik hou van je.' Haar lippen verstrakten toen ze er zachtjes aan toevoegde: 'Ik zal ervoor zorgen dat je trots op me bent.'

Tanis draaide zich om en liep weg. Toen hij Caramons grijnzende gezicht zag en Tika's gegiechel hoorde, bloosde hij diep. Zonder acht op hen te slaan liep hij op Sturm en Gilthanas af. 'Het lijkt erop dat we de rechtergang moeten nemen, of Raistlins voorgevoel nu klopt of niet.' Hij gespte zijn nieuwe zwaardriem en schede om. Het viel hem op dat Raistlins blik op het wapen rustte.

'Wat nu weer?' vroeg hij geërgerd.

'Dat zwaard is betoverd,' zei Raistlin zachtjes tussen het hoesten door. 'Hoe heb je het te pakken gekregen?'

Tanis schrok. Hij staarde naar het zwaard en trok zijn hand terug alsof het elk moment in een slang kon veranderen. Fronsend probeerde hij het zich te herinneren. 'Ik zat vlak bij het lichaam van de elfenkoning en zocht naar iets wat ik naar de slak kon gooien, toen ik opeens het zwaard in mijn hand had. Het was uit de schede getrokken en...' Tanis zweeg. Hij slikte moeizaam.

'Ja?' drong Raistlin aan met een gretige glinstering in zijn ogen.

'Hij heeft het aan me gegeven,' zei Tanis zachtjes. 'Nu weet ik het weer. Hij legde zijn hand op de mijne. Hij heeft het uit de schede getrokken.'

'Wie?' vroeg Gilthanas. 'Wij waren allemaal een heel eind bij je vandaan.'

'Kith-Kanan...'

10
De koninklijke garde.
De kettingzaal.

Misschien was het slechts verbeelding, maar de duisternis leek ondoordringbaarder te worden naarmate ze verder de tunnel in liepen, en de temperatuur lager. Niemand had de dwerg nodig om hem te vertellen dat dit niet normaal was in een grot, waar de temperatuur altijd constant hoorde te blijven. Ze kwamen weer een splitsing tegen, maar niemand had zin de linkertunnel te nemen, die hen wellicht weer naar de Hal van de Ouden zou leiden, en naar de gewonde naaktslak.

'Dankzij die elf waren we bijna gedood door een slak,' zei Eben beschuldigend. 'Ik vraag me af wat hij nog meer voor ons in petto heeft.'

Niemand gaf antwoord. Inmiddels voelde iedereen het groeiende kwaad waarvoor Raistlin hen had gewaarschuwd. Hun tred vertraagde, en het was pure wilskracht die hen voortdreef. Laurana dreigde verlamd te raken van angst en hield zich aan de muur overeind. Ze hunkerde ernaar om zich door Tanis te laten troosten en beschermen, zoals toen ze nog klein waren en het tegen denkbeeldige vijanden hadden opgenomen, maar hij liep voorop met haar broer. Allebei hadden ze genoeg aan hun eigen angst. Op dat moment besloot Laurana dat ze nog liever doodging dan hen om hulp te vragen. Ze besefte dat ze het serieus had gemeend toen ze tegen Tanis had gezegd dat ze wilde dat hij trots op haar zou zijn. Ze duwde zich af van de wand van de afgebrokkelde tunnel, klemde haar kiezen op elkaar en liep door.

De tunnel kwam abrupt ten einde. Gevallen stenen en puin lagen onder een gat in de wand. Het kwaad dat uit de duisternis aan de andere kant van het gat stroomde was bijna tastbaar en streek over de huid als de aanraking van onzichtbare vingers. De reisgenoten stopten. Niemand, zelfs niet de onbevreesde kender, durfde naar binnen te gaan.

'Niet dat ik bang ben,' vertrouwde Tas Flint op fluistertoon toe. 'Maar ik zou liever ergens anders zijn.'

De stilte werd beklemmend. Iedereen kon het kloppen van zijn eigen hart en de ademhaling van zijn metgezellen horen. Het licht trilde in de bevende hand van de magiër.

'Nou, we kunnen hier niet eeuwig blijven staan,' zei Eben schor. 'Laat de elf maar naar binnen gaan. Hij heeft ons immers hier gebracht.'

'Ik ga wel,' antwoordde Gilthanas. 'Maar ik heb licht nodig.'

'Niemand behalve ik mag de staf aanraken,' siste Raistlin. Hij zweeg even, maar voegde er toen schoorvoetend aan toe: 'Ik ga met je mee.'

'Raist...' begon Caramon, maar zijn broer keek hem kil aan. 'Ik ga ook mee,' mompelde de grote man.

'Nee,' zei Tanis. 'Jij blijft hier om de anderen te beschermen. Gilthanas, Raistlin en ik gaan samen.'

Gilthanas liep door het gat in de muur, gevolgd door de magiër, die door Tanis werd ondersteund. Het licht onthulde een smalle ruimte die voorbij de lichtkring van de staf opging in duisternis. Aan weerszijden bevond zich een rij grote, stenen deuren, op hun plaats gehouden door enorme ijzeren scharnieren die rechtstreeks in de rotswand waren geslagen. Raistlin hief de staf om de rest van de donkere ruimte te verlichten. Alle drie wisten ze dat zich hier de bron van het kwaad bevond.

'Er staat iets in de deuren gebeiteld,' prevelde Tanis. Het licht van de staf zette de groeven in de steen in scherp reliëf.

Gilthanas staarde ernaar. 'Het koninklijke wapen!' zei hij met verstikte stem.

'Wat betekent dat?' vroeg Tanis, die voelde dat hij door de angst van de elf werd aangestoken alsof het een besmettelijke ziekte was.

'Dit zijn de crypten van de Koninklijke Garde,' fluisterde Gilthanas. 'Ze hebben gezworen hun plicht te blijven vervullen, zelfs na de dood, en de koning te bewaken. Dat vertelt de legende althans.'

'Weer komen legendes tot leven!' verzuchtte Raistlin. Hij kneep in Tanis' arm. Tanis hoorde het geschuif van enorme stenen blokken, het gepiep van roestige ijzeren scharnieren. Toen hij om zich heen keek, zag hij dat alle stenen deuren zich openden. De gang werd gevuld met zo'n strenge kou dat Tanis' vingers verdoofd raakten. Achter de stenen deuren bewoog van alles.

'De Koninklijke Garde! Die sporen zijn van hen!' fluisterde Raistlin verwilderd. 'Menselijk, maar toch ook niet. We kunnen niet ontsnappen!' zei hij terwijl hij Tanis nog steviger vastgreep. 'In tegenstelling tot de geesten van het Duisterwold hebben zij maar één doel: iedereen vernietigen die heiligschennis begaat door de eeuwige rust van de koning te verstoren.'

'We moeten het proberen,' zei Tanis, terwijl hij de vingers van de magiër, die zich in zijn arm hadden geboord, loswrikte. Hij strompelde terug naar de doorgang, maar die werd door twee gestalten versperd.

'Terug!' hijgde Tanis. 'Rennen! Wie is dat, Fizban? Nee, krankzinnige oude man die je bent! We moeten vluchten! De dode gardisten—'

'Ach, doe toch rustig,' mopperde de oude man. 'Jonge mensen maken zich ook druk om niks.' Hij draaide zich om om iemand anders naar binnen te helpen. Het was Goudmaan. Haar haren glansden in het licht.

'Rustig maar, Tanis,' zei ze zachtjes. 'Kijk!' Ze hield haar cape opzij. Het medaillon dat ze droeg had een blauwe glans. 'Fizban zegt dat ze ons voorbij zullen laten, Tanis, als ze het medaillon zien. En toen hij dat zei, begon het opeens te gloeien.'

'Nee!' Tanis wilde haar bevelen terug te gaan, maar Fizban tikte met een lange, benige vinger tegen zijn borst.

'Je bent een goede jongen, Tanis Halfelf,' zei de oude tovenaar zachtjes, 'maar je maakt je te veel zorgen. Doe nou maar rustig en laat ons die arme zielen weer in slaap brengen. Wil jij de anderen meenemen?'

Te verbijsterd om iets te zeggen liet Tanis Goudmaan en de oude man passeren. Waterwind kwam achter hen aan. Tanis keek toe hoe ze langzaam tussen de twee rijen gapende stenen deuren door liepen. Zodra Goudmaan passeerde, bewoog er niets meer. Zelfs van die afstand kon hij voelen hoe het kwaad zich terugtrok.

Hij hielp de anderen door de half ingestorte doorgang en beantwoordde hun gefluisterde vragen met een schouderophalen. Laurana zei geen woord tegen hem toen ze binnenkwam. Haar hand voelde ijskoud aan en tot zijn schrik zag hij bloed op haar lip. Wetend dat ze op haar lip moest hebben gebeten om te voorkomen dat ze ging gillen, wilde Tanis schuldbewust iets tegen haar zeggen, maar de elfenmaagd hield haar kin geheven en weigerde hem aan te kijken.

De anderen renden gehaast achter Goudmaan aan, maar Tasselhof bleef even staan om in een van de crypten te gluren. Hij zag een lange gestalte, gekleed in schitterende wapenrusting, op een stenen baar liggen. Skeletachtige handen waren om het gevest van een slagzwaard geklemd dat boven op het lichaam lag. Nieuwsgierig keek Tas naar het koninklijke wapen en probeerde te bedenken hoe je de woorden moest uitspreken.

'*Sothi Nuinqua Tsalarioth,*' zei Tanis, die achter de kender aan kwam.

'Wat betekent dat?' vroeg Tas.

'Trouw tot voorbij de dood,' antwoordde Tanis zachtjes.

Aan het einde van de gang met crypten kwam het gezelschap bij een dubbele bronzen deur. Goudmaan kon die gemakkelijk openduwen en ging hen voor door een driehoekige gang die uitkwam bij een grote zaal. In dit vertrek hadden ze maar één probleem, namelijk een manier bedenken om de dwerg eruit weg te krijgen. De zaal was volkomen intact, en daarmee de enige die ze tot dusverre in de Sla-Mori waren tegengekomen die de Catastrofe ongeschonden had overleefd. En de reden daarvoor, zo legde Flint uit aan iedereen die naar hem wilde luisteren, was de prachtige dwergenconstructie, en dan met name de drieëntwintig zuilen die het plafond ondersteunden.

De enige weg naar buiten werd gevormd door twee identieke bronzen deuren aan het andere eind van de zaal, aan de westkant. Flint rukte zich los van de zuilen, bestudeerde de deuren en mopperde dat hij geen idee had waar ze naartoe leidden of wat zich erachter bevond. Na een korte discussie besloot Tanis de rechterdeur te kiezen.

De deur kwam uit in een schone, smalle gang die na ongeveer dertig voet uitkwam bij alweer een bronzen deur. Deze was echter op slot. Caramon duwde, trok en wrikte, maar tevergeefs.

'Dit wordt niks,' gromde de grote man. 'Hij geeft niet mee.'

Flint bleef een tijdje naar Caramons inspanningen staan kijken, maar kloste toen naar voren. Hij bestudeerde de deur, snoof en schudde zijn hoofd. 'Het is een valse deur.'

'Ik vind hem er anders heel echt uitzien,' zei Caramon met een argwanende blik op de deur. 'Hij heeft zelfs scharnieren.'

'Ja, natuurlijk,' zei Flint minachtend. 'We maken geen valse deuren die eruitzien als valse deuren. Dat weet zelfs een greppeldwerg!'

'Dus dit is een doodlopende weg,' zei Eben grimmig.

'Achteruit,' fluisterde Raistlin terwijl hij zijn staf voorzichtig tegen de muur zette. Hij zette de vingertoppen van beide handen lichtjes tegen de deur en zei: *'Khetsaram pakliol!'* Er laaide een feloranje licht op, maar het was niet van de deur, maar van de muur afkomstig.

'Wegwezen!' Raistlin greep met de ene hand zijn staf en met de andere zijn broer vast, om die achteruit te sleuren, precies op het moment dat de hele muur met bronzen deur en al om een verborgen as begon te draaien.

'Snel, voor hij weer dichtgaat,' zei Tanis, en iedereen liep naar binnen. Caramon ving in het voorbijgaan zijn broer op, die dreigde te vallen.

'Gaat het?' vroeg Caramon toen de deur achter hen weer dichtviel.

'Ja, de slapheid trekt wel weer weg,' fluisterde Raistlin. 'Dat was de eerste spreuk uit het boek van Fistandantilus die ik heb uitgesproken. De openingsspreuk werkte, maar ik had niet verwacht dat hij me zo zou uitputten.'

Ze waren in een volgende gang beland, die een voet of veertig in westelijke richting liep, vervolgens scherp afboog naar eerst het zuiden en dan het oosten, en van daaruit in zuidelijke richting verderging. Daar werd hun de weg versperd door de zoveelste bronzen deur.

Raistlin schudde zijn hoofd. 'Die spreuk kan ik niet meer gebruiken. Hij is uit mijn herinnering verdwenen.'

'Met een vuurbal krijgen we die deur wel open,' zei Fizban. 'Ik geloof dat ik me die spreuk weer herinner—'

'Nee, oude man,' zei Tanis haastig. 'In deze smalle gang zou een vuurbal ons allemaal verzengen. Tas...'

De kender liep naar de deur en duwde ertegen. 'Verdorie, hij is al open,' zei hij, teleurgesteld dat er geen slot hoefde te worden opengepeuterd. Hij tuurde naar binnen. 'Alweer een zaal.'

Voorzichtig liepen ze naar binnen. De zaal werd verlicht door het kristal op Raistlins staf. Het vertrek was volmaakt rond en ongeveer honderd voet in doorsnee. Recht tegenover hen, aan de zuidkant, was een bronzen deur. En in het midden stond...

'Een scheve zuil!' zei Tas giechelend. 'Moet je zien, Flint. De dwergen hebben een scheve zuil gebouwd!'

'Als dat zo is, dan hadden ze er een goede reden voor,' snauwde de dwerg terwijl hij de kender opzijduwde om de hoge, dunne zuil te bestuderen. Hij was inderdaad duidelijk scheef.

'Hmm,' zei Flint nadenkend. Toen blafte hij: 'Het is helemaal geen zuil, knuppel! Het is een gigantische ketting! Kijk, hier kun je zien dat hij met een ijzeren ring aan de vloer is bevestigd.'

'Dan zijn we in de Kettingzaal!' zei Gilthanas opgewonden. 'Dit is het befaamde defensiemechanisme van Pax Tharkas. Dat betekent dat we bijna in het fort moeten zijn.'

De reisgenoten dromden samen om vol verwondering te gapen naar de monsterlijk grote ketting. De schakels waren stuk voor stuk zo lang als Caramon en zo dik als de stam van een oude eik.

'Wat voor mechanisme is dit?' vroeg Tasselhof, die niets liever zou willen dan langs de ketting omhoog te klimmen. 'Waar gaat die ketting naartoe?'

'Naar het mechanisme zelf,' antwoordde Gilthanas. 'Hoe het werkt weet ik niet, dat zou je de dwerg moeten vragen. Ik weet niet zoveel van werktuigbouwkunde. Maar als deze ketting wordt losgemaakt,' – hij wees naar de ijzeren ring in de vloer – 'vallen er enorme granietblokken achter de poort van het fort. Dan kan geen leger op Krynn hem nog open krijgen.'

Gilthanas liet de kender, die omhoogtuurde naar de duisternis in een vergeefse poging een glimp op te vangen van het wonderbaarlijke mechanisme, achter en volgde het voorbeeld van de rest van de groep, die de zaal verkende.

'Kijk hier eens,' riep hij uiteindelijk, wijzend naar de vage contouren van een deur in de stenen wand aan de noordkant van de zaal. 'Een geheime deur! Dit moet de ingang zijn.'

'Daar zit de pal.' Tasselhof, die zich van de ketting had afgewend, wees naar een steen onder aan de muur, waar een stukje af was gebroken. 'De dwergen hebben een foutje gemaakt,' zei hij, grijnzend naar Flint. 'Dit is een valse deur die er ook vals uitziet.'

'Dan moet je er ook voorzichtig mee zijn,' zei Flint vlak.

'Ach, dwergen hebben ook wel eens een slechte dag, zoals iedereen,' zei Eben. Hij bukte om de pal te proberen.

'Niet openmaken!' zei Raistlin opeens.

'Waarom niet?' vroeg Sturm. 'Omdat je iemand wilt waarschuwen voordat we een deur naar Pax Tharkas vinden?'

'Als ik jullie had willen verraden, ridder, had ik dat al duizend keer eerder kunnen doen,' siste Raistlin, kijkend naar de geheime deur. 'Ik voel achter die deur een grotere macht dan ik ooit heb gevoeld sinds...' Huiverend zweeg hij.

'Sinds wanneer?' vroeg zijn broer voorzichtig.

'De Torens van de Hoge Magie,' fluisterde Raistlin. 'Ik waarschuw je, open die deur nict!'

'Ga eens kijken waar die deur in de zuidelijke wand naartoe gaat,' zei Tanis tegen de dwerg.

Flint kloste naar de deur en duwde die open. 'Voor zover ik kan zien, naar een gang die er precies zo uitziet als alle andere,' meldde hij somber.

'Alleen via een geheime doorgang kun je in Pax Tharkas komen,' zei Gilthanas. Voordat iemand hem kon tegenhouden, had hij zich al gebukt om de beschadigde steen naar zich toe te trekken. Trillend zwaaide de deur langzaam naar binnen open.

'Hier krijg je spijt van!' zei Raistlin verstikt.

Achter de deur bevond zich een grote zaal, bijna helemaal gevuld met voorwerpen in de vorm van bakstenen. Door de dikke laag stof heen was vaag te zien dat ze een gelige kleur hadden.

'Een schatkamer!' riep Eben. 'We hebben de schat van Kith-Kanan gevonden.'

'Allemaal goud,' zei Sturm onverschillig. 'Waardeloos, tegenwoordig, aangezien alleen staal nog waarde heeft...' Zijn stem stokte en zijn ogen werden groot van afschuw.

'Wat is dat?' schreeuwde Caramon, die zijn zwaard trok.

'Weet ik niet!' antwoordde Sturm ademloos.

'Ik wel,' fluisterde Raistlin toen het wezen voor zijn ogen vorm kreeg. 'Het is de geest van een zwarte elf. Ik zei toch dat je die deur niet open moest maken.'

Eben wankelde achteruit. 'Doe iets!' zei hij.

'Stop je wapens weg, dwazen,' zei Raistlin op indringende fluistertoon. 'Jullie kunnen haar niet bevechten. Haar aanraking betekent de dood, en als ze jammert terwijl wij ons binnen deze muren bevinden, zijn we gedoemd. Ze kan doden met haar gekrijs alleen. Rennen, allemaal! Snel! Door de deur naar het zuiden!'

Terwijl ze zich terugtrokken pakte de duisternis in de schatkamer zich samen tot het beeldschone, maar kille en verwrongen gelaat van een vrouwelijke drow, een kwade elf uit lang vervlogen tijden, die wegens onbeschrijflijk wrede misdaden was terechtgesteld. Vervolgens hadden machtige magiegebruikers onder de elfen haar geest geketend en gedwongen tot in de eeuwigheid de schat van de koning te bewaken. Bij de aanblik van deze levende wezens strekte ze haar handen naar hen uit, hunkerend naar de warmte van een lichaam, en opende ze haar mond om uiting te geven aan haar verdriet en haar haat jegens alle levende wezens.

De reisgenoten draaiden zich om en vluchtten, struikelend over elkaars voeten in hun haast om door de bronzen deur te ontsnappen. Caramon viel over zijn broer heen, waardoor de staf uit diens hand vloog. De staf kletterde op de grond. Het magische kristal gloeide nog steeds, want alleen drakenvuur kon dat vernietigen, maar nu bescheen hij alleen nog de vloer, zodat de rest van de zaal in duisternis werd gehuld.

Toen ze zag dat haar prooi dreigde te ontsnappen, vloog de geest de Kettingzaal binnen. Haar graaiende hand streek langs Ebens wang. Hij gilde het uit onder die ijskoude, brandende aanraking en zakte in elkaar. Sturm ving hem op en sleurde hem door de deur naar buiten. Raistlin griste zijn staf van de grond en rende samen met Caramon achter hen aan.

'Is iedereen er?' vroeg Tanis, die twijfelde of hij de deur dicht moest doen. Toen hoorde hij een laag gekreun, zo angstaanjagend dat zijn hart een slag oversloeg. Angst kreeg hem in zijn greep. Hij kreeg geen adem. De kreet hield op, en zijn hart maakte een grote, pijnlijke sprong. De geest ademde diep in voor een nieuwe gil.

'Geen tijd om te kijken!' hijgde Raistlin. 'Sluit de deur, broer!'

Caramon wierp zich met zijn volle gewicht tegen de bronzen deur. Die sloeg dicht met een dreun die door de gang echode.

'Dat zal haar niet tegenhouden,' riep Eben paniekerig.

'Nee,' zei Raistlin zachtjes. 'Haar magie is krachtig, krachtiger dan die van mij. Ik kan een spreuk over de deur uitspreken, maar die zal me vreselijk veel kracht kosten. Ik stel voor dat jullie vluchten zolang het nog kan. Als de spreuk niet werkt, kan ik haar misschien in elk geval een tijdje tegenhouden.'

'Waterwind, ga met de anderen vast vooruit,' beval Tanis. 'Sturm en ik blijven bij Raistlin en Caramon.'

De anderen liepen langzaam door de donkere gang, telkens vol gebiologeerde afschuw omkijkend. Raistlin schonk geen aandacht aan hen, maar gaf de staf aan zijn broer. Het licht van het kristal ging meteen uit door die onbekende aanraking.

De magiër legde zijn handen met de palmen plat tegen de deur. Hij sloot zijn ogen en dwong zichzelf alles te vergeten, behalve de magie. '*Kalis-an budrunin…*' Zijn concentratie vervloog toen hij een afschuwelijke kou voelde.

De zwarte elf. Ze had zijn spreuk herkend en probeerde hem te breken. Beelden van zijn strijd tegen een andere zwarte elf in de Torens van de Hoge Magie flitsten voor zijn geestesoog. Verwoed probeerde hij de vreselijke herinnering te verdringen aan de strijd die zijn lichaam en bijna zijn geest had vernietigd, maar hij voelde dat hij de controle kwijtraakte. Hij wist de woorden niet meer. De deur trilde. De elf dreigde uit te breken.

Toen welde er in het binnenste van de magiër een kracht op die hij slechts twee keer eerder had ervaren: één keer in de Toren en één keer op het altaar van de zwarte draak in Xak Tsaroth. De vertrouwde stem die hij in gedachten duidelijk kon horen, maar waaraan hij geen naam kon verbinden, sprak tot hem, zei hem de woorden van de spreuk voor. Raistlin riep ze uit met een krachtige, heldere stem die niet de zijne was: '*Kalis-an budrunin kara-emarath!*'

Aan de andere kant van de deur klonk een teleurgesteld gejammer. De elf had gefaald. De deur hield stand. De magiër zakte ineen.

Caramon gaf Eben de staf terwijl hij zijn broer optilde en achter de anderen aan liep, die op de tast een weg zochten door de donkere gang. Onder Flints hand ging een nieuwe geheime deur soepel open. Ze kwamen uit in een reeks korte gangen, vol puin. Bevend van angst zochten de vermoeide reisgenoten zich een weg langs die obstakels. Eindelijk kwamen ze uit in een grote, open ruimte die van vloer tot plafond gevuld was met stapels houten kratten. Waterwind stak een toorts aan die aan de muur hing. De kratten waren dichtgespijkerd. Op sommige zat een etiket met de naam SOELAAS of POORT erop.

'Het is ons gelukt. We zijn in het fort,' zei Gilthanas met een grimmig soort tevredenheid. 'We staan in de kelder van Pax Tharkas.'

'De ware goden zij dank!' verzuchtte Tanis. Hij liet zich op de vloer zakken. De anderen volgden zijn voorbeeld. Pas toen zagen ze dat Fizban en Tasselhof er niet bij waren.

11
Verdwaald. Het plan.
Verraden.

Naderhand kon Tasselhof zich die laatste paar paniekerige momenten in de Kettingzaal nooit duidelijk voor de geest halen. Hij wist nog dat hij had gevraagd: 'Een zwarte elf? Waar?' en dat hij op zijn tenen staand zijn uiterste best had gedaan om iets te zien, toen opeens Raistlins staf op de grond viel. Hij hoorde Tanis iets schreeuwen, en daarbovenuit een soort gekreun waardoor de kender niet meer wist waar hij was of waar hij mee bezig was. Toen grepen sterke handen hem om zijn middel en tilden hem op.

'Klimmen!' riep iemand onder hem.

Tasselhof strekte zijn armen uit, voelde het koude metaal van de ketting en begon te klimmen. Ver in de diepte hoorde hij een deur met een dreun dichtslaan, en een nieuwe, ijselijke kreet van de zwarte elf. Deze keer klonk het alleen niet dodelijk, eerder woedend en teleurgesteld. Tas hoopte maar dat dat betekende dat zijn vrienden waren ontsnapt.

'Ik vraag me af hoe ik hen weer terug moet vinden,' zei hij zachtjes bij zichzelf. Even voelde hij zich ontmoedigd. Toen hoorde hij Fizban in zichzelf mopperen en fleurde hij weer op. Hij was niet alleen.

Een drukkende, ondoordringbare duisternis pakte zich om de kender samen, waardoor hij puur op de tast moest klimmen. Hij begon juist vreselijk uitgeput te raken, toen hij koele lucht langs zijn rechterwang voelde strijken. Hij kon het niet zien, maar toch had hij het gevoel dat hij de plek naderde die de schakel vormde tussen de ketting en het mechanisme (Tas was best trots op die woordspeling). Kon hij maar iets zien! Toen besefte hij opeens dat hij een tovenaar bij zich had.

'We zouden wel een lamp kunnen gebruiken,' riep Tas.

'Een ramp? Waar?' Bijna liet Fizban de ketting los van schrik.

'Nee, geen ramp. Een lamp!' zei Tas geduldig. Hij hield zich met beide handen vast aan een schakel. 'Ik denk dat we bijna bovenaan zijn, en we moeten echt even om ons heen kijken.'

'O, natuurlijk. Eens denken, licht...' Tas hoorde de tovenaar in zijn buidels rommelen. Kennelijk vond hij wat hij zocht, want al snel slaakte hij een triomfantelijke kraai en sprak een paar woorden. Er verscheen een klein pluisje bestaande uit gele en blauwe vlammen, dat even bij Fizbans hoed bleef zweven.

Het gloeiende pluisje scheerde naar boven, danste om Tasselhof heen alsof hij de kender wilde inspecteren en keerde toen terug naar de trotse tovenaar. Tasselhof was gebiologeerd. Hij had wel honderd vragen over het prachtige gloeiende pluisje, maar zijn armen begonnen te trillen van vermoeidheid en de oude tovenaar was de uitputting nabij. Hij wist dat het tijd werd dat ze van die ketting af kwamen.

Toen hij opkeek, zag hij dat ze, zoals hij al vermoedde, het bovenste deel van het fort hadden bereikt. De ketting liep over een reusachtig houten tandrad met een ijzeren as die in massief steen was verankerd. De schakels van de ketting pasten precies over de tanden, die zo groot waren als boomstammen. Van daaruit liep de ketting horizontaal over de brede schacht, om vervolgens rechts van de kender in een tunnel te verdwijnen.

'We kunnen op dat tandrad klimmen en over de ketting de tunnel inkruipen,' zei de kender wijzend. 'Kun je het licht daarnaartoe sturen?'

'Licht, naar het rad,' beval Fizban.

Het lichtje bleef even in de lucht zweven, maar begon toen in een duidelijk nee schuddende beweging heen en weer te dansen.

Fizban fronste zijn voorhoofd. 'Licht, naar het rad!' herhaalde hij streng. Het gloeiende pluisje dook weg achter de hoed van de tovenaar. Fizban, die het met een wilde beweging probeerde te pakken, viel bijna, maar wist zijn beide armen op tijd om de ketting heen te slaan. Het pluislichtje danste achter hem in de lucht heen en weer, alsof het genoot van dit spelletje.

'Eh... ik denk dat we zo wel genoeg licht hebben,' zei Tas.

'Die jongelui van tegenwoordig hebben geen enkele discipline meer,' mopperde Fizban. 'Zijn vader daarentegen... Daar kon je van op aan...' De stem van de oude tovenaar zakte weg toen hij weer begon te klimmen, met het dansende pluislichtje vlak bij de punt van zijn verfomfaaide hoed.

Al snel bereikte Tas de eerste tand van het rad. De tanden bleken ruw en makkelijk te beklimmen te zijn, dus klom hij snel van de ene naar de andere naar boven. Fizban volgde opvallend behendig, met zijn gewaad tot boven zijn knieën opgetrokken.

'Kun je het lichtje vragen om de tunnel in te gaan?' vroeg Tas.

'Licht, naar de tunnel!' beval Fizban, die zijn magere benen om een schakel van de ketting had geslagen.

Het pluisje leek over die opdracht na te denken. Langzaam stuiterde het naar de rand van de tunnel, maar daar hield het halt.

'Die tunnel in!' beval de tovenaar.

Het lichtpluisje weigerde.

'Volgens mij is hij bang voor het donker,' zei Fizban verontschuldigend.

'Mijn hemel, dat is vreemd!' zei de kender verbijsterd. 'Tja...' Hij dacht even na. 'Als hij wil blijven waar hij nu is, kan ik denk ik wel genoeg zien om via de ketting over te steken. Zo te zien is het maar een voet of vijftien tot aan de tunnel.' Met daaronder niets dan een paar honderd meter lucht en duisternis, om over de stenen vloer aan het eind ervan nog maar te zwijgen, dacht Tas.

'Eigenlijk zou iemand dit ding eens moeten komen smeren,' zei Fizban, die de as kritisch had geïnspecteerd. 'Zo gaat dat tegenwoordig, óf het is half werk, óf het is slordig.'

'Ik ben eigenlijk wel blij dat ze dat niet hebben gedaan,' zei Tas met onderkoelde humor terwijl hij over de ketting kroop. Ongeveer halverwege begon hij zich af te vragen hoe het zou zijn om van zo'n grote hoogte naar beneden te vallen, schijnbaar eindeloos naar beneden te tuimelen en uiteindelijk op de stenen vloer terecht te komen. Hij vroeg zich af hoe het zou zijn om op die vloer uiteen te spatten...

'Schiet eens een beetje op!' riep Fizban, die achter de kender aan de ketting op was gekropen.

Snel kroop Tas verder naar de ingang van de tunnel, waar het vuurpluisje op hem wachtte, en sprong op de stenen vloer, een voet of vijf onder hem. Het vuurpluisje stoof achter hem aan, en eindelijk bereikte ook Fizban de ingang van de tunnel. Op het laatste moment viel hij eraf, maar Tas greep de oude man bij zijn gewaad en bracht hem in veiligheid.

Ze zaten op de grond uit te rusten toen de oude man plotseling opkeek. 'Mijn staf!' zei hij.

'Wat is daarmee?' vroeg Tas gapend. Hij zat zich af te vragen hoe laat het was.

De oude man kwam moeizaam overeind. 'Ik heb hem beneden laten liggen,' mompelde hij terwijl hij terugliep naar de ketting.

'Wacht! Je kunt niet teruggaan!' Geschrokken sprong Tasselhof overeind.

'Wie zegt dat?' vroeg de oude man kregelig. Uitdagend stak hij zijn baard naar voren.

'Ik b-bedoel...' stotterde Tas, 'dat het veel te gevaarlijk zou zijn. Maar ik weet hoe je je voelt. Ik heb mijn hoopak ook laten liggen.'

'Hmm,' zei Fizban. Somber ging hij weer zitten.

'Was het een magische staf?' vroeg Tas na een tijdje.

'Dat heb ik nooit echt zeker geweten,' zei Fizban weemoedig.

'Nou,' zei Tas op praktische toon, 'als dit hele avontuur achter de rug is, kunnen we misschien nog een keer teruggaan om hem te halen. Nu moeten we eerst een plek vinden om uit te rusten.'

Hij keek om zich heen naar de tunnel. Die mat van vloer tot plafond ongeveer zeven voet. De reusachtige ketting liep bovenlangs, met allerlei kleinere kettingen eraan vast die over de vloer van de tunnel naar een onmetelijk diepe put aan het eind voerden. Als Tas naar beneden tuurde, kon hij vaag de contouren van reusachtige rotsblokken onderscheiden.

'Hoe laat denk je dat het is?' vroeg Tas.

'Tijd voor het middagmaal,' zei de oude man. 'En we kunnen net zo goed hier even rusten. Een betere plek zullen we niet snel vinden.' Hij liet zich weer op de grond zakken, haalde een handvol quith-pa tevoorschijn en begon daar luidruchtig op te kauwen. Het vuurpluisje kwam naar hem toe en maakte het zich gemakkelijk op de rand van zijn hoed. Tas ging naast de tovenaar zitten en begon zelf ook aan een stuk gedroogd fruit te knabbelen. Toen snoof hij. Opeens hing er een merkwaardige geur, alsof iemand oude sokken aan het verbranden was. Hij keek op, zuchtte en trok aan de mouw van de tovenaar.

'Eh, Fizban,' zei hij. 'Je hoed staat in brand.'

'Flint,' zei Tanis streng, 'voor de laatste keer: ik vind het net zo erg als jij dat we Tas kwijt zijn, maar we kunnen niet terug. Fizban is bij hem, en die twee kennende weten ze zich wel te redden, hoe precair hun situatie ook is.'

'Zolang ze maar niet het hele fort boven op ons hoofd laten instorten,' mompelde Sturm.

De dwerg veegde zijn ogen droog en wierp Tanis een boze blik toe. Toen draaide hij zich op zijn hakken om en liep stampvoetend terug naar zijn hoekje, waar hij zich mokkend op de grond liet vallen.

Tanis ging weer zitten. Hij begreep hoe Flint zich voelde. Het leek vreemd. Er waren vele momenten geweest dat hij de kender wel kon wurgen, maar nu hij er niet meer was, miste hij hem, en wel om exact dezelfde redenen. Tasselhof beschikte over een aangeboren, eindeloze opgewektheid die hem tot een metgezel van onschatbare waarde maakte. Geen enkel gevaar joeg de kender ooit angst aan, met als gevolg dat hij nooit de moed opgaf. In een noodsituatie wist hij altijd wel iets te verzinnen. Het was niet altijd de beste oplossing, maar in elk geval dééd hij altijd iets. Tanis glimlachte bedroefd. Ik kan alleen maar hopen dat deze noodsituatie niet zijn laatste is gebleken, dacht hij.

De reisgenoten rustten ongeveer een uur, aten quith-pa en dronken vers water uit een diepe put die ze hadden ontdekt. Raistlin kwam bij kennis, maar kon niets eten. Hij nam een slokje water en ging toen slapjes weer liggen. Caramon vertelde hem aarzelend het nieuws over Fizban, bang dat zijn broer erg aangeslagen zou zijn door diens verdwijning. Raistlin haalde echter zijn schouders op, sloot zijn ogen en viel in een diepe slaap.

Toen Tanis weer op krachten was gekomen, stond hij op en liep naar Gilthanas toe, want hij zag dat de elf geconcentreerd een kaart zat te bestuderen. Toen hij langs Laurana kwam, die in haar eentje zat, glimlachte hij naar haar. Ze weigerde te reageren. Tanis zuchtte. Nu al had hij spijt van zijn harde woorden in de Sla-Mori. Hij moest toegeven dat ze zich opmerkelijk goed had gehouden onder angstaanjagende omstandigheden. Ze had gedaan wat haar werd gevraagd, snel en zonder tegenwerpingen. Op een gegeven moment zou Tanis zijn verontschuldigingen moeten aanbieden, maar nu moest hij eerst met Gilthanas praten.

Hij nam plaats op een krat. 'Wat is het plan?' vroeg hij.

'Ja, waar zijn we eigenlijk?' vroeg Sturm. Al snel zat bijna iedereen om de kaart heen, met uitzondering van Raistlin, die leek te slapen, al dacht Tanis een streepje goud tussen de zogenaamd gesloten oogleden van de magiër te zien doorschemeren.

Gilthanas streek zijn kaart glad.

'Dit is het fort Pax Tharkas en de mijnen eromheen,' zei hij. Hij wees. 'Wij bevinden ons in de kelder, hier, op de onderste verdieping. Aan deze gang, een voet of vijftig hiervandaan, zijn de vertrekken waar de vrouwen worden gevangengehouden. Dit is de wachtkamer, tegenover de vrouwen, en dat...' – hij tikte zachtjes op de kaart – 'is het hol van een van de rode draken, die door heer Canaillaard Sintel wordt genoemd. Natuurlijk is die draak zo groot dat zijn hol tot boven de grond uitsteekt. Het staat in direct contact met de vertrekken van heer Canaillaard op de begane grond, en loopt van daaruit nog verder door, dwars door de galerij op de eerste verdieping, tot aan de openlucht.'

Gilthanas glimlachte verbitterd. 'Op de begane grond, achter de vertrekken van heer Canaillaard, bevindt zich de gevangenis waar de kinderen worden vastgehouden. De Drakenheer is slim. Hij houdt de gijzelaars gescheiden, wetend dat de vrouwen nooit zouden weggaan zonder hun kinderen, en de mannen niet zonder hun gezin. De kinderen worden bewaakt door een tweede rode draak, in dit vertrek. De mannen – een kleine driehonderd – werken in mijnen in de grotten van de bergen. Ook zijn er enkele honderden greppeldwergen in de mijnen tewerkgesteld.'

'Je weet kennelijk nogal veel over Pax Tharkas,' zei Eben.

Gilthanas keek fel op. 'Wat wil je daarmee zeggen?'

'Ik wil helemaal niets zeggen,' antwoordde Eben. 'Alleen weet je wel erg veel voor iemand die hier nog nooit is geweest. En ik vind het een interessant gegeven dat we daar in de Sla-Mori om de haverklap op wezens stuitten die verdomme bijna onze dood waren geworden!'

'Eben,' zei Tanis zachtjes. 'we krijgen zo langzamerhand genoeg van jouw wantrouwen. Ik geloof niet dat een van ons een verrader is. Zoals Raistlin al zei: zo iemand had ons allang kunnen verraden. Wat heeft het voor zin om ons zo ver te laten komen?'

'Wel als hij mij en de schijven naar heer Canaillaard wil brengen,' zei Goudmaan zachtjes. 'Hij weet dat ik er ben, Tanis. Hij en ik zijn door ons geloof met elkaar verbonden.'

'Dat is belachelijk!' zei Sturm minachtend.

'Nee, dat is het niet,' zei Goudmaan. 'Vergeet niet dat er twee sterrenbeelden ontbreken. De ene was de Koningin van de Duisternis. Afgaand op het weinige dat ik van de schijven van Mishakal heb kunnen lezen, was de Koningin ook een van de oude goden. Er zijn net zoveel goden van het goede als goden van het kwade, en de neutrale goden streven ernaar om de balans in stand te houden. Canaillaard aanbidt de Koningin van de Duisternis zoals ik Mishakal aanbid. Dat bedoelde Mishakal toen ze zei dat wij het evenwicht moesten herstellen. De belofte van het goede die ik met me meedraag is het enige wat hij werkelijk vreest, en al zijn wilskracht is erop gericht om mij te vinden. Hoe langer ik hier blijf...' Haar stem stierf weg.

'Des te meer reden om op te houden met bekvechten,' zei Tanis met een korte blik op Eben.

De krijger haalde zijn schouders op. 'Je hebt gelijk. Ik sta achter je.'

'Wat is het plan, Gilthanas?' vroeg Tanis, die tot zijn ergernis zag dat Sturm, Caramon en Eben een snelle blik wisselden. Alsof de drie mensen samenspanden tegen de elfen, was de gedachte waarop hij zichzelf betrapte. Maar misschien ben ik net zo erg, want ik geloof Gilthanas omdat hij een elf is.

Gilthanas zag de blikken ook. Even staarde hij de mensen aan, zonder met zijn ogen te knipperen, maar toen begon hij op afgemeten toon te spreken, zorgvuldig zijn woorden kiezend alsof hij liever niet meer wilde onthullen dan strikt noodzakelijk was.

'Elke avond mogen tien à twaalf vrouwen hun cel uit om de mannen in de mijnen eten te brengen. Zo laat de Drakenheer de mannen zien dat hij zich aan de afspraak houdt. Om diezelfde reden mogen de vrouwen één keer per dag bij de kinderen op bezoek. Mijn krijgers en ik wilden ons als vrouwen vermommen, de mannen in de mijnen gaan vertellen over het plan om de gijzelaars te bevrijden en hen te waarschuwen dat ze klaar moesten zijn voor de aanval. Verder waren we nog niet gekomen, en een plan om de kinderen te bevrijden hadden we al helemaal niet. Onze spionnen gaven aan dat er iets vreemds aan de hand was met de draak die de kinderen bewaakt, maar wat, dat konden we niet precies vaststellen.'

'Welke sp—' begon Caramon, maar na een blik op Tanis besloot hij zijn vraag in te slikken. In plaats daarvan vroeg hij: 'Wanneer slaan we toe? En wat doen we met die draak, Sintel?'

'We slaan morgenochtend toe. Dan zullen heer Canaillaard en Sintel zich zo goed als zeker bij het leger voegen, zodra dat de grens van Qualinesti bereikt. Hij is al heel lang bezig met deze invasie. Ik geloof niet dat hij het zal willen missen.'

De groep sprak het plan nog eens goed door om er dingen aan toe te voegen en de details goed door te nemen, maar over het algemeen waren ze het erover eens dat het mogelijkheden had. Terwijl Caramon zijn broer wakker ging maken, raapten de anderen hun spullen bij elkaar. Sturm en Eben duwden de deur naar de gang open. Die leek verlaten, al hoorden ze in het vertrek recht tegenover hen ruw, dronken, gedempt gelach. Draconen. Stilletjes glipten de reisgenoten de muffe, smerige gang in.

Tasselhof stond in het midden van wat hij de mechanismekamer had genoemd om zich heen te kijken naar de tunnel, bijgelicht door het pluisje. De kender begon ontmoedigd te raken. Dat was een gevoel dat hij niet vaak kreeg, en dat hij altijd vergeleek met die keer dat hij een hele groenetomatentaart had opgegeten die hij van een buurvrouw had bemachtigd. Tot op de dag van vandaag maakten ontmoediging en groenetomatentaart hem misselijk.

'Er moet toch een uitweg zijn,' zei de kender. 'Ze moeten ongetwijfeld af en toe het mechanisme inspecteren, of het komen bewonderen, of rondleidingen geven of iets dergelijks.'

Hij en Fizban liepen al zeker een uur door de tunnel heen en weer, tussen de vele kettingen door kruipend. Ze hadden niets gevonden. De tunnel was koud, kaal en bedekt met een laag stof.

'Over licht gesproken,' zei de oude tovenaar opeens, hoewel ze het daar helemaal niet over hadden gehad. 'Kijk daar eens.'

Tasselhof keek. Door een kier onder aan de muur, vlak bij de ingang van de krappe tunnel, was een lichtspleetje zichtbaar. Ze hoorden stemmen, en het licht werd feller, alsof er in een onder hen gelegen vertrek toortsen werden aangestoken.

'Misschien is dat een uitweg,' zei de oude man.

Lichtvoetig rende Tas de tunnel door, knielde neer en tuurde door de kier. 'Kom eens kijken!'

Getweeën keken ze naar een grote kamer, uitgerust met elk luxeartikel dat je maar kon bedenken. Alle mooie, elegante, verfijnde en kostbare zaken die te vinden waren in het gebied dat onder heer Canaillaards bewind viel, was meegenomen om de privévertrekken van de Drakenheer te sieren. Aan de ene kant van de kamer stond een rijk bewerkte troon. Aan de muren hingen zeldzame, onbetaalbare zilveren spiegels, die zo uitgekiend waren opgehangen dat een bevende gevangene overal, waar hij ook keek, niets zag dan de groteske gehoornde helm van de Drakenheer die hem dreigend aanstaarde.

'Dat moet hem zijn!' fluisterde Tas tegen Fizban. 'Dat moet heer Canaillaard zijn!' Vol ontzag hield de kender zijn adem in. 'En dat moet zijn draak zijn, Sintel. De draak waar Gilthanas het over had, die in Soelaas alle elfen heeft gedood.'

Sintel, ofwel Pyros (zijn ware naam, een geheim dat onder draconen en andere draken bekend was, maar nooit aan gewone stervelingen werd verteld) was een oeroude, reusachtige rode draak. Pyros was een geschenk van de Koningin van de Duisternis aan heer Canaillaard geweest, zogenaamd als beloning voor haar priester. In werkelijkheid was Pyros erop uitgestuurd om Canaillaard, die een merkwaardige, paranoïde angst had ontwikkeld omtrent de mogelijkheid dat de oude goden zouden worden herontdekt, scherp in de gaten te houden. Alle Drakenheren op Krynn hadden een draak, al waren die misschien niet zo sterk of intelligent. Pyros had namelijk nog een andere, belangrijker missie waarvan zelfs de Drakenheer niet op de hoogte was, een missie die hem door de Koningin van de Duisternis zelf was toevertrouwd en die alleen bij haar en haar kwaadaardige draken bekend was.

Pyros' missie was om dit deel van Ansalon af te speuren naar een man, een man met vele namen. De Koningin van de Duisternis noemde hem Immerman. De draken noemden hem de man met de groene edelsteen. Zijn menselijke naam was Berem. En vanwege die onophoudelijke zoektocht naar de mens Berem was Pyros die middag in het vertrek van Canaillaard aanwezig, terwijl hij liever in zijn hol een dutje had gedaan. Pyros had vernomen dat Schaarsmeester Padh twee gevangenen kwam afleveren ter ondervraging. Er bestond altijd een kans dat Berem er een van was. Daarom was de draak altijd bij ondervragingen aanwezig, al verveelden die hem op het oog vaak mateloos. Het enige moment waarop een ondervraging interessant werd, wat Pyros betrof, was wanneer Canaillaard een gevangene opdroeg om 'de draak te voeren'.

Nu lag Pyros langs een wand van de enorme troonzaal, uitgestrekt over de hele lengte ervan. Zijn enorme vleugels lagen opgevouwen op zijn flanken, die met elke ademtocht uitzetten en terugvielen als een reusachtige, door gnomen gebouwde machine. Hij was weggedommeld, maar nu snoof hij en verschoof een beetje. Met een klap viel een zeldzame vaas op de vloer in stukken. Canaillaard keek op van zijn bureau, waar hij een kaart van Qualinesti zat te bestuderen.

'Transformeer eens, voordat je de hele kamer vernielt,' grauwde hij.

Pyros opende een oog, keek Canaillaard even koeltjes aan en bromde toen schoorvoetend een magisch woord.

De reusachtige rode draak begon als een luchtspiegeling te trillen, waarop de monsterlijke drakenvorm zich samenpakte tot de gestalte van een menselijke man, tenger gebouwd, met gitzwart haar, een mager gezicht en scheefstaande rode ogen. Gekleed in zijn vuurrode gewaad liep Pyros de man naar een bureau vlak bij Canaillaards troon. Hij nam plaats, sloeg zijn handen over elkaar en keek met onverholen afkeer naar Canaillaards brede, gespierde rug.

Er werd aan de deur gekrabd.

'Binnen,' beval Canaillaard afwezig.

Een draconenwachter gooide de grote bronzen met gouden dubbele deur open om schaarsmeester Padh en zijn gevangenen binnen te laten, waarna hij zich weer terugtrok en de deur achter zich sloot. Canaillaard liet de schaarsmeester nog een tijdje wachten terwijl hij zijn aanvalsplan bestudeerde. Toen schonk hij Padh een neerbuigende blik, stond op en liep de trap naar zijn troon op, die de vorm had van een gapende drakenmuil.

Canaillaard was een imposante man. Hij was lang en krachtig gebouwd, en droeg een nachtblauwe wapenrusting die eruitzag alsof hij van drakenschubben was gemaakt, afgezet met goud. Het afgrijselijke masker dat elke Drakenheer droeg verhulde zijn gezicht. Met opmerkelijke gratie voor zo'n grote man leunde hij gerieflijk achterover, terwijl hij met zijn in leer gehulde hand afwezig over de zwart met gouden goedendag streek die naast hem stond.

Canaillaard nam Padh en zijn twee gevangenen geërgerd op, wetend dat Padh deze twee uit zijn mouw had geschud in een poging het rampzalige verlies van de priesteres goed te maken. Toen Canaillaard van zijn draconen had vernomen dat er onder de gevangenen uit Soelaas een vrouw was geweest die aan de beschrijving van de priesteres voldeed, maar dat ze erin was geslaagd te ontsnappen, was zijn woede verschrikkelijk geweest. Bijna had Padh met zijn leven moeten boeten voor zijn fout, maar de kobold was uitzonderlijk bedreven in kruipen en smeken. Met die wetenschap in het achterhoofd had Canaillaard overwogen

Padh de hele dag een audiëntie te ontzeggen, maar hij had het merk-waardige, knagende gevoel dat er iets niet goed was in zijn rijk.

Het komt door die vervloekte geestelijke, dacht Canaillaard. Hij voelde haar macht steeds dichterbij komen, en dat maakte hem nerveus. Aandachtig bestudeerde hij de twee gevangenen die Padh naar binnen had gebracht. Zodra hij zag dat ze geen van beiden voldeden aan de beschrijving van degenen die Xak Tsaroth hadden overvallen, vertrok zijn gezicht achter het masker van woede.

Pyros reageerde heel anders toen hij de gevangenen zag. De getransformeerde draak kwam half overeind, en met zijn magere handen omklemde hij het blad van het bureau zo krampachtig dat de afdrukken van zijn vingers in het hout achterbleven. Hij beefde van opwinding en het kostte een grote wilsinspanning om uiterlijk kalm weer te gaan zitten. Alleen zijn ogen, waarin een allesverslindend vuur brandde, verrieden zijn opgetogenheid over de gevangenen.

Een van hen was een greppeldwerg, Sestun om precies te zijn. Hij was aan handen en voeten gekluisterd (Padh nam geen enkel risico) en kon nauwelijks een stap verzetten. Hij strompelde naar binnen en liet zich toen verlamd van angst voor de Drakenheer op zijn knieën vallen. De andere gevangene – de enige voor wie Pyros oog had – was een man van het mensenras, gekleed in lompen, die naar de vloer stond te staren.

'Waarom val je me lastig met dit stel armoedzaaiers, schaarsmeester?' grauwde Canaillaard.

Padh, die ineendook tot een bevende massa, slikte moeizaam en stak meteen van wal met de toespraak die hij had voorbereid. 'Deze gevangene…' – hij gaf Sestun een schop – 'was degene die de slaven uit Soelaas hielp ontsnappen, en deze gevangene…' – hij wees naar de man, die met een verward, niet-begrijpend gezicht opkeek – 'dwaalde rond in de buurt van Poort, dat, zoals u weet, verboden gebied is voor burgers.'

'Maar waarom breng je ze naar mij toe?' vroeg heer Canaillaard geïrriteerd. 'Smijt ze in de mijnen, bij de rest van het gepeupel.'

Padh stamelde: 'Ik dacht dat de mens m-misschien wel een s-spion was.'

De Drakenheer nam de man aandachtig op. Hij was lang en ongeveer vijftig mensenjaren oud. Zijn haar was wit en zijn gladgeschoren gezicht bruin en verweerd, doorgroefd met rimpels. Hij liep erbij als een zwerver, en dat was hij waarschijnlijk ook, dacht Canaillaard vol afkeer. Er was in elk geval niets ongewoons aan hem, of het moesten zijn ogen zijn, die helder en jeugdig waren. Zijn handen waren ook die van een man in de bloei van zijn leven. Waarschijnlijk stroomde er elfenbloed door zijn aderen…

'De man is zwakzinnig,' zei Canaillaard uiteindelijk. 'Moet je hem zien. Hij staat te gapen als een vis op het droge.'

'Ik geloof d-dat hij, eh, doofstom is, mijn heer,' zei Padh zwetend.

Canaillaard trok zijn neus op. Zelfs de drakenhelm kon de stank van ko-boldenzweet niet tegenhouden.

'Dus je hebt een greppeldwerg gevangengenomen, en een spion die niet kan horen of spreken,' zei Canaillaard bijtend. 'Gefeliciteerd, Padh. Misschien kun je nu buiten een bosje bloemen voor me gaan plukken.'

'Als mijn heer het wenst,' antwoordde Padh ernstig, met een diepe buiging.

Canaillaard begon te lachen, ondanks alles geamuseerd. Padh was een vermakelijk wezen. Jammer dat hij zich niet vaker waste. Hij maakte een handgebaar. 'Weg met hen. En zelf kun je ook gaan.'

'Wat zal ik met de gevangenen doen, mijn heer?'

'Laat de greppeldwerg vanavond Sintel voeren. En breng je spion naar de mijnen. Maar hou hem goed in de gaten. Hij ziet er dodelijk gevaar-lijk uit!' De Drakenheer schaterde het uit.

Pyros klemde zijn kiezen op elkaar en vervloekte die dwaas van een Ca-naillaard.

Padh maakte opnieuw een buiging. 'Meekomen jullie,' grauwde hij met een ruk aan de ketens, en de man strompelde achter hem aan. 'Jij ook!' Hij gaf Sestun een por met zijn voet. Dat haalde niets uit. Zodra de greppeldwerg hoorde dat hij de draak moest voeren, was hij flauwge-vallen. Er werd een dracoon bij gehaald om hem weg te dragen.

Canaillaard stond op van zijn troon en liep naar zijn bureau. Daar rolde hij zijn kaarten op. 'Stuur de wyverns erop uit met berichten,' droeg hij Pyros op. 'Morgenochtend vliegen we naar Qualinesti om dat land te vernietigen. Houd je gereed voor mijn oproep.'

Toen de bronzen met gouden deuren achter de Drakenheer waren dichtgevallen, stond Pyros, nog steeds in de vorm van een mens, op van zijn bureau en begon koortsachtig door de troonzaal te ijsberen. Er werd aan de deur gekrabd.

'Heer Canaillaard heeft zich teruggetrokken in zijn privévertrekken,' riep Pyros, die zich ergerde aan de onderbreking.

De deur ging op een kiertje open.

'Ik wil u graag spreken, uwe koninklijkheid,' fluisterde een dracoon.

'Kom binnen,' zei Pyros. 'Maar hou het kort.'

'De verrader is in zijn opzet geslaagd, uwe koninklijkheid,' zei de dra-coon zachtjes. 'Hij kon maar heel even weg, omdat hij anders wantrou-wen zou wekken. Maar hij heeft de priesteres bij zich—'

'Naar de Afgrond met de priesteres!' grauwde Pyros. 'Dat nieuws is al-leen voor Canaillaard interessant. Ga hem er maar mee lastigvallen. Nee, wacht.' De draak zweeg even.

'Zoals u mij had opgedragen, ben ik eerst naar u toe gekomen,' zei de dracoon verontschuldigend. Hij maakte aanstalten om zich haastig terug te trekken.

'Niet weggaan,' beval de draak met opgestoken hand. 'Dit nieuws is toch van nut voor mij. Niet de priesteres. Er staat veel meer op het spel... Ik moet onze verraderlijke vriend spreken. Breng hem vanavond naar me toe, in mijn hol. Zeg niets tegen heer Canaillaard, nog niet. Dan gaat hij zich er misschien mee bemoeien.' Pyros dacht nu snel na. De elementen van zijn plan vielen op hun plek. 'Canaillaard zal volledig in beslag worden genomen door Qualinesti.'

Toen de dracoon zich met een buiging terugtrok uit de troonzaal, begon Pyros weer te ijsberen, van de ene kant naar de andere, terwijl hij zich glimlachend in de handen wreef.

12

De *parabel van de edelsteen*.
De *verrader onthuld.* Tas' *dilemma*.

'H̲ou daarmee op, brutale vlerk!' zei Caramon onnozel giechelend.
Hij sloeg de hand weg die Eben steels onder zijn rok had laten glijden.
De vrouwen in de kamer lachten zo hartelijk om de capriolen van de
twee krijgers dat Tanis bezorgd naar de deur van de cel keek, bang dat
het wantrouwen van de wachters zou worden gewekt.

Maritta ving zijn bezorgde blik op. 'Maak je maar geen zorgen om de
wachters,' zei ze schouderophalend. 'Er zijn er toch maar twee op deze
verdieping, en die zijn de helft van de tijd dronken, zeker nu het leger
vertrokken is.' Ze keek op van haar naaiwerk en glimlachte hoofdschuddend om de vrouwen. 'Het doet me goed hen te horen lachen, de
arme zielen,' zei ze zachtjes. 'Ze hebben de afgelopen dagen weinig reden tot vreugde gehad.'

Vierendertig vrouwen zaten bij elkaar in één cel – volgens Maritta zaten
er in een nabijgelegen cel nog eens zestig – in zulke erbarmelijke omstandigheden dat zelfs de geharde ex-soldaten in de groep ontzet waren.
Op de grond lagen ruwe strooien matten. De vrouwen hadden geen bezittingen, afgezien van wat kleren. Elke ochtend werden ze heel even
buiten gelucht. De rest van de tijd werden ze gedwongen uniformen te
naaien voor de draconen. Hoewel ze nog maar een paar weken gevan-
genzaten, waren hun gezichten bleek en ingevallen en hun lichamen
uitgemergeld door gebrek aan fatsoenlijk eten.

Tanis ontspande zich. Hij kende Maritta nog maar een paar uur, maar
nu al vertrouwde hij op haar beoordelingsvermogen. Zij was degene
geweest die de doodsbange vrouwen had gekalmeerd toen de reisgenoten hun cel waren binnengestormd. Zij was degene die hun plan had
aangehoord en had gezegd dat het kans van slagen had.

'Onze mannen werken met jullie mee,' zei ze tegen Tanis. 'Maar met de
Hogezoekers zullen jullie meer problemen hebben.'

'De Raad van Hogezoekers?' vroeg Tanis verbijsterd. 'Zijn die ook hier? Als gevangenen?'

Maritta knikte met een frons op haar voorhoofd. 'Hun verdiende loon, omdat ze die zwarte priester geloofden. Maar ze zullen niet weg willen, en waarom zouden ze? Ze hoeven niet in de mijnen te werken, daar zorgt de Drakenheer wel voor. Maar wij staan achter jullie.' Ze keek om zich heen naar de anderen, die vastberaden knikten. 'Op één voorwaarde: dat jullie de kinderen niet in gevaar brengen.'

'Dat kan ik niet garanderen,' zei Tanis. 'Dit bedoel ik niet zo wreed als het klinkt, maar we zullen misschien de draak moeten bevechten om de kinderen te kunnen bereiken, en—'

'De draak bevechten? Vuurslag?' Maritta keek hem verwonderd aan. 'Ach wat! Het is helemaal niet nodig om het tegen dat arme dier op te nemen. Sterker nog, als je haar pijn doet, staat de helft van de kinderen klaar om je te wurgen, zo dol zijn ze op haar.'

'Op een draak?' vroeg Goudmaan. 'Wat heeft ze gedaan, een betovering over hen uitgesproken?'

'Nee. Ik betwijfel of Vuurslag nog wel een spreuk zou kunnen uitspreken.' Maritta glimlachte bedroefd. 'Het arme dier is half krankzinnig. Haar eigen kinderen zijn omgekomen bij een of andere grote oorlog, en nu heeft ze zich in haar hoofd gehaald dat onze kinderen van haar zijn. Ik weet niet waar die Drakenheer haar heeft opgeduikeld, maar het was ontzettend gemeen van hem, en ik hoop dat hij er op een dag voor zal boeten!' Fel brak ze een draad af.

'Het zal niet moeilijk zijn om de kinderen te bevrijden,' voegde ze eraan toe toen ze Tanis' bezorgde gezicht zag. 'Vuurslag slaapt 's ochtends altijd lang uit. We geven de kinderen hun ontbijt, nemen ze mee naar buiten om even een rondje te lopen, en al die tijd verroert ze zich niet één keer. Ze zal pas merken dat ze weg zijn als ze wakker wordt, het arme dier.'

De vrouwen, die voor het eerst in lange tijd weer hoop hadden gekregen, begonnen oude kleren te verstellen voor de mannen. Het ging allemaal heel vlotjes, tot het tijd werd om ze aan te trekken.

'Me scheren!' brulde Sturm zo woest dat de vrouwen zich haastig voor hem uit de voeten maakten. Sturm had toch al zo zijn twijfels bij het hele verkleedplan, maar hij had besloten er toch in mee te gaan. Het leek de beste manier om de volslagen open binnenplaats tussen het fort en de mijnen over te steken. Maar, zo verkondigde hij, hij stierf liever duizend doden in de handen van de Drakenheer dan dat hij zijn snor zou afscheren. Hij kwam pas tot bedaren toen Tanis voorstelde zijn gezicht met een sjaal te bedekken.

Dat was nog maar net geregeld toen het volgende probleem zich aandiende. Waterwind zei ronduit dat hij weigerde zich als vrouw te verkleden, en wat ze ook tegen hem zeiden, hij liet zich niet vermurwen. Uiteindelijk nam Goudmaan Tanis even apart om hem uit te leggen dat het in hun stam de gewoonte was om een krijger die in de strijd iets lafs deed te dwingen vrouwenkleren te dragen totdat hij zijn mannelijkheid weer had bewezen. Hoe hij dat probleem moest oplossen, wist Tanis niet. Maar Maritta had zich toch al afgevraagd of ze wel kleren hadden die lang genoeg voor hem waren.

Na veel heen en weer gepraat werd besloten dat Waterwind zich in een lange mantel zou hullen en voorovergebogen met een staf zou lopen, als een oude vrouw. Daarna verliep alles probleemloos, voorlopig althans.

Laurana liep naar de hoek van de kamer waar Tanis een sjaal om zijn gezicht stond te wikkelen.

'Waarom scheer jij je niet?' vroeg Laurana met haar blik op Tanis' baard gericht. 'Of geniet je er werkelijk van om met je menselijke kant te koop te lopen, zoals Gilthanas beweert?'

'Ik loop er niet mee te koop,' antwoordde Tanis rustig. 'Ik was het alleen beu om het te moeten ontkennen.' Hij haalde diep adem. 'Laurana, het spijt me dat ik zo tegen je tekeerging in de Sla-Mori. Ik had het recht niet—'

'Daar had je alle recht toe,' viel Laurana hem in de rede. 'Ik heb iets gedaan wat alleen een verliefd meisje zou doen. Ik heb jullie allemaal in levensgevaar gebracht met mijn dwaasheid.' Haar stem haperde even, maar toen had ze zichzelf weer in de hand. 'Het zal niet meer gebeuren. Ik zal bewijzen dat ik me nuttig kan maken voor de groep.'

Hoe ze dat precies wilde aanpakken, wist ze zelf ook niet. Ze had wel zo hard geroepen dat ze goed kon vechten, maar ze had zelfs nog nooit een konijn gedood. Op het moment was ze zo bang dat ze haar handen achter haar rug moest houden om te voorkomen dat Tanis zou zien hoe erg ze stond te beven. Ze vreesde dat ze, als ze het zichzelf toestond, zou toegeven aan haar zwakte en troost zou zoeken in zijn armen, dus liep ze weg om Gilthanas met zijn vermomming te helpen.

Tanis hield zichzelf voor dat hij blij was dat Laurana eindelijk tekenen van volwassenheid begon te vertonen. Hij weigerde pertinent toe te geven dat hij vergat te ademen wanneer hij in haar grote, glanzende ogen keek.

De middag verstreek snel, en algauw was het avond en brak het moment aan waarop de vrouwen eten naar de mijnen zouden brengen. In gespannen stilte wachtten de reisgenoten op de wachters. Er werd niet meer gelachen. Uiteindelijk was er toch nog een crisis ontstaan. Raistlin, die had gehoest tot hij de uitputting nabij was, had gezegd dat hij te zwak was om hen te vergezellen. Toen zijn broer aanbood om bij hem te blijven, had Raistlin hem geërgerd aangestaard en tegen hem gezegd dat hij niet zo dwaas moest doen.

'Vanavond hebben jullie mij niet nodig,' fluisterde de magiër. 'Laat me met rust. Ik moet slapen.'

'Ik vind het maar niks om hem hier achter te laten,' begon Gilthanas, maar voordat hij daar meer over kon zeggen, hoorden ze het getik van klauwen op de vloer buiten de cel, en kwamen er twee draconenwachters naar binnen die allebei stonken naar verschaalde wijn. Een van hen wankelde een beetje toen hij met troebele ogen naar de vrouwen keek.

'Opschieten,' zei hij bars.

Toen de 'vrouwen' in ganzenpas naar buiten schuifelden, zagen ze zes greppeldwergen in de gang staan met in hun armen enorme pannen die een obscure stoofschotel bevatten. Caramon snoof hongerig de lucht op, maar trok toen vol afkeer zijn neus op. De draconen smeten de deur achter hen dicht. Toen hij vluchtig achteromkeek, zag Caramon zijn tweelingbroer, gehuld in dekens, in een donker hoekje op de grond liggen.

Fizban klapte in zijn handen. 'Goed gedaan, m'n jongen!' zei hij opgewonden toen een deel van de muur in de mechanismekamer openzwaaide.

'Dank je,' antwoordde Tas bescheiden. 'Die geheime deur vinden was in feite moeilijker dan hem openmaken. Ik snap niet hoe je dat voor elkaar hebt gekregen. Ik dacht dat ik overal had gekeken.'

Hij maakte aanstalten om door de deur te kruipen, maar bedacht zich toen er iets in hem opkwam. 'Fizban, kun je tegen dat licht van je zeggen dat hij hier moet blijven? In elk geval tot we weten of daar iemand is? Anders ben ik wel een heel makkelijk doelwit, en we bevinden ons niet ver van de vertrekken van heer Canaillaard.'

'Ik ben bang van niet,' zei Fizban hoofdschuddend. 'Hij vindt het niet leuk om in zijn eentje in het donker te zitten.'

Tasselhof knikte. Dat antwoord had hij al verwacht. Nou ja, het had geen zin om er nog langer bij stil te staan. Als je melk knoeit, zal de kat het opdrinken, zoals zijn moeder altijd zei. Gelukkig leek de smalle gang waar hij inkroop verlaten te zijn. Het vlammetje zweefde ter hoogte van zijn schouder. Hij hielp Fizban erdoor en ging toen op verkenning uit. Ze bevonden zich in een gangetje dat nog geen veertig voet verderop abrupt ophield bij een trap die afdaalde naar de duisternis. Een dubbele bronzen deur aan de oostkant vormde de enige andere uitgang.

'Goed,' mompelde Tas. 'We bevinden ons boven de troonzaal. Die trap leidt er waarschijnlijk naartoe. En dan staan er vast een stuk of duizend draconen bij op wacht. Dus dat is geen optie.' Hij legde zijn oor tegen

de bronzen deur. 'Niets te horen. Kom, dan kijken we even rond.'
Voorzichtig duwde hij de deur open en bleef even staan om te luisteren.
Toen ging hij voorzichtig naar binnen, op de voet gevolgd daar Fizban
en het vuurpluisje.

'Een soort toonzaal,' zei hij terwijl hij om zich heen keek in de reusachtige kamer waarvan de muren volgehangen waren met schilderijen die
schuilgingen onder een dikke laag stof en vuil. Hoge, smalle ramen in de
muren boden Tas een blik op de sterrenhemel en de toppen van de hoge bergen. Nu had hij een redelijk goed idee van waar hij zich bevond.
In gedachten tekende hij een kaart.

'Als mijn berekeningen kloppen, bevindt de troonzaal zich ten westen
vanhier en het hol van de draak weer ten westen daarvan. Tenminste,
daar ging hij vanmiddag heen toen Canaillaard weg was. De draak moet
een manier hebben om dit gebouw vliegend te verlaten, dus moet zijn
hol in de openlucht uitkomen, wat betekent dat er een soort schacht
moet zijn, en misschien ook wel weer een kier, zodat we kunnen zien
wat er gebeurt.'

Tas ging zo op in zijn plan dat hij geen aandacht aan Fizban besteedde.
De oude tovenaar liep doelbewust door de kamer en bestudeerde de
schilderijen aandachtig, alsof hij er naar één in het bijzonder op zoek
was.

'Ah, daar zullen we hem hebben,' prevelde Fizban. Toen draaide hij
zich om en fluisterde: 'Tasselhof!'

De kender keek op en zag dat het schilderij opeens een zachte gloed begon uit te stralen. 'Moet je dat zien!' zei Tasselhof als betoverd. 'Een
schilderij met allemaal draken erop... Rode draken zoals Sintel, die Pax
Tharkas aanvallen, en...'

De kender zweeg verbijsterd. Mannen, ridders van Solamnië, bereden
andere draken terwijl ze de aanval afsloegen! De draken van de ridders
waren prachtig, goud- en zilverkleurig, en de mannen droegen wapens
die een felle gloed uitstraalden. Opeens begreep Tas het. Er waren ook
goede draken op de wereld, en als ze die konden vinden, zouden ze helpen in de strijd tegen de kwade draken. En daar was...

'De Drakenlans,' prevelde hij.

De oude tovenaar knikte. 'Ja, kleintje,' fluisterde hij. 'Nu begrijp je
het. Je weet het antwoord. En je zult het je herinneren. Maar niet nu.
Niet nu.' Hij woelde met zijn knoestige hand door het haar van de
kender.

'Draken. Wat zei ik ook alweer?' Tas wist het niet meer. En waarom
stond hij eigenlijk te staren naar een schilderij waar zo'n dikke laag stof
op zat dat hij er toch niets van kon zien? De kender schudde zijn hoofd.
Kennelijk werkte Fizbans vergeetachtigheid aanstekelijk. 'O ja. Het hol

van de draak. Als mijn berekeningen kloppen, is dat die kant op.' Hij liep weg.

Glimlachend schuifelde de oude tovenaar achter hem aan.

Er gebeurde niet veel onderweg naar de mijnen. Ze zagen slechts een paar draconenwachters, en die leken bijna in slaap te vallen van verveling. Niemand besteedde enige aandacht aan de vrouwen die langskwamen. Ze passeerden de gloeiende smidse, die continu van brandstof werd voorzien door een krioelende massa uitgeputte greppeldwergen. Zo snel mogelijk lieten de reisgenoten dat troosteloze tafereel achter zich en gingen de mijnen binnen, waar de draconenwachters 's avonds de mannen opsloten in reusachtige grotten. Daarna gingen ze de greppeldwergen in de gaten houden. De mannen bewaken was tijdverspilling, vond Canaillaard, want ze gingen toch nergens naartoe.

En even had Tanis de indruk dat dat de afschuwelijke waarheid was. Dat de mannen inderdaad nergens naartoe wilden. Niet overtuigd staarden ze naar Goudmaan, die hen toesprak. Ze was immers een barbaar, ze had een raar accent en haar kleren waren nóg vreemder. Wat ze vertelde leek een verhaaltje voor het slapengaan, over een draak die was gestorven in een blauw vuur dat ze zelf had overleefd. Om haar verhaal te ondersteunen had ze alleen een stel glanzende platina schijven.

Hederick, de theocraat van Soelaas, deed de vrouw van Que-shu luidkeels af als een heks, een charlatan en een godslasteraar. Hij hielp hen herinneren aan wat er in de herberg was gebeurd, en toonde als bewijs zijn zwartgeblakerde hand. Niet dat de mannen veel aandacht besteedden aan Hederick. De goden van de Zoekers waren er immers niet in geslaagd Soelaas te behoeden voor de draken.

In werkelijkheid waren velen belangstellend opgeveerd bij het vooruitzicht te kunnen ontsnappen. Bijna allemaal hadden ze wel een litteken opgelopen als gevolg van mishandeling: zweepslagen, klappen in het gezicht. Ze waren slecht doorvoed, werden gedwongen om in opperste armoede en viezigheid te leven, en iedereen wist dat ze niet langer van nut zouden zijn voor heer Canaillaard zodra de ijzeraders onder de berg uitgeput waren. De Hogezoekers, die nog steeds regeerden, zelfs vanuit de gevangenis, waren echter fel gekant tegen het in hun ogen roekeloze plan.

Er brak een hevige discussie los. De mannen schreeuwden tegen elkaar. Snel droeg Tanis Caramon, Flint, Eben, Sturm en Gilthanas op de wacht te houden bij de deuren, uit angst dat de wachters de commotie zouden horen en poolshoogte zouden komen nemen. Hier had de halfelf niet op gerekend. Dit gekissebis kon nog wel dagen duren. Verslagen zat Goudmaan voor de mannen, met een gezicht alsof ze elk moment in tranen kon uitbarsten. Ze was zo vervuld geweest van haar nieuwe overtuigingen, en wilde zo graag de wereld op de hoogte stellen van wat ze wist, dat ze in wanhoop verviel zodra haar geloof in twijfel werd getrokken.

'Die mensen zijn dwazen,' zei Laurana zachtjes, terwijl ze naast Tanis kwam staan.

'Nee,' antwoordde Tanis met een zucht. 'Als het dwazen waren, zou het gemakkelijker zijn geweest. We bieden hun niets tastbaars, maar vragen hun wel het enige op het spel te zetten wat ze nog hebben: hun leven. En waarvoor? Om de heuvels in te vluchten, en de weg ernaartoe zal één lange strijd zijn. Hier blijven ze tenminste in leven, voorlopig althans.'

'Maar een leven als dit is toch niets waard?' vroeg Laurana.

'Daar zeg je wat, jongedame,' zei iemand met zwakke stem. Ze keken om en zagen Maritta op haar knieën naast een man zitten die op een geïmproviseerd bed in de hoek van de cel lag. Hij was zo weggeteerd door ziekte en ondervoeding dat zijn leeftijd niet vast te stellen viel. Moeizaam ging hij rechtop zitten en stak een magere, bleke hand uit naar Tanis en Laurana. Er klonk gereutel in zijn borstkas. Maritta wilde hem het zwijgen opleggen, maar hij keek haar geïrriteerd aan. 'Ik weet dat ik stervende ben, mens! Dat betekent nog niet dat ik me dood hoef te vervelen. Breng die barbaarse vrouw bij me.'

Tanis keek Maritta vragend aan. Ze stond op en liep naar Tanis toe om hem even terzijde te nemen. 'Dat is Elistan,' zei ze op een toon alsof hij die naam moest kennen. Toen hij niet reageerde, lichtte ze toe: 'Elistan, een van de Hogezoekers uit Haven. Hij was erg geliefd en gerespecteerd onder het volk, en hij was de enige die zich uitsprak tegen heer Canaillaard. Maar niemand luisterde. Ze wilden natuurlijk niet horen wat hij te zeggen had.'

'Je spreekt in de verleden tijd over hem,' zei Tanis. 'Hij is nog niet dood.'

'Nee, maar dat zal niet lang meer duren.' Maritta veegde een traan weg. 'Ik heb de tering al eerder meegemaakt. Mijn eigen vader is eraan gestorven. Iets vreet hem vanbinnen op. De afgelopen dagen werd hij bijna gek van de pijn, maar die is nu weg. Het einde is heel dichtbij.'

'Misschien ook niet.' Tanis glimlachte. 'Goudmaan is priesteres. Zij kan hem genezen.'

'Misschien. Misschien ook niet,' zei Maritta sceptisch. 'Ik durf het er niet op te wagen. We moeten Elistan geen valse hoop geven. Laat hem in vrede sterven.'

'Goudmaan,' zei Tanis toen de stamhoofdsdochter op hem afkwam. 'Deze man wil je graag ontmoeten.' Zonder acht te slaan op Maritta leidde hij Goudmaan naar Elistan toe. Goudmaans gezicht, dat kil en hard stond van teleurstelling en frustratie, verzachtte toen ze zag hoe slecht de man eraan toe was.

Elistan keek naar haar op. 'Jongedame,' zei hij streng, zij het met zwakke stem. 'Je beweert boodschapper te zijn van de oude goden. Als het inderdaad klopt dat wij, mensen, de goden de rug toe hebben gekeerd in plaats van andersom, waarom hebben ze dan zo lang gewacht om hun aanwezigheid kenbaar te maken?'

Zwijgend knielde Goudmaan naast de stervende man neer, terwijl ze bedacht hoe ze haar antwoord zou verwoorden. Uiteindelijk zei ze: 'Stel je voor dat je door een bos loopt met je grootste schat: een prachtige, zeldzame edelsteen. Opeens word je door een gevaarlijk beest aangevallen. Je laat de edelsteen vallen en maakt je uit de voeten. Als je beseft dat je hem kwijt bent, durf je niet terug te gaan naar het bos om hem te zoeken. Dan komt er iemand langs met een nieuwe edelsteen. Diep in je hart weet je dat die niet zo waardevol is als de edelsteen die je bent kwijtgeraakt, maar je bent nog altijd te bang om die andere te gaan zoeken. Betekent dat dat de edelsteen is verdwenen uit het bos, of dat hij nog steeds, glanzend onder de bladeren, ligt te wachten tot je terugkomt?'

Zuchtend sloot Elistan zijn ogen. Zijn gezicht was vertrokken van verdriet. 'Natuurlijk wacht de edelsteen tot wij terugkomen. Wat een dwazen zijn we geweest! Had ik maar genoeg tijd om jouw goden te leren kennen,' zei hij met zijn hand naar Goudmaan uitgestoken.

Goudmaan hield haar adem in en de kleur trok weg uit haar gezicht, tot ze bijna net zo bleek was als de stervende man op zijn bed. 'Die tijd zul je krijgen,' zei ze zachtjes terwijl ze zijn hand omvatte.

Tanis, die helemaal opging in het tafereel dat zich voor zijn ogen afspeelde, schrok toen hij een aanraking op zijn arm voelde. Toen hij zich met zijn hand op zijn zwaard omdraaide, zag hij dat Sturm en Caramon achter hem stonden.

'Wat is er?' vroeg hij snel. 'De wachters?'

'Nog niet,' zei Sturm bars. 'Maar die kunnen we elk moment verwachten. Eben en Gilthanas zijn allebei weg.'

De nacht viel over Pax Tharkas.

In zijn hol had de rode draak, Pyros, geen ruimte om te ijsberen, een gewoonte waarin hij in zijn menselijke gestalte was vervallen. In deze ruimte had hij nauwelijks genoeg plek om zijn vleugels te spreiden, al was het de grootste in het fort en was hij zelfs nog voor hem uitgebouwd. Maar onderin was het vertrek zo klein dat de draak niet veel meer kon doen dan zijn grote lichaam keren.

Hij dwong zichzelf ontspannen op de grond te gaan liggen wachten, met zijn blik op de deur gericht. Hij zag de twee hoofden niet die ver boven hem op de eerste verdieping over een balkon heen werden gestoken.

Er werd aan de deur gekrabd. Verwachtingsvol en gretig hief Pyros zijn kop, maar hij liet het met een grauw weer zakken toen er twee kobolden verschenen die een armzalig wezen tussen zich in naar binnen sleepten.

'Greppeldwerg!' sneerde Pyros in het Gemeenschaps tegen zijn onderdanen. 'Er zit een steekje los bij heer Canaillaard als hij denkt dat ik greppeldwerg ga eten. Gooi hem in een hoek en maak dat je wegkomt!' snauwde hij tegen de kobolden, die haastig deden wat hun was opgedragen. Jammerend dook Sestun in zijn hoek ineen.

'Hou je kop!' zei Pyros geïrriteerd. 'Misschien moet ik je gewoon verbranden, dan hoef ik niet naar dat gejank te luisteren—'

Opnieuw klonk er geluid bij de deur, een zachte klop die de draak herkende. Zijn ogen gloeiden rood op. 'Binnen!'

Een gestalte kwam het hol van de draak binnen. Hij droeg een lange mantel en een kap over zijn gezicht.

'Ik ben gekomen, zoals u hebt bevolen, Sintel,' zei hij zachtjes.

'Ja,' antwoordde Pyros. Hij kraste met zijn klauwen over de vloer. 'Zet die kap af. Ik wil degenen met wie ik te maken heb in de ogen kunnen kijken.'

De man wierp zijn kap naar achteren. Boven de draak, op de eerste verdieping, klonk een gedempte, verstikte kreet. Pyros keek op naar het donkere balkon. Hij overwoog naar boven te vliegen om op onderzoek uit te gaan, maar zijn gast onderbrak zijn gedachtegang.

'Ik heb slechts weinig tijd, uwe koninklijkheid. Ik moet terug voordat ze me gaan verdenken. En ik moet me eigenlijk ook nog bij heer Canaillaard melden—'

'Alles op z'n tijd,' snauwde Pyros geërgerd. 'Wat zijn die dwazen met wie je meereist allemaal van plan?'

'Ze willen de slaven bevrijden en hen tot een opstand bewegen, zodat heer Canaillaard gedwongen zal zijn de aanval op Qualinesti af te blazen en zijn leger terug te halen.'

'Is dat alles?'

'Ja, uwe koninklijkheid. Nu moet ik de Drakenheer gaan waarschuwen.'

'Hmf! Waarom? Ik ben toch degene die met de slaven zal afrekenen als ze in opstand komen. Of hebben ze voor mij soms ook plannen?'

'Nee, uwe koninklijkheid. Ze koesteren grote vrees voor u, zoals iedereen,' zei de ander. 'Ze willen wachten tot u met heer Canaillaard naar Qualinesti vliegt. Dan willen ze de kinderen bevrijden en de bergen in vluchten voordat u terugkeert.'

'Dat lijkt me een plan dat bij hun verstandelijke vermogens past. Maak je maar geen zorgen om heer Canaillaard. Ik zal ervoor zorgen dat hij het verneemt, zodra ik daartoe de tijd rijp acht. Wij hebben veel belangrijkere zaken af te handelen. Véél belangrijker. Luister goed. Vandaag kwam die imbeciel van een Padh een gevangene brengen...' Pyros zweeg even. Zijn ogen gloeiden en zijn stem daalde tot een sissend gefluister. 'Hij is het! Degene die we zoeken!'

Zijn gast staarde hem verbijsterd aan. 'Weet u dat zeker?'

'Natuurlijk!' grauwde Pyros vals. 'Ik zie die man in mijn dromen. Hij is hier, binnen mijn bereik. Heel Krynn is naar hem op zoek, maar ik heb hem gevonden.'

'Gaat u Hare Duistere Majesteit op de hoogte brengen?'

'Nee. Ik durf niet op een boodschapper te vertrouwen. Ik moet die man persoonlijk afleveren, maar ik kan nu niet weg. Canaillaard kan Qualinesti niet in zijn eentje afhandelen. Natuurlijk is de oorlog slechts een afleidingsmanoeuvre, maar we moeten de schijn ophouden, en trouwens, de wereld zou er een heel stuk op vooruitgaan als er geen elfen meer waren. Ik zal de Immerman naar de koningin brengen zodra ik daar tijd voor heb.'

'Waarom vertelt u het mij dan?' vroeg de ander met een scherpe ondertoon in zijn stem.

'Omdat jij hem moet beschermen!' Pyros nam een gemakkelijkere houding aan. Alle onderdelen van zijn plan pasten nu in elkaar. 'Het geeft wel aan hoe machtig Hare Duistere Majesteit is, dat de priesteres van Mishakal en de man met de groene edelsteen nu allebei binnen mijn bereik zijn. Ik zal Canaillaard het genoegen gunnen om morgen af te rekenen met de priesteres en haar vrienden. Sterker nog...' Pyros' ogen glansden. 'Dat zou heel goed uitkomen. Dan kunnen wij in de verwarring de man met de groene edelsteen meenemen, zonder dat Canaillaard het merkt. Zodra de slaven aanvallen, moet je de man met de groene edelsteen gaan zoeken. Breng hem hiernaartoe en verstop hem in de vertrekken op de onderste verdieping. Zodra de mensen allemaal vernietigd zijn en het leger Qualinesti met de grond gelijk heeft gemaakt, ga ik met hem naar mijn duistere koningin.'

'Ik begrijp het.' Pyros' gast maakte een buiging. 'En mijn beloning?'

'Zal precies zijn wat je verdient. Ga nu.'

De man zette zijn kap op en trok zich terug. Pyros vouwde zijn vleugels, krulde zijn reusachtige lichaam, legde zijn staart over zijn snuit en staarde naar de duisternis. Het enige geluid was dat van Sestun die huilde.

'Gaat het wel?' vroeg Fizban vriendelijk aan Tasselhof. Ze zaten op hun hurken op het balkon en probeerden zo min mogelijk te bewegen. Het was stikdonker, want Fizban had een vaas op z'n kop over het hevig verontwaardigde vuurpluisje heen gezet.

'Ja,' zei Tas verdoofd. 'Het spijt me van die kreet. Ik kon er niets aan doen. Ergens verwachtte ik het wel, min of meer, maar toch is het moeilijk te bevatten dat iemand die je kent bereid is je te verraden. Denk je dat de draak me heeft gehoord?'

'Dat zou ik je niet kunnen zeggen.' Fizban slaakte een zucht. 'De vraag is: wat doen we nu?'

'Dat weet ik niet,' zei Tas ellendig. 'Ik ben normaal gesproken niet degene die nadenkt. Mij gaat het vooral om het plezier. We kunnen Tanis en de anderen niet waarschuwen, want we weten niet waar ze zijn. En als we lukraak naar hen op zoek gaan, worden we misschien gevangengenomen en maken we het er alleen maar erger op.' Hij legde zijn kin in zijn hand. 'Weet je,' zei hij op voor hem zeldzaam sombere toon, 'ik heb mijn vader ooit eens gevraagd waarom kenders klein zijn, waarom we niet groot waren, zoals elfen en mensen. Ik wilde dolgraag groot zijn,' zei hij zachtjes, en even zweeg hij.

'Wat zei je vader toen?' vroeg Fizban.

'Hij zei dat kenders klein waren omdat ze voorbestemd waren om kleine dingen te doen. "Als je alle grote dingen op deze wereld eens goed bekijkt," zei hij, "zul je zien dat ze eigenlijk zijn opgebouwd uit allerlei kleine dingen." Zelfs die grote draak daarbeneden is misschien niets meer dan een verzameling heel kleine bloeddruppeltjes. De kleine dingen maken het verschil.'

'Wijze man, die vader van je.'

'Ja.' Tas wreef in zijn ogen. 'Ik heb hem al een hele tijd niet meer gezien.' De kender stak zijn puntige kin naar voren en perste zijn lippen op elkaar. Als zijn vader hem had kunnen zien, zou hij in die kleine, besluiteloze figuur zijn zoon niet hebben herkend.

'We laten de grote dingen aan anderen over,' verkondigde Tas vastberaden. 'Zij hebben Tanis, Sturm en Goudmaan. Ze redden zich wel. Wij gaan iets kleins doen, al lijkt het misschien niet zo belangrijk. We gaan Sestun redden.'

13
Vragen. Geen antwoorden.
Fizbans hoed.

'Ik hoorde iets, Tanis, dus ging ik op onderzoek uit,' zei Eben. Zijn
mond verstrakte. 'Ik keek door de celdeur die ik moest bewaken naar
buiten en zag daar een dracoon die op zijn hurken zat te luisteren. Ik
sloop naar buiten en nam hem in een houdgreep, maar toen werd ik
door een tweede dracoon besprongen. Die heb ik met mijn mes neergestoken, waarna ik achter de andere aan ben gegaan. Ik wist hem te pakken te krijgen en buiten westen te slaan. Daarna leek het me het beste als
ik hiernaartoe ging.'

Toen de reisgenoten terugkwamen bij de cellen, stonden zowel Eben
als Gilthanas op hen te wachten. Tanis vroeg Maritta de vrouwen in een
hoek bezig te houden, terwijl hij de twee ondervroeg over hun afwezigheid. Ebens verhaal leek te kloppen, want Tanis had de lichamen van
de draconen zien liggen toen hij terugliep naar de gevangenis, en Eben
zag er inderdaad uit alsof hij had gevochten. Zijn kleren waren gescheurd en er sijpelde bloed uit een snee op zijn wang.

Tika kreeg een relatief schone doek van een van de vrouwen en begon
daarmee de snee uit te wassen. 'Hij heeft ons het leven gered, Tanis,'
snauwde ze. 'Je zou dankbaar moeten zijn in plaats van hem aan te kijken alsof hij je beste vriend heeft doodgestoken.'

'Nee, Tika,' zei Eben vriendelijk. 'Tanis heeft het recht om dergelijke
vragen te stellen. Het maakte een verdachte indruk, dat geef ik toe.
Maar ik heb niets te verbergen.' Hij pakte haar hand en drukte een kus
op haar vingertoppen. Blozend doopte Tika de doek weer in het water
en ging verder met het uitwassen van de snee. Caramon keek met een
boos gezicht toe.

'En jij, Gilthanas?' vroeg de krijger abrupt. 'Waar was jij naartoe?'

'Stel me geen vragen,' zei de elf kribbig. 'Je wilt het antwoord toch niet
weten.'

'Welk antwoord?' vroeg Tanis streng. 'Waarom ben je weggegaan?'

'Laat hem met rust!' kreet Laurana, die naast haar broer ging staan.

Er lag een felle schittering in Gilthanas amandelvormige ogen toen hij hen aankeek. Zijn gezicht was bleek en afgetobd.

'Dit is belangrijk, Laurana,' zei Tanis. 'Waar ben je geweest. Gilthanas?'

'Denk erom, ik heb je gewaarschuwd.' Gilthanas richtte zijn blik op Raistlin. 'Ik ben teruggegaan om te controleren of onze magiër inderdaad zo uitgeput was als hij beweerde. Kennelijk niet, want hij was weg.'

Caramon stond met gebalde vuisten op, zijn gezicht vertrokken van woede. Sturm greep hem vast en hield hem tegen, terwijl Waterwind voor Gilthanas ging staan.

'Iedereen heeft het recht zich uit te spreken, en iedereen heeft het recht zich te verdedigen,' zei de Vlakteman met zijn diepe stem. 'De elf heeft gesproken. Nu is het de beurt aan je broer.'

'Waarom zou ik iets zeggen?' fluisterde Raistlin fel. In zijn zachte stem klonk een dodelijke haat door. 'Jullie vertrouwen me toch geen van allen, dus waarom zouden jullie me geloven? Ik weiger antwoord te geven. Denk maar wat je wilt. Als jullie geloven dat ik een verrader ben, mag je me nu doden. Ik zal je niet tegenhouden...' Hij begon te hoesten.

'Dan zullen jullie mij ook moeten doden,' zei Caramon met verstikte stem. Hij leidde zijn broer terug naar zijn geïmproviseerde bed.

Tanis werd misselijk.

'Dubbele wacht, de hele nacht door. Nee, Eben, jij niet. Sturm, jij en Flint eerst. Waterwind en ik nemen de tweede wacht.' Met zijn hoofd op zijn armen liet Tanis zich op de grond zakken. We zijn verraden, dacht hij. Een van die drie is een verrader, al vanaf het begin. De wachters kunnen elk moment komen. Of misschien is Canaillaard gewoon subtieler te werk gegaan dan we dachten en heeft hij een val voor ons uitgezet...

Toen werd het Tanis opeens misselijkmakend duidelijk. Natuurlijk! Canaillaard zou de opstand als een excuus gebruiken om de gijzelaars en de priesteres te vermoorden. Hij kon altijd nieuwe slaven verzamelen, die hij het verschrikkelijke voorbeeld zou kunnen voorhouden van wat er gebeurde met lieden die hem niet gehoorzaamden. Dit plan, Gilthanas' plan, speelde hem volmaakt in de kaart!

We moeten het afblazen, dacht Tanis wild, maar toen maande hij zichzelf tot kalmte. Nee, de mensen waren te opgewonden. Na Elistans wonderbaarlijke genezing en zijn vastberaden verkondiging dat hij de oude goden wilde gaan bestuderen, hadden ze weer hoop gekregen. Ze geloofden dat de goden werkelijk naar hen waren teruggekeerd. Maar Tanis had de jaloerse blikken gezien die de andere Hogezoekers Elistan hadden toegeworpen. Ze deden het voorkomen dat ze hun nieuwe leider steunden, maar Tanis wist dat ze hem na verloop van tijd zouden proberen te ondermijnen. Misschien waren ze zelfs nu al bezig twijfel te zaaien in de geesten van de mensen.

Als we ons nu terugtrekken, vertrouwen ze ons nooit meer, dacht Tanis. We moeten ermee doorgaan, hoe gevaarlijk het ook is. Misschien was er geen verrader. Hij kon het alleen maar hopen. Eindelijk viel hij in een onrustige slaap.

De nacht verstreek in stilte.

Het eerste licht van de dag kwam door het gapende gat in de toren van het fort naar binnen. Tas knipperde met zijn ogen, wreef ze uit en ging rechtop zitten. Even wist hij niet waar hij was. Ik ben in een grote ruimte, dacht hij, terwijl hij opkeek naar het hoge plafond, waar een gat in was gemaakt zodat de draak naar buiten kon. Er zijn nog twee deuren, afgezien van die waardoor Fizban en ik gisteravond binnen zijn gekomen.

Fizban! De draak!

Tas kreunde bij de herinnering. Het was helemaal niet zijn bedoeling geweest om in slaap te vallen. Fizban en hij wilden gewoon wachten tot de draak sliep, zodat ze Sestun konden redden. En nu was het al ochtend. Misschien was het al te laat. Angstig kroop de kender naar het balkon om over de rand te kijken. Gelukkig. Hij slaakte een zucht van opluchting. De draak sliep nog. Sestun sliep ook, uitgeput door de angst.

Dit was hun kans. Tasselhof kroop terug naar de tovenaar.

'Oude man,' fluisterde hij. 'Word wakker.' Hij schudde hem heen en weer.

'Wat? Wie? Brand?' De tovenaar ging rechtop zitten en keek verdwaasd om zich heen. 'Waar? Snel, naar de uitgang!'

'Nee, geen brand.' Tas zuchtte. 'Het is ochtend. Hier is je hoed.' Hij gaf hem aan de tovenaar, die er op de tast naar aan het zoeken was. 'Wat is er met het lichtpluisje gebeurd?'

'Hmf!' Fizban snoof. 'Dat heb ik teruggestuurd. Hij hield me wakker met dat licht in m'n ogen.'

'Maar we zouden juist wakker blijven, weet je nog?' zei Tas gefrustreerd. 'Zodat we Sestun van de draak konden redden.'

'Hoe wilden we dat dan aanpakken?' vroeg Fizban gretig.

'Jij was degene die een plan had!'

'O ja? Hemeltjelief.' De oude tovenaar knipperde met zijn ogen. 'Was het een goed plan?'

'Je hebt het me niet verteld!' schreeuwde Tas bijna. Toen maande hij zichzelf tot kalmte. 'Het enige wat je zei, was dat we Sestun vóór het ontbijt moesten redden, omdat zelfs een greppeldwerg misschien een smakelijk hapje zou lijken in de ogen van een draak die al twaalf uur niets meer had gegeten.'

'Klinkt logisch,' zei Fizban. 'Weet je zeker dat ik dat heb gezegd?'

'Hoor eens,' zei Tas geduldig, 'het enige wat we eigenlijk nodig hebben is een lang touw dat we naar hem toe kunnen gooien. Kun je er een te-voorschijn toveren?'

'Een touw!' Fizban keek hem uit de hoogte aan. 'Alsof ik zo diep zou zinken! Dat is een belediging voor een vakman als ik. Help me eens overeind.'

Tas hielp de tovenaar hij het opstaan. 'Het was niet mijn bedoeling je te beledigen,' zei de kender, 'en ik weet dat een touw niet bepaald chic is en dat je een groot vakman bent... Alleen... Ach, laat ook maar.' Tas gebaarde naar het balkon. 'Ga je gang. Ik hoop alleen dat we het overle-ven,' mompelde hij bij zichzelf.

'Ik zal je niet teleurstellen, en Sestun trouwens ook niet,' beloofde Fiz-ban stralend. Samen tuurden ze over het balkon heen. Alles was nog precies zoals daarvoor. Sestun lag in een hoek. De draak sliep als een roos. Fizban sloot zijn ogen om zich te concentreren en prevelde griezelig klinkende woorden. Toen stak hij zijn magere hand tussen de spijlen van het balkon door en maakte een gebaar alsof hij iets optilde.

Tasselhof, die toekeek, verslikte zich bijna van schrik. 'Stop!' zei hij ver-stikt. 'Je hebt de verkeerde te pakken!'

Fizban opende zijn ogen en zag Pyros, de rode draak, langzaam van de grond omhoogkomen, nog steeds slapend en in dezelfde houding. 'O hemeltje!' zei de tovenaar verschrikt. Snel sprak hij een paar andere woorden om de spreuk ongedaan te maken en de draak weer op de grond te laten zakken. 'Verkeerd gemikt,' zei hij. 'Maar nu heb ik m'n doelwit in het oog. We proberen het nog eens.'

Weer hoorde Tas die griezelig klinkende woorden. Deze keer kwam Sestun los van de vloer, om langzaam maar zeker omhoog te zweven naar het balkon. Fizbans gezicht liep rood aan van inspanning.

'Hij is er bijna! Hou vol!' zei Tas, op en neer springend van opwinding. Geleid door Fizbans hand zweefde Sestun vredig over het balkon heen. Nog steeds diep in slaap landde hij zachtjes op de stoffige vloer.

'Sestun,' fluisterde Tas met zijn hand op de mond van de greppeldwerg, zodat die niet zou gaan schreeuwen. 'Sestun! Ik ben het, Tasselhof. Word eens wakker.'

De greppeldwerg opende zijn ogen. Zijn eerste gedachte was dat heer Canaillaard had besloten hem aan een valse kender te voeren in plaats van aan de draak. Toen herkende hij echter het gezicht van zijn vriend, en werd hij slap van opluchting.

'Je bent veilig, maar je mag niets zeggen,' waarschuwde de kender. 'De draak kan ons nog steeds horen—' Hij werd onderbroken door een luide bons, ergens onder hen. De greppeldwerg kwam geschrokken overeind.

'Sst,' deed Tas. 'Waarschijnlijk is dat gewoon de deur naar het hol van de draak.' Hij haastte zich terug naar het balkon, waar Fizban tussen de spijlen door zat te turen. 'Wat gebeurt er?'

'De Drakenheer is er.' Fizban wees naar beneden, waar Canaillaard op een richel stond neer te kijken op de draak.

'Sintel, ontwaak!' riep Canaillaard tegen de slapende draak. 'Er zijn mij berichten ter ore gekomen over indringers. Die priesteres is hier, en ze probeert de slaven aan te zetten tot rebellie.'

Pyros kwam in beweging en opende langzaam zijn ogen, ontwakend uit een verontrustende droom waarin hij een greppeldwerg had zien vliegen. Hij schudde met zijn grote kop om de slaap te verdrijven en hoorde Canaillaard tekeergaan over een priesteres. Hij gaapte. Dus de Drakenheer had ontdekt dat de priesteres in het fort was. Dan zou Pyros dit alsnog meteen moeten afhandelen.

'Maakt u zich geen zorgen, mijn heer…' begon Pyros, maar hij brak zijn zin abrupt af om naar iets heel merkwaardigs te staren.

'Me zorgen maken!' brieste Canaillaard. 'Ik zou verdorie…' Ook hij zweeg. Het voorwerp waarnaar ze allebei staarden, zweefde langzaam naar beneden, licht als een veertje.

Fizbans hoed.

Tanis maakte iedereen wakker in het donkerste uur vóór de dageraad.

'En,' vroeg Sturm, 'doen we het?'

'We hebben geen keus,' zei Tanis grimmig, met een blik op de rest van het gezelschap. 'Als een van jullie ons heeft verraden, dan moet hij leven met de wetenschap dat hij onschuldige mensen de dood in heeft gejaagd. Canaillaard zal niet alleen ons, maar ook de gijzelaars vermoorden. Ik bid dat er geen verrader in ons midden is, en daarom zet ik onze plannen door.'

Niemand zei iets, maar allemaal keken ze elkaar zijdelings aan, geplaagd door wantrouwen.

Zodra de vrouwen wakker waren, nam Tanis het plan nog eens met hen door.

'Mijn vrienden en ik gaan samen met Maritta naar de kamer van de kinderen; verkleed als de vrouwen die gewoonlijk het ontbijt komen brengen. Van daaruit brengen we hen naar de binnenplaats,' zei Tanis zachtjes. 'Jullie doen gewoon wat jullie elke ochtend doen. Zodra jullie naar buiten mogen, ga je de kinderen halen en lopen jullie onmiddellijk naar de mijnen. Jullie mannen zullen daar afrekenen met de wachters, zodat jullie veilig naar de bergen in het zuiden kunnen vluchten. Hebben jullie dat begrepen?'

De vrouwen knikten zwijgend. Ze hoorden de wachters al aankomen. 'Het is zover,' zei Tanis zachtjes. 'Ga maar weer aan het werk.'

De vrouwen verspreidden zich. Tanis gebaarde Laurana en Tika dat ze naar hem toe moesten komen. 'Als we inderdaad zijn verraden, verkeren jullie allebei in groot gevaar, aangezien jullie de vrouwen moeten bewaken—' begon hij.

'In dat geval zullen we allemaal in groot gevaar verkeren,' verbeterde Laurana hem koeltjes. De hele nacht had ze geen oog dichtgedaan. Ze wist dat de angst haar zou overweldigen als ze de banden die ze zo strak om haar ziel had gewikkeld liet verslappen.

Tanis merkte niets van die innerlijke strijd. Hij vond dat ze er die ochtend ongewoon bleek en ongelooflijk mooi uitzag. Zelf had hij al zo veel meegemaakt dat hij even was vergeten hoe angstaanjagend een eerste gevecht kon zijn.

Hij schraapte zijn keel en zei toen hees: 'Tika, als ik je een advies mag geven: houd je zwaard in de schede. Zo ben je minder gevaarlijk.' Tika giechelde en knikte nerveus. 'Ga Caramon maar gedag zeggen,' droeg Tanis haar op.

Tika werd vuurrood, schonk Tanis en Laurana een veelbetekenende blik en ging ervandoor.

Tanis keek Laurana een moment lang strak aan, en nu pas viel het hem op dat ze haar kaken zo strak op elkaar klemde dat de pezen in haar hals ervan aanspanden. Hij sloeg zijn armen om haar heen, maar ze voelde stijf en koud aan als het lijk van een dracoon.

Hij liet haar los. 'Je hoeft dit niet te doen,' zei hij. 'Dit is niet jouw gevecht. Ga met de andere vrouwen mee naar de mijnen.'

Laurana schudde haar hoofd. Ze wachtte tot ze er zeker van was dat haar stem beheerst zou klinken voordat ze zei: 'Tika is niet getraind in de vechtkunst. Ik wel, al was het dan zogenaamd "ceremonieel".' Ze glimlachte verbitterd toen ze Tanis' ongemakkelijke blik zag. 'Ik zal mijn steentje bijdragen, Tanis.' Zijn menselijke naam kwam moeizaam over haar lippen. 'Anders denk je misschien nog dat ik een verrader ben.'

'Laurana, geloof me alsjeblieft!' verzuchtte Tanis. 'Ik geloof net zomin als jij dat Gilthanas een verrader is. Alleen… Verdorie, Laurana, er staan ontzettend veel levens op het spel. Kun je dat dan niet begrijpen?'

Ze voelde zijn handen, die op haar armen lagen, trillen, en toen ze naar hem opkeek zag ze op zijn gezicht hetzelfde verdriet, dezelfde angst die zij ervoer. Alleen gold zijn angst niet hemzelf, maar anderen. Ze haalde diep adem. 'Het spijt me, Tanis,' zei ze. 'Je hebt gelijk. Kijk, de wachters zijn er. Het is tijd om te gaan.'

Ze draaide zich om en liep weg, zonder om te kijken. Pas toen het te laat was, kwam de gedachte bij haar op dat Tanis misschien zelf ook stilzwijgend om troost had gevraagd.

Maritta en Goudmaan gingen de anderen via een smalle trap voor naar de eerste verdieping. De draconenwachters gingen niet met hen mee. Ze beweerden dat ze een 'speciale taak' hadden. Tanis vroeg aan Maritta of dat gebruikelijk was, maar zij schudde met een bezorgd gezicht het hoofd. Ze moesten wel doorgaan, ze hadden geen keus. Achter hen aan kwamen zes greppeldwergen met in hun handen zware ketels, gevuld met iets wat rook naar havermoutpap. Ze besteedden weinig aandacht aan de vrouwen, tot Caramon op de trap over zijn rok struikelde en een weinig damesachtige verwensing slaakte. De greppeldwergen sperden hun ogen open.

'Geen kik!' zei Flint, die zich met zijn dolk al in zijn hand dreigend naar hen omdraaide.

De greppeldwergen drukten zich, verwoed 'nee' schuddend, met hun rug tegen de muur. De ketels rammelden ervan.

Boven aan de trap bleven de reisgenoten staan.

'We moeten deze gang door om bij de deur te komen...' zei Maritta wijzend. Toen greep ze Tanis' arm vast. 'O nee! Er staat een wachter bij de deur. Die staat er anders nooit!'

'Rustig maar, misschien is het gewoon toeval,' zei Tanis sussend, al wist hij donders goed dat dat niet zo was. 'We houden ons gewoon aan het plan.' Maritta knikte angstig en liep de gang in.

Tanis draaide zich om naar Sturm. 'Wachters. Wees voorbereid. Denk erom: snel en dodelijk. Geen geluid!'

Volgens Gilthanas' kaart lagen er twee vertrekken tussen de speelkamer en de slaapkamer van de kinderen. De eerste was een opslagruimte waarin volgens Maritta allemaal schappen hingen vol speelgoed, kleren en andere spulletjes. Vanuit die kamer liep een tunnel naar de aangrenzende kamer: de verblijfplaats van de draak, Vuurslag.

'Arm dier,' had Maritta gezegd toen ze het plan met Tanis had besproken. 'Zij is net zo goed een gevangene als wij. De Drakenheer laat haar nooit naar buiten. Ik denk dat ze bang zijn dat ze niet meer terugkomt. Ze hebben zelfs een tunnel door de opslagruimte heen gebouwd die veel te klein is voor haar. Niet dat ze zo graag naar buiten wil, maar ik denk dat ze het misschien leuk zou vinden om de kinderen te zien spelen.'

Tanis had Maritta weifelend aangekeken. Hij vroeg zich af of ze niet zouden worden geconfronteerd met een draak die heel anders was dan het krankzinnige, zwakke wezen dat zij beschreef.

Achter het hol van de draak bevond zich de kamer waar de kinderen sliepen. Dat was de kamer waar ze naartoe moesten om de kinderen wakker te maken en naar buiten te brengen. De speelkamer was via een reusachtige deur met een grote eikenhouten balk ervoor rechtstreeks met de binnenplaats verbonden.

'Niet zozeer om ons binnen te houden, als wel de draak,' verklaarde Maritta.

Het zou nu zo'n beetje licht worden buiten, dacht Tanis toen ze de gang inliepen in de richting van de speelkamer. Het licht van de toortsen wierp hun schaduwen voor hen uit. Het was stil, doodstil in Pax Tharkas. Te stil voor een fort dat zich voorbereidde op een oorlog. Vier draconenwachters stonden op een kluitje voor de deur van de speelkamer te praten. Ze braken hun gesprek af toen ze de vrouwen zagen aankomen.

Goudmaan en Maritta liepen voorop. Goudmaan had haar kap afgezet, zodat haar haren glansden in het toortslicht. Vlak achter Goudmaan liep Waterwind, die zo ver voorovergebogen liep met zijn staf dat zijn knieen bijna de grond raakten. Daarachteraan kwamen Caramon en Raistlin, die dicht bij elkaar bleven, gevolgd door Eben en Gilthanas. Alle verraders bij elkaar, zoals Raistlin sarcastisch had opgemerkt. Flint sloot de rij en draaide zich af en toe dreigend om naar de door angst verlamde greppeldwergen.

'Jullie zijn vroeg vanochtend,' grauwde een van de draconen.

De vrouwen gingen als een stel kippen in een halve kring om de wachters heen geduldig staan wachten tot ze werden binnengelaten.

'Zo te ruiken is er onweer op komst,' zei Maritta scherp. 'Ik wil dat de kinderen nog even buiten kunnen spelen voordat het losbarst. En wat doen jullie hier eigenlijk? Deze deur wordt nooit bewaakt. Straks maken jullie de kinderen nog bang.'

Een van de draconen maakte een opmerking in zijn eigen, ruwe taal, en twee anderen grijnsden hun rijen scherpe tanden bloot. De leider trok slechts zijn lip op.

'Bevel van heer Canaillaard. Hij en Sintel zijn vanochtend vertrokken om de elfen uit te roeien. Wij hebben opdracht om jullie te fouilleren voordat jullie naar binnen gaan.' De dracoon vestigde zijn hongerige blik op Goudmaan. 'Dat kan nog leuk worden, zou ik zeggen.'

'Voor jou misschien,' mompelde een andere wachter terwijl hij vol afkeer Sturm opnam. 'Ik heb nog nooit van mijn leven zo'n lelijk wijf gezien als... Oef...' Het monster zakte voorover met een dolk diep tussen zijn ribben. Een paar tellen later waren ook de andere drie draconen dood. Caramon sloeg zijn handen om de nek van de eerste. Eben gaf de tweede een stomp in zijn buik, waarop Flint met zijn bijl zijn kop eraf hakte. Tanis stak zijn zwaard door het hart van de leider. Hij wilde het wapen al loslaten, in de verwachting dat het in het versteende lijk vast zou blijven zitten. Tot zijn grote verbazing gleed zijn nieuwe zwaard echter moeiteloos uit het stenen karkas, zo soepel alsof het een dode kobold was.

Hij had geen tijd om over dat merkwaardige feit na te denken. Zodra ze een glimp opvingen van glanzend staal, hadden de greppeldwergen hun ketels laten vallen en zich snel uit de voeten gemaakt.

'Laat ze maar,' snauwde Tanis tegen Flint. 'Naar de speelkamer. Snel!' Hij stapte over de lijken heen en gooide de deur open.

'Als iemand op die lijken stuit, is het afgelopen,' zei Caramon.

'Het was al afgelopen voordat we begonnen,' mompelde Sturm boos. 'We zijn verraden, dus het is hooguit een kwestie van tijd.'

'Doorlopen!' zei Tanis scherp terwijl hij de deur achter hen dichtdeed.

'Heel stil zijn,' fluisterde Maritta. 'Normaal gesproken slaapt Vuurslag heel diep. Als ze toch wakker wordt, gedraag je dan als een vrouw. Ze herkent jullie toch nooit, want ze is aan één oog blind.'

Het kille ochtendlicht kwam door de piepkleine raampjes hoog boven de vloer naar binnen en verlichtte een sombere, vreugdeloze speelkamer. Versleten stukken speelgoed lagen her en der verspreid. Er waren geen meubels. Caramon liep naar de dubbele deur die naar de binnenplaats leidde, om de houten balk te bestuderen.

'Die kan ik wel tillen,' zei hij. Schijnbaar moeiteloos tilde hij de houten balk op en zette hem tegen de muur. Hij duwde tegen de deur. 'Hij zit aan de buitenkant niet op slot,' meldde hij. 'Kennelijk verwachtten ze niet dat we zover zouden komen.'

Of misschien wil heer Canaillaard ons juist naar buiten lokken, dacht Tanis. Hij vroeg zich af of het waar was wat de dracoon had gezegd. Waren de Drakenheer en zijn draak inderdaad weg? Of waren ze… Boos verdrong hij die gedachte. Het doet er niet toe, hield hij zichzelf voor. We hebben geen keus. We moeten doorzetten.

'Flint, jij blijft hier,' zei hij. 'Als er iemand aankomt, moet je eerst ons waarschuwen en dan pas gaan vechten.'

Flint knikte en vatte post vlak achter de deur naar de gang, die hij eerst op een kiertje opendeed om naar buiten te gluren. De lijken van de draconen waren tot stof vergaan.

Maritta pakte een toorts uit een houder aan de muur. Die stak ze aan, waarna ze de reisgenoten door een donkere doorgang voorging naar de tunnel die naar het hol van de draak leidde.

'Fizban! Je hoed!' fluisterde Tas. Te laat. De oude man wilde hem nog pakken, maar greep mis.

'Spionnen!' brulde Canaillaard woedend, wijzend naar het balkon. 'Pak ze, Sintel! Ik wil ze levend hebben!'

Levend, dacht de draak bij zichzelf. Nee, dat kon niet. Hij moest denken aan het vreemde geluid dat hij de vorige avond had gehoord en wist met absolute zekerheid dat de spionnen hem hadden horen praten over de man met de groene edelsteen. Slechts een paar uitverkorenen waren op de hoogte van dat angstaanjagende geheim, dat grote geheim, het geheim waarmee de Koningin van de Duisternis de wereld kon veroveren. Die spionnen moesten dood, zodat het geheim met hen zou sterven.

Pyros spreidde zijn vleugels en zette zich met zijn krachtige achterpoten af van de grond. Met grote snelheid schoot hij de lucht in.

Dat was het dan, dacht Tasselhof. Nu hebben we het voor elkaar. Deze keer zullen we niet ontsnappen.

Op het moment dat hij zich erbij neerlegde dat hij door een draak zou worden geroosterd, hoorde hij de tovenaar één enkel machtswoord roepen. Een onnatuurlijke, ondoordringbare duisternis duwde de kender omver.

'Rennen!' hijgde Fizban, die de kender bij zijn hand pakte en overeind trok.

'Sestun...'

'Ik heb hem. Rennen!'

Tasselhof gehoorzaamde. Ze stormden de deur uit en de toonzaal in, maar van daaruit had hij geen idee waar ze naartoe gingen. Hij hield gewoon de hand van de oude man vast en rende voor zijn leven. Achter zich hoorde hij de draak vanuit zijn hol omhoogzoeven. Toen hoorde hij zijn stem.

'Dus je bent een magiegebruiker, spion,' riep Pyros. 'Het kan toch niet dat je zo in het donker rondrent. Straks verdwaal je nog. Hier, ik zal je even bijlichten.'

Tasselhof hoorde de draak de lucht diep in zijn reusachtige longen ademen. Opeens werd hij omringd door razende vlammen. De duisternis verdween, verdreven door het felle licht, maar tot zijn verbazing voelde Tas het vuur niet. Hij keek naar Fizban, die met ontbloot hoofd naast hem liep. Ze waren nog in de toonzaal, op weg naar de dubbele deur.

De kender keek over zijn schouder. Achter zich zag hij de draak opdoemen, afschuwelijker dan hij zich had kunnen voorstellen, angstaanjagender dan de zwarte draak in Xak Tsaroth. Opnieuw spuwde de draak vuur, en opnieuw werd Tas in vlammen gehuld. De schilderijen aan de muren vlogen in brand, meubels gingen in vlammen op, gordijnen veranderden in toortsen en rook vulde het vertrek. Maar hij, Sestun en Fizban hadden er geen last van. Bewonderend en oprecht onder de indruk keek Tasselhof naar de tovenaar.

'Hoe lang kun je dit volhouden?' riep hij naar Fizban terwijl ze een hoek om zeilden en eindelijk de dubbele bronzen deur in het vizier kregen.

De ogen van de oude man waren groot en niets ziend. 'Geen idee!' hijgde hij. 'Ik wist niet eens dat ik dit kon!'

Een nieuwe steekvlam omhulde hen. Deze keer kon Tasselhof de hitte voelen. Geschrokken keek hij Fizban aan. De tovenaar knikte. 'Het wordt moeilijk!' riep hij.

'Hou vol,' hijgde Tasselhof. 'We zijn bijna bij de deur. Daar kan hij niet doorheen.'

Met z'n drieën stormden ze door de bronzen deuren die van de toonzaal naar de gang leidden. Precies op dat moment begaf Fizbans betovering het. Vóór hen was de verborgen deur naar de mechanismekamer. Die was nog open. Tasselhof smeet de bronzen deuren dicht en bleef even staan om op adem te komen.

Net op het moment dat hij wilde zeggen: 'We hebben het gered', kwam een van de enorme klauwen van de draak vlak boven zijn hoofd dwars door de muur heen.

Sestun slaakte een gil en wilde naar de trap rennen.

'Nee!' Tasselhof greep hem vast. 'Die leidt naar de vertrekken van Canaillaard!'

'Terug naar de mechanismekamer,' riep Fizban. Ze renden door de geheime deur, precies op het moment dat de muur het met een oorverdovend geraas begaf. Ze konden de deur niet dicht krijgen.

'Kennelijk valt er nog veel over draken te leren,' prevelde Tas. 'Zouden er goede boeken zijn over dat onderwerp?'

'Dus jullie zijn als ratten jullie hol in gevlucht, en nu kunnen jullie geen kant meer op,' klonk Pyros' galmende stem aan de andere kant van de muur. 'Jullie zitten gevangen, en stenen muren houden mij niet tegen.'

Er klonk een afschuwelijk geknars en geschraap. De muren van de mechanismekamer begonnen te trillen en scheuren te vertonen.

'Het was een goede poging,' zei Tas spijtig. 'Die laatste spreuk sloeg echt alles. Maakt het toch iets minder erg om door een draak te worden gedood.'

'Gedood worden!' Fizban leek wakker te worden. 'Door een draak? Dat lijkt me niet! Ik ben nog nooit zo beledigd. Er moet een uitweg zijn...' Zijn ogen begonnen te glanzen. 'Langs de ketting naar beneden!'

'De ketting?' herhaalde Tas. Hij had het vast verkeerd verstaan met al die scheurende muren om hem heen en het gebrul van die draak en zo.

'We klimmen langs de ketting naar beneden! Kom mee!' Opgetogen kakelend draaide Fizban zich om en rende de tunnel in.

Sestun keek Tasselhof weifelend aan, maar inmiddels stak de draak al zijn klauw door de muur. De kender en de greppeldwerg draaiden zich om en renden achter de oude tovenaar aan.

Tegen de tijd dat ze de tunnel uit kwamen, was Fizban al over de ketting naar het grote rad gekropen en op de eerste tand zo groot als een boomstam geklommen. Hij hield zijn gewaad ter hoogte van zijn bovenbenen bijeen en liet zich van het rad om de eerste schakel van de reusachtige ketting vallen. De kender en de greppeldwerg kwamen achter hem aan. Tas begon net te denken dat ze alsnog levend zouden ontkomen, zeker als de zwarte elf onder aan de ketting vandaag een vrije dag had genomen, toen Pyros door de muur van de schacht barstte waar de grote ketting in hing.

Grote delen van de tunnel stortten in, en brokken steen suisden langs hen heen om met een holle bons op de bodem terecht te komen. De muren beefden en de ketting begon te trillen. Boven hen zweefde de draak. Hij zei niets, maar staarde slechts naar hen met zijn rode ogen. Toen ademde hij zo diep in dat het leek of hij alle lucht uit de vallei zoog. Instinctief wilde Tas zijn ogen dichtknijpen, maar hij bedacht zich. Hij had nog nooit een draak zien vuurspuwen, en hij wilde het voor geen goud missen, zeker nu het erop leek dat dit zijn laatste kans was.

Vlammen schoten uit de bek en de neusgaten van de draak. De golf van hitte alleen was al genoeg om Tasselhof bijna van de ketting te duwen. Opnieuw golfde het vuur echter om hem heen zonder dat hij er last van had. Fizban kakelde opgetogen.

'Heel slim, oude man,' zei de draak boos. 'Maar ook ik ben een magiegebruiker, en ik kan voelen dat je verzwakt. Ik hoop dat je kunt lachen om je eigen slimheid, helemaal tot aan de bodem.'

Weer laaiden er vlammen op, maar deze keer waren ze niet gericht op de bevende gestalten die zich aan de ketting vastklampten. In plaats daarvan raakte het drakenvuur de ketting zelf. De ijzeren schakels gloeiden rood op. Pyros spuwde opnieuw vuur, waarop de schakels witheet werden. Bij de derde keer smolten ze. Met een laatste, hevige rilling begaf de enorme ketting het en stortte in de duistere diepte.

Pyros keek de vallende ketting na. Ervan overtuigd dat de spionnen het niet meer konden navertellen, vloog hij terug naar zijn hol, waar hij Canaillaard zijn naam hoorde roepen.

In de duisternis die de draak achterliet begon het grote tandrad, eindelijk bevrijd van de ketting die hem eeuwenlang op zijn plaats had gehouden, luid krakend te draaien.

14
Matafleur. Het magische zwaard.
Witte veren.

Het licht van Maritta's toorts verlichtte een grote, kale, raamloze kamer. Er stonden geen meubels. Het enige wat zich in het koude, stenen vertrek bevond waren een grote bak met water, een emmer vol met zo te ruiken verrot vlees, en een draak.

Tanis hield zijn adem in. Hij had de zwarte draak in Xak Tsaroth al ontzagwekkend gevonden, maar die viel in het niet vergeleken bij deze rode draak. Haar hol was reusachtig, waarschijnlijk ruim honderd voet in doorsnee, en de draak lag languit over de gehele lengte op de grond, met het puntje van haar staart tegen de verste muur. Even bleven de reisgenoten verbijsterd staan, vervuld met afgrijselijke visioenen van die reusachtige kop die omhoogkwam en hen verteerde met het vuur dat rode draken konden spuwen, het vuur dat Soelaas had verwoest.

Maritta leek zich echter geen zorgen te maken. Ze liep rustig de kamer in, en na een korte aarzeling volgden de anderen haastig haar voorbeeld. Toen ze dichter bij het dier kwamen, zagen ze dat Maritta gelijk had: het verkeerde duidelijk in meelijwekkende conditie. De grote kop die op de koude stenen vloer rustte was doorgroefd met ouderdomsrimpels, en de ooit glanzend rode huid was grauw en vlekkerig. Ze ademde luidruchtig door haar open bek vol vergeelde, kapotte tanden die vroeger vlijmscherp moesten zijn geweest. Lange littekens liepen over haar flanken en haar leerachtige vleugels waren droog en gebarsten.

Nu begreep Tanis Maritta's houding. De draak was duidelijk ernstig verwaarloosd, en hij betrapte zichzelf erop dat hij medelijden met haar had en zijn voorzichtigheid liet varen. Pas toen de draak, verstoord door het toortslicht, zich in haar slaap verroerde, besefte hij hoe gevaarlijk dat was. Haar klauwen waren nog scherp, en haar drakenvuur net zo verwoestend als dat van de andere rode draken op Krynn, hielp Tanis zichzelf bruut herinneren.

De draak opende haar ogen tot rode spleetjes die glinsterden in het toortslicht. De reisgenoten bleven staan, met hun handen op hun wapens.

'Is het nu al tijd voor het ontbijt, Maritta?' vroeg Matafleur (Vuurslag was de naam die stervelingen haar hadden gegeven) slaperig en hees.

'Ja, we zijn vandaag alleen een beetje vroeg, liefje,' zei Maritta sussend. 'Er is onweer op komst en ik wil dat de kinderen nog even buiten kunnen spelen voordat het losbarst. Ga maar weer slapen. Ik zorg ervoor dat ze je op weg naar buiten niet wakker maken.'

'O, ik vind het niet erg, hoor.' De draak gaapte en opende haar ogen wat verder. Nu kon Tanis zien dat een ervan bedekt was met een melkachtige waas. Aan dat oog was ze blind.

'Ik hoop dat we niet tegen haar hoeven te vechten, Tanis,' fluisterde Sturm. 'Het zou zijn alsof je het zwaard heft tegen iemands grootje.'

Tanis dwong zichzelf om onverzettelijk te kijken. 'Ze is een levensgevaarlijk grootje, Sturm. Vergeet dat niet.'

'De kleintjes hebben een rustige nacht achter de rug,' prevelde de draak, die kennelijk op het punt stond weer in slaap te vallen. 'Let op dat ze niet nat worden als het gaat regenen, Maritta. Vooral die kleine Erik. Hij is vorige week nog verkouden geweest.' Haar ogen vielen dicht.

Maritta wendde zich af en gebaarde de anderen door te lopen, met haar vinger tegen haar lippen. Sturm en Tanis kwamen als laatste, met hun wapens en wapenrusting goed verborgen onder vele mantels en rokken. Tanis was een voet of dertig bij de kop van de draak vandaan toen het geluid begon.

In eerste instantie dacht hij dat hij het zich verbeeldde, dat zijn nervositeit ervoor zorgde dat hij gezoem in zijn hoofd hoorde. Maar het werd steeds luider, zodat Sturm zich geschrokken naar hem omdraaide. Het gezoem nam toe tot het klonk als een zwerm van tienduizenden sprinkhanen. Inmiddels keken de anderen ook om. Allemaal staarden ze hem aan. Tanis beantwoordde hulpeloos hun blik, met een bijna komische verwarring op zijn gezicht.

De draak snoof en schudde geïrriteerd haar kop alsof het geluid pijn deed aan haar oren.

Opeens maakte Raistlin zich los uit de groep en rende op Tanis af. 'Het zwaard!' siste hij. Hij greep de mantel van de halfelf en trok die opzij, zodat het zwaard ontbloot werd.

Tanis staarde naar het wapen in zijn antieke schede. De magiër had gelijk. Het gonsde alsof het in hoogste staat van paraatheid verkeerde. Nu Raistlin zijn aandacht erop had gevestigd, kon Tanis de trillingen voelen. 'Magie,' zei de jongeman zachtjes terwijl hij het wapen belangstellend bestudeerde.

'Kun je er iets tegen doen?' riep Tanis boven het vreemde lawaai uit. 'Nee,' zei Raistlin. 'Nu weet ik het weer. Dit is Wyrmdoder, het befaamde magische zwaard van Kith-Kanan. Het reageert op de aanwezigheid van de draak.'

'Wat een rampzalig moment om je dat te herinneren!' zei Tanis woedend.

'Of een bijzonder gelukkig moment,' snauwde Sturm.

Langzaam hief de draak haar kop. Ze knipperde met haar ogen, en een dun sliertje rook kringelde uit haar neusgat. Ze richtte haar slaperige rode ogen op Tanis. Uit haar blik sprak pijn en ergernis.

'Wie heb je daar bij je, Maritta?' In de stem van Matafleur klonk dreiging door. 'Ik hoor een geluid dat ik in eeuwen niet heb gehoord en ik ruik de smerige stank van staal. Dit zijn geen vrouwen. Dit zijn krijgers!'

'Doe haar geen pijn!' jammerde Maritta.

'Ik zal misschien geen keus hebben!' antwoordde Tanis fel terwijl hij Wyrmdoder uit de schede trok. 'Waterwind en Goudmaan, haal Maritta hier weg!' Het zwaard begon een helwit licht uit te stralen en het gezoem werd nog luider en woester. Matafleur deinsde terug. Het licht van het zwaard deed pijn aan haar goede oog, en het afschuwelijke geluid sneed als een speer door haar hoofd. Kermend dook ze ineen, zo ver mogelijk bij Tanis vandaan.

'Rennen, ga de kinderen halen!' riep Tanis toen hij besefte dat ze geen geweld hoefden te gebruiken – nog niet, althans. Met het stralende zwaard hoog in de lucht liep hij voorzichtig verder en dreef de arme draak terug tegen de muur.

Na een laatste angstige blik op Tanis leidde Maritta Goudmaan naar de kinderkamer. Daar zaten ongeveer honderd kinderen, met grote ogen van schrik door de vreemde geluiden die ze hoorden. Hun gezichtjes ontspanden toen ze Maritta en Goudmaan zagen, en een paar kleintjes giechelden zelfs toen Caramon zo hard naar binnen kwam rennen dat zijn rok om zijn geharnaste benen klapperde. Maar bij de aanblik van de gewapende krijgers werden de kinderen meteen weer ernstig.

'Wat is er, Maritta?' vroeg het oudste meisje. 'Wat gebeurt er? Wordt er weer gevochten?'

'We hopen dat er niet gevochten hoeft te worden, liefje,' zei Maritta zachtjes. 'Maar ik zal niet tegen je liegen: misschien komt het toch zover. Nu wil ik dat jullie je spulletjes bij elkaar rapen en met ons meekomen. Neem in elk geval je warmste jas mee. De oudsten kunnen de kleintjes dragen, net zoals wanneer we buiten gaan spelen.'

Sturm verwachtte verwarring, gejammer en vragen om uitleg, maar de kinderen deden snel wat hun werd opgedragen. Ze trokken warme kleren aan en hielpen de kleintjes met aankleden. Ze waren stil en kalm, zij het een beetje bleek om de neus. Dit waren oorlogskinderen, besefte Sturm.

'Ik wil dat jullie heel snel door het drakenhol naar de speelkamer lopen. Als we daar zijn, zal de grote man' – Sturm gebaarde naar Caramon – 'jullie naar de binnenplaats brengen. Daar staat je moeder op je te wachten. Als je buiten bent, zoek je meteen je moeder op en ga je naar haar toe. Heeft iedereen dat begrepen?' Hij keek weifelend naar de jongere kinderen, maar het meisje dat vooraan stond, knikte.

'We begrijpen het, meneer,' zei ze.

'Goed dan.' Sturm draaide zich om. 'Caramon?'

De krijger, die rood werd van gêne toen honderd paar ogen zich op hem richtten, ging hen voor naar het hol van de draak. Goudmaan tilde een peuter op, Maritta een andere. De oudere jongens en meisjes droegen de kleintjes op hun rug. Snel maar ordelijk liepen ze de deur uit, zonder een woord te zeggen, tot ze Tanis, het stralende zwaard en de doodsbange draak zagen.

'Hé, jij daar! Waag het niet onze draak pijn te doen!' riep een klein jongetje. Hij verliet zijn plaats in de rij en rende met zijn knuistjes geheven en zijn gezichtje vertrokken van woede op Tanis af.

'Dyrk!' riep het oudste meisje geschrokken. 'Kom terug, nu meteen!' Maar inmiddels waren enkele kinderen al in snikken uitgebarsten.

Tanis hield zijn zwaard geheven – wetend dat dat de enige manier was om de draak op afstand te houden – en riep: 'Haal die kinderen hier weg!'

'Kinderen, toe!' Met strenge, bevelende stem bracht de stamhoofdsdochter orde in de chaos. 'Tanis zal de draak geen pijn doen als dat niet nodig is. Hij is een zachtaardige man. Jullie moeten nu weg. Je moeder heeft je nodig.'

Er klonk iets van angst door in Goudmaans stem, iets dringends dat zelfs tot het allerjongste kind doordrong. Snel gingen ze weer in de rij staan.

'Vaarwel, Vuurslag,' riepen enkele kinderen weemoedig, en ze zwaaiden naar de draak terwijl ze achter Caramon aan liepen. Dyrk schonk Tanis nog één dreigende blik en ging toen, wrijvend in zijn ogen met zijn groezelige knuistjes, weer in de rij lopen.

'Nee!' krijste Matafleur met hartverscheurend verdrietige stem. 'Nee! Niet tegen mijn kinderen vechten. Toe! Ik ben degene die je hebben moet! Vecht tegen mij! Doe mijn kinderen geen pijn!'

Tanis besefte dat de draak was teruggekeerd naar het verleden en de afschuwelijke gebeurtenis herbeleefde die haar van haar kinderen had beroofd.

Sturm bleef bij Tanis in de buurt. 'Zodra de kinderen buiten gevaar zijn, zal ze je doden. Dat besef je toch wel?'

'Ja,' antwoordde Tanis grimmig. Nu al lichtten de ogen van de draak – zelfs het slechte – rood op. Speeksel drupte uit haar grote, openhangende muil, en haar klauwen krasten over de grond.

'Niet mijn kinderen!' zei ze vol razernij.

'Ik blijf bij je—' begon Sturm. Hij trok zijn zwaard.

'Ga weg, ridder,' fluisterde Raistlin zachtjes vanuit de schaduw. 'Je wapen is nutteloos. Ik zal Tanis bijstaan.'

De halfelf keek de magiër verbijsterd aan. Raistlins vreemde, gouden ogen beantwoordden zijn blik, wetend wat hij dacht: vertrouw ik hem wel? Raistlin deed geen enkele poging hem te overtuigen, bijna alsof hij hem uitdaagde zijn aanbod af te slaan.

'Wegwezen,' zei Tanis tegen Sturm.

'Wat?' riep de ridder. 'Ben je niet goed wijs? Je kunt niet vertrouwen op die—'

'Wegwezen,' herhaalde Tanis. Op dat moment hoorde hij Flint luidkeels schreeuwen. 'Ga dan, Sturm, ze hebben je buiten nodig!'

De ridder bleef even besluiteloos staan, maar in alle eer kon hij geen rechtstreeks bevel negeren van degene die hij als zijn commandant beschouwde. Met een laatste, dreigende blik op Raistlin draaide Sturm zich op zijn hakken om en liep de tunnel in.

'Er is niet veel magie die ik tegen een rode draak kan aanwenden,' fluisterde Raistlin snel.

'Kun je ons wat extra tijd bezorgen?' vroeg Tanis.

Om Raistlins lippen speelde de glimlach van iemand die weet dat de dood zo dichtbij is dat angst geen zin meer heeft. 'Jazeker,' fluisterde hij. 'Loop naar de tunnel toe. Zodra je me hoort spreken, ren je weg.'

Tanis liep achteruit weg, nog steeds met het zwaard geheven. Maar de draak vreesde de magie ervan niet meer. Ze wist alleen dat haar kinderen weg waren en dat ze de verantwoordelijken moest doden. Zodra de krijger met het zwaard in de richting van de tunnel liep, stortte Matafleur zich op hem. Toen daalde er een duisternis op haar neer die zo volledig was dat ze even vreesde dat ze het zicht in haar goede oog ook was kwijtgeraakt. Ze hoorde gefluisterde magische woorden en besefte dat de mens met de mantel een betovering had uitgesproken.

'Ik verbrand ze!' brulde ze. Ze ving de geur van staal in de tunnel op. 'Ze zullen niet ontkomen!' Maar juist op het moment dat ze diep inademde, hoorde ze nog een ander geluid: de stemmen van haar kinderen. 'Nee,' zei ze gefrustreerd. 'Ik kan het niet. Mijn kinderen! Straks doe ik mijn kinderen pijn...' Ze liet haar kop op de koude stenen vloer zakken.

Tanis en Raistlin renden de tunnel door, waarbij de halfelf de verzwakte magiër met zich mee moest sleuren. Achter zich hoorden ze een meelijwekkend, hartverscheurend gekreun.

'Niet mijn kinderen! Toe, vecht tegen mij. Doe mijn kinderen geen pijn!'

Tanis had de speelkamer bereikt en knipperde met zijn ogen tegen het felle licht toen Caramon de enorme deuren opengooide en het licht van de opkomende zon binnenliet. De kinderen renden de deur uit, de binnenplaats op. Door de deur zag Tanis Tika en Laurana staan. Met hun zwaarden getrokken keken ze bezorgd in hun richting. Op de vloer van de speelkamer lag een dracoon te verbrokkelen met Flints strijdbijl nog in zijn rug.

'Naar buiten, allemaal!' riep Tanis. Flint raapte zijn strijdbijl op en voegde zich bij de halfelf. Ze waren de laatsten die de speelkamer verlieten. Op dat moment hoorden ze een angstaanjagend gebrul, het gebrul van een draak, maar een heel ander soort draak dan de arme Matafleur. Pyros had de spionnen ontdekt. De stenen muren begonnen te trillen. De draak steeg op uit zijn hol.

'Sintel!' Tanis vloekte verbitterd. 'Hij is niet weg!'

De dwerg schudde zijn hoofd. 'Ik durf mijn baard erom te verwedden,' zei hij, 'dat Tasselhof hier iets mee te maken heeft.'

De kapotte ketting suisde omlaag naar de stenen vloer van de Kettingzaal in de Sla-Mori, en nam drie kleine gestalten mee.

Tasselhof, die zich tegen beter weten in aan de ketting vastklampte, tuimelde door de duisternis en dacht: zo voelt het dus om dood te gaan. Het was een interessante ervaring, en het speet hem dat hij er niet langer van kon genieten. Boven zich hoorde hij Sestun angstig gillen. Onder zich hoorde hij de oude tovenaar in zichzelf mompelen. Waarschijnlijk probeerde hij nog één keer een spreuk te bedenken. Toen verhief Fizban zijn stem: *'Pfeatrv—'* Het woord werd afgebroken door een snijdende gil. Er klonk een doffe bons toen de oude tovenaar op de grond terechtkwam. Tasselhof rouwde om hem, al wist hij dat hij de volgende zou zijn. De stenen vloer kwam rap dichterbij. Binnen een paar tellen zou ook hij dood zijn…

Toen begon het opeens te sneeuwen.

Tenminste, dat dacht de kender in eerste instantie. Toen besefte hij met een schok dat hij werd omringd door vele miljoenen veertjes, alsof er een hele groep kippen was ontploft. Hij zakte diep weg in een reusachtige baal met veren. Sestun volgde al snel.

'Arme Fizban,' zei Tas. Hij knipperde de tranen weg terwijl hij in die zee van witte kippenveren probeerde overeind te komen. 'Zijn laatste spreuk was kennelijk "vederval", die ene die Raistlin ook wel eens gebruikt. En natuurlijk kreeg hij alleen de veren.'

Boven hem draaide het tandrad steeds sneller rond. De bevrijde ketting raasde eroverheen alsof hij genoot van zijn hervonden vrijheid.

Buiten, op de binnenplaats, heerste chaos.

'Hiernaartoe!' schreeuwde Tanis terwijl hij naar buiten rende. Hij wist dat ze reddeloos verloren waren, maar weigerde de moed op te geven. De reisgenoten verzamelden zich met getrokken wapens om hem heen en keken hem bezorgd aan. 'Naar de mijnen! Zoek dekking! Canaillaard en de rode draak zijn niet weggegaan. Het is een valstrik. Ze kunnen ons elk moment ontdekken.'

De anderen knikten grimmig. Allemaal wisten ze dat het hopeloos was, want ze moesten een volkomen onbeschut plein van tweehonderd voet oversteken om zichzelf in veiligheid te brengen.

Ze probeerden de vrouwen en kinderen zo snel mogelijk, maar zonder al te veel succes voor zich uit te drijven. De moeders en hun kinderen moesten elkaar eerst opzoeken. Tanis wierp een blik op de mijnen en slaakte hardop een gefrustreerde verwensing.

Zodra de mannen in de mijnen zagen dat hun gezinnen bevrijd waren, overweldigden ze snel hun wachters en renden de binnenplaats op. Dat was niet volgens plan. Waar was Elistan mee bezig? Nog even, en achthonderd doodsbange mensen zouden op de binnenplaats rondlopen, zonder enige beschutting. Hij moest hen overhalen om naar het zuiden te gaan, richting de bergen.

'Waar is Eben?' riep hij tegen Sturm.

'De laatste keer dat ik hem zag, rende hij op de mijnen af. Ik weet ook niet waarom…'

De ridder en de halfelf gaapten elkaar woordeloos aan toen het tot hen doordrong.

'Natuurlijk,' zei Tanis zo zachtjes dat zijn stem in het kabaal verloren ging. 'Het klopt allemaal precies.'

Toen Eben naar de mijnen rende, was er maar één gedachte die hem bezighield: dat hij Pyros moest gehoorzamen. Te midden van deze chaos moest hij op de een of andere manier de man met de groene edelsteen zien te vinden. Hij wist wat Canaillaard en Pyros van plan waren met die arme mensen. Even had Eben medelijden met hen. Hij was immers geen wrede snoodaard. Hij had gewoon al lang geleden ingezien welke partij zou gaan winnen, en was vastbesloten geweest om voor de verandering een keer aan de goede kant te staan.

Toen zijn familiefortuin in rook was opgegaan, had Eben nog maar één ding wat hij kon verkopen: zichzelf. Hij was intelligent, handig met een zwaard en onwankelbaar trouw aan eenieder die hem betaalde. Tijdens een reis naar het noorden, op zoek naar mogelijke kopers, kwam Eben Canaillaard tegen. Eben was onder de indruk geweest van Canaillaards macht en had zich geliefd weten te maken bij de kwaadaardige priester. Maar belangrijker nog, hij was erin geslaagd zich nuttig te maken voor Pyros. De draak had ontdekt dat Eben charmant, intelligent, vindingrijk en betrouwbaar was – dat laatste na een paar proefnemingen.

Vlak voordat het drakenleger toesloeg, werd Eben teruggestuurd naar zijn geboorteplaats, Poort. Hij 'ontsnapte' en vormde zijn verzetsgroep. Het feit dat hij op Gilthanas en zijn groep krijgers was gestuit tijdens hun eerste poging om Pax Tharkas binnen te vallen, was een gelukstreffer die Ebens verstandhouding met zowel Canaillaard als Pyros nog verder verbeterde. Toen de priesteres ook nog eens in Ebens handen viel, kon hij zijn geluk niet op. Het gaf aan hoe gunstig de Duistere Koningin hem gezind was, dacht hij.

Hij bad dat dat zo zou blijven. Hij kon wel enige goddelijke invloed gebruiken als hij in deze verwarring de man met de groene edelsteen moest vinden. Honderden mannen liepen onzeker rond te dwalen. Eben zag zijn kans schoon om Canaillaard nog een gunst te bewijzen. 'Tanis wil dat jullie allemaal naar de binnenplaats gaan,' riep hij. 'Om je bij je gezin te voegen.'

'Nee! Dat is niet volgens het plan!' riep Elistan in een poging hen tegen te houden, maar hij was te laat. Zodra de mannen zagen dat hun gezinnen bevrijd waren, renden ze naar buiten. Een paar honderd greppeldwergen vergrootten de verwarring nog door vrolijk mee te rennen, wellicht denkend dat het een feestdag was.

Eben keek verwoed om zich heen, op zoek naar de man met de groene edelsteen, maar besloot toen in de gevangenis te gaan zoeken. Daar trof hij de man in zijn eentje zittend op de grond aan. Hij staarde verdwaasd om zich heen naar de lege cel. Snel knielde Eben naast hem neer, terwijl hij zich uit alle macht probeerde te herinneren hoe de man heette. Het was een vreemde naam, een beetje ouderwets…

'Berem,' zei Eben na een tijdje. 'Berem?'

De man keek op. Voor het eerst in vele weken straalde zijn gezicht iets van interesse uit. Hij was niet doofstom, zoals Padh had aangenomen. Nee, hij was geobsedeerd, een man die volkomen in beslag werd genomen door zijn eigen geheime queeste. Hij was echter ook een mens, en het geluid van een andere mensenstem die zijn naam sprak was een grote troost voor hem.

'Berem,' zei Eben. Nerveus likte hij zijn lippen. Nu hij de man te pakken had, wist hij niet goed wat hij met hem moest doen. Hij wist dat die arme zielen op de binnenplaats meteen de veiligheid van de mijnen zouden opzoeken zodra de draak toesloeg. Hij moest Berem hier weg zien te krijgen voordat Tanis hen betrapte. Maar waar naartoe? Hij kon de man meenemen naar het fort, zoals Pyros had bevolen, maar dat idee stond Eben niet aan. Canaillaard zou hen daar zeker vinden, zijn wantrouwen zou worden gewekt en dan zou hij vragen gaan stellen die hij niet kon beantwoorden.

Nee, er was maar één veilige plek waar Eben hem mee naartoe kon nemen: buiten de muren van Pax Tharkas. Ze konden zich in de wildernis verborgen houden tot de ergste commotie voorbij was en vervolgens in het donker het fort binnen glippen. Nu hij zijn besluit had genomen, pakte Eben Berem bij zijn arm en hielp hem overeind.

'Er gaat een gevecht uitbreken,' zei hij. 'Ik ga je wegbrengen en ik zorg ervoor dat je veilig bent tot het voorbij is. Ik ben je vriend. Begrijp je me?'

De man keek hem aan met een indringende blik vol wijsheid en intelligentie. Het was niet de leeftijdloze blik van een elf, maar die van een mens die talloze jaren vol kwellingen heeft moeten doorstaan. Berem zuchtte zachtjes en knikte.

Woedend liep Canaillaard met grote passen zijn kamer uit, rukkend aan zijn leren pantserhandschoenen. Achter hem aan draafde een dracoon met in zijn handen de goedendag van de Drakenheer, Nachtbrenger. Andere draconen liepen druk rond om de bevelen uit te voeren die Canaillaard gaf terwijl hij de gang inliep, terug naar Pyros' hol.

'Nee, stelletje dwazen, niet het leger terugroepen! Dit zal niet zoveel tijd kosten. Vóór de avond valt, zal Qualinesti in de as liggen. Sintel!' bulderde hij terwijl hij de deuren opensmeet die naar het hol van de draak leidden en op de richel ging staan. Als hij naar boven keek, naar het balkon, zag hij rook en vlammen, en in de verte hoorde hij het gebrul van de draak.

'Sintel!' Geen antwoord. 'Hoe lang doe je erover om een handjevol spionnen te pakken te krijgen?' vroeg hij woedend. Toen hij zich omdraaide, struikelde hij bijna over een draconenkapitein.

'Wilt u het drakenzadel gebruiken, mijn heer?'

'Nee, daar is geen tijd voor. En trouwens, dat gebruik ik alleen in de strijd, en daarbuiten valt niets te vechten. Het zijn hooguit een paar honderd slaven die moeten worden verbrand.'

'Maar de slaven hebben de wachters in de mijnen overmeesterd en voegen zich nu bij hun gezinnen op de binnenplaats.'

'Hoeveel manschappen heb je tot je beschikking?'

'Bij lange na niet genoeg, mijn heer,' zei de draconenkapitein met een scherpe glinstering in zijn ogen. De kapitein had het van het begin af aan onverstandig gevonden om het garnizoen zo sterk uit te dunnen. 'We zijn met misschien een man of veertig, vijftig, tegenover meer dan driehonderd mannen en evenveel vrouwen. De vrouwen zullen ongetwijfeld zij aan zij vechten met de mannen, mijn heer, en als ze zich weten te organiseren en de bergen in vluchten—'

'Ach wat. Sintel!' riep Canaillaard. In een ander deel van het fort hoorde hij een zware, metaalachtige bons. Toen hoorde hij nog een geluid: dat van het eeuwenlang ongebruikte tandrad, dat krakend protesteerde nu het in beweging werd gebracht. Canaillaard stond zich net af te vragen wat die merkwaardige geluiden te betekenen hadden, toen Pyros afdaalde in zijn hol.

De Drakenheer rende terug naar de richel op het moment dat Pyros langs hem heen suisde. Snel en vaardig klauterde hij op de rug van de draak. Hoewel ze werden gescheiden door wederzijds wantrouwen, vulden de twee elkaar prima aan in de strijd. Hun haat jegens de mindere rassen die ze wilden overheersen en hun honger naar macht had een band tussen hen gesmeed die krachtiger was dan ze allebei wilden toegeven.

'Vliegen!' brulde Canaillaard, en Pyros steeg op.

'Het heeft geen zin, mijn vriend,' zei Tanis zachtjes tegen Sturm. Hij legde zijn hand op de schouder van de ridder, die verwoed om orde riep. 'Verspil je adem niet langer. Bewaar je energie maar voor het gevecht.'

'Er komt helemaal geen gevecht.' Sturm hoestte, schor van het schreeuwen. 'We zullen allemaal omkomen, als ratten in de val. Waarom luisteren die dwazen niet?'

Hij en Tanis stonden aan de noordzijde van de binnenplaats. In het zuiden zagen ze de bergen waarop hun hoop was gevestigd. Een voet of twintig achter hen bevond zich de reusachtige poort van Pax Tharkas, die elk moment kon opengaan om het omvangrijke draconenleger binnen te laten. Ergens binnen de muren waren Canaillaard en de rode draak.

Vruchteloos probeerde Elistan de mensen tot bedaren te brengen en ertoe te bewegen naar het zuiden te gaan. Maar de mannen moesten en zouden eerst hun vrouw vinden, en de vrouwen moesten en zouden eerst hun kinderen vinden. Een enkel reeds herenigd gezin liep inmiddels in zuidelijke richting, maar te laat en te langzaam.

Nu steeg Pyros als een bloedrode, brandende komeet op uit het fort, met zijn gladde vleugels langs zijn flanken. Zijn lange staart golfde achter hem aan. Zijn voorpoten hield hij dicht tegen zijn lijf terwijl hij in de lucht snelheid maakte. Op zijn rug reed de Drakenheer met zijn afzich-

telijke drakenmasker, waarvan de gouden hoorns glansden in het zonlicht. Canaillaard hield zich met beide handen vast aan de stekelige manen van de draak terwijl ze samen de door de zon verlichte hemel in
schoten en een nachtschaduw wierpen op de binnenplaats in de diepte.
De drakenvrees kreeg de mensen in zijn greep. Niet in staat te gillen of
weg te rennen, konden ze slechts met hun armen om elkaar heen ineen-
krimpen van angst voor die angstaanjagende verschijning, in de wetenschap dat de dood onvermijdelijk was.

Op bevel van Canaillaard landde Pyros op een van de torens van het
fort. Zwijgend en woedend staarde de Drakenheer door de ooggaten
van zijn gehoornde drakenmasker.

Tanis, die hulpeloos en gefrustreerd toekeek, voelde dat Sturm hem bij
de arm greep. 'Moet je kijken!' De ridder wees naar het noorden, in de
richting van de poort.

Met tegenzin rukte Tanis zijn blik los van de Drakenheer en keek naar
de twee gestalten die naar de poort renden. 'Eben!' riep hij vol ongeloof. 'Maar wie heeft hij bij zich?'

'Hij zal niet ontsnappen!' riep Sturm. Voordat Tanis hem kon tegenhouden, was de ridder al achter het tweetal aan gerend. Tanis volgde hem,
maar zag toen uit zijn ooghoek een rode flits: Raistlin en zijn broer.

'Ook ik heb een appeltje te schillen met die man,' siste de magiër. De
drie haalden Sturm in op het moment dat die Eben in de kraag greep en
tegen de grond smeet.

'Verrader!' schreeuwde Sturm. 'Al sterf ik vandaag, eerst zal ik jou naar
de Afgrond sturen!' Hij trok zijn zwaard en rukte Ebens hoofd naar achteren. Opeens draaide Ebens metgezel zich om, liep terug en greep
Sturms zwaardarm vast.

Sturm slaakte een verschrikte kreet. Zijn greep op Eben verslapte terwijl
hij vol verwondering keek naar de man die voor hem stond.

Tijdens zijn wilde vlucht uit de mijnen was het hemd van de man opengescheurd. Midden op zijn borst zat een schitterende groene edelsteen,
die diep in zijn huid was verzonken. Het zonlicht scheen op de edelsteen, die zo groot was als de vuist van een man, waardoor hij een helder, angstaanjagend licht leek uit te stralen, een goddeloos licht.

'Nog nooit heb ik dergelijke magie gezien, of ervan gehoord,' fluisterde
Raistlin vol ontzag terwijl hij en de anderen verbijsterd naast Sturm bleven staan.

Toen hij zag dat iedereen met grote ogen naar zijn lichaam stond te staren, trok Berem instinctief zijn hemd voor zijn borst. Toen liet hij
Sturms arm los, draaide zich om en rende naar de poort. Eben krabbelde
overeind en ging achter hem aan.

Sturm wilde achter hen aan gaan, maar Tanis hield hem tegen.

'Nee,' zei hij. 'Het is te laat. We moeten aan anderen denken.'

'Tanis, kijk!' riep Caramon, wijzend naar een punt boven de enorme poort.

In het deel van de stenen muur van het fort boven de poort verscheen een hoge, steeds breder wordende opening. In eerste instantie langzaam, maar steeds sneller rolden er reusachtige granieten rotsblokken uit de opening die zo hard op de grond vielen dat het plaveisel barstte en er een grote stofwolk opsteeg. Boven het gebrul uit was niets te horen, behalve het geratel van de reusachtige kettingen die het mechanisme in beweging hadden gezet.

De eerste rotsblokken vielen op het moment dat Eben en Berem de poort bereikten. Eben slaakte een kreet van doodsangst en hief instinctief in een zinloos gebaar zijn arm om zijn hoofd te beschermen. De man naast hem keek op en leek een zucht te slaken. Vervolgens raakten ze allebei bedolven onder de lawine van steen waarmee het eeuwenoude verdedigingsmechanisme van Pax Tharkas de poort verzegelde.

'Dit is de laatste keer dat jullie me tarten!' bulderde Canaillaard. Zijn geplande toespraak was in de kiem gesmoord door de vallende rotsblokken, wat zijn woede alleen maar vergrootte. 'Ik heb jullie een kans gegeven om voor mij te werken, ter meerdere eer en glorie van mijn koningin. Ik heb voor jullie en jullie gezinnen gezorgd. Maar jullie zijn koppig en dwaas. Daarvoor zullen jullie met je leven boeten!' De Drakenheer hief Nachtbrenger hoog in de lucht. 'Ik zal de mannen vernietigen. Ik zal de vrouwen vernietigen. Ik zal de kinderen vernietigen!'

Bij de lichtste aanraking van de hand van de Drakenheer spreidde Pyros zijn reusachtige vleugels en sprong hoog in de lucht. De draak ademde diep in, klaar voor een duikvlucht naar de massa mensen die kermend van angst op de onbeschutte binnenplaats stonden, klaar om hen met zijn drakenadem levend te verbranden.

De dodelijke duikvlucht van de draak werd echter verhinderd.

Vanuit de berg puin die was ontstaan toen ze zich dwars door de muur van het fort een weg naar buiten baande, vloog Matafleur recht op Pyros af.

De oeroude draak was steeds dieper weggezakt in haar krankzinnigheid. Opnieuw beleefde ze de nachtmerrieachtige tijd waarin ze haar kinderen was kwijtgeraakt. Ze zag de ridders voor zich op hun gouden en zilveren draken, en de gemene drakenlansen die glansden in het zonlicht. Tevergeefs smeekte ze haar kinderen om zich niet in de hopeloze strijd te mengen, tevergeefs probeerde ze hen ervan te overtuigen dat de oorlog ten einde was. Maar ze waren jong en wilden niet luisteren. Ze vlogen weg en lieten haar wenend in haar hol achter. Terwijl ze voor haar geestesoog zag hoe de bloederige eindstrijd zich voltrok en haar kinderen stierven aan de drakenlansen, hoorde ze Canaillaards stem.

'Ik zal de kinderen vernietigen!'

Waarop Matafleur net als al die eeuwen geleden naar buiten vloog om hen te verdedigen.

Verbijsterd door de onverwachte aanval dook Pyros net op tijd uit de weg om de kapotte, maar nog altijd dodelijke tanden van de oude draak te ontwijken, die op zijn onbeschermde flank gericht waren. Matafleur wist hem een oppervlakkige, maar pijnlijke wond toe te brengen in een van de krachtige spieren die zijn reusachtige vleugels bewogen. In een rolbeweging haalde Pyros met de gemene klauwen aan zijn voorpoot uit naar de langsvliegende Matafleur en reet diep door haar zachte onderbuik.

In haar razernij voelde Matafleur de pijn niet eens, maar de kracht van de dreun die de jongere draak haar toebracht zorgde ervoor dat ze achterover door de lucht tuimelde.

De rolbeweging die de mannetjesdraak had gemaakt, was een instinctieve verdedigingsmanoeuvre geweest. Op die manier kon hij hoogte winnen, en tijd om zijn aanval te plannen. Daarbij had hij echter niet aan zijn berijder gedacht. Canaillaard, die reed zonder het drakenzadel dat hij gewoonlijk in de strijd gebruikte, verloor zijn grip op de nek van de draak en viel naar beneden. Het was niet ver naar de binnenplaats en hij liep dan ook geen ernstige verwondingen op bij zijn val, afgezien van wat blauwe plekken. Hij was alleen even van zijn stuk gebracht.

De meeste mensen om hem heen vluchtten doodsbang weg toen hij overeind kwam, maar toen hij snel om zich heen keek, zag hij dat er aan de noordzijde van de binnenplaats vier stonden die niet wegvluchtten. Naar die vier draaide hij zich om.

De verschijning van Matafleur en haar plotselinge aanval op Pyros deed de gevangenen opschrikken uit hun verlammende paniek. Toen bovendien Canaillaard als een gevallen, afschuwwekkende god in hun midden terechtkwam, gebeurde er iets wat Elistan en de anderen niet voor elkaar hadden gekregen. De mensen schudden hun angst van zich af, kregen hun gezonde verstand terug en vluchtten in zuidelijke richting, naar de veiligheid van de bergen. Toen hij dat zag, stuurde de draconenkapitein zijn manschappen eropaf. Verder stuurde hij er een boodschapper, een wyvern, op uit om het leger terug naar het fort te roepen.

De draconen stortten zich op de vluchtelingen, maar als ze hadden gehoopt paniek te veroorzaken, faalden ze jammerlijk. De mensen hadden genoeg geleden. Ze hadden zich één keer hun vrijheid laten afpakken in ruil voor een belofte van vrede en veiligheid. Nu begrepen ze echter dat er geen sprake kon zijn van vrede zolang deze monsters over Krynn rondzwierven. De inwoners van Soelaas en Poort – mannen, vrouwen en kinderen – vochten terug met alle armzalige wapens die ze hadden: stenen, hun blote handen, tanden en nagels.

De reisgenoten raakten elkaar kwijt in het gewoel. Laurana was van iedereen afgesneden. Gilthanas had geprobeerd bij haar in de buurt te blijven, maar hij werd door de massa meegesleurd. De elfenmaagd was banger dan ze ooit voor mogelijk had gehouden en wilde zich het liefst verstoppen, maar werd met haar rug tegen de muur van het fort gedwongen. Terwijl ze met haar zwaard in haar hand vol afschuw keek naar de felle strijd die was losgebarsten, viel er vóór haar een man op de grond, met zijn handen tegen zijn buik gedrukt. Zijn vingers waren rood van het bloed. Zijn starre, dode ogen leken haar aan te staren terwijl zijn bloed een plas vormde aan haar voeten. Vol afschuw en fascinatie keek Laurana naar het bloed, tot ze voor zich een geluid hoorde. Bevend keek ze op, recht in het afzichtelijke reptielengezicht van degene die de man had gedood.

Toen de dracoon de kennelijk van angst verlamde elfenmaagd voor zich zag, ging hij ervan uit dat ze een makkelijke prooi zou zijn. Hij likte met zijn lange tong aan zijn met bloed bevlekte zwaard, sprong over het lijk van zijn slachtoffer heen en stortte zich op Laurana.

Met een keel die schrijnde van angst omklemde Laurana haar zwaard en verdedigde zichzelf puur op instinct. Blindelings stak ze toe, met een opwaartse beweging. De dracoon was volkomen verrast toen het zwaard in zijn lijf gleed. Laurana voelde het vlijmscherpe elfenwapen dwars door wapenrusting en vlees heen gaan, hoorde het gekraak van botten en de laatste, gorgelende kreet van het monster. Dat veranderde in steen, waardoor het zwaard uit haar handen werd gerukt. Maar met een afstandelijkheid die haar zelf verbaasde, dacht Laurana terug aan wat ze de krijgers had horen zeggen: dat het stenen lijk vanzelf tot stof zou vergaan als ze even geduld had. Daarop zou ze haar wapen weer kunnen pakken.

Ze werd omringd door de geluiden van de strijd: het gegil, de doodskreten, de klappen, het gekreun, het gerinkel van staal, maar ze hoorde er niets van.

Kalm wachtte ze af tot het lichaam verkruimelde. Toen bukte ze, veegde het stof met haar hand opzij, greep het gevest van haar zwaard en tilde het op. De met bloed besmeurde kling weerkaatste het zonlicht en haar vijand lag dood aan haar voeten. Ze keek om zich heen, maar zag Tanis niet. Ze zag helemaal niemand die ze kende. Voor hetzelfde geld waren ze dood. Voor hetzelfde geld zou zij binnen een paar tellen dood zijn.

Laurana sloeg haar blik op naar de zonovergoten hemel. De wereld die ze binnenkort wellicht achter zich zou laten leek gloednieuw. Elk voorwerp, elke steen, elk boomblad leek zo scherp dat het pijn deed aan haar ogen. Een warme, geurige bries stak op uit het zuiden en verdreef de onweerswolken die zich boven haar thuisland in het noorden hadden samengepakt. Laurana's geest, bevrijd uit zijn gevangenis van angst, rees tot boven de wolken, en haar zwaard flitste in het ochtendlicht.

15
De drakenheer.
Matafleurs kinderen.

Canaillaard bestudeerde de vier mannen die op hem afkwamen. Dit waren geen slaven, besefte hij. Toen herkende hij hen als degenen die met de goudharige priesteres meereisden. Dit waren dus degenen die Onyx in Xak Tsaroth hadden verslagen, ontsnapt waren uit de slavenkaravaan en in Pax Tharkas hadden ingebroken. Hij had het gevoel dat hij hen kende: de ridder uit dat verwoeste land vol vergane glorie, de halfelf die zich probeerde voor te doen als een mens, de verminkte, ziekelijke magiër en diens tweelingbroer, een reus van een man van wie de herseninhoud waarschijnlijk omgekeerd evenredig was aan zijn omvang.

Het zal een interessant gevecht worden, dacht hij. Hij was bijna blij met het vooruitzicht een man-tot-mangevecht te kunnen voeren, want dat was lang geleden. Langzamerhand kreeg hij er genoeg van om een leger aan te voeren vanaf de rug van een draak. Dat herinnerde hem aan Sintel, en hij wierp een vluchtige blik op de hemel, zich afvragend of hij van die kant hulp kon verwachten.

Het leek er echter op dat de rode draak zo zijn eigen problemen had. Matafleur had al oorlogen uitgevochten toen Pyros nog in het ei had gezeten, en wat ze aan kracht tekortkwam, maakte ze goed met ervaring en sluwheid. Waar zij waren, klonk het geraas van vlammen en regende het drakenbloed.

Schouderophalend wendde Canaillaard zich weer tot het viertal dat behoedzaam op hem afkwam. Hij kon horen dat de magiegebruiker zijn metgezellen waarschuwde dat Canaillaard een priester van de Koningin van de Duisternis was en haar als zodanig om hulp kon vragen. Canaillaard wist van zijn spionnen dat deze magiegebruiker weliswaar jong was, maar vervuld van een vreemde macht, en dat hij als zeer gevaarlijk moest worden beschouwd.

De vier zeiden niets. Deze mannen hoefden niet onderling te overleggen, en het was ook niet nodig om iets tegen de vijand te zeggen. Wat razernij betrof: die was overbodig. Dit gevecht zou koeltjes worden gevoerd. De grootste overwinnaar zou de dood zijn.

Aldus kwam het viertal op hem af, een omtrekkende beweging makend, want hij had niets wat hij als rugdekking kon gebruiken. Canaillaard liet zich diep door zijn knieën zakken en liet Nachtbrenger een wijde boog beschrijven om hen op een afstand te houden terwijl hij een aanvalsplan bedacht. Nu waren zij in de meerderheid; dat moest hij snel rechtzetten. Met Nachtbrenger in zijn rechterhand sprong de boosaardige priester met alle kracht die hij in zijn machtige benen had op zijn tegenstanders af, die volkomen werden verrast door zijn plotselinge beweging. Hij hief zijn goedendag niet eens. Het enige wat hij nu nodig had, was zijn dodelijke aanraking. Zijn sprong bracht hem vlak voor Raistlin. Hij pakte de magiegebruiker bij zijn schouder en fluisterde snel een gebed aan zijn Duistere Koningin.

Raistlin gilde het uit. Zijn lichaam werd doorboord door onzichtbare, duivelse wapens, en kermend van pijn liet hij zich op de grond vallen. Caramon slaakte een oorverdovende brul en sprong op Canaillaard af, maar daar was de priester op voorbereid. Hij haalde uit met Nachtbrenger en schampte daarmee de krijger. 'Middernacht,' fluisterde Canaillaard. Caramons gebrul ging over in een kreet van paniek toen de betoverde goedendag hem verblindde.

'Ik kan niets zien! Tanis, help me!' riep de grote krijger terwijl hij als een blinde rond strompelde. Met een grimmige lach gaf Canaillaard hem een stevige dreun op zijn hoofd. Caramon sloeg als een gevelde os tegen de grond.

Uit zijn ooghoek zag Canaillaard de halfelf op hem afspringen met een door elfen vervaardigd dubbelhandig zwaard. Canaillaard draaide zich snel om om Tanis' slag met de massief eikenhouten greep van Nachtbrenger af te weren. Even waren de twee tegenstanders in evenwicht, maar uiteindelijk won Canaillaard het op pure kracht. Hij smeet Tanis op de grond.

De Solamnische ridder hief groetend zijn zwaard. Dat was een kostbare fout. Daardoor had Canaillaard tijd om een ijzeren naald uit zijn zak te pakken. Die hief hij, waarop hij opnieuw de Koningin van de Duisternis opriep om haar priester te verdedigen. Sturm, die al met grote passen op hem afliep, voelde opeens zijn lichaam steeds zwaarder worden, tot hij niet meer kon lopen.

Tanis, die op de grond lag, had het gevoel dat hij door een onzichtbare hand op de grond werd gehouden. Hij kon zich niet bewegen. Hij kon niet eens zijn hoofd draaien. Zijn tong was zo dik dat hij geen woord kon uitbrengen. Hij hoorde Raistlins gekwelde gegil wegsterven. Hij hoorde Canaillaard lachen en luidkeels een lofzang op de Duistere Koningin uitspreken. Tanis kon slechts vol wanhoop toekijken terwijl de Drakenheer met zijn goedendag geheven op Sturm afliep, klaar om een eind te maken aan diens leven.

'*Baravais, Kharas!*' zei Canaillaard in het Solamnisch. Hij hief de goedendag in een afschuwelijke, spottende imitatie van de riddergroet, wetend dat de ridder zich geconfronteerd zag met de ergste dood die hij zich kon voorstellen: overgeleverd aan de grillen van zijn vijand.

Opeens werd er een hand op Canaillaards pols geklemd. Vol verbijstering staarde hij ernaar. Het was de hand van een vrouw. Hij voelde een macht zo groot als die van hemzelf, een heiligheid zo groot als zijn onheiligheid. Door haar aanraking verslapte Canaillaards concentratie en haperden zijn gebeden tot de Duistere Koningin.

Op dat moment keek de Duistere Koningin zelf op, en ze zag een stralende god, gekleed in een oogverblindend witte wapenrusting, aan de horizon van haar plannen verschijnen. Ze was er niet klaar voor om het tegen die god op te nemen, had niet gerekend op zijn terugkeer, en daarom vluchtte ze weg om haar mogelijkheden te overdenken en haar oorlogsplannen aan te passen, want voor het eerst moest ze de mogelijkheid van een nederlaag onder ogen zien. De Koningin van de Duisternis trok zich terug en liet haar priester aan zijn lot over.

Sturm voelde de betovering uit zijn lichaam wegtrekken en merkte dat hij weer de controle had over zijn spieren. Hij zag dat Canaillaard zijn woede op Goudmaan richtte en woest naar haar uithaalde. De ridder sprong eropaf, terwijl hij vanuit zijn ooghoek Tanis zag opstaan met het elfenzwaard, dat glansde in het zonlicht, in zijn hand.

Samen renden de mannen op Goudmaan af, maar Waterwind was hen voor. De Vlakteman duwde haar uit de weg en ving met zijn zwaardarm de klap van de goedendag op waarmee de priester Goudmaans schedel had willen inslaan. Waterwind hoorde de priester schreeuwen: 'Middernacht!' Meteen werd zijn zicht belemmerd door dezelfde goddeloze duisternis die Caramon had overvallen.

De krijger van Que-shu had dit echter verwacht, dus raakte hij niet in paniek. Hij kon zijn vijand nog altijd horen. Resoluut negeerde hij de pijn in zijn arm, pakte zijn zwaard over in zijn linkerhand en stak daarmee in de richting waarin hij het gehijg van zijn vijand kon horen. Het zwaard ketste af op de stevige wapenrusting van de Drakenheer en vloog uit zijn hand. Waterwind tastte naar zijn dolk, al wist hij dat het hopeloos was, dat de dood niet meer kon worden afgewend.

Op dat moment besefte Canaillaard dat hij alleen was, beroofd van spirituele ondersteuning. Hij voelde de koude, skeletachtige hand van de wanhoop die zich om zijn hart sloot, en hij riep zijn Duistere Koningin aan. Zij had zich echter afgewend, in beslag genomen door haar eigen strijd.

Onder het drakenmasker begon Canaillaard te zweten. Hij vloekte op de helm, die hem leek te verstikken, waardoor hij niet genoeg adem kon krijgen. Te laat besefte hij hoe ongeschikt het masker was voor man-tot-mangevechten, omdat het zijn gezichtsveld beperkte. Hij zag de lange, verblinde, gewonde Vlakteman wel die recht voor hem stond. Hem kon hij op elk gewenst moment doden. Maar er waren nog twee krijgers in de buurt. De ridder en de halfelf waren bevrijd van de duivelse betovering die hij over hen had uitgesproken en kwamen nu dichterbij. Hij kon hen horen. Toen hij een beweging hoorde, draaide hij zich om en zag hij de halfelf met het glanzende elfenzwaard geheven op hem afrennen. Maar waar was de ridder? Canaillaard draaide zich om en deinsde achteruit, zwaaiend met zijn goedendag om hen op afstand te houden, terwijl hij met zijn vrije hand uit alle macht probeerde de drakenhelm van zijn hoofd te rukken.

Te laat. Op het moment dat Canaillaard zijn hand op het vizier legde, drong het magische zwaard van Kith-Kanan door zijn wapenrusting heen in zijn rug. De Drakenheer gilde het uit en draaide zich woest om, net op tijd om de Solamnische ridder in zijn door bloed vertroebelde gezichtsveld te zien opduiken. Het oeroude zwaard van Sturms voorvaderen drong in de buik van de priester, die zich op zijn knieën liet vallen. Nog steeds probeerde hij de helm af te doen, want hij kreeg geen adem en kon niets zien. Opnieuw voelde hij een zwaardsteek. De duisternis overspoelde hem.

Hoog boven zijn hoofd hoorde de stervende Matafleur, verzwakt door het bloedverlies uit haar vele wonden, haar kinderen haar naam roepen. Ze was in de war en gedesoriënteerd. Pyros leek van alle kanten tegelijk aan te vallen. Toen doemde de grote rode draak opeens vóór haar op, met op de achtergrond de flank van de berg. Matafleur zag haar kans schoon. Ze zou haar kinderen redden.

Een reusachtige steekvlam schoot uit Pyros' bek en neusgaten, recht in het gelaat van de oude draak. Tevreden keek hij toe hoe haar kop verschrompelde en haar ogen smolten.

Maar Matafleur sloeg geen acht op de vlammen die in haar ogen brandden en haar voorgoed verblindden, en vloog recht op Pyros af.

De grote mannetjesdraak, verdwaasd van woede en pijn en ervan overtuigd dat hij zijn vijand had verslagen, werd volkomen verrast. Op het moment dat hij inademde om opnieuw vuur te kunnen spuwen, besefte hij vol afschuw in wat voor heikele positie hij zich bevond. Hij had zich door Matafleur tussen haar en de loodrechte wand van de berg laten manoeuvreren. Hij kon nergens naartoe en had geen ruimte om zich om te draaien.

Met alle kracht die ze in haar eens zo gespierde lijf had, vloog Matafleur tegen hem aan als een speer geworpen door de goden. Samen sloegen de draken tegen de berg. De top beefde en spleet uiteen; de wand van de berg was opeens gehuld in een zee van vlammen.

In de jaren daarna, toen de dood van Vuurslag tot een legende was uitgegroeid, waren er die beweerden dat ze de draak iets hadden horen fluisteren, voordat haar stem als rook door de herfstwind werd meegevoerd: 'Mijn kinderen...'

De bruiloft.

De laatste dag van de herfst brak aan, helder en zonnig. Het was warm dankzij de geurige wind uit het zuiden, die nog niet was gaan liggen sinds de vluchtelingen waren weggegaan uit Pax Tharkas. Op hun vlucht voor de toorn van het drakenleger hadden ze meegenomen wat ze uit het fort konden bietsen.

Het had dagen geduurd voordat het draconenleger over de muur van Pax Tharkas was geklommen, omdat de poort werd geblokkeerd door rotsblokken en de torens werden verdedigd door greppeldwergen. Onder leiding van Sestun gooiden de greppeldwergen vanaf de muren stenen, dode ratten en soms zelfs elkaar naar de gefrustreerde draconen. Daardoor hadden de vluchtelingen genoeg tijd om de bergen in te trekken, waar ze niet ernstig werden bedreigd, hoewel zich soms schermutselingen voordeden met kleine groepen draconen.

Flint bood aan om met een groep mannen de bergen in te trekken, op zoek naar een plek waar de mensen de winter konden doorbrengen. Flint was bekend met dit berggebied, want het vaderland van de heuveldwergen bevond zich slechts iets verder naar het zuiden. Flint en zijn groep ontdekten een vallei omringd door hoge, onherbergzame toppen met verraderlijke passen die in de winter volgepakt lagen met sneeuw. Die passen konden gemakkelijk worden verdedigd tegen het machtige drakenleger, en er waren grotten waarin ze zich konden verbergen voor de woeste draken.

Via een gevaarlijk pad trokken de vluchtelingen door de bergen naar de vallei. Al snel werd de weg achter hen geblokkeerd door een lawine, die bovendien hun sporen uitwiste. Het zou nog maanden duren voordat de draconen hen vonden.

De vallei ver onder de bergtoppen was warm en bood beschutting tegen de felle winterwind en de sneeuw. In de bossen wemelde het van het wild. Heldere beekjes stroomden toe vanuit de bergen. De mensen rouwden om hun doden, verheugden zich in hun herwonnen vrijheid, bouwden schuilplaatsen en vierden een bruiloft.

Op de laatste dag van de herfst, toen de zon achter de bergen onderging en de met sneeuw bedekte toppen hulde in een gloed zo rood als stervende draken, traden Waterwind en Goudmaan in het huwelijk.

Toen ze getweeën naar Elistan waren gegaan om hem te vragen hun huwelijk in te zegenen, was hij diep vereerd geweest en had hij hun gevraagd hem te vertellen wat bij hun volk gebruikelijk was. Allebei antwoordden ze rustig dat hun volk dood was. De Que-shu waren verdwenen, en met hen hun gebruiken.

'Dit wordt ónze ceremonie,' zei Waterwind. 'Het begin van iets nieuws, niet een voortzetting van iets wat verdwenen is.'

'Al zullen we de nagedachtenis van ons volk in ons hart eren,' voegde Goudmaan er zachtjes aan toe, 'we moeten vooruit kijken, niet achterom. We zullen het verleden eren door er de goede en droevige dingen uit mee te nemen die ons hebben gemaakt tot wat we zijn. Maar we laten ons niet langer door het verleden dicteren.'

Daarom bestudeerde Elistan de schijven van Mishakal om te leren wat de oude goden over het huwelijk te zeggen hadden. Hij vroeg Goudmaan en Waterwind om hun eigen geloften te schrijven en daarvoor in hun hart te zoeken naar de ware betekenis van hun liefde. Die geloften zouden immers ten overstaan van de goden worden afgelegd en hen tot na de dood aan elkaar verbinden.

Eén gewoonte van de Que-shu hield het stel wel in ere, en dat was het gegeven dat het bruidsgeschenk en het bruidegomsgeschenk niet konden worden gekocht. Dat symbool van de liefde moesten de geliefden zelf vervaardigen. De geschenken zouden tijdens het uitspreken van de geloften worden uitgewisseld.

Toen de stralen van de zon zich spreidden aan de hemel, nam Elistan zijn plaats op een kleine heuvel in. Aan de voet van die heuvel verzamelden de mensen zich. Uit het oosten kwamen Tika en Laurana, ieder met een toorts in hun handen. Achter hen liep Goudmaan, stamhoofdsdochter. Haar haren vielen als een waterval van gesmolten goud, doorspekt met zilver om haar schouders. Op haar hoofd had ze een kroon van herfstbladeren. Ze droeg de eenvoudige, met bont afgezette tuniek van hertenleer die ze ook tijdens hun avontuur aan had gehad. Om haar hals glinsterde het medaillon van Mishakal. Haar bruidsgeschenk was gewikkeld in een doek zo fijn als een spinnenweb, want haar geliefde moest het als eerste zien.

Tika liep plechtig en met troebele ogen van verwondering voor haar uit. Het hart van het jonge meisje was vervuld van haar eigen dromen.

Voor haar leek het grote mysterie dat mannen en vrouwen deelden helemaal niet zo beangstigend meer te zijn als ze had gevreesd, maar een zoete, mooie ervaring.

Laurana, die naast Tika liep, hield haar toorts hoog geheven om het wegstervende daglicht te ondersteunen. De mensen prevelden om Goudmaans schoonheid, maar vielen stil als Laurana langskwam. Goudmaan was een mens, en haar schoonheid was die van bomen, bergen en de hemel. Laurana's schoonheid was die van de elfen, bovenaards en mysterieus.

De twee vrouwen brachten de bruid naar Elistan toe en draaiden zich toen om naar het westen in afwachting van de bruidegom.

Fel brandende toortsen verlichtten Waterwinds weg. Met een zachte, weemoedige uitdrukking op hun gezicht gingen Sturm en Tanis hem plechtig voor. Waterwind kwam achter hen aan, hoog boven hen uittorenend, en zijn gezicht stond net zo streng als anders. Maar zijn ogen straalden een vreugde uit die het licht van de toortsen overtrof. Zijn zwarte haar was gekroond met herfstbladeren en over zijn bruidegomsgeschenk lag een zakdoek van Tasselhof. Achter hem liepen Flint en de kender. Caramon en Raistlin kwamen als laatste. De magiër droeg zijn eigen staf met het lichtgevende kristal in plaats van een toorts.

De mannen brachten de bruidegom naar Elistan toe en voegden zich toen bij de vrouwen. Tika had opeens Caramon aan haar zijde. Verlegen raakte ze zijn hand aan. Met een tedere glimlach naar haar omvatte hij haar kleine hand, zodat die geheel verdween in zijn grote hand.

Toen Elistan naar Waterwind en Goudmaan keek, moest hij denken aan het afschuwelijke verdriet, de angst en de gevaren die ze hadden getrotseerd, en bedacht hij hoe hard het leven voor hen was geweest. Had de toekomst wel iets anders in petto? Even werd hij zo overweldigd door emoties dat hij niets kon zeggen. Het bruidspaar zag zijn verdriet, begreep het wellicht ook, en ze staken geruststellend hun armen naar hem uit. Elistan trok hen tegen zich aan en fluisterde woorden die alleen voor hun oren bestemd waren.

'Jullie liefde en jullie geloof in elkaar hebben deze wereld weer hoop geschonken. Allebei waren jullie bereid je leven op te offeren voor die belofte van hoop, en ieder van jullie heeft ooit het leven van de ander gered. Nu schijnt de zon, maar zijn stralen worden zwakker en voor ons ligt de nacht. Voor jullie is het net zo, mijn vrienden. Jullie wacht een lange duisternis voordat je de ochtend zult bereiken. Maar jullie liefde zal je als een toorts de weg wijzen.'

Toen deed Elistan een stap achteruit en sprak de genodigden toe. Zijn stem, die in eerste instantie hees klonk, werd steeds sterker, want hij voelde zich omringd door de vrede van de goden en wist dat zij dit paar hun zegen gaven.

'De linkerhand is de hand van het hart,' zei hij terwijl hij Goudmaans linkerhand in de linkerhand van Waterwind legde en zijn eigen linkerhand eroverheen hield. 'Wij geven elkaar de linkerhand, opdat de liefde in het hart van deze man en deze vrouw zich mag samenvoegen tot iets groters, zoals twee beekjes samenkomen om een machtige rivier te vormen. De rivier stroomt door het land, vertakt zich in zijrivieren en verkent nieuwe wegen, maar wordt immer aangetrokken door de eeuwige zee. Ontvang hun liefde, Paladijn, grootste der goden. Zegen hen en schenk hun vrede, in elk geval in hun hart, al is er in dit verscheurde land geen vrede te vinden.'

In de gewijde stilte sloegen mannen en vrouwen hun armen om elkaar heen. Vrienden gingen dichter bij elkaar staan, kinderen zwegen en kropen tegen hun ouders aan. Harten vol rouw vonden troost. Vrede vervulde hen.

'Leg dan nu jullie geloften aan elkaar af,' zei Elistan, 'en wissel de geschenken van jullie hand en hart uit.'

Goudmaan keek Waterwind recht in de ogen en sprak zachtjes.

Draken rijden op de wind
en in het noorden woedt de strijd.
De wijzen roepen eensgezind
voor onversaagdheid en voor moed
voor wijsheid is het nu de tijd,
hier waar de strijd het hevigst woedt.
Dat alles is nu groter dan
de belofte van een vrouw aan een man.'

Maar jij en ik belijden hier
door brandende vlakte en donkere aard'
de hemel die schonk aan mens en dier
het leven, de adem van ons bestaan
die in de leegte tussen ons waart,
alsmede het altaar waarvoor wij staan.
Dat alles wordt nu groter van
de belofte van een vrouw aan een man.

Toen sprak Waterwind:

In het diepst van een winter die gaapt
tussen een hemel en een aarde grijs

hier in het hart van de sneeuw die slaapt
ontspruit aan rijke groene grond
de vallènboom die we groeten met
een 'ja' dat galmt uit onze mond.
Dat alles is immers groter dan
de eed aan een bruid door haar man.

Als wij ons houden aan onze eed,
gehoord door helden en zonder vrees
in de gapende nacht gesmeed,
vooruitziend naar de lenteschijn
dan zullen de kinderen sterren zien
en de maan waar nu de draken zijn.
En alles van eenvoud wordt groter van
de eed aan een bruid door haar man.

Nadat de geloften waren uitgesproken, wisselde het bruidspaar geschenken uit. Verlegen overhandigde Goudmaan haar geschenk aan Waterwind. Met bevende handen pakte hij het uit. Het was een ring, gevlochten van haar eigen lokken, dat op zijn plaats werd gehouden door gouden en zilveren ringen die net zo fijn waren als de haren die ze omvatten. Goudmaan had Flint de sieraden van haar moeder gegeven, en de vingers van de oude dwerg hadden niets van hun vaardigheid ingeboet.

In het verwoeste Soelaas had Waterwind een vallèntak gevonden die aan het drakenvuur was ontsnapt en in zijn reistas gestopt. Nu was die tak het geschenk dat Waterwind aan Goudmaan gaf: een volmaakt gladde, eenvoudige ring. Als het werd opgepoetst, kreeg het hout van de boom een rijke gouden gloed, doorspekt met strepen en kringen van heel zacht bruin. Toen Goudmaan hem in haar hand hield, moest ze denken aan die avond dat ze de machtige vallènbomen voor het eerst had gezien, toen ze vermoeid en bang Soelaas waren binnengestrompeld, in het bezit van de blauw kristallen staf. Ze begon zachtjes te huilen en veegde haar tranen weg met Tas' zakdoek.

'Zegen deze geschenken, Paladijn,' zei Elistan, 'deze symbolen van liefde en opoffering. Mogen deze twee tijdens de donkerste uren van hun leven op deze geschenken neerkijken en hun pad verlicht zien door liefde. Machtige, stralende god, god van mensen en elfen, god van kenders en dwergen, zegen deze man en deze vrouw, uw kinderen. Moge de liefde die zij vandaag in hun hart planten worden gevoed door hun ziel en uitgroeien tot een levensboom die beschutting en bescherming biedt aan iedereen die zijn toevlucht zoekt onder zijn reikende takken. Met het verstrengelen van de handen, het afleggen van geloften en het uitwisselen van geschenken zijn jullie, Waterwind, kleinzoon van Zwerver, en Goudmaan, stamhoofdsdochter, één. Eén in jullie hart, één onder de mensen, één in de ogen van de goden.'

Waterwind nam zijn ring uit de hand van Goudmaan en schoof die om haar slanke vinger. Goudmaan nam haar ring uit de hand van Waterwind. Die knielde voor haar neer, zoals bij de Que-shu gebruikelijk was. Maar Goudmaan schudde haar hoofd.

'Sta op, krijger,' zei ze, glimlachend door haar tranen heen.

'Is dat een bevel?' vroeg hij zachtjes.

'Het laatste bevel van de stamhoofdsdochter,' fluisterde ze.

Waterwind stond op. Goudmaan schoof de ring aan zijn vinger. Toen nam Waterwind haar in zijn armen. Hun lippen, hun lichamen, hun zielen versmolten. De genodigden juichten, en overal werden toortsen aangestoken. De zon zakte weg achter de bergen, en de hemel baadde in een paarlen gloed van paarse en zachtrode tinten, die zich al snel verdiepten tot het diepe blauw van de nacht.

De bruid en bruidegom werden door de juichende menigte de heuvel afgedragen, waarop het feest kon beginnen. Enorme tafels, vervaardigd van vurenhout uit het bos, waren op het gras klaargezet. De kinderen, die blij waren dat de indrukwekkende ceremonie er eindelijk op zat, renden schreeuwend rond en speelden drakendodertje. Die avond werd niemand geplaagd door angst en zorgen. Mannen openden de grote vaten bier en wijn die ze uit Pax Tharkas hadden meegenomen en begonnen te drinken op de bruid en bruidegom. Vrouwen kwamen reusachtige schalen brengen, hoog opgetast met wild, groenten en fruit uit het bos en de voorraadkamers van Pax Tharkas.

'Uit de weg, geef me de ruimte,' bromde Caramon terwijl hij aan een tafel ging zitten. Lachend schoven de reisgenoten voor hem opzij. Maritta en twee andere vrouwen kwamen op hem af en zetten een enorm bord vol hertenvlees voor hem op tafel.

'Eindelijk een behoorlijke maaltijd,' verzuchtte de grote krijger.

'Hé,' brulde Flint terwijl hij met zijn vork een sissend stuk vlees van Caramons bord pikte. 'Ga je dat nog opeten?'

Rustig dooretend goot Caramon zwijgend een kan bier leeg over het hoofd van de dwerg.

Tanis en Sturm zaten naast elkaar zachtjes te praten. Af en toe dwaalde Tanis' blik af naar Laurana. Zij zat aan een andere tafel geanimeerd met Elistan te praten. Tanis bedacht dat ze er beeldschoon uitzag die avond, en besefte dat ze heel anders was dan het koppige, verliefde meisje dat hem vanuit Qualinesti was gevolgd. Dat was een verandering die hem wel aanstond, besloot hij. Maar toch vroeg hij zich onwillekeurig af wat zij en Elistan zo interessant vonden.

Sturm legde zijn hand op Tanis' arm. De halfelf schrok ervan. Hij was de draad van het gesprek kwijt. Blozend wilde hij zijn verontschuldigingen aanbieden, maar toen zag hij de uitdrukking op Sturms gezicht.

'Wat is er?' vroeg Tanis, die geschrokken half overeind kwam.

'Sst, niet bewegen!' beval Sturm. 'Alleen kijken, daar. Zie je wie daar in zijn eentje zit?'

Verbaasd keek Tanis in de richting die Sturm aanwees. Toen zag hij de man zitten, ver van iedereen, over zijn bord gebogen, etend alsof hij het voedsel niet echt proefde. Telkens als iemand in de buurt kwam, kromp de man ineen en hield de voorbijganger nerveus in de gaten tot hij weer weg was. Opeens keek hij op, misschien omdat hij Tanis' blik kon voelen, en keek hen recht aan. Met een kreet liet de halfelf zijn vork vallen.

'Maar dat kan helemaal niet!' zei hij met verstikte stem. 'We zagen hem sterven, samen met Eben! Hoe kan iemand het overleven als—'

'Dan heb ik dus gelijk,' zei Sturm grimmig. 'Jij herkent hem ook. Ik dacht al dat ik gek aan het worden was. Kom, dan gaan we met hem praten.'

Toen ze echter opkeken, was hij verdwenen. Snel keken ze om zich heen, maar het was nu onmogelijk om hem nog terug te vinden.

Zodra de zilveren en de rode maan opkwamen, vormden de getrouwde stellen een kring om de bruid en bruidegom om bruiloftsliederen te zingen. Ongetrouwde stellen dansten buiten de kring, terwijl de kinderen schreeuwend op en neer sprongen, genietend van het feit dat ze laat mochten opblijven. Er brandden felle vreugdevuren, overal klonken stemmen en muziek, en de zilveren en de rode maan verlichtten de hemel. Goudmaan en Waterwind stonden met hun armen om elkaar heen in het midden van de kring, en in hun ogen schitterde een licht waar de manen en het vuur bij in het niet vielen.

Tanis stond aan de rand van het feestgewoel naar zijn vrienden te kijken. Laurana en Gilthanas voerden onder het zingen van een vreugdelied een prachtige, sierlijke oude elfendans uit. Sturm en Elistan praatten over hun plannen om naar het zuiden te trekken, op zoek naar de legendarische havenstad Tarsis de Schone, waar ze schepen hoopten te vinden die de mensen konden wegvoeren uit dit door oorlog verscheurde land. Tika, die het beu was om Caramon te zien eten, plaagde Flint net zo lang totdat die er, met vuurrode konen die dwars door zijn baard heen zichtbaar waren, mee instemde om met haar te dansen.

Waar zou Raistlin zijn, vroeg Tanis zich af. De halfelf herinnerde zich dat hij de magiër tijdens het banket nog had gezien. Hij had weinig gegeten en stilletjes zijn kruidendrankje gedronken. Tanis had hem nog bleker en zwijgzamer gevonden dan anders. Hij besloot naar hem op zoek te gaan. Het gezelschap van de cynische magiër met de duistere ziel stond hem die avond meer aan dan muziek en gelach.

Tanis wandelde de maanverlichte duisternis in. Op de een of andere manier wist hij dat hij in de goede richting liep, en inderdaad, na een tijdje vond hij Raistlin, gezeten op de stomp van een oude boom waarvan de door bliksem verwoeste, zwartgeblakerde resten verspreid op de grond lagen. De halfelf ging naast de zwijgende magiër zitten.

Achter de halfelf versmolt een kleine gestalte met de schaduw van de bomen. Eindelijk zou Tas te horen krijgen waar die twee over praatten!

Met zijn vreemde ogen staarde Raistlin in de richting van het land in het zuiden, waarvan tussen twee bergtoppen door een klein stukje zichtbaar was. De wind kwam nog steeds uit het zuiden, maar begon nu te draaien. De temperatuur daalde. Tanis voelde Raistlins frêle lichaam rillen. Toen hij hem in het maanlicht eens goed bekeek, viel het Tanis plotseling op hoezeer de magiër op zijn halfzus Kitiara leek. Het was een vluchtige indruk die bijna net zo snel ging als hij gekomen was, maar het was genoeg om Tanis aan de vrouw te doen denken. Dat wakkerde zijn onrust nog verder aan. Rusteloos gooide hij een stukje boombast van de ene hand naar de andere.

'Wat zie je in het zuiden?' vroeg Tanis abrupt.

Raistlin keek hem vluchtig aan. 'Wat zie ik toch steeds met die ogen van mij, halfelf?' fluisterde de magiër verbitterd. 'Ik zie dood, dood en vernietiging. Ik zie oorlog.' Hij gebaarde naar boven. 'De sterrenbeelden zijn niet teruggekeerd. De Koningin van de Duisternis is niet verslagen.'

'We hebben de oorlog niet gewonnen, dat klopt,' zei Tanis, 'maar we mogen toch wel zeggen dat we een belangrijke slag—'

Raistlin hoestte en schudde mismoedig het hoofd.

'Zie je dan helemaal geen hoop?'

'Hoop is een ontkenning van de realiteit. Het is de wortel die je voor de neus van een ploegpaard hangt zodat hij zal blijven lopen in een zinloze poging om hem te bereiken.'

'Vind je dan dat we het maar gewoon moeten opgeven?' vroeg Tanis terwijl hij geërgerd het stuk boombast weggooide.

'Ik vind dat we die wortel zouden moeten weghalen en met open ogen moeten doorlopen,' antwoordde Raistlin. Hoestend sloeg hij zijn gewaad strakker om zich heen. 'Hoe wil je tegen de draken vechten, Tanis? Want er zullen er meer komen. Meer dan je je kunt voorstellen. En waar is Huma? Waar is de Drakenlans? Nee, halfelf. Begin tegen mij niet over hoop.'

Tanis gaf geen antwoord, en de magiër deed er verder het zwijgen toe. Stilletjes bleven ze zitten, de een met zijn blik nog steeds naar het zuiden gericht, de ander kijkend naar de grote gaten aan de met sterren bezaaide hemel.

Tasselhof liet zich op het zachte gras onder de dennenbomen zakken. 'Geen hoop,' herhaalde de kender somber. Hij had er al spijt van dat hij de halfelf was gevolgd. 'Ik geloof er niks van,' zei hij, maar zijn blik dwaalde af naar Tanis, die naar de sterren zat te staren. Tanis geloofde het wel, besefte de kender, en die gedachte vervulde hem met angst.

Sinds de dood van de oude tovenaar had zich in Tasselhof ongemerkt een verandering voltrokken. Hij begon te beseffen dat dit avontuur geen grapje was, dat er een doel aan ten grondslag lag waarvoor mensen bereid waren hun leven te geven. Hij vroeg zich af waarom hij erbij betrokken was geraakt, maar bedacht toen dat hij Fizban misschien al het antwoord had gegeven: omdat de kleine dingen die hij voorbestemd was te doen op de een of andere manier belangrijk waren voor het grote geheel.

Tot op dat moment was het echter nooit bij de kender opgekomen dat het allemaal misschien wel voor niets zou zijn. Het zou misschien geen enkel verschil maken: ze zouden misschien moeten lijden en afscheid nemen van mensen van wie ze hielden, zoals Fizban, en de draken zouden uiteindelijk misschien toch winnen.

'Maar toch,' zei de kender zachtjes, 'moeten we blijven hopen, moeten we het blijven proberen. Dat is belangrijk, het proberen en het hopen. Misschien wel het belangrijkst van alles.'

Er zweefde zachtjes iets omlaag dat langs Tas' neus streek. De kender stak zijn hand uit om het te vangen.

Het was een wit kippenveertje.

'Het lied van Huma' was het laatste, en volgens velen het beste, werk van de elfenbard Quivalen Soth. Na de Catastrofe zijn slechts delen ervan bewaard gebleven. Er wordt beweerd dat je er aanwijzingen in kunt aantreffen omtrent de toekomst van de wereld als je het aandachtig bestudeert.

Het lied van Huma

Uit het dorp, uit het strooien, beklemmende land
Uit het graf en de voor, de voor en het graf
Waar zijn zwaard voor het eerst proefde
Van de laatste wrede dans van de jeugd, en ontwaakte
Op het eeuwig deinzende land, groots als moerasvuur
Boven zich immer de ijsvogel in scheervlucht
Liep Huma nu op rozen,
In het vlakke licht van de Roos.
Geplaagd door draken zocht hij het eind van het land,
De grens van verstand en gevoel,
In de Wildernis, waar Paladijn hem smeekte te gaan,
En daar in de oorverdovende tunnel der messen
Groeide hij in smetteloos geweld, in verlangen,
Gejaagd in zichzelf door de razende uitdaging der stemmen.

Daar, toen, vond hem de Witte Hertenbok,
Aan 't eind van een reis ontsproten aan de kust van de Schepping,
En de tijd wankelde aan de rand van het woud
Waar Huma, geplaagd en hongerig
Zijn boog trok, de goden prijzend om hun gulheid en bescherming,
Maar zag, in het uitgestrekte woud,
In de eerste stilte het teken van het hart,
De schittering van het machtige gewei.
Hij vergat de boog, en de wereld draaide verder.

428

Zo volgde Huma de hertenbok, het gewei dat zich verwijderde
Als de herinnering aan jong licht, als de klauwen van een vogel in vlucht.
Voor hen hurkten de bergen. Niets zou nog veranderen,
De drie manen stonden stil aan de hemel
En de lange nacht tuimelde in de schaduw.

Het was ochtend toen ze het veld bereikten,
De schoot van de berg, waar de bok vertrok.
En Huma volgde niet, want het eind van zijn reis
Was slechts het groen en de blijvende belofte van groen
In de ogen van de vrouw die voor hem stond.
Heilig de dagen waarin hij haar naderde, heilig de lucht
Die zijn woorden van liefde, zijn vergeten liederen droeg,
En de verrukte manen knielden op de Grote Berg.
Maar zij ontweek hem, stralend en ongrijpbaar als moerasvuur
Naamloos en schoon, schoner door haar naamloosheid,
En ze leerden dat de wereld, de verblindende vlakten van de hemel
De Wildernis zelf
Kaler en kleiner waren dan het woud van het hart.
Aan het eind van de dagen vertelde ze hem haar geheim.

Want een vrouw was zij niet, noch was ze sterfelijk,
Een dochter en erfgenaam was zij uit een geslacht van Draken.
Voor Huma werd de hemel dof, bezoedeld door manen
Het korte leven van het gras bespotte hem en zijn vaderen
En het gehoornde licht brandde op de verglijdende Berg.
Maar naamloos bood zij hem een hoop die zij niet bezat,
Die alleen Paladijn kon vervullen, dat zij door zijn eeuwige wijsheid
Het altijd kon verlaten, en dat daar in haar zilveren armen
De belofte van het woud kon groeien en bloeien.
Om die wijsheid bad Huma, en de bok keerde weer,
En oostwaarts, door de verwoeste velden, door as,
Door sintels en bloed, de oogst van de draken
Trok Huma, zich koest'rend in dromen over de Zilveren Draak,
Met de bok als een eeuwig baken voor hem uit.

Eindelijk de laatste haven, een tempel zo ver in het oosten
Dat hij lag daar waar het oosten eindigt.
Daar verscheen Paladijn
In een poel van sterren en glorie, en verkondigde
Dat van alle keuzes de moeilijkste voor Huma was.
Want Paladijn wist: in 't hart nestelen verlangens,
Dat we eeuwig kunnen reizen naar het licht om te worden
Wat we nooit kunnen zijn.
De bruid van Huma kon het zengende zonlicht betreden,
tezamen konden ze terug naar het strooien land
En het geheim van de Lans achter zich laten, de wereld
Onbevolkt in duisternis, gehuwd met de draken.
Of Huma nam de Drakenlans ter hand en zuiverde heel Krynn
Van dood en overheersing, en de groene paden van zijn liefde.

De moeilijkste keuze van al, en Huma bedacht
Hoe de Wildernis zijn eerste gedachten had beschut en gedoopt
Onder de koesterende zon, en nu
Nu de zwarte maan draaide en tolde, en de lucht
En de ziel zoog uit Krynn, uit alle dingen op Krynn,
Uit het bos, uit de bergen, uit het verlaten land,
Wilde hij slapen, wilde hij alles vergeten,
Want de keuze was een keuze voor pijn, en was
Als hitte op de hand als de arm is afgehakt.
Maar zij kwam tot hem, stralend en wenend,
In een landschap van dromen, waar hij de wereld
Op de glans van de Lans zag ondergaan en herleven.
Haar vaarwel bracht ondergang en herleving.
In zijn gedoemde aderen barstte de horizon open.

Hij nam de Drakenlans, het verhaal ter hand,
De bleke hitte stroomde door zijn geheven arm
En de zon en de drie manen, wachtend op een wonder,
Hingen tezamen in de lucht.
Naar de Toren van de Hooggeletterde in het westen reed Huma
Op de rug van de Zilveren Draak,
En het pad van hun vlucht ging over een verwoest land
Waar enkel de doden liepen, drakennamen op hun lippen
En de mannen in de Toren, omringd en geplaagd door draken
En doodskreten, het gebrul van een vraatzuchtige hemel,
Wachtten op de onuitsprekelijke stilte,
Wachtten op het ergste, bang dat de aanslag op oog en oor
Zou eindigen in dat moment van niets
Waarin de geest zich neervlijt met zijn verliezen en duisternis.

Maar het geschal van Huma's hoorn in de verte
Danste op de kantelen. Heel Solamnië hief
Zijn gezicht naar de oostelijke hemel, en de draken
Rezen naar de hoogste hemelen, wetend
Dat een gruwelijke verandering was gekomen.
Uit het tumult van vleugels, uit de drakenchaos,
Uit het hart van het niets, scheerde de Moeder van de Nacht
Gehuld in een kolkende nietsheid van kleuren
In de starende blik van de zon naar het oosten
En de hemel brak in zilverwitte scherven.
Op de grond lag Huma, met aan zijn zijde een vrouw
Haar zilveren huid gebarsten, de belofte van groen
Vervlogen uit het geschenk van haar ogen. Ze fluisterde haar naam toen
De Duistere Koningin boven Huma keerde.

Ze daalde af, de Moeder van de Nacht,
En van de hoge kantelen zagen mannen schaduwen
Kolken op de kleurloze duikvlucht van haar vleugels.
Een krot van stro en riet, het hart van een Wildernis,
Een gevallen zilveren licht, besmeurd met afschuwelijk rood,
En uit het midden van de schaduw